Månpocket
Fakta

D1589775

Lasse Wierup och Matti Larsson

SVENSK MAFFIA

Fortsättningen

Månpocket

*Förlaget har inte lyckats nå upphovsrättsinnehavarna till alla bilder,
men är givetvis berett att i förekommande fall ersätta upphovsmännen
enligt branschens standardtariff.*

Denna Månpocket är utgiven enligt överenskommelse med
Reporto Förlag, Stockholm

Omslag: Miroslav Sokcic
Omslagsbild: Nollimages.com

Tryckt hos ScandBook AB, Falun 2011

ISBN 978-91-7232-241-7

INNEHÅLL

PROLOG

Det är en grådaskig dag i mars 2010. Christina och hennes väninna Lena har tagit spårvagnen från Olskroken och stigit av vid Kvibergs hållplats, i Göteborgs östra utkant. Tillsammans går de längs Regementsvägen, upp mot Kvibergs kyrkogård. Det är förmiddag och inte mycket trafik. På håll hörs ett monotont dunkande från en maskin som slår ner pålar i marken. Kråkor låter i träden vid kyrkogårdens infart.

Den vidsträckta begravningsplatsen ligger i en sluttning. I fonden syns bergsknallar och granar. Christina och Lena knatar på uppför. I ena handen håller Christina en bukett påskliljor.

– Jag brukar gå hit en gång varannan vecka … och på högtider och födelsedagar, säger hon.

Gravstenen ligger halvvägs upp i sluttningen. Den är tillverkad av granit som slipats blank och har formen av ett hjärta. På nedre delen av de respektive sidorna finns två gjutna händer, som varsamt håller hjärtat mellan sig.

Christina tar några steg över det vårbleka gräset och sätter sig på huk framför stenen. Hon för högra handens fingrar till sina läppar. Sen tar hon ner handen och rör vid de bilder som är fastsatta på stenen. Först Andreas, sen Christian.

En lång stund sitter Christina alldeles tyst. Lena står ett par meter bakom, stilla.

– Det är så fel. De ska ju inte ligga här utan vara med mig, säger Christina med ansiktet vänt mot gravstenen.

Det var Christian som rycktes bort från familjen först. Det är åtta år sedan nu. En fin kväll i juni hade han åkt in till Göteborg från Lövgärdet tillsammans med *några kompisar. De hade festat och haft kul. Först när det var ljust ute började de tänka på att åka hemåt.*

Utanför Centralstationen fick de syn på en kille. Han verkade aggressiv och ute efter bråk. Plötsligt började han jaga en tjej. En av Christians kompisar sprang ifatt killen och tog tag i hans halskedja. Christian kom efter för att avstyra det hela. I det läget vändes killens ilska mot honom. Killen fick upp en kniv och högg mot Christian. Inte bara en gång utan flera. Ett av sticken skar in i Christians lungpulsåder. Lika snabbt som situationen uppstått var den över.

Christina ska aldrig glömma hur poliserna gav henne beskedet. "Christian ... du kommer aldrig mer att få träffa honom", sa de i hallen till familjens lägenhet. Hennes skrik väckte Andreas. Han var fjorton och det var första dagen på sommarlovet. När Andreas förstod att hans storebror var död sprang han tillbaka in på rummet. Sa ingenting. Bara satt där.

Christina hade svårt att prata med Andreas tiden efter dråpet. Hennes egen sorg stod i vägen.

"Jag blev inte riktigt det stöd som Andreas hade behövt, jag var för ledsen. Och hans pappa fanns inte där, fast att Andreas verkligen hade behövt honom. Socialen ordnade visserligen en kontakt med en psykolog, men som jag minns det pratade de bara en enda gång." Så har Christina berättat vid ett av våra tidigare möten.

Lena, som kände Andreas sedan han var liten, försökte hitta på kul grejer ihop med honom så att han skulle få annat att tänka på. Ibland kände hon att hon nådde in. Andra gånger tog det stopp.

"Han bar på ett väldigt hat mot den som hade tagit hans bror ifrån honom. Och han fick ingen riktig hjälp att hantera den känslan", har Lena berättat.

Efter rättegången började Andreas prata om att han ville hämnas. Han tyckte inte att rättspsykiatrisk vård var ett tillräckligt straff för mannen som dödat Christian. Lena försökte tala Andreas till rätta och sa att det inte skulle tjäna någonting till. Andreas menade att det i alla fall skulle få honom att må lite bättre.

Exakt när Andreas började umgås med Bandidos supportergrupp X-team vet Christina inte. Men samma år som han blev tjugo hittade hon en lapp i hans jackficka där gängets namn stod skrivet. Varför hade han gått med där? "Det är lugnt mamma, det är bara ett gäng kompisar", svarade Andreas. Trots att han inte sa det fick Christina en känsla av att det var hämndlystnaden som drev honom. I X-team hade han uppbackning och kunde känna sig starkare.

Någon hämnd tog Andreas aldrig. Istället ledde medlemskapet i gänget snart till att det var han som måste se sig över axeln. X-team hade fiender. Det förstod Christina när sonen, som bodde kvar i sitt pojkrum, fick ett telefonsamtal mitt i natten. En annan X-teammedlem hade blivit skjuten i benen i sin lägenhet, bara hundra meter bort. Andreas tog på sig kläder och skor och sprang ut. I gänget ställde de upp för varandra.

Efter detta skaffade Andreas en skottsäker väst. Under några veckor sommaren 2008 blev sex av hans vänner i gänget beskjutna eller utsatta för sprängattentat. Ingen dog, men flera skadades. Christina och Lena försökte få Andreas att inse att han måste lämna gänget. Fattade han inte vad som kunde hända?

Lena vänder sig till oss och berättar, där vi står en bit från gravstenen och Christina.

– En gång när vi var här … det var samma dag som Christian skulle ha fyllt år … då frågade jag Andreas om han verkligen ville ligga här i jorden bredvid sin bror. Han skrattade till, jag minns det så väl. Inget skulle hända, det lovade han. Men på något sätt kändes det som att han fick sig en liten tankeställare.

Det gick knappt tre veckor. Sen fick Christina åter besök av två poliser. Den här gången hade de en präst med sig. Christina kände hur allt dog inom henne. De kommande dagarna var som en enda ond repris. Bårhuset. Skynket över kroppen. Identifieringen.

Men det värsta var kanske ändå att ingen skulle fällas för mordet. Andreas och två vänner hade råkat stöta på några medlemmar i Hells Angels undergrupp Red and White Crew i Biskopsgården. Bägge grupperna hade varit beväpnade. Men de andra sköt först. Andreas träffades av hagelsplitter, sen av fyra kulor i nacken på nära håll. Vem som avlossade de dödande skotten kunde aldrig redas ut.

När Christina kommer tillbaka från stenen möter Lena henne med en kram. Sen vänder de sig mot graven igen.

– Jag skulle få se dem bilda familjer. Jag skulle få barnbarn … nu blir det inget, säger Christina med låg röst.

Det var många som tog farväl av Andreas, han var en omtyckt kille. Även Bandidos ville komma på begravningen. Christina sa nej. Hon ville aldrig höra talas om gänget mer.

De båda kvinnorna går tillbaka ut mot kyrkogårdens grindar. Pålmaskinens monotona hamrande låter fortfarande.

GÄNGENS ETABLERING OCH UTVECKLING

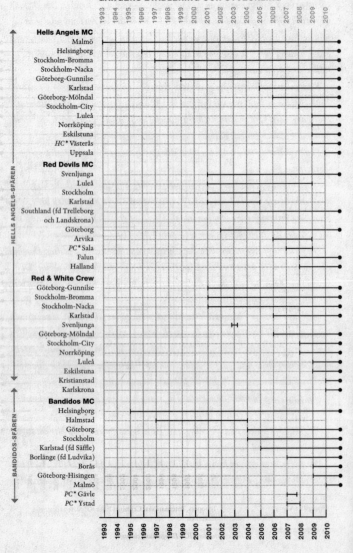

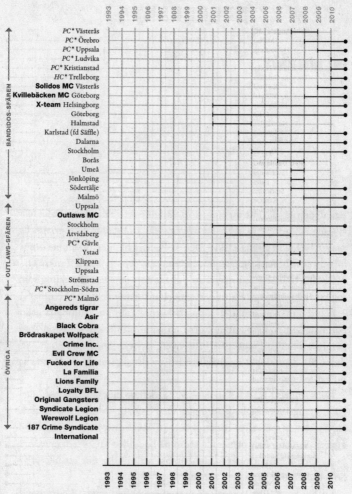

Uppgift saknas: Chosen Ones, Troopers, International Criminal Elite, Gårdstensalliansen
och Södertäljenätverket.

* PC – Prospect chapter, HC – Hangaround chapter

INLEDNING

Egentligen var det inte meningen att vi skulle skriva den här boken. När vi i augusti 2007 gav ut *Svensk Maffia – en kartläggning av de kriminella gängen* tyckte vi att det räckte. Det skulle bara bli mer av samma om vi fortsatte att berätta om gängmedlemmarnas senaste brott. Tänkte vi.

Redan ett år senare insåg vi att vi hade haft fel. Den utveckling som tog fart blev i många avseenden annorlunda jämfört med åren innan.

Bland annat på grund av uppgörelserna. Från att kriminella grupperingar samexisterat utan större problem utbröt en situation som påminde om den i mitten av 1990-talet, då Hells Angels MC och Bandidos MC låg i öppet krig. Skillnaden var att aktörerna och fronterna nu var många fler.

Hells Angels MC och Bandidos MC gick ihop mot Outlaws MC. Original Gangsters drabbade samman med X-team. Bandidos bestämde sig för att utrota Hog Riders MC. En lokal gruppering i Angered angrep X-team. Asir planerade mord på Bandidos MC:s ledare i Göteborg. Och flera personer skulle komma att mördas när ett nätverk i Södertälje gjorde upp med X-team.

En del konflikter bottnade i personliga kränkningar. Andra handlade om realpolitik. Med våld kan maktfullkomliga grupper inte bara få bort en konkurrent – utan också växa, genom att tvinga in fiendens soldater i de egna leden.

Liksom i alla krig undviker ledarna att själva ge sig ut på slagfältet.

Istället är det de färskaste rekryterna som skickas ut med skjutvapen och skottsäkra västar – allt enligt den hierarkiska ordning som råder inom många grupperingar. Att Bandidos, med undergruppen X-team, har varit en part i så gott som samtliga konflikter är ingen slump. Ända sedan organisationen etablerades i Sverige 1995 har medlemmarna ägnat mer engagemang åt att försöka kuva sin omgivning än att köra de motorcyklar som myten säger att allt handlar om.

Det finns de som kallar det "bikerkultur" när gängen gör upp öga mot öga, tand för tand. Bland annat Frihetspartiet, som startats för att försvåra polisens arbete mot den kriminella mc-miljön. Vi kallar det cyniskt maktspel, människoförakt och utnyttjande av förvirrade unga män, som ibland bara sökt gemenskap och sammanhang. Den här boken vill vi tillägna alla dem som drabbas direkt eller indirekt av gängens våld. Mamman Christina i Göteborg är en av många.

Kort efter att vår första bok gavs ut inträffade ett dåd som visade att de kriminella gängen inte bara var beredda att attackera varandra. Tidigt på morgonen den 20 november 2007 detonerade en bomb utanför ett gult radhus på Stamkullevägen i Trollhättan. Entrédörren sprängdes sönder och mängder av små flisor kastades in i bostaden.

Hade bostadens ägare befunnit sig i hallen skulle personen löpt risk att dö. Den personen var femtiotreåriga Barbro Jönsson. En tuff och frispråkig åklagare som i sitt dagliga arbete gjorde vad hon kunde för att sticka käppar i hjulen på de kriminella gängen.

Nu hade Barbro Jönsson alltså själv blivit ett brottsoffer. Men som tur var hade hon gått hemifrån en stund innan bomben exploderade och bostaden var tom. Varken hennes grannar eller någon annan skadades heller.

Attentatet skulle ändå få drastiska konsekvenser för åklagaren. Hon kapslades in i polisens skyddsprogram och tvingades överge sitt hem. Ännu allvarligare, åtminstone ur ett samhällsperspektiv, var att bomben skulle få Barbro Jönsson att lämna sitt yrke. I besvikelse över bristande uppbackning från Riksåklagaren valde hon under 2008 att sluta inom Åklagarmyndigheten. Om gärningsmännens mål varit att få bort en besvärlig motståndare från rättssalarna hade de lyckats.

Länge såg det ut som att bombmännen skulle gå fria. Men polis-
utredarna i Västra Götaland var envisa. DNA på en fimp i gräset utan-
för Jönssons radhus visade sig tillhöra tjugofyraårige Ahad Arabzadeh
Mohammad Abadi från Malmö. Överbevisad om sin skuld berättade
han att den som lagt ut bomben och tänt stubintråden var hans ett år
yngre vän Ashkan Moyaed Abedi, också han från Malmö. Själv sa sig
Ahad bara ha agerat chaufför.

Ahad och Ashkan var underhuggare i Brödraskapet Wolfpack, en
gruppering som startats 1995 av vithyade rånare som kände sig hotade
av att invandrarna blivit alltmer dominerande på landets fängelser.
Sedan gängets bildande hade mycket hänt och Brödraskapet Wolfpack
bestod numera av en brokig blandning av nynazister, narkotikahand-
lare och våldsbrottslingar med blandad etnisk bakgrund.

En tid före sprängdådet hade andra medlemmar i gänget häktats,
misstänkta för att ha skjutit in i en barnfamiljs bostad i Lilla Edet.
Bevisläget var bra och medlemmarna riskerade långa straff. Allt var
klart för åtal. Det återstod bara för åklagaren i målet, Barbro Jönsson,
att skriva under stämningsansökan.

Vem som gav Ahad och Ashkan bombuppdraget skulle aldrig fram-
komma. Men efter attentatet steg de i graderna och blev "prospect"
respektive fullvärdig medlem. De var flitiga gäster på Brödraskapet
Wolfpacks fester runtom i landet. Alla i gänget verkade gilla dem och
vad de hade gjort. Men Ahads fimp fällde dem. Nu avtjänar de fängelse
för allmänfarlig ödeläggelse och hot mot tjänsteman. I fängelse sitter
även de "bröder", som låg bakom skottlossningen i Lilla Edet.

Det är ingen överdrift att säga att det var på grund av Ahad och
Ashkan som det svenska samhället reste sig mot de kriminella gängen.
Bilden av en ensam tjänsteman som "straffades" för att hon gjorde sitt
jobb väckte folkopinionen. Tusentals personer skrev på upprop i tid-
ningarna – för Barbro Jönsson och mot gängen. Bland dessa personer
fanns ett föräldrapar vars trettiofemårige son hade mördats i Göteborg
tidigare samma år. Även här misstänktes Brödraskapet Wolfpack ligga
bakom.

Redan före bomben mot Barbro Jönssons bostad hade justitiemi-
nister Beatrice Ask (M) pratat om en "bred mobilisering mot den

organiserade brottsligheten". Detta som ett svar på den dåvarande rikspolischefen Stefan Strömbergs illa sedda förslag om en svensk spjutspetspolis à la amerikanska FBI. Ahads och Ashkans dåd fick frågan att hamna överst på dagordningen.

Ett par veckor efter händelsen i Trollhättan samlade justitieministern alla generaldirektörer för att höra vad just de kunde bidra med. Mötet öppnade spjällen. Fram till dess hade Skatteverket, Kronofogden, Försäkringskassan, Ekobrottsmyndigheten och till och med polisen ofta satt en ära i att jobba på egen hand utifrån egna mål. I praktiken kunde det innebära att en person som polisen såg som en brottsaktiv gängledare i Försäkringskassans ögon bara var en vanlig sjukpensionär med rätt till livslång ersättning.

Plötsligt fattade Myndighetssverige att det var samarbete och informationsutbyte som gällde, om man ville ligga bra till hos regeringen. Sekretesslagen var inte heller så ogenomtränglig när allt kom omkring; kunde man bara motivera att samhällsnyttan var tillräckligt stor gick det att upprätta snabba kanaler inom hela det offentliga Sverige. Mötesplatser skapades i form av regionala underrättelsecentrum. Gemensamma "target"-listor upprättades. "Al Capone-modellen" blev ett ledord; lyckades polisen inte klara upp brotten kunde andra myndigheter i alla fall försöka komma åt vinsterna.

Som en förlängning av mobiliseringen fick svensk polisen för första gången en särskild resurs för långsiktig bekämpning av den organiserade brottsligheten. 200 personer – ungefär lika många som det sammanlagda antalet medlemmar i Hells Angels MC och Bandidos MC – togs ut till nio aktionsgrupper runtom i landet. Inte ett svenskt FBI, men nästan.

Vad Barbro Jönsson beträffar arbetar hon numera nära den aktionsgrupp som är placerad i Göteborg. Som stabschef inom Polismyndigheten i Västra Götaland har hon fått en ny roll i arbetet mot den organiserade brottsligheten.

Barbro Jönsson är inte den enda samhällsföreträdare som utsatts för brott under den senaste treårsperioden. I Malmö sköt någon eller några in i chefsåklagare Mats Mattssons lägenhet, då han deltog i en stor utredning mot medlemmar i Bandidos MC. I det fallet ledde polisens utredning ingenstans.

I Malmö har också andra yrkesgrupper drabbats. Poliser och brandmän har gång på gång blivit måltavlor i ett lågintensivt stenkastningskrig, som egentligen har mer med ungas leda och frustration än planlagd brottslighet att göra. Men kravallerna har gett livsluft åt en helt ny kriminell gruppering – danskimporterade Black Cobra.

Efter ett massmedialt genombrott våren 2009 lyckades Black Cobra med det som alltfler kriminella strävar efter, nämligen att bygga upp ett farligt rykte att använda som brottsverktyg. I städer runtom i landet fanns unga kriminella som ville komma åt detta rykte och över en natt var ett nytt, nationellt nätverk skapat.

Detta är långt ifrån enda gången som massmedia varit gängens bästa vän; aningslösa reportrar och utgivare har åtskilliga gånger hjälpt till att bygga kriminella varumärken. Hösten 2009 visade det snabbt hopsnickrade Top Dogz att det räckte att starta sajt – så hörde Sveriges största tidning av sig och bjöd på gratisreklam.

Detta vore kanske inte så allvarligt om det inte funnits en koppling mellan varumärkesbyggande och kriminalitet. Så gott som alla de grupperingar som vi berör i denna bok använder sitt farliga rykte för att pressa människor på pengar. Ökad utpressning är också en av de mest alarmerade brottstrenderna i Sverige under senare år. Kurvan pekar fortfarande rakt uppåt: 2007 uppgick antalet polisanmälningar om utpressning till 1 370, enligt Brottsförebyggande rådet. 2009 var motsvarande siffra 2 341.

Även om en del av ökningen sannolikt kan förklaras av ett intensifierat polisarbete, är det ett faktum att allt fler privatpersoner och företagare hamnar i klorna på kriminella. De kriminella gängen står inte heller för all denna brottslighet. Men vi vågar påstå att de är inspirationskälla för andra – inte minst unga som "bötfäller" varandra och hotar med repressalier om någon går till lärare eller polis.

Steget mellan skolgårdsgrupperingar och kriminella gäng har också minskat under de senaste tre åren, enligt vår kartläggning. Flera gäng, bland annat Original Gangsters och Black Cobra, har startat ungdomsklubbar där medlemmarna utnyttjas för olika uppdrag. Ett exempel är

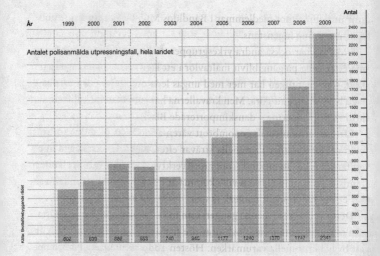

Antal polisanmälda utpressningsfall, hela landet

Källa: Brottsförebyggande rådet

Antal: 802, 693, 886, 853, 740, 945, 1177, 1240, 1370, 1747, 2341

År: 1999 2000 2001 2002 2003 2004 2005 2006 2007 2008 2009

en Original Gangsters-supporter som på sin sjuttonårsdag utlöste en bomb i ett flerfamiljshus på Södermalm i Stockholm. Det tilltänkta offret var en skuldsatt före detta krögare. Men sjuttonåringen tog fel på lägenhetsdörrarna och istället drabbades en helt oskyldig kvinna. Att hon undgick att skadas av de metallsplitter som slog in i hennes enrummare var en ren slump.

Det är denna utveckling som gjort att vi än en gång bestämt oss för att sätta den kriminella gängvärlden under lupp. Det betyder inte att vi granskar den organiserade brottsligheten som helhet. Narkotikahandel, rån, bedrägerier, ekonomiska brott etcetera begås av långt fler personer än dem som är knutna till namngivna grupperingar. Även inom den traditionella brottsligheten sker det uppgörelser, som till exempel de våldsamma släktfejder som kostat flera människoliv i Malmö. Men enligt vår uppfattning är etableringen av kriminella varumärken den mest påtagliga och oroande trenden – och som också utgör den största utmaningen för rättsväsendet.

Vi är medvetna om att inte alla vill att den här boken ska komma ut. Ledare för kriminella organisationer har hört av sig och sagt att vi inte får nämna deras namn. Inom den så kallade "enprocentsmiljön" – det vill säga motorcykelklubbar som tar aktivt avstånd från samhället – kallas *Svensk maffia – en kartläggning av de kriminella gängen* för en fantasyskildring. Och inom Kriminalvården tyckte chefer så illa om vår förra bok att de försökte hindra intagna från att läsa den med hänvisning till att den kunde "uppfattas som en uppmaning till brottslig verksamhet".

Vår uppfattning är enkel: gängkriminalitet är ett ökande samhällsproblem som måste kunna skildras journalistiskt. Företräder man en kriminell organisation får man tåla att bli granskad och omskriven. Det är därför vi namnger grupperingarnas ledare men mer sällan vanliga medlemmar och supportrar. På samma sätt måste Kriminalvården acceptera att vi lyfter upp det faktum att många kriminella grupperingar faktiskt har kunnat bildas inne på landets anstalter – och att säkerheten där är så låg att grova brott kan ske utan att personalen ingriper.

Vi har nu ägnat fem år åt att försöka förstå den kriminella gängvärlden. Vi har kartlagt 2 350 personer som på ett eller annat sätt kan räknas dit. Vi har träffat gängmedlemmar, brottsoffer och anhöriga. Vi har gjort över tusen intervjuer med poliser, åklagare och advokater. Ibland har vi agerat mer som medmänniskor än som journalister. Som till exempel när vi såg till att en hotad avhoppare från ett gäng fick skyddad identitet och en resa till utlandet, något som polisen förklarat att man inte kunde hjälpa honom med.

Nu säger vi adjö till gängvärlden. Att ägna full uppmärksamhet åt grov kriminalitet och mänskliga tragedier tar på krafterna. Vi hoppas att vår fortsatta kartläggning kan ge ytterligare underlag för en diskussion om ett av Sveriges mest akuta problem.

Stockholm, 1 oktober 2010
Lasse Wierup och Matti Larsson

INGEN PLATS FÖR UTMANARE

Ljuskäglor från ett strålkastarpar letar sig framåt i natten. Riksväg 35 söder om Åtvidaberg går i långa, svaga böjar. Skenet lyser upp skogen på bägge sidor om vägen. En äng. Sen skog igen. Plötsligt en liten samling hus. Bilens förare bromsar in och stannar.

Explosionen låter som en åskknall. Människor i de fem-sex husen runt omkring rycker till och vaknar. Någon av dem hör uppjagade röster. Därefter en motor som varvar upp och hjul som sätter fart tillbaka norrut.

– Sen blev det tyst. Det var bara ett larm som tjöt på håll, berättar en granne.

Han och andra som vaknat klär på sig och går ut. De misstänker direkt att det är på mc-klubben som någonting hänt. Samtal rings till SOS Alarm. Vid halvfyratiden kommer de första polisbilarna till den oansenliga plats som kallas Häradsmärket och som en gång markerade gränsen mellan Östergötland och Småland. Grannarna har haft rätt. Så gott som alla fönster på mc-klubbens inhägnade, faluröda gårdsbyggnad har krossats av en kraftig tryckvåg och spruckna tegelpannor ligger på marken.

Kanske finns det sprängladdningar kvar som inte detonerat? Polisledningen i Linköping tar det säkra före det osäkra och ringer till Stockholmspolisen, där bombtekniker har jour dygnet runt. I avvaktan på att teknikerna ska köra de tjugofem milen hit kontaktar

Östergötlandspolisen medlemmarna i mc-klubben, som bor i Åtvidaberg och Linköping.

Flera av dem vet redan att något har inträffat.

– Larmet på klubben var kopplat till min mobil, så jag hade fått meddelande om att det utlösts under natten. Vad jag trodde? Ja, det var väl att det hade varit nån där inne. Inte att nån hade sprängt en bomb i alla fall, säger en av de dåvarande medlemmarna när vi i efterhand ringer upp honom.

Polisens bombtekniker går varligt fram. Steg för steg söks först tomten och därefter byggnaden igenom. För säkerhets skull spärras riksväg 35 av för trafik. Men inga ytterligare sprängmedel hittas. Bilden börjar klarna, tycker poliserna. Någon har åkt hit, kastat in en bomb och sen dragit iväg igen.

Det är då en av dem upptäcker kroppen. Den ligger en bra bit från byggnaden, invid några buskar. Mage och armar är blottade. En grå tröja och en kamouflagefärgad jacka har dragits upp till bröstet. Huden är nedstänkt av små mörkröda och större gråbruna fläckar. Blod och torkad jord, ska rättsläkaren senare konstatera. Fläckarna döljer bara delvis tatueringarna, som den döde har på såväl mage som bägge armar. Där händerna skulle ha suttit finns – ingenting.

Vid det laget är bombdådet en riksnyhet. Polisledningen inser att den måste gå ut med den nya informationen. Förundersökningsledare Robert Kalmendal, som blir uppringd av Expressen och andra tidningar, säger att den preliminära misstanken är mord. Därefter dröjer det inte länge förrän det vimlar av reportrar och fotografer i Häradsmärket.

En bombsprängning och en död man på en mc-klubb. Den kombinationen räcker för att journalisterna ska spekulera i termer av "mc-krig" – ett kort och snärtigt rubrikord som inte använts sedan 1990-talets våldsamma konflikt mellan Hells Angels och Bandidos. Men vilken sida tillhör den döde mannen? Polisens officiella version är att man inte vet. Genom olika källor framkommer dock att utredarna inte tror att offret tillhör mc-klubben. Tatueringarna på mannens kropp antyder att han ingår i en annan krets, säger polisens talesman kryptiskt.

FOTO: STEFAN JERREVÅNG/SCANPIX

Outlaws MC:s dåvarande klubblokal i Häradsmärket söder om Åtvida-berg. Den 8 september 2007 dödades en supporter till Hells Angels MC i samband med ett misslyckat sprängattentat mot fastigheten.

Inte ens de lokala journalisterna från Corren och andra tidningar vet särskilt mycket om den lilla mc-klubben söder om Åtvidaberg. Medlemmarna är få och verksamheten liten. Klubben bildades i mitten av 1980-talet under namnet Slagg MC och har som mest bestått av ett dussintal personer. Men sedan 2004 sitter istället en svart-vit skylt med texten "Outlaws MC Sweden" över öppningen i det träplank som klubben spikat upp runt sin gård.

De laglösa

Grundad som McCook Outlaws i Illinois i USA 1935 gör Outlaws anspråk på att vara världens äldsta motorcykelklubb.[1] Men det var först på 1950-talet som Outlaws fick sitt nuvarande namn och emblem: en stiliserad dödskalle framför korslagda cylinderkolvar. Det ombildade Outlaws hade börja snegla åt Hells Angels, som dykt upp i Kalifornien i USA under slutet av 1940-talet och blivit

---

1 www.outlawsmc.com

omskrivna på grund av upplopp, våld och allmän råhet.

Men Hells Angels hade även någonting annat: skriftliga regler och intern disciplin. Under de kommande åren kopierade Outlaws, liksom senare Bandidos, den hierarkiska ledningsstruktur och de militäriska styrningsformer som Hells Angels renodlat. Även enprocentsmärket – symbolen för ett liv vid sidan av det vanliga samhället – hämtades från Hells Angels och blev standard på medlemmarnas västar.

Trots gemensamma värderingar dröjde det inte särskilt länge innan Outlaws och Hells Angels kom på kant med varandra. På 1960-talet mördades tre HA-medlemmar av konkurrenten i norra delen av landet.[2] Därefter rådde ett slags terrorbalans och organisationerna expanderade i olika landsändar: Outlaws främst i sydöstra delen och Hells Angels i sydväst. Men när organisationerna i slutet av 1980-talet började göra inbrytningar på varandras "territorier" blev sammandrabbningar oundvikliga. Mellan Outlaws och Bandidos rådde däremot varaktig fred.

1993 satte Outlaws ner sin första flagga i europeisk jord, genom att en mc-klubb i Frankrike bytte namn. Hells Angels MC hade då funnits på kontinenten i två decennier och konkurrenten Bandidos MC i ett par år. Sedan dess har Outlaws europeiska gren fortsatt att växa och idag finns sammanlagt mer än hundra Outlaws-klubbar i Belgien, England, Frankrike, Irland, Norge, Polen, Tyskland och Ryssland.

Under expansionen har spridda attacker riktats mot enskilda Outlaws-medlemmar. Hösten 2003 utsattes till exempel ledarna för Outlaws MC i franska Lyon respektive italienska Vicenza för attentat. Den förstnämnde dödades medan den andre överlevde. I bägge fallen riktades misstankarna mot Hells Angels i norra Italien, men ingen misstänkt kunde gripas.[3] Sommaren 2004 sköts en tysk Outlaws-medlem ihjäl i Osnabrück. För kanske första gången misstänktes nu Bandidos ligga bakom, men ingen kom att dömas. Även

2   http://www.guardian.co.uk/uk/2008/nov/28/murder-trial-outlaws-hells-angels
3   Rikskriminalpolisen. Underrättelsesektionen. Outlaws motorcycle gangs, 1%-ers.
    PM 2007-03-10.

i USA skulle konflikten fortsätta med sprängattentat, nedbrända klubbhus och överfall.

"Vi tyckte ju att vi var bäst"

För medlemmarna i Slagg MC i Åtvidaberg var det internationella maktspelet avlägset, då de 2002 började fundera på att söka medlemskap i Outlaws.

– Vi kom till ett läge där vi ville gå vidare, inte stå kvar på samma ställe. Egentligen visste vi inte så mycket om vad Outlaws var, mer än att det var något annat än HA och Bandidos. HA har jag aldrig gillat för att de vill bestämma över alla andra och Bandidos är mer kriminella, säger en före detta medlem.

Kontakt togs med Outlaws då enda svenska avdelning. Den låg i Spånga nordväst om Stockholm och hade fram till våren 2001 hetat Udda MC.

– Egentligen var det inte särskilt komplicerat. Vi hade träffat några av medlemmarna på resor och så ... Det visade sig att vi kom bra överens och vi började hänga med varandra, fortsätter ex-medlemmen.

Sedan de gjort en formell ansökan till Outlaws internationella organisation gick anslutning lätt. De behövde varken städa, diska eller passa upp på de fullvärdiga medlemmarna i Spånga – något som är självklarheter inom Hells Angels och Bandidos.

– Det blev nästan inget slavgöra alls. När vi var uppe i Spånga var det bara för att umgås och ha kul.

Ändå var det inte alla i Slagg MC som ville fortsätta in i den stora organisationen. Av de tretton medlemmarna hoppade fyra av före namnbytet, sen ytterligare två. De som blev kvar förstod att de stack ut hakan.

– Men det var ju liksom det som var meningen. Vi tyckte ju att vi var bäst, fortsätter vår källa.

I november 2002 hämtade han och de sex andra kvarvarande sina "prospect"-västar i Spånga. Tillbaka i Östergötland fick de snabbt känna på vad det innebar att ha tagit ställning för den svart-vita rörelsen. På ett regionmöte inom det nätverk som kontrollerar Sveriges ryggmärkesklubbar – den så kallade Sverige-modellen – hölls omröstning om huruvida klubben skulle få fortsätta vara med eller inte. Vår källa säger att majoriteten röstade ja.

– Men det spelade ingen roll. I efterhand hörde några av sig och sa att vi ändå inte var välkomna i fortsättningen. Och det var ju de som bestämde i praktiken, säger han.

Han vill inte namnge någon, men säger att "de" var representanter för Hells Angels. Åtvidabergskillarna insåg att det inte var lönt att säga emot. De bestämde sig för att hålla en låg profil.

Det var ett homogent gäng killar som nu brukade samlas i klubbhuset i Häradsmärket. Födda sent 60-tal eller tidigt 70-tal och i allt väsentligt vanliga "Svenssons". Med jobb inom bygg- och verkstadsbranscherna, en taxerad årsinkomst på mellan 200 000 och 300 000 kronor, flickvänner och fruar och utan prickar i belastningsregistret. Kort sagt, knappast några "outlaws" i ordets egentliga mening.[4] Men med en stark kärlek till Outlaws-devisen "biking and brotherhood".

Det faktum att klubben bjöd in polisen på kaffe rimmade också illa med enprocentsidealet.

– Vi ville träffa dem och säga att vi tänkte köra på som vanligt och inte tänkte bli kriminella. De varnade oss ändå för att det kunde bli bråk med andra klubbar. Men det var ju inget att lyssna på, tyckte vi, säger den dåvarande medlemmen.

– I min värld var enprocentssymbolen mest en livsstilsgrej. Det handlade inte om att stå vid sidan av lagen. Tvärtom ville vi visa att man kunde vara enprocentare utan att vara kriminell, berättar en annan av dem som vi intervjuat.

Polisens varningar hade framför allt gällt enprocentsklubben Top Side MC i Åby norr om Norrköping. Med täta band till Hells Angels och med flera medlemmar som visat sig beredda att ta till våld var klubben en potentiell antagonist. Våra källor hävdar dock att relationerna aldrig blev särskilt spända.

– Visst fattade vi att de inte gillade oss. Dök vi upp på en fest där de var så åkte de därifrån. Men något annat hände inte, hävdar en av exmedlemmarna.

---

4   Outlaw = laglös, bandit.

Åren gick. Outlaws i Häradsmärket mekade med sin motorcyklar. Åkte utomlands och besökte andra Outlaws-avdelningar, ofta i Tyskland. Tog emot besök i sitt klubbhus och ordnade fester. Någon nyrekrytering att tala om skedde inte, de sju medlemmarna trivdes med varandra och sina "bröder" i Sverige och i utlandet. Polisen hade inget att anmärka på och journalisterna inget att rapportera.

Polisen gör tillslag

Klockan är strax före sex på morgonen den 11 september 2007 när en karavan av fordon kör ut från polishuset på Stockholmsvägen i Norrköping. Färden går norrut. En stund senare är karavanen framme i Åby. Bilarna parkerar utanför mc-klubben Top Side.

Tre dygn har gått sedan explosionen i Häradsmärket. Efter ett intensivt utredningsarbete är polisen säker: Den döde mannen hos Outlaws blev inte mördad. Skadorna på kroppen visar istället att det är han som hållit i sprängladdningen, men inte fått denna ur händerna i tid.

"Misstanken är att han försökt anlägga en mordbrand men själv skadats och omkommit", ska presstalesmannen Mikael Skoog säga till Dagens Nyheter.[5]

Den omkomne attentatsmannen har identifierats som trettioettårige Thomas, av vännerna kallad "Cellen". En ung man som gått ut grundskolan, fortsatt studierna på ett tvåårigt gymnasieprogram och därefter pluggat ett år på komvux. Först anställd på en lokal svets- och smidesfirma, sedan rörmontör på ett stort byggföretag. Fotbollsfantast och mc-entusiast. Ostraffad till och med tjugoåtta års ålder. Därefter gripen under en vild kväll i Norrköping och lagförd för olaga hot, ringa misshandel, ofredande och olaga innehav av kniv på allmän plats.[6] Nyligen dömd till böter för kokainpåverkan.[7] Under 2006 och 2007 mer och mer synlig tillsammans med medlemmar i Top Side. Sedan en tid själv supporter till klubben.

Att Cellen skulle ha haft privata motiv till att spränga Outlawslokalen anses uteslutet; inom den hierarkiska beslutsordning som

---

5   Dagens Nyheter 070912: Hells Angels kan ligga bakom attack. Av: L Wierup.
6   Åklagarkammaren i Norrköping. Strafföreläggande. Diarienr: 204-1745.04-1-1.
7   Norrköpings tingsrätt, enhet 2. Diarienr: B937-07. Dom.

gäller inom Hells Angels och dess stödklubbar tar underställda inga egna initiativ gentemot andra klubbar. Allt talar istället för att Cellen har fått i uppdrag av Top Sides ledare att förstöra Outlaws-lokalen. Med sig har han haft minst en medhjälpare, som flytt när attentatet gått snett.

Det är utifrån den misstanken som polisen nu gör husrannsakan i Top Sides klubbhus i Åby. De medlemmar som ligger och sover får följa med på förhör. Därefter söks lokalen igenom minutiöst. Beskedet till de journalister som senare under dagen ringer är att kopplingen mellan klubben och den döde har stärkts. Men ingen av de hörda Top Side-männen säger sig känna till något om varför deras vän och klubbkamrat hittats död.

Vad som inte kommer ut i massmedia förrän senare är att flera av Top Side-medlemmarna själva är rädda. Livrädda.

"Några av dem satt här och grät", ska en polisman senare säga till Aftonbladet.[8]

När det stod klart att attentatsmannen var en av deras egna kände de sig uppenbarligen hotade. Enligt kommissarie Göran Pettersson, vid tillfället chef för narkotika- och underrättelseenheten vid polisen i Östergötland, bad mc-gänget till och med om att få beskydd.

"De förväntade sig så klart att det skulle hända något från den andra klubbens, Outlaws, sida."

Polisens svar blev nej.

"Vi är ganska bestämda på att om man ska ha vår hjälp får man hänga av sig västen. Vi vill inte hjälpa de kriminella mc-gängen helt enkelt", fortsatte Göran Pettersson.

Flera personer som vi pratat med blev chockade och förvånade när de fick veta att det var Cellen som hade hittats död.

– Jag kände honom som en snäll och rolig kille, en allmän pajas med sjuk humor. Absolut en av de sista som jag trodde skulle göra en sån här grej. Men han ville väl stiga i graderna, säger en man som lärde känna Cellen på fotbollsläktaren.

Att Cellen skulle ha utsatts för påtryckningar tror mannen inte.

---

8   Aftonbladet 090406: Mc-gänget satt och grät hos polisen. Av: A Johansson och E Tagesson.

– Han visste vad han gjorde när han gick med i klubben.

Dagen efter den resultatlösa razzian hittas Cellens bil parkerad vid Häradsuddens soptipp söder om Norrköping. Den grå Mitsubishin bärgas och tas in till polishuset. Teknikerna kollar särskilt om fordonet är försett med luftkonditioneringssystem. Det är det – precis som den bil som stannat utanför Outlaws-lokalen. Droppspår har säkrats på marken.

I övrigt blir den noggranna jakten på tekniska fynd en besvikelse. Förutom Cellen kan ingen person knytas till fordonet. Utredarna börjar luta åt att Mitsubishin kanske aldrig har varit på plats i Häradsmärket. Mer troligt är att Cellen parkerat vid soptippen och blivit upphämtad av någon annan, resonerar utredarna.

Polisen fortsätter att hålla Top Side under lupp. Trots bakslagen är utredarna övertygade om att dådet har skett på order från Hells Angels. Ett indicium är att Top Sides medlemmar några veckor tidigare har deltagit på ett Hells Angels-möte i Köpenhamn. Officiellt firades att organisationens Malmö-avdelning hade fyllt femton år. Men enligt polisens underrättelseinformation stod frågan om hur Hells Angels skulle hantera Outlaws i Sverige överst på dagordningen. Top Side var en av få utomstående mc-klubbar som deltog på mötet.[9]

Även en annan närliggande händelse kopplas ihop med attentatet. Veckan innan har en medlem i Hells Angels utsatts för ett förnedrande överfall. Detta skedde mitt på dagen, utanför entrén till färje- och järnvägsterminalen Knutpunkten i Helsingborg. Så här skulle en av de polismän som kallades till platsen skriva i sin anmälan – en anmälan som varit hemligstämplad i flera år, men som vi fick ta del av under sommaren 2010:

> Vittne uppgav för patrullen att två män med 'Outlaws' på sina kläder träffade en man med Hells Angels-märke. De två Outlaws-supportrarna började omedelbart att slå på Hells Angelsmedlemmen. Då detta pågick kom två män gående från Marina Plaza. De hade inga klubbmärken på sina kläder. En av männen hade en kniv i handen som han högg en av männen med knytning till Outlaws

9   Dagens Nyheter 070912: Hells Angels kan ligga bakom attack. Av: L Wierup.

*Top Sides ledare Gertz Karlsson kontrolleras av dansk polis, då han
och andra medlemmar håller möte med Hells Angels i Köpenhamn
på sensommaren 2007. Mötet sker bara någon vecka före bombdådet
i Häradsmärket.*

med. Hugget träffade på vänster överarm. Den andre 'civilklädde'
mannen räckte över vad vittnet uppfattade som en batong till
målsägaren med Hells Angels-emblem. Målsägaren slog då den
icke knivhuggne misstänkte med batongen i huvudet. Mannen
hade motorcykelhjälm på sig. Hjälmen gick sönder. Samtliga läm-
nade sedan platsen. Enligt vittnet skulle Outlawssupportern som
blev knivhuggen ha blött ymnigt från sin västra överarm.[10]

När polisen kommer till Knutpunkten syns inga gängmedlemmar till.
Men tack var en övervakningskamera en bit ifrån platsen får man ändå
en god bild av vilka som varit inblandade. Mannen med Hells Angels-
klädsel är en fyrtioettårig medlem i organisationens Helsingborgs-
avdelning – samma avdelning som under flera år agerat "fadder" för
Top Side. En av dem som kom till fyrtioettåringens undsättning var en
trettioårig medlem i HA:s supportergrupp Red and White Crew.

Även motståndarna ska visa sig vara kända av Skånepolisen. De heter
Nicklas och Kenny och är trettiotvå respektive tjugotre år gamla. Nick-
las anträffas lite senare på Helsingborgs lasarett. Efter att läkare sytt

10 Polismyndigheten i Skåne. Diarienr: K125046-07; K125041-07.

ihop hans arm med ett trettiotal stygn förhörs han av polis. Nicklas är fåordig och vill inte berätta vad som hänt.

En slagning i registren visar att Nicklas sedan några månader ingår i Outlaws nybildade provmedlemsavdelning i Klippan. Medlemmarna här är av helt annat snitt och har en helt annan bakgrund än Outlaws-medlemmarna i Åtvidaberg. Trots att de egentligen aldrig hade planerat att gå in i Outlaws, och dessutom bara skulle bli kortvariga medlemmar, kom de att påverka utvecklingen på ett avgörande vis. Vi ska nu backa bandet och berätta skånska Outlaws historia.

Från grönsakshandlare till gangster

I vår förra bok nämnde vi att en ny gruppering hade dykt upp i södra Sverige sommaren 2007. Medlemmarna bar tröjor med texten "Loyalty BFL Sweden". Förkortningen stod för "brothers for life" och antydde att ledarna hade en långsiktig plan.

Loyalty BFL:s ursprungliga fästen fanns i Sjöbo och Klippan – två skånska kommuner som tidigare dragits med dåligt rykte på grund av främlingsfientlighet och rasism. På kort tid anslöt sig medlemmar i bland annat Malmö, Tranås, Växjö och Stockholm. I juni 2007 uppskattade polisen att mellan femtio och sjuttio män hade gått med, de flesta mer eller mindre kriminella.[11]

Mannen bakom Loyalty BFL var trettiofemårige Dennis Petersen, en driven och arbetsam tvåbarnspappa med bakgrund i grönsaksbranschen.

– Vad säger du? Ledare för ett kriminellt gäng? Nej, det hade jag aldrig trott om den killen, utbrister en man i näringslivet när vi ringer upp honom.

Mannen träffade Dennis Petersen i början av 2000-talet. Petersen var då ägare och vd i en koncern som importerade frukt och grönsaker från Holland. Ett av bolagen hette Direktlivsgruppen och hade något år tidigare omsatt över 100 miljoner kronor. När Petersen klev upp från anställd till ägare var verksamheten på fallrepet. Anledningen var att den viktigaste kunden – Kooperativa förbundet – hade sagt upp avtalen. Dennis Petersen lyckades aldrig blåsa liv i affärerna igen och det hela slutade i en ekonomisk krasch.

---

11 Dagens Nyheter 070614: Uppstickargäng kan trappa upp mc-krig. Av: L Wierup

Konkursförvaltaren upptäckte att det saknades inte mindre än sjutton miljoner kronor i bolagets kassa. Av bokföringen gick det inte att reda ut vart pengarna hade tagit vägen. Ekobrottsmyndigheten fick fallet på sitt bord och misstänkte att tillgångar hade försvunnit på olaglig väg. Det skulle bli svårt att bevisa.

– Ingen ställde upp och berättade vad som hänt. Jag fick en känsla av att man skyddade varandra, minns utredaren Roland Sundqvist.

En person som hade fått pengar från moderbolaget precis före konkursen var en före detta polisman. Han hade tidigare ägt koncernen tillsammans med en företagare från Helsingborg, men plötsligt sålt sina aktier till lagerförmannen Petersen för en symbolisk summa. Anledningen till affären blev aldrig utredd. Men i efterhand framstår Dennis Petersen som en typisk "målvakt", utsedd att ta den juridiska smällen. Petersen blev också åtalad för bokföringsbrott och ställd inför rätta. Malmö tingsrätt ansåg det dock inte bevisat att ansvaret för bristerna låg hos honom och han blev friad.[12]

När vi idag pratar med Dennis Petersen säger han att det blev "fel med pappren".

– Men min tanke var ju att företaget skulle drivas vidare på ett seriöst sätt, säger han under en telefonintervju i september 2010.

Trots Dennis Petersens korta äventyr som företagsledare är det ingen tvekan om att han hade egenskaper som passade i näringslivet.

– Han var otroligt duktig på att organisera och få saker att flöda. Hade du ringt från ICA och frågat om du skulle anställa honom som logistikchef hade jag rekommenderat honom starkt, säger en person som träffade Petersen på grönsaksfirman.

– En annan tillgång var att han kunde prata lika bra med killarna på lagret som med säljare och chefer.

Dennis Petersen var inte helt fläckfri. Som tjugoåring hade han dömts för misshandel och några år senare hade han åkt fast för ett misslyckat försök att smuggla sprit från Danmark. Fast någon kriminell framtoning hade Petersen alltså inte, enligt dem vi pratat med.

– Han verkade vara en snäll kille, inte alls obehaglig på något sätt,

---

12   Malmö tingsrätt. Diarienr: B4091-04. Dom.

minns kammaråklagare Marianne Forsström, som förhörde Petersen flera gånger.

Därför var det något överraskande att Dennis Petersen en tid senare skulle gripas för grovt vapenbrott. Det skedde sommaren 2003, då Petersen kom körande i Limhamn i en vit Ford Sierra. Att Petersen stoppades just där och då var ingen slump. Tidigare under dagen hade polisen fått ett anonymt tips om att en narkotikauppgörelse skulle ske på en parkeringsplats i södra Malmö.[13] Köparen påstods köra just en vit Ford Sierra.

Något knark hittades inte i Dennis Petersens bil. Men väl en revolver med sex skott i trumman. Revolvern var av samma som typ som den som dödade statsminister Olof Palme: en Smith & Wesson .357 Magnum. Poliserna som ingrep märkte att Dennis Petersen

FOTO: POLISEN

Trettiofemårige Dennis Petersen från Malmö gick från ett vd-jobb inom livsmedelsbranschen till att leda grupperingen Loyalty BFL.

var skärrad och uppjagad; en av dem skulle senare vittna om att han aldrig hade träffat någon som varit så nervös.[14]

– När de tog mig var jag på väg till ett möte med några kurder som jag hade en konflikt med. De hade hotat min sambo och mina barn och min tanke var att lösa det hela genom att prata. Men visst, hade det inte gått var jag beredd att använda revolvern, säger Dennis Petersen.

I hans ögon var det ingen tvekan om att det var motsidan som hade tipsat polisen.

– Ingen annan visste om att jag befann mig där.

---

13   Malmö tingsrätt, rotel 45. Diarienr: B5270-03. Dom, s 4.
14   Ibid.

Vad konflikten gällde skulle inte framgå av polisens utredning. Men Dennis Petersens sambo berättade för polisen att av en av de kurdiska männen hade misshandlat henne. Det ledde till att även denne greps.

Vid husrannsakan i mannens bostad hittades ett halvt kilo hasch. Den kurdiske mannen slog ifrån sig och anklagade Petersen för att vara ägare till narkotikan. Några bevis för detta kom aldrig fram.

– Jag skulle aldrig syssla med droger, det är något som jag verkligen hatar, säger Petersen i efterhand.

Mannen med haschet dömdes till åtta månaders fängelse för narkotikabrott och misshandel av Petersens sambo. Petersens vapeninnehav ledde till sex månaders fängelse, ett straff som omvandlades till elektronisk övervakning med fotboja i hemmet.[15]

Enligt Dennis Petersen fick händelsen dock mer drastiska konsekvenser för honom än så.

– Jag var tvungen att lämna min sambo eftersom jag inte kunde acceptera att hon hade pratat med polisen. I min värld löser man saker och ting själv.

Att Dennis Petersen under rättegången själv pekade ut den kurdiske mannen för att ha misshandlat både honom och sambon hävdar han bara var ett spel.

– Jag var ju tvungen att säga något som lät trovärdigt när min sambo redan hade snackat.

Petersen inleder sin värvning

En tid därefter lämnade Dennis Petersen Malmö och flyttade till Sölvesborg i västra Blekinge. Anledningen var att han hade kommit i kontakt med en jugoslavisk man från Malmö som drev ett discotek i den lilla staden, Club lejon. Dennis Petersen blev nöjesansvarig och gick helhjärtat in för uppdraget.

Den nya karriären började inte särskilt bra. Sedan det framkommit att Club Lejons ägare saknade nödvändiga godkännanden från kommunen inledde polisen en utredning.

”Det är obegripligt, vi har tillstånd till allt”, sa Dennis Petersen till

---

15 Malmö tingsrätt, rotel 31. Diarienr: B7062-03. Dom.

tidningen Sydöstran i slutet av 2004.[16]

Året därpå gjorde Dennis Petersen ännu ett lappkast – han köpte ett café i Ystad och blev bagare. Det var nu han slog sig ner i Sjöbo, en by med drygt 6 000 invånare på slätten norr om Ystad i sydöstra Skåne. Det främsta skälet var att han ville vara nära sina barn, som hade flyttat till orten med sin mamma lite tidigare. Bopriserna var fördelaktiga och Petersen köpte en villa med trädgård i byns nordöstra del.

Grannar minns den nyinflyttade trettiotreåringen som trevlig och harmlös.

– En vanlig kille som inte stack ut på något sätt, säger en av dem.

Objektivt sett var Dennis Petersens tillvaro alltså ganska komplett. Ändå skulle han komma att känna att något saknades.

– I Malmö hade jag ju hängt med de flesta nätverk i Malmö utan att själv vara medlem, säger Petersen.

2005 började han att bygga upp det som skulle bli grunden till Loyalty BFL.

– Vi var några kompisar som bestämde att vi skulle ge varandra stöttning i alla väder. Vi hade inget namn och marknadsförde oss inte. Men ganska snabbt hade gruppen vuxit till en kärna om åtta personer, berättar Dennis Petersen.

Liksom många andra gängledare säger han att det viktigaste var känslan av att ingå i ett "brödraskap". Men att det fanns ett ekonomiskt syfte är ganska klart. Dennis Petersen säger att han ville gå sin egen väg och tjäna pengar på ett nytt sätt.

– I Malmö hade jag tröttnat på alla som snackade om att de kunde göra affärer, det blev ju aldrig någonting. Jag har däremot kontakt med folk i Europa och hela världen och är känd för att vara rätt driftig med pengar, säger han.

Vilka affärer Dennis Petersen kunde göra med hjälp av sina trogna vänner är oklart. Närpolisen i Sjöbo såg i alla fall ingen anledning att börja spana på honom.

– Det här var en helt okänd kille för oss, ingen som vi hade någonting att göra med, säger polisinspektör Johan Håkansson.

Men i början av 2007 dök Dennis Petersen på nytt upp i en brotts-

16 Sydöstran 041202: Club Lejon polisanmäld. Av: L Ohlsson.

utredning. Händelsen skulle få avgörande betydelse för Petersens framtid. Han greps och satt häktad, misstänkt för utpressningsförsök och olaga hot i Malmö.[17] Bevisen ansågs dock svaga, Petersen släpptes efter en tid och utredningen lades ned.

– Efter det här visste jag vilka som var mina vänner. Av de åtta som vi hade varit lämnade fyra. Det var då jag kände hur viktigt det var med lojalitet och namnet föll sig naturligt, berättar Dennis Petersen.

En av dem som stod vid hans sida var tjugosjuårige Jibril. Jibril bar på ett tungt kriminellt förflutet och hade suttit i fängelse för bland annat rån, grovt vapenbrott och grov misshandel. Dessutom hade Jibril ingått i ett renodlat kriminellt gäng: Original Gangsters.

Under vintern 2006–2007 spreds ryktet om Loyalty BFL. Dennis Petersen entusiasmerade sin omgivning och fick allt fler att vilja gå med. Flera av de nya medlemmarna hade, liksom Dennis Petersen själv, flyttat från Malmö till villaområdet i Sjöbo. En av dessa var trettiosexårige Oran.

Även Oran hade en annan bakgrund än Dennis Petersen. 1990 hade han huggit ihjäl en jämnårig iransk man på en krog i Malmö och dömts till fem års fängelse för dråp. Straffet hade inte fått någon avskräckande verkan – i en brottsutredning under 2007 skulle Oran säga att han varit yrkeskriminell i hela sitt vuxna liv.[18]

– Dennis ville ha folk runt sig som skyddade honom. Det var därför den här killen fick vara med, säger en annan man som anslöt sig ungefär samtidigt.

Enligt Dennis Petersen var det inte den kriminella bakgrunden som avgjorde vilka som rekryterades till Loyalty BFL.

– Det viktiga var att vi var bröder och vänner. Vi såg oss inte som en kriminell organisation utan som ett gäng kompisar som backade upp varandra.

Samtidigt säger Dennis Petersen att han tidigt i livet hade bestämt sig för att det inte var lagen som skulle styra hans liv. Han säger att han kom till den insikten i bitterhet över att ha blivit vräkt från sin bostad.

---

17 Ystads tingsrätt, rotel 5. Dagboksblad. Diarienr: B1098-04; Malmö tingsrätt, enhet 31. Häktningsprotokoll. Diarienr: B89-06.
18 Ystads tingsrätt. Diarienr: B2789-07.

– När jag ryckte in i lumpen som artonåring hade jag precis köpt en bostadsrätt. Socialen lovade att betala månadsavgiften, men för sent upptäckte jag att de inte hade gjort det. Jag blev av med bostaden, men stod ändå med lån på 200 000 kronor. Det gjorde att jag tappade förtroendet för samhället och bestämde mig för att skita i allt.

I villaområdet värvade Dennis Petersen också tre bröder födda i slutet av 1980-talet. Dessa fick i sin tur med sig andra unga Sjöbokillar. Gemensamt för många av dessa var att de saknade styrfart i livet. Dåliga betyg, inget jobb, alkohol- och drogproblem och utredda för småbrott – det var den gängse bilden.

Petersens brokiga entourage innehöll även andra inslag. Som till exempel en ambulansförare som blivit av med jobbet efter att ha misshandlat en man i huvudet med en flaska, en ostraffad verkstadstekniker och en dörrvakt med bakgrund som hangaround till Hells Angels.

Värvningen begränsades inte till Sjöbo. I Klippan, en knapp timmes bilfärd nordvästerut, fanns en grupp kriminella som kände Dennis Petersen och lockades av hans idé. En av dessa var Nicklas, som vi berättat om i samband med misshandeln i Helsingborg. Nicklas och Dennis Petersen kände varandra från Direktlivsgruppen, där de jobbat tillsammans.[19] Nicklas var uppvuxen i Stockholm, men hade lämnat huvudstaden för att komma bort från sitt kriminella liv. Det hade inte gått så bra. Sommaren 2005 hade han dömts för att ha stulit en begagnad tvättmaskin och försökt sälja rödfärgade sedlar från ett bankrån.[20] I Nicklas såg Dennis Petersen en ledartalang och han fick titeln "vice president".

Loyalty BFL:s rykte spred sig även utanför Skåne. I Växjö anslöt sig ett par män som tidigare förekommit i högerextrema kretsar. Och i Tranås bildades en egen liten cell, genom fyra män från Sjöbotrakten som hade flyttat dit några månader tidigare. I början av sommaren 2007 hade Petersen samlat minst femtio namn på sin lista.

– Det föll sig liksom naturligt att folk ville gå med. Egentligen hade jag aldrig trott att det skulle bli så stort, säger Dennis Petersen när han blickar tillbaka.

19 Göteborgs tingsrätt, målenhet 14:3. Diarienr: B985-08. Dom.
20 Helsingborgs tingsrätt, målenhet 5. Diarienr: B2100-05.

Första kontakten med polisen

Klockan är sju på kvällen när boende i villaområdet i Sjöbo ringer polisen och säger att det är bråk på gatan. Flera patruller skickas dit. Framför ett av husen möter de ett gäng killar, som kommit dit i bilar och på motorcyklar.

– Det var första gången vi förstod att det fanns något som hette Loyalty BFL, berättar polismannen Johan Håkansson.

Huset som männen hade samlats utanför tillhörde en medlem i Hells Angels supportergrupp Red Devils MC i Trelleborg. Mannen var hemma och hade flera av sina klubbkamrater hos sig. I polisens ögon talade allt för att männen på gatan, som hade med sig minst ett baseballträ, kommit för att utmana mc-klubben. Men eftersom inget hunnit hända fick polisen ingen anledning att skriva någon anmälan.

Personer på Red Devils-sidan spelar i efterhand ner händelsens betydelse.

– Ärligt talat var det inget bråk. Vi snackade om en grej och sen var det bra med det, hävdar en man som vi pratat med.

Dennis Petersen påstår däremot att diskussionerna rörde sig om en indrivning.

– Den andra gruppen hade försökt driva in pengar från en kvinna och det satte vi stopp för. Det var vad det handlade om.

Oavsett om detta stämmer eller inte fick polisen upp ögonen för Loyalty BFL.

– Vi förstod att det här var en gruppering som vi måste hålla koll på, berättar Johan Håkansson.

Dagen därpå fick personalen på Skånepolisens kriminalunderrättelseenhet, KUT, mycket att göra. Vid det här laget visste man vilka Loyalty-männen var, patrullerna i Sjöbo hade noterat ID-uppgifter och tagit foton. Men vad var de ute efter? Vad kunde de tänkas göra härnäst? Och hur skulle Hells Angels-sfären reagera om nu den nya grupperingen hade tagit sig ton?

Kanske hade situationen inte ansetts så allvarlig, ifall det inte hade varit för färgkombinationen på Loyalty-männens tröjor. De var svarta med vitt tryck – precis som mc-gänget Outlaws västar.

– Vi fick en känsla av att den fanns en koppling. Ganska snart kom uppgifter som bekräftade, detta säger en polisman som deltog i under-rättelsearbetet.

Så här berättar Dennis Petersen om hur kontakten till mc-klubben knöts:

–Det började med att vi fick ett mejl från Outlaws. Sen blev vi upp-bjuda till Spånga. Vi åkte dit och det ledde till att vi hittade ett brödra-skap som passade oss.

Från att ha varit en fredlig mc-klubb verkade det alltså som att Out-laws hade slagit sig in på samma aggressiva bana som Hells Angels och Bandidos. Under det senaste året hade "de svart-vita" gång på gång förnedrats, framför allt av Bandidos. Som vi berättade i vår förra bok utsattes Outlaws provmedlemsavdelning i Gävle för skadegörelse och stöld i början av 2007. I juni hade Outlaws-medlemmar från Stock-holm överfallits på en mc-träff i Norrtälje. Några hade fått knivskador, andra hade kastats ner i ett vattendrag.

Outlaws-medlemmar som vi pratat med säger att den skånska stöd-truppen var uppskattad. Inte minst av ledaren, fyrtioåttaårige Mats "Linkan" Lindqvist i Spånga.

– Han tyckte inte att vi själva skulle sänka oss till samma nivå som Bandidos. Däremot ville han gärna att Loyalty skulle ut och kriga, säger en av våra källor.

Hur Mats Lindqvist själv ser på saken vet vi inte. Efter att under våren 2010 ha lovat oss en intervju gjorde han sig otillgänglig.

Motorcyklarna till trots – gänget som hade ställt till med bråk i Sjöbo var knappast några bikers. Poliser som vi pratat med säger sarkastiskt att det stod en japansk 125-kubikare i Dennis Petersens garage. Själv hävdar Dennis Petersen att han kände sig hemma i enprocentskulturen från dag ett.

– Som sagt, jag hade hängt med de flesta nätverk innan och visste vad som gällde, säger han.

"Bara ett kompisgäng"

Flera tidningar skrev om polisens utryckning i Sjöbo. Dennis Peter-sen och de andra hade inget emot publiciteten – tvärtom. Någon dag senare konstaterade Loyalty BFL på sin nystartade hemsida att de nu var någonting att räkna med. För att hemsidesbesökarna inte skulle tvivla på att det här var ett gäng som var berett att gå till handling publicerade de en bild på en man som höll ett hagelgevär nonchalant över axeln. Mannens ansikte syntes inte.

Vid det här laget hade Dennis Petersen och de andra även skaffat en möteslokal. Mitt i Sjöbo fick Loyalty BFL hyra ett rött tegelhus, under falsk förespegling av att en flickvän till en av medlemmarna skulle öppna bijouteributik. Möbleringen blev spartansk: en bardisk och lite soffor och stolar. Men i ett samhälle utan större nöjesutbud räckte det för att locka unga killar och tjejer som ville se lite nya ansikten.

Även Klippan-falangen fick en samlingsplats. Genom att köpa in sig i ett restaurangbolag fick man tillgång till källarpuben Dalton's. Kommunen gjorde klart att något utskänkningstillstånd inte kunde bli aktuellt. Då rundade Loyalty-medlemmarna myndigheterna genom att hyra krogen genom en biljardförening.

Det fanns fler länkar mellan de bägge fästena än "vice presidenten" Nicklas. Trettiotreårige "Cubba" kom från Sjöbo men hade nyligen flyttat till en ort utanför Klippan. Cubba var betydligt mer kriminellt belastad än Dennis Petersen och hade dömts för otaliga stölder och våldsbrott sedan tidigt 1990-tal. De som Cubba värvade var överlag äldre och mer renodlat kriminella. Inte heller i denna skara fanns några erfarna hojåkare.

"Mc-gäng kör omkring på motorcyklar. Det gör inte vi", sa Nicklas till Kvällsposten.[21]

"Vi är bara ett kompisgäng som vill festa tillsammans. Vi håller inte på med någon brottslig verksamhet. De flesta av oss är företagare och föräldrar", fortsatte han när reportern undrade vad verksamheten gick ut på.

Att Nicklas hade mängder av domar i bagaget för misshandel, vapenbrott, grov stöld, häleri etcetera framgick inte av den artikel som publicerades.[22]

Trots detta skulle det inte dröja många veckor innan flera Loyalty

21   Kvällsposten 070628: Loyalty förnekar att man är mc-klubb. Av: L Palmborg.
22   Helsingborgs tingsrätt. Belastningsregisterutdrag. Diarienr: B2100-05.

BFL-medlemmar iakttogs på sadlarna till stora, breda Harley David-son-motorcyklar. Någonting hade uppenbarligen hänt.

– Vi såg en av medlemmarna här i Malmö. Det var nästan skrattre-tande. Det syntes lång väg att han knappt visste vad som var fram och bak på en motorcykel. Ändå drog han iväg som en dåre, berättar en polisman.

Någon vecka senare kunde han och hans kolleger sluta spekulera i vad detta betydde. Vid en stor fest hos Outlaws MC i Spånga var det skånska gänget hedersgäster. Från och med nu var de inte bara en grupp underhuggare i tröjor. Hastigt och lustigt hade en del av Loyalty BFL stöpts om till enprocentsklubb.

– Det gick väldigt snabbt, det var nog bara Dennis som var med på alla turer. Några av oss bildade i alla fall ett prospect chapter till Out-laws medan resten blev kvar i Loyalty, berättar en dåvarande medlem.

Precis som för Slagg MC i Åtvidaberg gick anslutning snabbt och enkelt. Återigen bekräftades bilden av Outlaws som det lättköpta alter-nativet inom enprocentsvärlden. Men att skåningarna måste köra Har-ley Davidson-motorcyklar var i alla fall ett grundkrav.

– Vi hade ju inga egna så Outlaws skaffade fram några bågar som vi fick på avbetalning, fortsätter ex-medlemmen.

Trots sin bristfälliga motorcykelerfarenhet var Dennis Petersen självskriven som klubbens ledare. Men så tydde heller inget på att den kriminella inriktningen hade ändrats bara för att grupperingen blivit en mc-klubb på pappret.

I början av augusti häktades två anhängare i Växjö för rån mot en bilhandlare.[23] Kort därpå dök ett gäng Outlaws/Loyalty-medlemmar upp hemma hos en barnfamilj i Tomelilla i Skåne.[24] Kvinnan i famil-jen krävdes på pengar, men lyckades larma polis och det hela slutade med att besökarna kunde gripas. Ungefär samtidigt sprängdes en par-kerad personbil i Klippan. Ägaren sa sig inte ha några fiender, men polisen visste att han hade träffat personer inom Outlaws en tid före dådet.[25]

---

23 Växjö tingsrätt. Diarienr: B2262-07. Häktningsprotokoll.
24 Dagens Nyheter 070816: Outlawsmän anhållna för hot. Av: L Wierup.
25 Helsingborgs Dagblad 070823: Bilägare förnekar samröre med mc-gäng. Av: R Dujmovic.

Tecken tydde på att läget höll på att bli spänt. På vägen mellan Sjöbo och Malmö blev en tjugosjuårig Outlaws-anhängare på motorcykel prejad av vägen.

– Han for i diket och fick rejäla blåmärken. Det spekulerades om att det var HA-sidan som låg bakom, men det blev aldrig styrkt, kommenterar en polisman.

När sommaren gick mot sitt slut ansåg Skånepolisen att situationen var så oroande att det krävdes särskilda resurser. En insatsgrupp kalllad Bravo bildades vid länskriminalen och i Sjöbo fick närpolisen Johan Håkansson och en av hans kolleger i uppdrag att punktmarkera grupperingens medlemmar.

"Vår uppgift är att förhindra att Outlaws blir en etablerad mc-klubb med allt vad det innebär. /.../ Vi har ett långt och krävande arbete framför oss och det är viktigt att vi tar tag i det här nu innan Outlaws blir för stora", sa länskriminalens chef Henrik Malmquist till Tidningarnas telegrambyrå.[26]

Hade redan lagt ned

Det är mot den här bakgrunden som attacken på Hells Angels-medlemmarna i Helsingborg ska ses. De före detta medlemmar som vi har pratat med säger att händelsen ledde till panik inom Outlaws i Åtvidaberg. Efter att länge ha viftat bort skottlossningar, knivskärningar och överfall riktade mot Outlaws-medlemmar i andra delar av landet kände östgötarna sig för första gången hotade på allvar.

Redan några dagar innan det att deras klubbhus attackerades hade Åtvidabergsgänget i praktiken hängt av sig västarna.

– Vi beslutade att lägga ner, det var inte värt att fortsätta. Vi insåg att det inte går att kriga om man har jobb och familj. Så för oss fick det faktiskt ingen betydelse att klubbhuset sprängdes, hävdar en av de exmedlemmar som vi pratat med.

Det fick det däremot för Outlaws moderklubb i Spånga. Ledaren Mats Lindqvist bestämde sig för att avgå och två veckor efter sprängningen i Häradsmärket stängdes Outlaws svenska hemsida ner. Detta togs i massmedia som ett tecken på att hela organisationen lämnat

---

26 Dagens Nyheter 070827: Polisen tillsätter kommission mot mc-gäng. Av: TT.

Sverige. Redan detta var i så fall smått sensationellt; det hade så vitt känt aldrig tidigare inträffat att en enprocentsorganisation hade lämnat ett land. Men bara någon dag senare överskuggades detta av en ännu mer uppseendeväckande nyhet. Outlaws skånska avdelning och dess stödtrupp Loyalty BFL hade tagits över av fienden Bandidos. Helsingborgs Dagblads reporter Ulf Kristiansson, med kontakter inom Skånes enprocentskretsar, var den som stod för avslöjandet:

> Det finns inga officiella kommentarer, men så här ligger det till. Framförallt Bandidos satte Outlaws under hård press samtidigt som man erbjöd alla Outlaws-supportrar att bära Bandidos färger i stället. Redan den här helgen kommer därför medlemmar i Loyalty BFL i samband med en fest i mellersta Skåne att byta ut sina svart-vita färger mot Bandidos röd-gula.[27]

– Det var återigen Dennis och några till som sydde ihop det hela, vi andra fattade inte så mycket. Vad folk sa inom klubben? Ja, inte så mycket faktiskt. Loyalty hade ju inga andra tankar än någon annan förening, det är lojalitet och brödraskap som gäller. Och det stod ju Bandidos för också.

Så berättar en av de före detta medlemmarna inom Loyalty BFL. Liksom många andra säger han att det var Outlaws-ledningens ovilja att stå upp för sina färger efter bomben i Häradsmärket som fick grupperingen att underordna sig en ny herre. Att Bandidos nyligen hade attackerat Outlaws i Gävle och Norrtälje var inget hinder. Slutsatsen är att lojaliteten till den kriminella livsstilen vägde tyngre än lojaliteten till de svart-vita färgerna. Queen-låten "If you can't beat them – join them" vore onekligen ett lämpligt soundtrack.

Dennis Petersen själv vill inte gå närmare in på hur avtalet med Bandidos förhandlades fram. Men han låter i alla fall förstå att det var Bandidos Europachef Jim Tinndahn som var motpart. Petersen är för övrigt den ende som vi pratat med som inte gör någon koppling mellan bråket i Helsingborg och bomben i Åtvidaberg.

---

27 Helsingborgs Dagblad 070928: Bandidos stängde och tog över Outlaws. Av: U Kristiansson.

– Jag tyckte aldrig att det som hände i Helsingborg var något att snacka om. Lite slagsmål kan inträffa var som helst, det får man ta om man lever i den här världen.

Det var ingen dålig deal som Dennis Petersen och de andra hade gjort. De flesta av det dussintalet män som ingått i Outlaws skånska provmedlemsavdelning fick nu gul-röda västar försedda med texten "Prospect". Därmed gick de rakt in på det andra steget av fyra i Bandidos rekryteringstrappa. Om de inte misskötte sig kunde de inom två år räkna med fullvärdigt medlemskap i en organisation som gjorde anspråk på att vara en av världens största mc-klubbar. Inte illa för ett gäng där många precis lärt sig köra hoj.

För medlemmarna i undergruppen Loyalty BFL blev förändringen inte lika stor. De utsågs till officiell supportgrupp till Bandidos bredvid X-team men namnet fick leva kvar. Bandidos ledning i Helsingborg tog på sig att trycka upp nya tröjor med gul och röd text.

– Först var tanken att vi skulle komma till dem och hämta tröjorna. Men vi var många som var skeptiska till att åka dit. Tänk om det var ett bakhåll? Man visste ju vilken kapacitet som fanns, säger den före detta medlem som vi har pratat med.

Istället blev det Dennis Petersen och de andra nykomlingarna som fick stå för kalaset. Det gjorde de gärna. De hade precis flyttat från tegelhuset inne i Sjöbo till en kringbyggd gård söder om samhället. Skyddad från insyn och utan nära grannar var gården ett perfekt näste för en enprocentsklubb. Ägaren till gården hade drömt om en välbesökt krog i western-stil och döpt stället till Hill Bill Farm. Men när publiken uteblev sprack kalkylen. Dennis Petersen och de andra erbjöd sig att köpa gården och ägaren nappade. Villkoret var dock att Bandidos-männen beviljades banklån, vilket aldrig skedde. Därför kunde Petersen och de andra i praktiken använda gården gratis.

Gemensamma brottsplaner smids

Sista lördagen i september 2007 väntade Dennis Petersen och hans vänner nervöst på sina gäster. Allt var fixat: mat, dryck och tjejer. Till slut kom Bandidos. Inte bara chefen Jan "Clark" Jensen och hans klubbkamrater ifrån Helsingborg. Även mer långväga gäster från Sverige,

Loyalty BFL bytte lojalitet över en natt. Från att ha varit stödtrupp åt Outlaws MC gick grupperingen hösten 2007 in i Bandidos MC:s hierarki. Här syns några av de cirka femtio medlemmarna.

Danmark och Tyskland ville se vilka nykomlingarna på Ystadslätten var.

– Vi fick träffa de stora pojkarna. Först var det lite stelt ... man hade ju stor respekt för dem. Men när vi började prata var de lugna och hade en avspänd attityd. Vi kände oss välkomnade, säger vår källa.

På håll utanför gården hade polisen upprättat en kontroll. De hade fattat vad som var i görningen redan en vecka tidigare.

– Vi gjorde husrannsakan hos Bandidos i Helsingborg helgen innan med anledning av ett narkotikabrott. Då såg vi de nya BFL-tröjorna i gult och rött, berättar en polisman som ingick i länskriminalens Bravostyrka.

Dagarna därpå skrevs det mycket i tidningarna. Den allmänna uppfattningen var att Bandidos hade tvingat Outlaws till en förnedrande kapitulation. Fast var det verkligen så? Outlaws-avdelningen i Åtvidaberg lades ju snarast ner av rädsla för Hells Angels. Och för Dennis Petersen och hans anhang innebar uppgörelsen rekordsnabb access till en organisation med långt fler svenska avdelningar och med ett helt annat rykte i den kriminella världen. Om deras mål var att sätta sig i respekt hos omgivningen smällde de nya ryggmärkena betydligt högre än de gamla svart-vita.

För Skånepolisens del verkade sammanslagningen trots detta inne-
bära viss lättnad. Till Kvällsposten sa länskriminalens chef Henrik
Malmquist att det vore "skönt om lugnet kan återvända".[28] Nu mins-
kade åtminstone risken för att oskyldiga kom till skada i uppgörelser
mellan gängen.

Får man tro den före detta Loyalty-medlemmen var festen på Hill
Bill Farm emellertid startskottet för en mer intensiv kriminell aktivitet.
Diskussionerna på festen rörde, enligt honom, inte precis motorcyklar.

– Bandidos berättade att det fanns grejer som de gjorde och sånt som
vi kunde göra. Vi pratade droger, sprit, bedrägerier och en massa annat.
Det viktiga inom bikerkulturen är att man kommer överens om vad
som gäller från början, annars kan det gå snett, säger mannen.

Att Bandidos dikterade villkoren var en självklarhet, enligt källan.

– Det var aldrig någon diskussion. Man vet ju vem som är störst.

Det viktiga var att en del av inkomsterna betalades till Bandidos
gemensamma kassa. Det var inget okänt för nykomlingarna.

– Redan i Loyalty gällde att femton procent skulle gå till klubben,
ifall man gjort jobb i klubbens namn. Så visst är det klart att Bandi-
dos blev jätteglada över att vi gick med. Det var som inom ett företag,
plötsligt fick de femtio man till som ville tjäna pengar åt dem. I efter-
hand känns det som att de såg oss som vandrande dollartecken, fortsät-
ter ex-medlemmen.

Att en del i gänget på Hill Bill Farm sysslade med narkotikaaffä-
rer, stölder och annat var knappast någon hemlighet.[29] Däremot är
det oklart i vilken mån övriga Bandidos fick inblick i nykomlingarnas
mest lönsamma affärer. Dennis Petersen hade knutit kontakter inom
en av den organiserade brottslighetens populäraste nischer: uthyrning
av svart arbetskraft. För att denna kriminalitet ska fungera krävs:

1 bolag som ställer ut falska fakturor.

2 firmatecknare som styr pengarna dit de kan tas ut kontant.

3 pålitliga "gångare" som tar hand om de sedelbuntar som
svartarbetarna ska få i handen.

---

28 Kvällsposten 071002: Två mc-gäng blir ett. Bandidos växer när Outlaws före detta
medlemmar ansluter. Av R Ullmin.
29 Ystads tingsrätt, rotel 3. Diarienr: B2944-07. Stämningsansökan; Ystads tingsrätt,
rotel 4. Diarienr: 331-07.

Allt detta kunde Dennis Petersen och hans närmaste män ordna.[30] "Kunderna" fanns i Göteborgsområdet och verkade inom bland annat bygg- och städbranschen. Länken mellan dem och den blivande Bandidos-avdelningen var ekobrottslingen Hans Antonsson, som tidigare samarbetat med personer i och runt Hells Angels.[31]

– Jag och han kände varandra sedan tidigare, hur vi träffades minns jag inte. Men vi var ju företagare båda två så det var helt naturligt, säger Dennis Petersen.

Hur mycket han och de andra tjänade på att leverera svarta pengar till företagen är oklart. Men den blivande Bandidos-klubben i sydöstra Skåne förefaller ha varit stadd vid kassa. Redan i november 2007 bjöds det in till en ny stor fest på Hill Bill Farm. Den här gången kom ännu fler av Bandidos ledare runtom i Skandinavien för att lära känna de nya provmedlemmarna.

Bombmannen hyllas som hjälte

Mindre än tre veckor efter attentatet mot Outlaws i Åtvidaberg skulle Hells Angels komma att utse Top Side MC till officiella hangaround-klubb. Beskedet gavs av organisationens Helsingborgs-avdelning, som alltså varit "fadder" för norrköpingsgänget. Den formella anslutningen till HA-sfären kunde bara tolkas på ett sätt: attentatet i Häradsmärket skedde i Hells Angels intresse. Top Side hade förlorat en man i strid och fick nu sin belöning.

Lördagen den 13 oktober 2007 kom helsingborgarna till Norrköping för att fira den nya stödklubben. Även ett flertal andra Hells Angels-medlemmar från Sverige och andra länder anslöt. Kvällen inleddes i Top Sides klubbhus i Åby. Där hölls en minnesstund för den omkomne Cellen. Vid en vägg i lokalen, under en banderoll med texten "Support 81"[32], hade ett bord klätts med röd duk och prytts med blommor och en plakett.[33] Plaketten visade den avlidnes ansikte och intill stod ett utdrag ur låten "Valkyriors dom" av Vikingarock-bandet "Hel":

---

30   Hovrätten för västra Sverige. Diarienr: B3131-08. Dom.
31   Göteborgs tingsrätt, målenhet 14:3. Diarienr: B12002-06. Förundersökning.
32   81 är en sifferkod för HA (åttonde respektive första bokstaven i alfabetet).
33   Polismyndigheten i Östergötland. Diarienr: 0500-K2430-09; 0500-K2304-09. Förundersökningsprotokoll.

Oden ger han kraft, han slår. Marken färgas röd. Ensam stolt
han står. Sorgen brinner i hans bröst, segerns sötma ger ej tröst.
Liv han ger och liv han ta. Skuld till döden allt han har. Hör
Valkyriors sång i rus: Väntar mörker, väntar ljus.

Trots den fatala utgången hyllades Cellen som en hjälte. För att hedra
hans minne hade Top Side låtit trycka upp svarta t-tröjor med Cellens
ansikte och texten "LIVED LIKE A WARRIOR/DIED AS ONE".

Efter minnesstunden tog Top Side med ett trettiotal gäster in
till Norrköping för en krogrunda. Vid midnatt kom sällskapet till
Bomullsfabriken, en nattklubb i centrum. På nattklubben fanns ett tio-
tal polismän. De var inte i tjänst, utan var ute för att roa sig och hade
druckit en del öl. Flera av poliserna hade mött Top Side-medlemmarna
i jobbet och det dröjde inte länge innan bägge sidor hade noterat var-
andras närvaro.

Efter en stund kände poliserna att det var läge att gå, tömde sina glas
och letade sig mot utgången. En av dem som gick sist var en trettio-
ettårig polisassistent på ordningsavdelningen. Enlig egen uppgift hade
han druckit fem-sex öl och kände sig påverkad men inte full.[34] Polis-
mannen hade precis grabbat tag i sin jacka vid garderoben när han fick
syn på fyrtioettårige Gertz Karlsson. Karlsson, som var ledare för Top
Side, hade precis varit ute och rökt. Vad som hände vid mötet finns det
två versioner av.

Polismannen hävdar att han frågade varför det var så mycket "väst-
folk" på stället. Karlsson ska inte ha svarat utan bara tittat tillbaka. När
polismannen upprepade frågan gick Karlsson plötsligt till attack, enligt
polismannen. Ett slag med knuten näve fick honom att tappa balansen
och ytterligare en smäll från ett annat håll gjorde honom "groggy och
helt borta".

Gertz Karlsson å sin sida påstår att polismannen tryckte upp sin
handflata i bröstet på honom för att stoppa honom.[35] Därefter ska föl-
jande ordväxling ha ägt rum.

Polismannen: "Varför har du släpat hit det här patrasket?"

---

34 Norrköpings tingsrätt. Diarienr: B932-08. Dom.
35 Ibid.

Karlsson: "Sköt du ditt så sköter vi vårt."

Polismannen: "Det var bra att den där självmordsbombaren dog."

Karlsson: "Håll käften din jävla luffare, du vet inte vad du pratar om."

Därefter påstår Gertz Karlsson att han försökt ta sig förbi polismannen, men att denne då hindrat honom och tryckt upp sin hand mot Karlssons strupe. I detta läge ska Top Side-ledaren ha svingat sin vänsterarm, som träffade den andre i sidan. Följden blev att polismannen föll mot ett rep och damp i marken. Gertz Karlsson ska, enligt egen uppgift, ha ställt sig över honom och skrikit: "Vad fan gör du, din jävla fitta?" Ögonblicket därpå kände Karlsson att en annan person försökte ta tag i honom bakifrån. Han tog tag i personens arm, drog honom med ett brottargrepp över sin höft och dängde ner honom rakt på den liggande mannen. Sen sprang Top Side-ledaren därifrån.

Efter att ha vaknat efter en kort stunds avsvimning fick polismannen hjälp upp på benen av sina kolleger. Någon ambulans tillkallades aldrig. Istället skulle det dröja hela två dagar innan polismannen uppsökte läkare.[36] Inte heller Bomullsfabrikens ordningsvakter ringde så vitt känt polisen. Följden blev att anmälan gjordes först flera dagar efter händelsen.

Oavsett vem som hade startat det hela var situationen neslig – inte bara för den inblandade polismannen utan för hela myndigheten. Några veckor tidigare hade Top Side bett om skydd av rädsla för en motattack från Outlaws. Nu hade mc-klubbens ledare fått råg i ryggen och tvekade inte att gå i närkamp med enskilda polismän.

Men den största prestigeförlusten för polisen i Östergötland skulle ändå komma ett par månader senare. I december 2007 meddelades att utredningen om sprängningen i Häradsmärket hade kört fast.[37] Utredarna hade inte lyckats ringa in Cellens medgärningsman – eller hittat några bevis för att attentatet verkligen var beordrat uppifrån.

---

36 Polismyndigheten i Östergötland. Diarienr: 0500-K44528-08. Rättsintyg.
37 Dagens Nyheter 071207: Utredning om bombattentat i Åtvidaberg läggs ned. Av:
    L Wierup.

Outlaws: "Vi är starkare än någonsin"

Man skulle kanske ha kunnat tro att hela Outlaws MC i Sverige valde att lägga ner efter attentatet mot avdelningen i Åtvidaberg. Så blev det inte. Redan ett par veckor senare var klubbens hemsida uppe igen, nu med budskapet "You can't stop Charlie". (Charlie är det interna namnet på Outlaws dödskalleemblem.) Sedan dess har flera nya avdelningar bildats, enligt samma sajt. Men klubben för en anonym tillvaro och med undantag av några få artiklar har väldigt lite skrivits om Outlaws sedan hösten 2007.

I ett sent skede av arbetet med den här boken får vi mejlkontakt med representanter för Outlaws. Först har vi bara förhoppningar om att kunna göra en skriftlig intervju. Men i slutet av augusti 2010 blir vi uppringda av en av klubbens medlemmar. Han bjuder in oss till ett möte i Uppsala, där Outlaws "Midlands"-chapter finns.

En solig och klar lördagseftermiddag åker vi till den uppgjorda mötesplatsen: en mack vid Uppsalas södra infart. Vi är nära att missa de tre läderklädda män som kommit punktligt till mötet. När vi, åtta minuter för sent, rullar in på macken är de på väg därifrån.

– Vi tänkte att ni var dryga stockholmare. Men okej, nu är ni här. Följ efter oss, säger en av männen med ett leende när han och de andra svängt tillbaka och stannat vid vår bil.

Trion sätter sig upp i sadlarna igen och drar iväg. Dödskallarna på deras ryggtavlor grinar mot oss när vi kör in mot Uppsala. En stund senare är vi framme vid en industrilokal. Outlaws-medlemmarna svänger upp intill fastigheten och parkerar sina tunga, svarta motorcyklar på en prydlig rad. En fjärde man står och väntar utanför ingången. Vi följer efter honom och de andra in i lokalen.

– Egentligen pratar vi inte med media. Men när vi förstod att ni ändå skulle skriva tänkte vi att det var lika bra att göra ett undantag, säger en av männen, när vi satt oss tillrätta i en soffgrupp.

På bordet står läsk, pulverkaffe, muffins och wienerbröd. I andra änden av den fönsterlösa lokalen finns en bar. Där spelar en stereo AC/DC på låg volym. På alla fyra väggar hänger bilder, västar och tröjor med Outlaws namn och emblem. På golvet står en stor Outlaws-skylt i metall lutad mot väggen. Senare ska vi få veta att det var den som satt på klubbhuset i Åtvidaberg.

Vi häller upp varsin kopp kaffe och intervjun är igång. Vad var det egentligen som hände efter sprängningen nere i Östergötland? Det blir tyst i några sekunder. Sedan svarar en av männen:

– Problemet löste sig ju så att säga på studs.

Han har ett klassiskt bikerutseende med hästsvans, långt skägg och en tjock silverlänk på bröstet. På handlederna nedanför tröjkanten syns tatueringar. Rösten är djup och dialekten norrländsk.

Hur då? undrar vi.

– Ja ... genom att det gick som det gick ... för den som gjorde det, svarar han.

Några hämndplaner fanns aldrig från Outlaws sida, hävdar medlemmen. Även om en hel del tänkte i de banorna.

– Den ledning vi hade då ville inte agera. Och då får man rätta sig efter det. Men det fanns många som stod redo, det kan vi säga. Både här i Sverige och utomlands.

Ledningen – det var den tidigare nämnde Mats "Linkan" Lindqvist. Som "national president" hade han vetorätt. Och att slå tillbaka fanns alltså inte på hans karta, trots trycket från egna och utländska medlemmar.

– Inte minst i omvärlden hade folk börjat undra vad som pågick. Åtvidgrejen fick dem att inse att de inte hade fått korrekt information från Sverige på rätt länge. Presidenten hade hela tiden sagt att "det är lugnt", men så var det uppenbarligen inte, berättar en annan av medlemmarna, som är lite längre än den förste och även han har hästsvans och skägg.

Redan två veckor efter sprängdådet valde alltså Mats "Linkan" Lindqvist att avgå. De flesta andra följde med honom ut. Men ett tiotal medlemmar från avdelningarna i Stockholm och Gävle blev kvar.

– Det fanns inte att vi skulle ge upp. Outlaws har aldrig lämnat ett land där klubben etablerat sig. Prio ett blev att analysera vad som hade gått fel. Vi åkte till Berlin där vi satte vi oss ner och hade ett möte. Gör om, gör rätt – det var vad vi kom fram till, berättar mannen med halslänken.

Strategin blev att ligga lågt, hålla sig på sin kant och kapa banden till det förflutna. Det innebar i praktiken att samtliga medlemmar tvingades bryta all kontakt med dem som hade hoppat av.

– På den punkten var vi hårda. Det spelade ingen roll om man jobbade på samma jobb, i så fall var det bara att byta, förklarar den långe.

– Varför? Därför att vi ville få slut på allt snack. Innan läckte nästan allt vi sa på mötena ut, nu läcker ingenting. Det är beviset på att vi har gjort rätt.

Under det första året ökade antalet medlemmar bara sakta. Men efter ett tag var de ändå tillräckligt många för att dela upp sig i tre avdelningar: Stockholm, Midlands och Nomads.[38] De skaffade nya klubblokaler, men lät bli att hänga upp några skyltar. Ingen ville utmana ödet i onödan.

– Vi är ju inga stålmän bara för att vi är med en i mc-klubb. Men rätt snart kände vi att det nog var ganska lugnt. Relationerna med åtminstone den ena sidan blev normala, allt handlar i slutändan om ömsesidig respekt.

Han säger det inte rakt ut. Vi förstår ändå att han syftar på Bandidos.

– Någonstans kunde vi ju fatta att de hade stört sig på Outlaws tidigare. Vår gamla ledning hade liksom attityden att man inte skulle snacka med någon, fick man ett telefonsamtal från en annan klubb var det bara "klick" i örat på den andre. Det funkar inte i bikervärlden och så gör vi inte idag.

Med Hells Angels är det annorlunda.

– Vi har inte haft anledning att snacka med dem. Det är det enda vi kan säga, fortsätter medlemmen.

Under det andra året efter nystarten började Outlaws i Sverige att växa på allvar igen. En fullvärdig avdelning bildades i Strömstad med medlemmar från Norge och provmedlemsavdelningar öppnades i Malmö och i södra Stockholm.

– Vi märkte att suget bara ökade och ökade. Efter ett tag fick vi börja bromsa, vi vill inte växa för snabbt, säger medlemmen med halslänken.

– Många som ville gå med var riktiga dårar. Kåkfarare som ville ut och slåss för färgerna. Sådana har vi inget intresse av, säger den andre och fortsätter:

– Sen är det många yngre som verkar tror att livet i en hojklubb är

---

38 Nomads-medlemmar är inte knutna till någon särskild ort. Har ofta en ledande ställning och kan agera strateger och förhandlare.

Många hade trott att Outlaws MC var uträknade efter bråket med Hells Angels MC och Bandidos MC. Men sedan ledaren bytts ut gjordes en omstart och klubben har sedan dess vuxit kraftigt. Bilden är tagen i klubblokalen i Uppsala.

som att vara med i en actionfilm. Men Outlaws handlar inte om det. Vi är arbetarmän i ett brödraskap och en del blir säkert besvikna när de upptäcker att det är hela saken. Men vi finns till för oss själva, inte för andra.

I stort sett alla nya medlemmar är också familjefäder med jobb, familj och bostadslån, enligt våra intervjupersoner.

– Så måste det vara, fortsätter den långe. Har du inte ett jobb har du inte råd med en motorcykel. Och har du inte en familj som du är engagerad i har du inte den stöttning hemifrån som krävs för det här livet.

Men namnet Outlaws, då? Och klubbens våldsamma historia i USA och andra länder, där medlemmar dömts för mord och andra grova brott? Eller enprocentsmärket på bröstet, som är gemensamt med Bandidos och Hells Angels – vad står det för? Medlemmarna tar den sortens frågor med ro.

– Det är inte som Farbror Blå[39] säger att vi enprocentare ställer oss utanför lagen. I alla fall inte enligt vår tolkning. Å andra sidan gör vi

---

39 Slanguttryck för polisen.

vad som krävs om vi blir angripna, vi sätter oss inte ner och slår i lagboken först, säger den långe.

När vi frågar om någon av männen är straffad sticker han själv inte under stol med att han avtjänat fängelse för grov misshandel.

– Men det var länge sedan. Och det är liksom inget jag går runt och pratar om.

Att polisen betraktar Outlaws som del av en kriminell mc-kultur är hur som helst något medlemmarna får finna sig i.

– Är man ute och kör kan man ju bli kollad två gånger per dag och få svara på frågor. Har man körkort? Vart är man på väg? Är hojen skattad och försäkrad? Vad har man i väskorna, fortsätter medlemmen.

– Men det kan man ju ta, så länge de är korrekta. Är de inte det blir det JO-anmälan. Det viktiga för vår del är ju att de aldrig har något att anmärka på, flikar den andre in.

– Nej, det är ju inte en enda gång som de gjort husrannsakan eller gripit någon. Journalisterna har inget att skriva. Det är så det ska vara och det är jävligt skönt!

Under de tre år som gått sedan bomben i Åtvidaberg har Outlaws-sfären i Sverige nu vuxit till att inkludera över hundra personer, enligt männen. Det innebär att organisationen är större än någonsin.

Bara några dagar innan vårt möte har Outlaws-medlemmarna kommit hem från Chicago i USA. Där har de firat Outlaws sjuttiofemårs-jubileum tillsammans med 500 andra medlemmar. Själva är de i färd med att planera firandet av klubbens tio första år i Sverige. Någon gång under hösten 2011 blir det en rejäl fest.

– Det kommer att hända saker, så mycket kan vi säga! skrattar medlemmarna.

När vi frågar hur svenska Outlaws ser ut om fem år svarar de att det inte är otroligt med "sexton-sjutton chapters".

– Å andra sidan är det ingen tävling, som en del verkar tro. Vår klubb är ju äldst, så det är liksom redan klart.

På olika sätt förstår vi att en av dem som är involverad i framtidsplanerna är den nu trettioåttaårige Dennis Petersen. Efter att ha lämnat Bandidos efter bara en kort tid är han numera tillbaka i Outlaws, där han är fullvärdig medlem i organisationens Nomad-avdelning. Det är av den anledningen som vi tar kontakt med honom i september 2010. Då sitter han inlåst på Kriminalvårdens anstalt i Umeå. Affärerna med Hans Antonsson i Göteborg har lett till att han dömts för grovt skattebrott till fängelse i två och ett halvt år.[40]

Att gå tillbaka till Outlaws var inget problem, hävdar Petersen – trots att han alltså under en period var lojal med den tidigare fienden Bandidos.

– Jag har bra relationer till alla, det finns inga problem någonstans, säger Dennis Petersen och berättar att många andra från det ursprungliga Loyalty BFL också har gått in i Outlaws.

Fängelsestraffet har inte gjort honom mindre sugen på att verka inom gängvärlden.

– Jag vet inte om det är något kall man har, jag har tänkt väldigt mycket på det faktiskt ... Egentligen kan jag ju faktiskt leva jävligt gott på vanligt sätt. Men jag kommer i alla fall aldrig att åka in igen, det kan jag säga. Så smarta är snutarna inte, fortsätter Dennis Petersen, som friges i mars 2011.

Även Petersen antyder att Outlaws befinner sig i en intensiv återuppbyggnadsfas.

– Det kommer att hända väldigt mycket i lilla Sverige snart, det kan jag säga. Det är många som är trötta på det som har varit, säger han.

Det inlindade budskapet är att Outlaws ska bli riktigt stora. Men enligt Dennis Petersen behöver det inte innebära nya konflikter med konkurrenterna inom enprocentsmiljön.

– Tvärtom tror jag att allt kommer att bli mycket lugnare. Och är det inte så vi alla vill att det ska vara?

Tre veckor senare inträffar en händelse som antyder att Dennis Petersen har fel. Den 25 september 2010 besöker Outlaws-medlemmar från olika delar av landet Ystad, där en ny avdelning precis har öppnats. På restaurang Marinan attackeras de av en grupp unga män som, enligt polisen, har koppling till Hells Angels. Flera män från Outlaws slås blodiga och tvingas uppsöka sjukhus. Bland de skadade finns en av dem som vi träffade i källaren i Uppsala. När vi mejlar klubben och undrar hur Outlaws ser på överfallet blir svaret kort:

"You can't stop Charlie".

---

40   Hovrätten för västra Sverige, rotel 42. Diarienr: B3131-08. Dom.

"EN BIKERKULTUR SOM HAR GÅTT SNETT"

I början av 2009 får vi ett mejl. Avsändare är en man som har läst vår första bok. När boken kom ut hösten 2007 hade han inte haft en tanke på att köpa den. Men nu försöker mannen och hans fru förstå varför unga lockas att bli gängmedlemmar. Han skriver så här:

> Anledningen är att vi har en son som är på väg in i ett kriminellt gäng och vi gör allt vi kan för att förhindra detta. Vår son är känd hos polisen och hans kopplingar till organisationen är dokumenterade. Vi behöver hjälp med att få vår son "av-programmerad" till ett liv utan gänget, flytta, ordna jobb m.m. Vi har själva tagit kontakt med polisen men de kan egentligen inte göra mer än gripa honom när han gör något. Vi behöver komma i kontakt med någon person eller organisation som hjälper honom att förstå vad gängen håller på med och hur det skadar andra, dessutom hans familj, och hur man kommer vidare i livet utan gänget.
>
> Vi har pratat o pratat men vi når honom inte. Jag såg Ekdahls program, om ungdomar som fastnar i de kriminella gängen, härom kvällen.[41] Där pratades hela tiden om ungdomar från trasiga förhållanden som trillar dit. Det finns också unga

---

41   http://www.tv4.se/1.826711/2009/01/27/kvallsoppet_om_organiserad_
     brottslighet_och_gangkultur

från "hela familjer", som vår, som trillar dit fastän vi kämpar, uppmuntrar o är närvarande. Vi behöver hjälp men var finns den? Det talas aldrig om det i media utan bara om när det är "för sent".

Vi ringer det mobilnummer som finns angivet i mejlet. Pappan, som vi kan kalla "Stefan", svarar och ett långt samtal inleds. Stefan presenterar sig och sin familj lite närmare. De bor i ett villasamhälle i Östergötland. Han jobbar inom en statlig myndighet och hans fru driver ett eget företag. Bägge sönerna, som är i övre tonåren, bor hemma. Både föräldrar och barn idrottar på fritiden. Så långt – en vanlig svensk familj.

Det som plågar Stefan är att hans äldste son, som här får heta "Jonas", har börjat umgås med ett motorcykelgäng. Jonas berättade det först inte själv, men på olika sätt kröp det fram ändå. Bland annat efter att Stefan en kväll upptäckt en bild i sonens dator. Bilden var i sig harmlös, den föreställde Jonas stå och kratta löv i en trädgård. Men på en byggnad i bakgrunden syntes en röd-vit skylt som väckte Stefans funderingar. Vad var det för ställe som sonen jobbade på?

Jonas var inte särskilt pigg på att berätta. Men till slut förstod Stefan. Huset i bakgrunden var Top Side MC:s klubbhus i Åby norr om Norrköping. De röd-vita färgerna representerade Hells Angels, den organisation som Top Side vid det här laget var på väg in i och som lokaltidningarna skrivit så mycket om sedan bombsprängningen utanför Åtvidaberg året innan.

– Vad hade han med dem att göra? Vi försökte förstå och ställde en massa frågor. Men några bra svar fick vi inte, berättar Stefan.

Det handlade i alla fall inte om motorcyklar; något sådant intresse hade aldrig funnits hos Jonas. Under uppväxten hade det istället varit lagsport som gällt och han hade blivit ganska framgångsrik. Så småningom insåg föräldrarna att det faktiskt delvis var genom idrotten som Jonas hade lärt känna några killar, som i sin tur kände medlemmar i den blivande Hells Angels-avdelningen.

Stefan och hans fru visste vilka flera av vännerna var. Några var uppväxta i samma bostadsområde, andra hade Stefan träffat i träningssammanhang. En del av vännerna hade rykte om sig att vara tuffa och föräldrarna hade ogillat sonens umgänge även innan mc-gänget kommit in i bilden.

– Han har nog upplevt att vi tjatat om att han borde hitta andra kompisar. Men när det inte fick effekt bestämde vi oss för att försöka skapa en så lugn och trygg situation som möjligt. Vi kan ju inte sitta vid varenda måltid och ha tråkigt, det blir inte bra det heller, fortsätter Stefan.

Små saker hade gett hintar om vad Jonas och vännerna gjorde. Som exempelvis att de körde till andra städer. Det förstod föräldrarna när de hittade ett bensinkvitto från Göteborg i bilen som Jonas lånat. Stefan undrade varför de hade åkt dit och vilka de träffat där, men Jonas ville inte svara.

– Han är ju inte medlem utan fortfarande på väg in, det är nog därför han gör olika grejer. Men vi har svårt att få grepp om det hela ... polisen får ju inte säga någonting förrän saker har skett, i och med att han är över arton.

Det sistnämnda fick Stefan och hans fru klart för sig efter att de själva hade ringt polisen i början av hösten 2008. Föräldrarna hade hoppats få svar på om Jonas var inblandad i något brottsligt – och om det i så fall fanns något som de kunde göra. Men det enda de fick höra var att sådan information inte kunde lämnas ut.

– Det var enormt frustrerande. I våra ögon är han ju fortfarande ett barn, han bor här hemma och vi försörjer honom. Då vill vi förstås veta vad det är han har dragits in i, säger Stefan.

Det lilla som kom fram var att polisen hade haft ögonen på Jonas i nästan ett halvår, det vill säga från det att han gick sista terminen på gymnasiet. Vid den här tiden hade föräldrarna inte sett några orosmoln. Tvärtom hade det mesta tett sig ganska ljust. Jonas var på väg att lämna skolan efter en treårig yrkesinriktad utbildning och hade siktet inställt på att skaffa jobb.

Visserligen hade Jonas redan under skoltiden varit i kontakt med rättvisan. Anledningen var att han hade gett sig på en kille som pratat illa om hans flickvän. Jonas hade dömts för misshandel och fått göra samhällstjänst. Men Stefan och hans fru såg det hela som en engångsföreteelse och betraktade inte sonen som en slagskämpe.

Brottet var hur som helst ingenting jämfört med vad som skulle komma. Det Stefan inte berättar i vårt första samtal, men som ska framkomma senare, är att Jonas sitter häktad för grovt olaga hot och försök till grov utpressning. Enligt åklagaren har Jonas och en vän till honom kastat en militär granat genom fönstret till en lägenhet.

I lägenheten låg en man och en kvinna i tjugofemårsåldern och sov. Ljudet av den krossade fönsterrutan och dunsen i golvet hade gjort dem klarvakna. De behövde inte titta länge på metallföremålet för att förstå att någon ville dem illa. Att granaten inte var komplett, och därmed inte skulle ha kunnat explodera, kunde de inte veta. Mannen i lägenheten berättade för polisen att han tidigare hade blivit krävd på en stor summa pengar av Jonas. I hans telefon fanns ett sparat SMS: "Time up 40 000 inom en vecka annars sover du bland fiskarna bom bom".[42]

Bakgrunden var ett bagatellartat bråk utanför en pub i Norrköping. Den tjugofemårige mannen, som själv var känd av polisen, hade råkat stöta till ett par av Jonas vänner och gruff hade uppstått. Jonas hade kommit fram och frågat om det var något problem, samtidigt som han öppnat sin jacka och tagit fram en hammare. Tjugofemåringen hade svarat med att rycka av Jonas hans mössa. På mössan fanns symboler med anknytning till Hells Angels. Det räckte för att Jonas skulle anse att han hade rätt att "bötfälla" tjugofemåringen.

"Det är inget personligt menat mot dig, men du måste betala en skuld till oss för att du smutsat ner och förnedrat vårt klubbmärke", sa Jonas vid ett uppgjort möte några dagar senare.[43] Mannen hade blivit skärrad, men ändå trott att det hela på något sätt skulle rinna ut i sanden.

Kopplingen till Hells Angels fick polisen att ta fallet på stort allvar. I samband med att Jonas och hans vän greps gjordes razzia i mc-klubbens lokal i Åby. Fotografier av Jonas beslagtogs, liksom handlingar som avslöjade att han ansökt om medlemskap i Hells Angels undergrupp Red and White Crew. Papperen visade att Jonas hade lämnat utförliga uppgifter om sig själv, vilka skolor han hade gått i, vad hans

---

42 Polismyndigheten i Östergötland. Diarienr: 0500-K2304-09. FU-protokoll.
43 Ibid, s 107-108. Förhör.

föräldrar och syskon hette och namn på en person som kunde "gå i god" för honom.[44]

Stefans förhoppning, då han mejlade oss, var att få tips om vart han kunde vända sig för vägledning. Förr eller senare skulle Jonas komma hem igen. Hur skulle han och hans fru agera då? Stefan funderade på om det fanns det någon organisation som stöttade föräldrar till unga gängmedlemmar. Med tanke på gängens utbredning borde ju hundratals familjer i landet stå inför liknande problem, tänkte han.

– Jag satt precis och sökte efter telefonnumret till en ledamot i sociala utskottet här i kommunen. Vi försöker ju gå alla vägar ... Men det känns som att det saknas en struktur i samhället där man som familj kan få hjälp, säger Stefan.

– När vi pratar med socialen, polisen och andra myndigheter så är alla trevliga och förstående. Men ingen har någon helhetsbild, alla jobbar i sina stuprör. Och när det visar sig att vi i övrigt är en välfungerande familj blir det tyst, vi passar liksom inte in i mallen.

Att gång på gång öppna sig för okända personer och förklara sitt ärende säger han är kämpigt.

– Misslyckad, sårbar och utlämnad. Så känner jag mig. Samtidigt måste ju övriga familjen gå vidare med vardag och jobb.

Det faktum att familjen bor i Östergötland borde egentligen båda gott. Som tidigare nämnts kom länets tretton kommuner i början av 2008 överens med polis, åklagare och en rad andra myndigheter om en gemensam handlingsplan för hur den blivande Hells Angels-avdelningen och andra kriminella gäng skulle splittras. Men ingen av åtgärderna på listan riktades mot gängmedlemmarnas familjer.

– För vår del hade det känts jättebra om man tog in oss och gjorde oss delaktiga. Vi vill ju inget hellre! säger Stefan.

På egen hand har de ändå lyckats komma en bit på vägen. Vänner har tipsat om en psykolog med erfarenhet av unga brottslingar. Jonas hade hunnit gå på flera möten innan han greps.

– Tidigare har vi ju trott att det går att överföra logiskt tänkande och

---

44   Polismyndigheten i Östergötland. Diarienr: 0500-K2304-09. FU-protokoll. s 98-
     101. Beslag.

bra värderingar, bara man pratar inom familjen. Men psykologen har fått oss att förstå att som mamma och pappa kan man inte banka in vad man tycker är rätt och fel, säger Stefan.

Istället hade de börjat gå en annan väg.

– Vi försöker liksom nå in mer emotionellt och visa hur ledsna vi faktiskt blir av allt det här.

Detta kommer Stefan och hans fru dock att ha begränsad möjlighet till under den kommande tiden. Några veckor efter vårt samtal döms Jonas till ett års fängelse. Eftersom det anses finnas risk för fortsatt brottslighet beslutar domstolen att Jonas inte kan friges efter rättegången, utan han måste sitta häktad i avvaktan på Kriminalvårdens anstaltsplacering. Straffet ska Jonas komma att avtjäna på en ungdomsanstalt i Luleå, hundra mil hemifrån.

Hemma hos Jonas

I början av hösten 2009 friges Jonas villkorligt. Han flyttar tillbaka hem till föräldrarna. När vi åter pratar med Stefan på telefon låter han försiktigt hoppfull om Jonas situation.

– Talar han sanning så har han lämnat gänget. Men vi kan inte riktigt veta. Och det måste vara jobbigt för honom också att vi inte tror honom, säger han.

Jonas har kontakt med Frivården, den myndighet som ska se till att fängelsedömda ges så bra förutsättningar som möjligt för att komma tillbaka till ett laglydigt liv. Frivården har lovat att ett "paket" av åtgärder ska sättas in. Men ännu har myndigheten inte hittat någon övervakare som anses lämplig att ta sig an Jonas. Förklaringen Stefan har fått är att det kan finnas en särskild hotbild på grund av sonens gängtillhörighet. En timmes samtal i veckan med en frivårdsinspektör är ännu efter en månad den enda konkreta åtgärden.

Stefan och hans fru frustreras över att Jonas har så mycket tid till att umgås med vännerna. Men om ett tag kanske det blir bättre, tror han. En tillfällig praktikplats är ordnad i en butik, som Jonas själv har tagit kontakt med.

En tid senare, i november 2009, har vi vägarna förbi Östergötland och passar på att besöka familjen. Jonas är hemma. Han tar i hand och hälsar artigt efter att Stefan öppnat dörren. Också Jonas har läst vår första bok och undrar om det blir någon uppföljare.

– Jag har hört rykten om att den ska heta Djungelboken med tanke på Black Cobra, Lions Family och alla andra nya gäng, skämtar han.

Vi slår oss ner i ett smakfullt inrett vardagsrum. Jonas, som inte är särskilt storvuxen, kryper upp i en fåtölj. Vi frågar hur han känner inför det faktum att vi är här för att prata med Stefan om föräldrarnas kamp för att få Jonas på rätt köl. Jonas säger att det inte känns på något särskilt sätt och han är gärna med själv. Fast har vi några frågor om gänget kan han inte svara, gör han klart.

Stefan börjar prata med Jonas om hur det var när Jonas gick i skolan. Föräldrarna upptäckte ganska tidigt att sonen var ointresserad av att läsa. När Jonas gick i mellanstadiet vände de sig till hans lärare och undrade om det kunde vara så att han led av dyslexi. Skolan tyckte dock inte att någon utredning behövde göras, säger Stefan. Jonas språkliga brister ansågs ligga inom det normala.

Även i högstadiet tog föräldrarna upp sin oro med Jonas lärare. Stödundervisning utlovades. Det innebar bland annat att Jonas placerades ensam med ett antal tjejer i en högre årskurs. "För att inte störa", fick föräldrarna senare höra genom Jonas.

I efterhand har föräldrarna tänkt mycket på om läs- och skrivsvårigheterna kan ha bidragit till att saker och ting utvecklats som de har gjort. Kände Jonas behov av att kompensera för dåligt självförtroende i klassrummet? Jonas funderar. Kanske lite, säger han. Å andra sidan var han duktig i idrott och fick kompisar därigenom. Men någon gång under senare delen av grundskoletiden hände något. Jonas upptäckte att han "var bra på att slåss".

– Sen blev det att man gjorde en del bus, säger Jonas utan att gå in på vad.

Lite senare, när även Jonas mamma satt sig ner i en av sofforna, glider samtalet över till de brott som Jonas är dömd för. Känner han någon ånger? Nej, svarar Jonas. Fast det var förstås inte kul att sitta i fängelse.

– Det värsta var väl att de där inte mådde så bra, säger Jonas och nickar mot sina föräldrar.

Inför framtiden är Jonas inne på att hitta ett hantverksjobb som ligger i linje med hans yrkesutbildning. Tills dess är han kvar på praktikplatsen. Han har tagit upp idrotten igen och tillbringar en hel del tid på ett gym.

Mot slutet av vårt besök säger Stefan och hans fru att det bästa för Jonas nog vore att han flyttade till en annan ort. Då skulle han hamna i ett nytt sammanhang och lära känna nya människor som inte var kriminella. Jonas gillar inte idén. Det är här han har sina vänner.

"Vi för ett krig ... och vi håller på att förlora det"

I början av februari 2010 har vi en ny telefonkontakt. Stefan låter uppgiven. Han har fått reda på att Jonas blivit accepterad som medlem i Red and White Crew. Och tidningarna har berättat att Hells Angelsavdelningen i Norrköping nu är fullvärdig.

– Han och de andra kollas av polisen hela tiden. Hittills har han inte åkt fast för någonting. Men vi är ju livrädda varje måndagsmorgon när vi sitter vid köksbordet och slår upp tidningen, berättar Stefan.

Dessutom har föräldrarna fått veta att butiken där Jonas praktiserat ägs av en man med anknytning till Hells Angels. Att Frivården ändå godkände praktikplatsen är i Stefans ögon minst sagt förvånande – företagets HA-koppling är känd av polisen och har nyligen blivit omskriven i massmedia.[45]

– Ett tydligt exempel på hur de olika instanserna missar att informera varandra. Hela tanken med de här insatserna måste väl vara att försöka bryta kontakterna med mc-klubben, inte att förstärka dem! säger Stefan.

Nyligen brast det för Stefans fru. Hon gick till butiken och pratade med ägaren.

– Hon förklarade hur oerhört trötta vi är på det här och undrade om klubben inte bara kunde släppa Jonas. Men det var som att tala för döva öron. Hon fick bara höra att alla människor gör sina fria val, berättar Stefan.

Det blir tyst i luren i några ögonblick. Sen säger han:

– Vi för ett krig ... och vi håller på att förlora det.

---

45   Norrköpings tidningar 081014: Tillslag mot videobutik med HA-anknytningar.
     Av: J Stenström.

Till sist har Stefan insett att hans letande efter stöd har varit förgäves. Det finns ingen särskild institution eller organisation dit föräldrar till gängmedlemmar kan vända sig.

Men helt kört är det inte, betonar Stefan. Jonas bor kvar hemma och han är positiv till att ta tag i sina läs- och skrivsvårigheter. Att sonen lider av grav dyslexi bekräftades av en utredning som föräldrarna bekostade efter frigivningen. Nu planerar de att låta en läkare undersöka Jonas för att ge svar på om det även föreligger en viss ADHD-problematik.[46]

– På något sätt känns det ändå som att han lyssnar på oss när vi säger att det kan finnas den typen av förklaringar till att han hamnat i det här. Och det skulle kunna leda till mer konkreta sätt att ta tag i problemen.

Det går en månad. Sen pratar vi igen. Nej, det är inte alls bra, svarar Stefan när vi frågar hur det är. Jonas sitter häktad igen. Den här gången gäller misstankarna handel med amfetamin. Flera andra Red and White Crew-medlemmar tros vara inblandade.

– Vi kan väl inte säga att vi blev särskilt förvånade. Vi såg ju att han var på väg åt fel håll den sista tiden, säger Stefan.

Vilken roll Jonas misstänks ha haft i narkotikaaffärerna vet Stefan och hans fru inte. Varken polisen eller Jonas advokat har sagt något. Men en snabb sökning på internet räckte för att Stefan skulle inse att den här gången var det helt andra straffsatser som kunde bli aktuella. Döms Jonas för grovt narkotikabrott riskerar han fängelse i mellan två och tio år.

– Känslorna är dubbla. Ibland är man så arg så att man vill slå honom gul och blå och i nästa stund gråter man bara och tänker på när vi stod här tillsammans i köket och gjorde potatismos, suckar Stefan och fortsätter:

– Men frågan är ju vad som är värst, ett långt fängelsestraff eller att han är kvar i gänget? Kanske blir det det här som får honom att ändra sig till slut ...

När vi skriver detta i september 2010 sitter Jonas och två andra gängmedlemmar kvar i häkte. Åtal väntas för affärer med nästan två kilo amfetamin.

---

46 ADHD (Attention-Deficit/Hyperactivity Disorder) är ett neuropsykiatriskt funktionshinder som utmärks av bristande uppmärksamhet och hyper- eller hypoaktivitet.

FOTO: UR POLISENS FÖRUNDERSÖKNING

Tidigare/Nuvarande Arbetsplats
Var/när

☐ *Tap stert*
☐
☐
☐

Har du några skulder
☐ Ja, redogör för dessa

Är du tidigare straffad eller misstänkt för något brott: *men dåråda nerlagda misstänkt- 2 Grov.amiss- andlar.*
☒ Ja för vad och var har straffet avtjänats

Dömd - Misshandel / övergrepp i rettssak

Är du villkorligt frigiven:
☒ Ja, hur länge *2 år*

Har du någonsin arbetat för någon myndighet ex Polis , Kriminalvården
☐ Ja förklara *Nej*

Har du någonsin samarbetat med ovanstående i någon utredning
☐ Ja förklara *Nej*

Har du varit med eller försökt att gå med i någon annan motorcykel klubb
☐ Ja Namn på klubben i stad / under vilka år / Varför du lämnade klubben
Nej

☐ Om ja på ovanstående Namn och telefonnummer till någon i klubben

Ange en referens som kan gå i god för dig
Namn : ▮▮▮▮▮▮▮▮▮▮▮▮
Adress:
Telefon: ▮▮▮▮▮▮▮▮▮▮▮▮

Identifierbara tatueringar eller ärr:
☒ Ja bifoga foto

Sponsrad av medlem
☐ Om ja namn

Innan "Jonas" accepterades som medlem i Hells Angels MC:s supportergrupp Red and White Crew var han tvungen att lämna detaljerade uppgifter om föräldrar, arbetsgivare och brottsmisstankar.

Bra hemförhållanden inget vaccin

Berättelsen om Jonas ger en bild av Hells Angels-sfärens rekrytering av nya anhängare. Det som för omgivningen framstår som enbart destruktivt har av allt att döma en stark dragningskraft på unga män i jakt på identitet och riktning. Gemenskap, lojalitet, spänning och en känsla av att ingå i något stort, viktigt och hemlighetsfullt är positiva faktorer för många människor, inte minst för dem som hamnat utanför i något sammanhang. Att få en roll inom Hells Angels hierarki framstår på det här planet inte särskilt annorlunda än att göra värnplikten – något som varken Jonas eller de andra i hans gäng fått chans att göra, så vitt vi vet.

Det är djupt förståeligt att föräldrar som har gjort allt för att skapa en trygg hemmiljö känner frustration och uppgivenhet när deras barn väljer gänglivet framför skola och jobb. Men utifrån ovanstående perspektiv finns det inget som säger att bra hemförhållanden skulle innebära ett "vaccin" mot gängmedlemskap.

Hos Jonas och andra unga som vi har mött går det också att spåra ett visst mått av tonårsrevolt. Tillhörighet till någonting som vuxenvärlden förfasas över kan för många vara intressant under en viss period i livet. Att det för Jonas del blev just Red and White Crew var från början sannolikt en tillfällighet.

Men att leva enligt Hells Angels regler är någonting helt annat än att bara ta sig in i en spännande gemenskap och provocera sin omgivning. Ett viktigt krav handlar om våldsacceptans. De flesta människor har inre spärrar mot att skada andra medan en Hells Angels-supporter måste vara kapabel, fysiskt och psykiskt, att angripa alla som kränker organisationen.

Medlemskap i Hells Angels och dess undergrupper förutsätter också en förmåga att ställa den individuella självständigheten åt sidan. Makten finns högst upp i organisationen och den som vill vara med måste lyda. Även om det innebär utförande av handlingar som riskerar att kosta en friheten. Vem som misstänks ha styrt de narkotikaaffärer som Jonas misstänks för är i skrivande stund okänt. Men erfarenhetsmässigt kan man slå fast att medlemmar i Red and White Crew sällan begår brott av den typen på eget initiativ – eller kammar hem vinsterna.

Förmåga att stå ut med en kriminell stämpel är en tredje faktor som avgör vem som blir långlivad i gängvärlden och inte. De flesta i Jonas ålder hade alldeles säkert fått sig en ordentlig tankeställare av att sitta i fängelse för första gången. Tristess, skam och oro över förstörda framtidsutsikter skulle sannolikt göra många mottagliga för de påverkansprogram som trots allt erbjuds. Jonas blev istället mer motiverad till att ställa sig utanför samhället. Kanske säger det något om Kriminalvården, men troligen mer om Jonas själv och hans förhållande till gänget.

Vad är det då som lockar den som är beredd att bränna alla broar och löpa linan ut? Rimligen att en dag själv bli en av de fullvärdiga. Som sitter i toppen, slipper skitgörat och får den respekt som Hells Angels ryggmärke inger. Men inte ens detta fåtal är garanterade evig makt. Det visar nästa exempel.

En fallen helvetesängel

Göteborg, en fin vårkväll år 2009. På en parkeringsplats i stadsdelen Kviberg står skinnklädda män och blir synade tillsammans med sina fordon. Inne i ett stort, vitt tält finns ytterligare bikers som vi inte kan se. Myndigheterna har inte sparat på krutet. Här finns uniformerad polis från Västra Götaland, civilklädd underrättelsepersonal från Malmö, Göteborg och Mellansverige och gott om tjänstemän från Kronofogdemyndigheten.

Förklaringen till insatsen finns en bit bort. I en utrangerad förrådsbyggnad, som försvaret har överlåtit till mc-klubben Garage 1, pågår en fest. "Live music, DJ, barbeque, Black Jack och Erotic Show" utlovas i den inbjudan som gått ut. Festföremålen är fyra män i Hells Angels MC Goth Town: Alex, Hasse, Banne och Bofu. Klubben har egentligen en egen lokal, inrymd i en trävilla i Mölndal. Men Garage 1:s ställe sväljer betydligt mer folk.

Att det är just den här kvartetten som firas beror på att det var tio år sedan de fick sina Hells Angels-västar. Ytterligare elva HA-medlemmar från olika delar av landet har anledning att skåla ikväll. Det är nu de ska upphöjas till fullvärdiga medlemmar.

Det kommer knappast som någon överraskning för arrangörerna och deras gäster att polisen har satt upp en kontrollstation vid infarten. Även om den sortens insatser sällan leder till att brott avslöjas bidrar myndigheterna gärna till en avslagen feststämning. Att beslagta motorcyklar och andra föremål från personer med skulder är ett syfte med de noggranna kontrollerna. Ett annat är att samla information till underrättelserotlarna. Vem umgås med vem? Vilka ansikten är nya? Vem har stigit i graderna?

I ett försök att skona en del av gästerna från polisens snokande har arrangörerna hyrt vita Volkswagen-bussar från Europcar. Fordonen går i skytteltrafik mellan festlokalen och en uppsamlingsplats någonstans i närheten. Männen i sätena ser inte särskilt roade ut; att bli bussad till en mc-fest istället för att komma på en vårfixad Harley Davidson är förmodligen nesligt.

En som rullar in på en egen dovt smattrande HD i kvällssolen är fyrtiosexårige Michael Johannessen. Lugnt och obekymrat styr han bort mot tältet, slår av motorn och går av. "Mega", som den storvuxne mannen kallas, vet att han för närvarande inte har något otalt med myndigheterna. Precis bakom Mega kommer hans fru på en egen mc, iförd rosa läderdress. Hon är den enda kvinna som vi ser bland besökarna under de timmar som vi följer polisinsatsen.

Som "vice president" inom Hells Angels äldsta Göteborgsavdelning – "Gothenburg" – borde Mega vara en av dem som verkligen vill fira att organisationen växer och frodas. Men allt verkar inte vara som det ska för Megas del. Den slutsatsen ska en av poliserna i kontrollen dra. När han frågar om Mega verkligen tycker att livet som Hells Angels-medlem fortfarande är kul svarar HA-ledaren oväntat att han faktiskt ställt sig den frågan själv.

Megas besök på festen blir också överraskande kort. Redan tre kvart senare kommer han och hans fru mullrande på sina motorcyklar ut från festområdet. Senare får vi veta att de anlänt precis till middagen, ätit rekordsnabbt och sagt hejdå nästan direkt därefter. Det är uppenbart att Mega har fått andra intressen än att festa med sina "bröder".

Mega får ett samtal

Men bristande motivation är inte hela bilden. Mega dras med allt större skulder. Tidigare har han varit en av dem inom Hells Angels Göteborgsavdelning som gjort mest pengar, bland annat genom indrivning. Efter

FOTO: LASSE WIERUP

Hells Angels-medlemmen Michael "Mega" Johannessen vinkas in för poliskontroll i samband med en fest i Göteborg våren 2009.

att ha drabbats av ryggproblem har han dock varit allt mindre aktiv – samtidigt som bil, motorcyklar och båtar fortsatt att kosta pengar. Nyligen har Mega och hans fru dessutom köpt en tomt på landet där de är i färd med att bygga en påkostad villa.[47] Tanken är makarna ska flytta in under hösten. Mega tyckte att platsen var perfekt, när han såg ut tomten. Det är bara några minuter med bil därifrån till Hells Angels klubbhus i Gunnilse och det går att köra dit på små skogsvägar.

Skulderna skulle förmodligen inte ha varit något större problem, om inte en del av fordringsägarna själva tillhörde Hells Angels.[48] En medlem i organisationens Helsingborgsavdelning har till exempel lånat Mega 60 000 kronor. Och en nybliven medlem i Megas egen avdelning ligger ute med nästan lika mycket.

Att skulderna förblir obetalda är en bidragande orsak till att Mega under sommaren tar time-out.[49] Därmed är han borta från livet på

---

47   Göteborgs tingsrätt, avd 3. Diarienr: B4132-10.FU-protokol, s 332. Förhör med
     Michael Johannessen.
48   Ibid, s 56. PM Michael Johannessens skulder
49   Göteborgs tingsrätt, avd 3. Diarienr: B4132-10. Förhör med Stefan Armenius
     under huvudförhandling.

klubbhuset i Gunnilse på obestämd framtid. Inte nog med det: han tillåts inte bära skinnvästen med organisationens dödskalleemblem på ryggen. Den väst som gett Mega status i den undre världen och gett honom möjlighet att göra affärer som han annars inte skulle ha varit i närheten av.

Vid de få tillfällen som Mega ändå har kontakt med de andra medlemmarna märker han att tonen har förändrats. Detta blir särskilt tydligt då han pratar med "presidenten" Tommy Steele Pettersson. Mega ska senare berätta att han fick en känsla av att något var "galet".[50]

När Tommy Steele Pettersson i början av augusti ringer och säger att han ska infinna sig på klubben anar Mega det värsta. En sådan order har han aldrig fått tidigare. Men att trotsa Pettersson och inte dyka upp är inget alternativ i Megas värld.[51]

Mega gör sitt bästa för att dölja sin oro inför frun. Det lyckas dåligt, hon ser att han inte mår bra. De pratar om vad som kan komma att ske och känner instinktivt att läget är allvarligt. När dagen är inne orkar de inte vara kvar i sin lägenhet i Olskroken i Göteborg utan kör en sväng med bilen. Men ingen av dem kan släppa tankarna på det som ska komma.

Efter att ha lämnat av hustrun utanför lägenheten fortsätter Mega under den sena eftermiddagen ut till nybygget, som ligger naturskönt i det backiga jordbrukslandskapet öster om klubbhuset. Han parkerar sin silverfärgade Mercedes-jeep och sätter sig för att "filosofera lite grann", som han senare ska uttrycka det.[52] Efter kanske tio minuter är han tillbaka på vägen igen. Precis innan han kommer fram till Hells Angels-gården ringer han sin fru. Han lovar att höra av sig så fort han är ute ur klubbhuset igen.

Den som håller vakt inne på gården ser Megas Merca dyka upp på en skärm, som är kopplad till en övervakningskamera. Personen öppnar den fjärrstyrda, taggtrådsförsedda grinden. Megas bil rullar in under skylten med Hells Angels dödskalleemblem.

---

50   Ibid. FU-protkoll, s 350. Förhör med Michael Johannessen.
51   Ibid.
52   Ibid. Förhör med Michael Johannessen under huvudförhandling.

Inne på gårdsplanen möts Mega av tre män, alla yngre än Mega. En av dem försvinner in i huset under tystnad; det är honom som Mega är skyldig pengar. En annan går fram till Mega och kramar om honom, Mega uppfattar att den andre vill trösta. Men männen hinner inte växla många ord. I nästa stund tittar den förste medlemmen ut ur huset igen. "Mega, du kan komma ner", säger han.[53]

I källaren är hela klubben samlad. Nio män som Mega känner utan och innan. Stolen vid mötesbordets kortsida, där Mega alltid suttit, är upptagen. Mega blir stående med allas blickar på sig. Stum. Skräckslagen. Beredd på vad som helst.

Han har varit med om liknande situationer tidigare. Då har han befunnit sig på andra sidan. Första gången var för elva år sedan. Klubbmedlemmarna hade röstat för att Michel, en provmedlem, skulle uteslutas på grund av drogproblem och skulder. Mega och en annan medlem höll fast Michels armar medan dåvarande presidenten Bengt Olsson brände bort Michels klubbtatuering. Ingen hade haft en tanke på att Michel skulle kunna gå till polisen. Men det gjorde han. Mega, Bengt Olsson och tre andra medlemmar dömdes till fängelse i två och ett halvt år för grov misshandel.[54] "Mytoman", var Megas korta omdöme om Michel när han hördes i rätten.

Att en utsparkad medlem gick till polisen innebar en kris för hela Hells Angels. Organisationens idé är att aldrig avslöja interna angelägenheten för utomstående, allra minst polisen. Sedan uteslutningen av Michel har heller ingen annan utslängd Hells Angels-medlem i Sverige vågat söka hjälp hos polisen. Däremot har tre utgallrade medlemmar försvunnit, varav en hittats mördad och nedgrävd i skogen. Allt detta känner Mega väl till.

Det blir Tommy Steele Pettersson som bryter tystnaden. Den femtiotvåårige Hells Angels-ledaren reser sig ur stolen, ställer sig upp och tittar på Mega. Han är en decimeter kortare än den storvuxne Mega och måste rikta blicken uppåt.

Det Tommy Steele Pettersson säger bekräftar bara vad Mega redan har förstått.

---

53 Ibid. FU-protkoll, s 305. Förhör med Michael Johannessen.
54 Göteborgs tingsrätt, avd 9:1. Diarienr: B14048-98. Dom.

"Du är out."

Mega vet väldigt väl vad det betyder. Han är utesluten ur klubben. Men inte bara det. Han tillåts inte ha kontakt med någon inom Hells Angels. Trotsar han förbudet riskerar han repressalier.

Sedan uteslutningen tillkännagetts förklarar Hells Angels-ledaren att Mega måste lösa sina skulder. Hundrafemtiotusen kronor ska fram inom tre månader, sedan lika mycket till inom ytterligare tre, förklarar Tommy Steele Pettersson med barsk röst. Därefter får Mega höra att han ska följa med ut. Skräcken kommer över honom igen.

En stund senare sitter Mega på en stol i en barack ute vid grinden. Han uppmanas att lägga upp sin högerarm på ett bord. En maskin startar med ett brummande ljud. Det är en elektrisk tatueringsapparat. Mega är införstådd med vad som ska ske. På insidan av sin högra arm har Mega en tatuering som består av fyra röda bokstäver: AFFA – en förkortning för att "Angel forever, forever angel". Som utesluten ur Hells Angels måste han, enligt de interna reglerna, förstöra alla tatueringar med Hells Angels-anknytning. Det som var tänkt att vara för evigt är nu över.

Provmedlemmen som håller i tatueringsmaskinen gör processen kort. Fem minuter senare står det "Out" i svart över de röda bokstäverna. Därunder dagens datum: "2009-08-12". Värre än så blir det inte. När Mega lämnar baracken känner han en enorm lättnad. Nu vill han bara härifrån.

Men ännu är det inte slut. När Mega går tillbaka till sin bil följer två provmedlemmar med. Mega får veta att de ska se rensa hans bostad från alla Hells Angels-föremål. Under tystnad sätter Mega sig vid ratten. De båda andra öppnar dörrarna och hoppar in. I en annan bil sätter sig Stefan Armenius – avdelningens "sergeant at arms"[55] – och en tredje provmedlem. Den sistnämnde är tjugosju år gammal och har varit Megas skyddsling; det var Mega som en gång rekommenderade honom att söka sig till klubben och gick i god för att han var pålitlig.

Megas fru – vi kan kalla henne Jenny – har stått i fönstret och kedjerökt nästan hela den tid som maken varit borta. Hon är övertygad om

---

55 Medlem som ansvarar för rekrytering, säkerhet och bestraffningar. Tillhör Hells Angels-hierarkins "officerare".

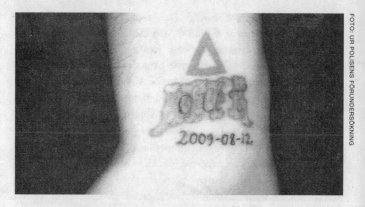

I samband med att Michael Johannessen utesluts ur Hells Angels tatuerar klubben in ordet "Out" på hans underarm.

att något hemskt har hänt.[56] Mega hade ju lovat ringa så fort han kom ut från klubbhuset. Men telefonen har varit tyst.

Ringklockan får Jenny att rycka till. Hon skyndar sig ut i hallen och öppnar ytterdörren. Där står maken, flankerad av Stefan Armenius och två av provmedlemmarna. Jenny känner dem väl.

"Jag är inte med i klubben längre", säger Mega.

De fyra männen går in. Kvar utanför huset står den tredje provmedlemmen och håller vakt. Det som sedan sker ska Jenny komma att jämföra med de gånger som polisen har varit i deras hem och gjort husrannsakan.[57] Hells Angels-männen delar upp sig och går på jakt. De pekar på allt som på ett eller annat sätt bär Hells Angels namn, symboler eller färger. Jenny och Mega får lägga ner sakerna i blåa Ikea-kassar, som Megas före detta skyddsling bär. Jenny tycker att han ser plågad ut.

Den andre provmedlemmen uppträder strängt och tufft. Stefan Armenius är projektledaren som håller en neutral ton, när han emellanåt säger något till Mega. Mega själv står mest inne i sitt arbetsrum.

---

56 Göteborgs tingsrätt, avd 3. Diarienr: B4132-10. Förhör med Johannessen under
    huvudförhandling.
57 Ibid.

Han har bara en tanke i huvudet. Det är att få krama om och lugna Jenny, som han märker är livrädd.[58] Men det får vänta.

När insamlingspatrullen är klar har kassarna fyllts till brädden. Enbart antalet tröjor med Hells Angels-tryck uppgår till sextio stycken.[59] I kassarna ligger också byxor, kepsar, mössor, ett fat, en lampa, en tavla och åtta olika guldföremål. Här finns också ett hänge med Jennys namn på ena sidan och texten "Hells Angels World" på den andra. Jenny har, efter godkännande från organisationen, låtit tillverka det några månader tidigare som en present till Mega för att han varit medlem i tio år.

Får smaka sin egen medicin

Den första tiden tänker de att det nog ska ordna sig. Bara Mega får fram pengarna i tid. Sen kan de stänga dörren till det gamla. Flytta in i det färdiga huset. Skaffa barn. Börja leva ett vanligt liv.

Men när två medlemmar hör av sig någon vecka senare inser Mega att det inte är så enkelt. Nu krävs han på ytterligare 100 000 kronor – plus att avbetalningstiden krympts till bara några månader. Motiveringen är oklar. När Jenny får veta vad som hänt bryter hon ihop.

"Jag är så rädd hela tiden att jag bara skakar. Rädd att dom skall rusa in här och kräva oss på allt vi har. Tänk att jag har litat på dom, gud vad dom är otäcka", skriver hon samma dag i sin dagbok.[60]

För första gången får Mega uppleva hur det är att känna den fruktan som han genom åren själv har utsatt andra för. Han tillhör landets mest straffade Hells Angels-medlemmar och belastningsregistret visar domar för olaga hot, olaga frihetsberövande, olaga tvång och upprepade fall av misshandel. Det har också hänt att hans offer varit så rädda att de inte ens vågat komma till rättegång för att få sin heder upprättad. Så var fallet sommaren 2007, då Mega och en annan stod åtalade för brott mot inkassolagen i Varbergs tingsrätt.[61]

---

58   Ibid.
59   Ibid. FU-protokoll, s 5-14. Tilläggsanmälan mm.
60   Ibid, s 62. E Johannessens dagboksanteckningar.
61   Varbergs tingsrätt. Diarienr: B3114-05.

Enligt åklagaren hade männen anlitats av ett mindre oljebolag för att kräva in en skuld från ett företagarpar. Paret hade sagt nej. Då dök Mega upp i sina Hells Angels-kläder. Först skrämde det inte paret, som gick till polisen. Men därefter hände något, oklart vad, som gjorde att de ville ta tillbaka sin anmälan. Åklagaren försökte förgäves få Mega fälld ändå. Domstolen valde att skriva av ärendet.

Detta var inte första gången som Megas indrivningsmetoder var föremål för juridisk prövning. Sommaren 2003 hade han knackat på hos en företagare i Vänersborg och krävt 150 000 kronor. Företagaren skulle senare berätta att han upplevde det som att "en pistol riktats mot huvudet" när han förstod vilken organisation Mega representerade.[62] Varken hot eller våld hade förekommit. Mega hade bara placerat sin rejäla hydda på företagarens skrivbord och leende uppmanat honom att betala. Och det var väl inget brott, menade hans försvarare.

Åklagaren kontrade med att Hells Angels farliga rykte skulle ses som ett olagligt påtryckningsmedel. Det tyckte varken Vänersborgs tingsrätt, Hovrätten över västra Sverige eller Högsta domstolen. Därmed fick Mega och Hells Angels svart på vitt att det gick att skrämmas lite lagom utan att åka dit.

– Han är den där björnen som har kallats in när det behövts lite muskler, kommenterar en polisman som följt Megas brottsliga bana i många år.

Den rollen har den storvuxne Mega spelat även i andra sammanhang. 2001 fick han ett samtal från en klubbkamrat som hade sett hur två tonårspojkar försökte bryta sig in i en bil. Mega, som befann sig i klubbhuset i Gunnilse, fick tag på en pistol, satte sig i bilen och drog iväg i ilfart. En stund senare låg en av pojkarna instängd i Megas bagageutrymme. Färden gick till ett hus i skogen. Där tog Mega fram vapnet och satte det mot pojkens huvud. Pojken, som var fjorton år gammal, skulle senare säga att han var övertygad om att han skulle dö.[63] Men Mega valde att låta honom gå.

62 Hovrätten för västra Sverige. Diarienr: B3865-03.
63 Göteborgs tingsrätt, rotel 81. Diarienr: B13404-00. Dom.

Saker försvinner och ett hus brinner upp

En torsdagskväll i slutet av september 2009 – drygt en månad efter uteslutningen av Mega – står Jenny i receptionen hos polisen i Göteborg. Hon vill anmäla en stöld. Tidigare under dagen har hon och Mega upptäckt att någon brutit sig in i deras hus, som nästan är färdigt. Golv, kakel och inredning till två badrum är borta.[64] En polisinspektör knackar in det hon säger i anmälningsregistret utan större engagemang. Någon timme senare skriver en kollega till honom av ärendet. Det här får försäkringsbolaget ta hand om.

Ett par veckor senare ska polisen ändå åka ut till fastigheten. Eller rättare sagt: det som är kvar av den. Natten mellan den femte och sjätte oktober 2009 har det nästan färdigbyggda huset totalförstörts i en häftig eldsvåda. Teknikerna som vandrar runt i resterna misstänker mordbrand och ärendet hamnar hos länskriminalen i Västra Götaland. Där vet de luttrade utredarna mycket väl vem Mega är och vad han går för. Så är det möjligen han själv som ligger bakom?

Varken polisen eller försäkringsbolaget får dock fram någonting som tyder på bedrägeri. I samtal med makarna framkommer att Mega inte ligger bra till hos sina gamla vänner. Någon dag innan branden skulle han ha betalat 200 000 kronor till klubben, men det har han inte gjort. Det här är första gången som polisen närmar sig Mega med erbjudande om ett samarbete.[65] Exakt hur det framförs vet vi inte. Men varje före detta Hells Angels-medlem är en potentiell källa till information för de poliser som jobbar mot gängkriminalitet och organiserad brottslighet. I synnerhet sådana medlemmar som blivit utsparkade. Mega ska senare berätta att han tackade nej, vänligt men bestämt.

Det dröjer dock inte mer än ett par månader innan Mega slår numret till länskriminalens nybildade aktionsgrupp mot grov organiserad brottslighet. Han hävdar att han än en gång har blivit bestulen och vill att polisen tar sig an fallet. För det första ska Megas båda motorbåtar ha försvunnit från en uppställningsplats i Bohuslän.[66] För det andra har Jenny

64 Polismyndigheten i Västra Götaland. Diarienr: 1400-K163082-09. Anmälan.
65 Göteborgs tingsrätt, avd 3. Diarienr: B4132-10. Förhör med E Johannessen under huvudförhandling.
66 Polismyndigheten i Västra Götaland. Diarienr: 1400-K203947;1400-K200091-09. Anmälan.

inte fått tillbaka sin Harley Davidson-motorcykel, som stod inne på Hells
Angels-gården när Mega hade uteslutits. Dessutom ska någon ha vandali-
serat Megas bil. När han kom ut till sin parkeringsplats såg han att glaset
till Merca-jeepens ena baklykta var krossat, lacken repad och förardörrens
plåt intryckt.[67] Länskriminalen, som inleder förundersökningar i samt-
liga fall, inser att Mega håller på att bli mer och mer pressad.

Det blir vinter och Mega och Jenny ligger lågt. De har fortfarande
förhoppningar om att lösa skulderna till Hells Angels. Från försäk-
ringsbolaget får de visserligen en rejäl slant. Men pengarna går tillbaka
till banken som finansierat husbygget. Av Megas gamla vänner får de
ingen hjälp, flera har tvärtom beklagat att de tyvärr måste bryta kon-
takten med honom på uppmaning av Hells Angels.[68] Jenny återkom-
mer då och då till erbjudandet från poliserna på länskrim. Om de nu
är beredda att ge dem skydd, ska de ändå inte ...? Mega plågas av att
se hur dåligt hustrun mår. Händer det någonting mer ska de höra efter
vad polisen kan göra, det lovar han.

En kväll i februari kommer paret hem efter att ha varit på middag
hos Jennys mamma. Jenny går upp i lägenheten medan Mega tar en
runda i mörkret med deras hundar. På vägen tillbaka hör han en kraftig
smäll. Den kommer bakifrån.

Mega vänder sig om. Där står en man med ett vapen. Mannen skju-
ter igen.

"Vi gör ingenting annat än suspekta affärer"

"Jag har aldrig vart så rädd i hela mitt liv /.../ jag sprang som en hare
rent ut sagt."[69]

Så säger Mega när han sitter mitt emot länskriminalens förhörs-
ledare Martin Lilja. En videokamera spelar in allt som sägs. Polisen vill
inte riskera att Mega ändrar sig i efterhand – eller att någonting annat
oförutsett skulle drabba utredningen. Var polisförhöret hålls ska aldrig
framgå i protokollet. I rutan för förhörsplats står det "hemligt".

Polisens uppvaktningar har gett resultat. Mindre än ett år efter festen

---

67 Polismyndigheten i Västra Götaland. Diarienr: 1400-K200110-09. Anmälan.
68 Göteborgs tingsrätt, avd 3. Diarienr: B4132-10. FU-protokoll, s 76.
     Dagboksanteckningar.
69 Ibid, s 302. Förhör.

i Kviberg har ett av Hells Angels tyngsta namn i Göteborg valt att byta sida. Elva år efter fallet med Michel och den borttagna tatueringen har polisen i Västra Götaland återigen lyckats med det som få polismyndigheter i världen har gått i land med: att få en avhoppad medlem av Hells Angels slutna brödraskap att vittna mot sina egna.

"Varför kommer du till polisen och berättar detta?" undrar Martin Lilja.

"Det finns ingen annan utväg än att vända mig till er", svarar Mega och fortsätter:

"Jag har ingen annan möjlig chans för att hatet är antagligen så otroligt stort av nån anledning som jag inte begriper /.../ jag vet inte vad jag har gjort dom."

Jennys rädsla har blivit ohanterlig, förklarar Mega.

"Hon gråter sig till sömns nästan varje dag och hon äter sån där jävla Sobril, hon går och kollar i gardinerna hon är /.../ jätterädd att dom skall hitta oss och det är fruktansvärt att se ... Jag tar ju på mig ansvaret för det för att jag har gått med i den förbannade jävla föreningen en gång i tiden och det är ... att vi inte kunde bara lämna den i lugn och ro, jag förstår inte vad det är som har hänt."

Fick han verkligen ingen förklaring till varför han fick gå? undrar Lilja.

Mega skakar på huvudet.

"Det är som en snöboll som börjar rulla och inte går att stoppa /.../ Alltså, dom här felen som jag är anklagad för kunde du hitta på var och en medlem. /.../ Nån som har sagt till nån att ja, det är för att han har gjort suspekta affärer ... men för fan jag var ju med i Hells Angels, vi gör ingenting annat än suspekta affärer", säger han.

Mega är helt på det klara med att han och Jenny aldrig kommer att kunna gå tillbaka till ett vanligt liv. Så fort hans gamla vänner får reda på att han sitter här hos polisen kommer en akut hotbild att uppstå, menar han.

"Det är klart att jag är rädd för Hells Angels. Jag har vart med där i tio år /.../ jag sitter på en slags facit så vet jag hur farligt det kan vara, jag vet hur vi själva har resonerat om andra människor om vad vi skulle vilja göra med dom", säger han.

Martin Lilja ber Mega rangordna de olika medlemmarna i avdelningen i fråga om farlighet. Mega tittar på en fotoförteckning på bordet och går igenom de gamla vännerna.

"Väldigt lättledd men livsfarlig för att han gör det han blir tillsagd att göra ... eller manipulerad till att göra, han gör det fullt ut", lyder omdömet om en av provmedlemmarna.

"Han har vart med mycket, han har vart sergeant at arms tidigare, handskats mycket med vapen och grejer och, och är väldigt sentimental och väldigt instabil är han. Kan vara mycket, mycket, mycket farlig", säger han om en äldre, fullvärdig medlem.

Vissa andra betecknar Mega som ganska snälla och beskedliga. Som till exempel en fullvärdig medlem i hans egen ålder.

"Har i princip aldrig gjort nåt kriminellt i hela sitt liv. Det är en stor, stor stark kille men helt harmlös."

Fast egentligen spelar individuella egenskaper ingen roll, fortsätter Mega. Grupptrycket tvingar alla att agera om kollektivet har bestämt att det måste ske.

Vid flera tillfällen kommer förhörsledaren in på mer allmänna frågeställningar kring Hells Angels. Kanske försöker Mega ligga bra till hos polisen, kanske har han ändrat syn i grunden. Hur som helst tar han avstånd från vad Hells Angels har blivit och talar om "en bikerkultur som på nåt sätt har gått snett".[70] Mega, som ofta själv använt Hells Angels-västen som påtryckningsmedel, säger sig nu ha tröttnat på omgivningens respekt.

"Alltså det är ju fel sorts respekt /.../ Den respekten man vill ha som en människa det är ju för att man är en bra människa eller att man är omtyckt inte för att folk skall vara rädda för en. Tyvärr ofta i vardagliga sammanhang så är folk rädda för en."

Förhören fortsätter och polisen får mer och mer information. Mega berättar att små kulhammare har blivit ett populärt vapen som många medlemmar bär på sig. Och han avslöjar han att det inne på tomten och precis utanför staketet har funnits två vapengömmor. I den sistnämnda ska det ligga flera automatvapen, färdiga att användas av dem som håller vakt.

---

70   Ibid, s 328. Förhör.

300 poliser slår till

Waf-waf-waf-waf-waf-waf-waf.

Helikoptrarna flyger lågt över den kuperade, skogsklädda terrängen nordost om Göteborg. Grupperna från Nationella insatsstyrkan gör sig redo. Förstärkningsvapnen får inte vara i vägen när de påbörjar nedstigningen via rep. I sina huvuden har poliserna memorerat skissen av Hells Angels-gårdens fastigheter. Inbrytningen måste ske snabbt och med maximal överraskningseffekt.

Nere på marken börjar polisfordonen rulla in på Kroksjövägen, däribland piketstyrkans sju ton tunga och skottsäkra insatsjeep Sandcat. Hells Angels-fästets placering är optimalt ur polisens perspektiv; en oanmäld besökare kan komma nära utan att bli upptäckt av den som har vakten inne på gården.

Nationella insatsstyrkans personal släpps ner först och rusar fram till gårdens huvudbyggnad. Ögonblicket därpå brakar Sandcat:en in genom grindarna. Därefter en lång karavan av fordon. Någon minut senare har polisen full kontroll över Hells Angels-gården.

Inne i huvudbyggnaden ligger huvudföremålen nedtryckta mot golvet. Medlemmarna hade knappt hunnit inleda sitt ordinarie veckomöte när insatsstyrkan stormade rummet. Polisen visste precis var och när de skulle samlas. Allt tack vare Mega.

Skissen som Mega ritat leder poliserna vidare till medlemmarnas bostäder och kontor runtom i gårdens byggnader. Mobiltelefoner, datorer, USB-minnen, anteckningar, telefonlistor och mycket mer förs bort i kartonger. På en mängd platser i Göteborg får fruar och flickvänner samtidigt besök av andra patruller. Även här beslagtas en lång rad föremål som kan ha betydelse för utredningen. På Hells Angels-gården och i flera av bostäderna är tjänstemän från Kronofogdemyndigheten med. Inför razzian har de gått igenom vilka utmätningsbara skulder Hells Angels-männen har. Tre bilar, två motorcyklar, kontanter, guldsmycken och klockor till ett värde av mellan en halv och en miljon kronor säkras för att säljas på exekutiv auktion.[71]

De kanske mest intressanta fynden görs i terrängen utanför Hells Angels-gården. Ett tiotal meter söder om den häck som avgränsar fastigheten hittas en svart väska, ytligt nedgrävd i marken. Inuti väs-

---

71 Göteborgs-Tidningen 100521: Slutet på HA-festen. Av: I Nilsson.

kan ligger en svart sopsäck och i denna ett tungt föremål. Marken söks igenom noggrant och ytterligare säckar hittas under stenar och i stenrösen. Innehållet: två automatvapen, magasin, ammunition, krutstubin och tändkapslar. Precis som Mega sagt.

"Placering av dessa vapen tyder på att de skall användas mot ett eventuellt angrepp mot HA-gården /.../ Gömman är förvisso utanför häcken men är ytterst lätt åtkomlig ifrån vakthuset tillika boningshuset. Dessutom går det att ta sig dit i skydd av div byggnader och häckar utan att upptäckas ifrån den tänkta angreppsriktningen. Det finns en förberedd försänkning under själva häcken som leder till vapengömman", skriver den polisman som tar hand om föremålen.[72]

Ytterligare ett vapen hittas hemma hos en av de anhållna männen, gömt bakom en kryddhylla. Även mindre mängder narkotika beslagtas på olika platser.

Trots den enorma insatsen, där cirka 300 poliser deltar, kan polisledningen nöjt konstatera att man lyckats hålla massmedia utanför. Inget har läckt ut i förväg. Bara några timmar före razzian befann vi oss själva av en händelse i polishuset i Göteborg, där vi pratade med länspolismästare Ingemar Johansson om det ökade gängvåldet. Operative chefen Sven Alhbin kom förbi och samtalet gled in på skotten mot Mega, som vid det här laget blivit allmänt kända. Inte med en min röjde cheferna att de planerade svensk polis dittills största insats mot den kriminella gängmiljön i Sverige.

Hells Angels-männen tiger

Dagarna därpå får händelsen däremot stort utrymme i tidningar och teve. Aftonbladet skriver på sin första sida: "Maffialedarna gripna – förrådda av egna ligamedlemmen".[73] Inne i tidningen publiceras bilder på flera av de totalt tolv personer som anhållits. Den officiella linjen från polisens sida är "inga kommentarer", men anonyma poliskällor bekräftar att misstankarna rör brott mot den uteslutne Mega.

---

72 Göteborgs tingsrätt, avd 3. Diarienr: B4132-10. FU-protokoll, s 90. Vapengömma vid HA-gård i Gunnilse.
73 Aftonbladet 100521. Förrådda – av sin egen. Av: M Eriksson, C Petersson, Z Svärdkrona.

Några timmar senare inleds förhör med de misstänkta, som förts till polishus i Göteborg, Mölndal och Borås. Sekreterarna som ska skriva ut protokollen behöver minimalt med papper. "Bullshit", säger en fyrtiosjuårig medlem sedan han delgetts misstanke om brott.[74] "Har ingen aning om vad du pratar om", svarar en av organisationens veteraner. "Förnekar brott", säger en tredje. Vid gripandet hade den sistnämnde trettiotre tusen kronor i fickan. Förhörsledaren passar på att fråga var han fått kontanterna ifrån.

"Det är mina pengar, det har du inte med att göra", svarar han.[75]

Anklagelserna mot Hells Angels-männen gäller anstiftan av misshandel genom att de gemensamt beslutat om att provmedlemmen skulle tatuera över Megas "AFFA"-tatuering. Fyra av de anhållna misstänks också för rån. Trots att inget våld förekom menar åklagaren att Mega och hans hustru var så skrämda av påhälsningen i lägenheten att de inte hade något annat val än att lämna ifrån sig sina guldföremål etcetera. Utöver dessa är samtliga misstänkta för grovt vapenbrott rörande vapengömman i marken. Däremot har Megas och Jennys anmälningar om mordbrand, stöld, skadegörelse och mordförsök inte lett till att någon misstänkt kunnat ringas in.

En första prövning av misstankarna sker när åklagaren begär att fem av de anhållna ska häktas. Göteborgs tingsrätt går igenom bevisningen och säger ja till två veckors frihetsberövande. Upprördheten bland Hells Angels och dess sympatisörer är inte att ta miste på. Det faktum att ännu en utsparkad medlem har valt att samarbeta med polisen i Västra Götaland innebär ett hårt slag mot allt som den så kallade enprocentsfilosofin står för – ett aktivt utanförskap vid sidan av lagen.

En av de främsta försvararna för denna filosofi i allmänhet och Hells Angels i synnerhet är femtiotvåårige Peter Schjerva i Kristianstad. I mer än tio år har han varit en aktiv lobbyist för det som han och andra kallar "bikerkultur". Först ledde Schjerva en svensk filial till den internationella organisationen Abate (A Brotherhood Against Totalitarian Enactment). Målet var att förbättra "bikerns situation

---

74 Göteborgs tingsrätt, avd 3. Diarienr: B4132-10. FU-protokoll, s 419. Förhör.
75 Ibid, s 427. Förhör.

i samhället", bland annat genom att "bygga upp ett kontaktnät av jurister, journalister samt politiker".[76]

I slutet av 2009 växlade Peter Schjerva över till en politisk plattform, som ordförande för det nybildade Frihetspartiet. Så här lyder hans egen presentation: "Ett politiskt parti som startats i avsikt att förbättra villkoren för det svenska folket; för de lilla och många illa förtrampade människorna i dagens Sverige."[77] Vid bildandet fanns två män i Hells Angels Helsingborgsavdelning med i styrelsen, men dessa klev av efter en kort tid. På partiets riksdagslista inför valet 2010 ingick dock fortfarande flera kriminella, bland annat en dråpdömd man i Stockholm.

Peter Schjerva driver även nättidningen Payback. Det är här han publicerar Megas fotografi och följande text, en vecka efter tillslaget mot Hells Angels Göteborgsavdelning.

> Klargörande för den som ännu tror på polismyndigheternas förträffliga spanings- och utredningsarbete. Det var inte något framgångsrikt polisarbete som låg bakom razzian i Göteborg förra veckan. Det var en low-life tjallares uppgifter som var grunden till hela tillslaget. Tjallarens namn är Mikael "Mega" Johannessen. Tidigare medlem i Hells Angels, Göteborg. Personen syns på fotot ovan. Jag citerar ännu en gång författaren Jan Myrdal och vad han anser om tjallare. En författare med huvudet på skaft: "Alla har vi våra svagheter. Dessa svagheter bör vi förstå; människor bör hjälpa och stödja varandra. Ett fyllo eller en knarkare behöver hjälp. En tjuv, en mördare är en olycklig människa vars namn och foto aldrig borde publiceras. Men en angivare är något annat. En angivare har inget människovärde. En angivare har frivilligt ställt sig utanför varje gemenskap."
>
> Finns det något ytterligare att tillägga? Ja. Jag tar mig friheten att citera en gammal låttext: May you rott in hell and may you never, ever feel safe.
>
> PETER SCHJERVA[78]

---

76 www.abate.se
77 www.frihets-partiet.se
78 www.payback.name

Budskapet går inte att missförstå. Mega måste förr eller senare räkna med hämnd från den del av bikervärlden som Peter Schjerva företräder.

"Precis som Coca-Cola och McDonalds"

Det går snabbt för polisen att färdigställa utredningen. Sex veckor efter tillslaget, den 29 juni 2010, inleds rättegång. Sex medlemmar och prov-medlemmar står åtalade, varav alla utom två blivit kvar i häktet. En av dem som släppts fria är Hells Angels-avdelningens ledare Tommy Steele Pettersson. Klädd i svarta jeans, vit skjorta och med solglasögon för ögonen vandrar Pettersson över den stenlagda platsen framför tingsrättens nybyggda jättekoloss mellan Ullevi-arenorna i Göteborg. En av de ordningspoliser som, på grund av rättegången, har i uppgift att hålla planen fri från fordon och obehöriga noterar hans ankomst.

"Nu kommer frifotingarna", säger han diskret i mikrofonen till sin radio.

Vid Petterssons sida går den provmedlem som försåg Megas tatu-ering med bokstäverna o, u och t. Vid det här laget har mannen erkänt att han höll i tatueringsmaskinen. Även han är klädd i vit skjorta.

Vid säkerhetskontrollen innanför domstolsentrén får männen ögon-kontakt med några av sina klubbkamrater. De har redan passerat metalldetektorn och fått sina kläder genomsökta. En av vännerna vän-der sig mot kontrollens inhyrda Securitas-väktare, pekar på Tommy Steele Pettersson och säger på bred göteborgska: "kolla han där lite extra!" Skämtet går hem och väktaren skrattar. Även Tommy Steele Pettersson ler.

Det är inte bara män som kommit för att stötta de åtalade Hells Angels-medlemmarna. Inne i den rymliga foajén sitter fem kvinnor i olika åldrar. Klädsstilen är varierad; en kvinna i tjugofemårsåldern bär en småblommig tunika medan en lite äldre har surfarshorts och t-tröja. De flesta är tatuerade.

Journalistuppbådet är inte särskilt imponerande. Göteborgs-Posten och Göteborgs-Tidningen är här med varsin reporter och SVT Väst-nytt och TV4:s regionalredaktion har skickat ett team vardera. Men riksmedia lyser med sin frånvaro. Aftonbladet, som tidigare pekat ut Tommy Steele Pettersson och andra gängmedlemmar som "maffiale-

FOTO: UR POLISENS FÖRUNDERSÖKNING

Hells Angels-ledaren Tommy Steele Pettersson är en av flera som åtalas för att sommaren 2009 ha beordrat att den uteslutne Mega ska tvångstatueras.

dare", har uppenbarligen tappat intresset. Varken de åtalade eller deras vänner är intresserade av att prata med massmedia. Då vi går fram till Hells Angels-ledaren och undrar om vi kan ställa några frågor vänder han på klacken utan ett ord.

När vi kommer in i rättssalen, efter en utdragen kontrollprocedur, är förhandlingen redan igång. Bakom pansarglaset sitter åklagare, försvarare, domare och nämndemän. Och så de sex åtalade: Tommy Steele Pettersson och tatueraren längst bak och övriga i mörka skjortor framför dem.

Som brukligt är i mål av den här arten är åklagarna två stycken – en markering från rättsväsendet om att ansvaret för förundersökningen inte är personligt utan kollektivt. Kammaråklagare Per Håkan Larsson inleder med en effektiv resumé av de fyra händelser som målet kretsar kring: Mega kallas till klubben, Mega får besked om uteslutning, Mega tatueras och Mega och hans fru får besök i lägenheten.

De båda sistnämnda kommer inte att infinna sig i rätten, förklarar advokat Åke Fransson som är utsedd till målsägandebiträde:

"Att Michael Johannessen inte är närvarande beror inte på hans eget beslut. Polisen har bestämt att de av säkerhetsskäl ska höras över videolänk och så får vi göra."

Därefter går ordet över till Hells Angels-männens advokater. Anders Lindstrand, som försvarar Stefan Armenius, börjar. Han spelar ut det högsta kortet direkt. Åklagarna måste ha misstagit sig ifall de tror att Hells Angels bara är en motorcykelklubb, säger Lindstrand. Det som har betydelse här är organisationens andra ben, nämligen det amerikanska företaget Hells Angels Motorcycle Corporation. Detta är ett världsomspännande företag med ett registrerat varumärke, precis som Coca-Cola och McDonalds. Underavdelningarna, som den i Göteborg, är att betrakta som licenstagare. Dessa får under vissa förutsättningar använda företagets logotyp och symboler. Detsamma gäller enskilda medlemmar.

"Klubbarna kan låna ut saker till medlemmarna genom underlicensavtal på tidsbestämda villkor. Sakerna kan när som helst återkallas av HAMC utan angiven orsak", säger Anders Lindstrand.

Med andra ord: Mega har aldrig ägt några av de föremål som hämtats i hans lägenhet efter uteslutningen. Inte ens "AFFA"-tatueringen på hans arm är hans egen, i juridisk mening.

"Vad jag förstår intygar ju Michael Johannessen att de här reglerna, stadgarna och kontraktet föreligger. Han har själv undertecknat den här handlingen och det har han gjort den 23 augusti 2007", säger Anders Lindstrand och halar upp några papper.

Papprena har tidigare lämnats in till tingsrätten och finns nu hos såväl rätten som åklagarna.[79] Överst står "Hells Angels Motorcycle Corporation Property Agreement (Member Sub-Lincense)". Därunder följer tretton punkter. Punkt elva är central i detta sammanhang:

> I grant HAMC Corp., its officers and designated legal representatives Power of Attorney to claim or recover any article that includes or incorporates the HELLS ANGELS mark and/

---

79 Göteborgs tingsrätt, avd 3. Diarienr: B4132-10. FU-protokoll, s 242-247. Handling "Hells Angels-avtal".

or DEATH HEAD logo over which I have exercised posses-
sion, whether such article remains in my possession or that of
another.[80]

Så vad bråkar Mega om? Han har ju godkänt Hells Angels regler. Det
som hänt ligger helt i linje med dessa och är inget olagligt, menar
Anders Lindstrand. Hans klient Stefan Armenius nickar belåtet.
Armenius är den ende av de åtalade som valt att kommentera ankla-
gelserna närmare under utredningens gång. Slutsatsen är att han, i
egenskap av "sergeant at arms", är utsedd att föra organisationens
talan i målet.

Armenius har i de senaste polisförhören medgivit de faktiska
omständigheterna. Det stämmer alltså att Mega har uteslutits efter be-
slut av honom och övriga medlemmar. Skälet var, enligt Armenius, att
Mega skulle ha satt i system att "skaffa grejer utan att betala". "Såna
gubbar" är inte välkomna i klubben, säger Armenius.[81]

Sedan de andra försvararna förklarat att även deras klienter nekar till
brott är det dags för paus. Åhörarplatserna töms och stödtruppen går
på en rad ut i väntrummet. Vi räknar till fyra fullvärdiga medlemmar
förutom Tommy Steele Pettersson och lika många supportrar. Men
inga Hells Angels-symboler syns, alla bär neutrala kläder.

I åhörarskaran ingår fyrtioettårige Bo "Bofu" Moqvist. För åtta
år sedan satt han häktad i ett halvår, misstänkt för att tillsammans
med andra gängmedlemmar ha mördat två män inne på Hells Angels-
gården i Gunnilse. Moqvist friades och har därefter inte åtalats för
några nya brott. Sedan ett par år leder han Göteborgs andra Hells
Angels-avdelning, "Goth Town". Dessutom är han, enligt polisen,
den som ansvarar för varumärkes- och upphovsrättsfrågor inom
svenska Hells Angels. Själv vill Bo Moqvist inte kommentera detta.
Eller något annat.

---

80 Svensk översättning: "HAMC Corp och dess kontraktsinnehavare äger absolut
     och oåterkallelig rätt att vidta varje rättslig åtgärd nödvändig för att återtaga
     föremål bärande HA:s märke och/eller dödskallelogo och jag samtycker till
     fullständig samarbetsvilja i varje åtgärd som kan komma att vidtagas av HAMC
     Corp eller dess kontraktsinnehavare."
81 Göteborgs tingsrätt, avd 3. Diarienr: B4132-10. FU-protokoll, s 498. Förhör.

– Nej, säger han och skakar på huvudet då vi går fram till honom – utan att vi ens hunnit ställa någon fråga.

Hells Angels kvinnliga fanclub skrattar

Under pausen har två filmdukar rullats ner på vardera sidan av säkerhetssalen. Videoprojektorer i taket belyser dem och visar en bild av en man i en fåtölj. Mannen har kort, grått hår. På överkroppen stramar en vit, långärmad tröja över armar och buk. Underkroppen får inte plats i bild, men när mannen vid ett senare tillfälle reser sig upp syns att han är klädd i shorts. Det och solbrännan i ansiktet ger en känsla av att han befinner sig på varmare breddgrader.

"Där sitter han, fettot!" utbrister en av männen på åhörarbänken.

Mannen i bild skrattar till litegrand, precis som om han hörde. Men det är bara en tillfällighet; bland åhörarna finns inga mikrofoner.

"Du går under smeknamnet Mega?" inleder åklagare Per Håkan Larsson.

"Ja, det stämmer", svarar Mega på bred göteborgska, samtidigt som han lutar sig framåt för att komma närmare den videokamera som står på ett stativ framför honom.

Därefter vill åklagaren veta vilken position Mega haft inom Hells Angels.

"Jag var SGT[82] under ganska många år, sen när Stefan tog över det blev jag vice president", svarar han och syftar på Stefan Armenius.

"Vad innebär det att vara out?" fortsätter åklagaren.

"Du är hatad av klubben. Du ska få stryk varje gång dom ser dig."

Bland åhörarna hörs skratt. De fem kvinnorna himlar med ögonen och visar med hela sitt kroppsspråk hur löjligt de tycker att Megas svar är.

Per Håkan Larsson ber Mega beskriva situationen i källaren. Mega berättar att hatiska blickar mötte honom när han kom in i rummet.

"Av dem som sitter här och är åtalade, vilka var med?"

"Stefan, Tommy Pettersson … och Martin", svarar Mega och syftar på en trettiotreårig provmedlem.

"Är det någon diskussion om hur tatueringen ska se ut?" frågar åkla-

---

82 Sergeant at Arms.

garen sedan Mega kommit till hur han beordrats att gå ut i baracken på gården.

"Ingenting."

"Varför har du inga synpunkter på hur tatueringen ska se ut?" fortsätter Per Håkan Larsson.

"Jag vågar inte det. Jag är livrädd ... Som sagt, jag vet att det är medlemmar som är borttagna ur livet vid liknande händelser. Jag är bara helt enkelt livrädd och vill därifrån så fort som möjligt."

"Vill du beskriva dina oroskänslor lite mer?"

"Det har ju hänt saker inom Hells Angels. Det är ju en medlem som har hittats död, 'Nalle' ..."

Från åhörarna hörs ett tyst "Håll käften!" Megas hänvisning till det ouppklarade mordet på ex-medlemmen Richard "Nalle" Nahlén i Stockholm är uppenbarligen inte populär.

"Fredrik och Molle har ju inte hittats än ... Så det är ju inte konstigt att man är orolig", fortsätter Mega och syftar på de försvunna ex-medlemmarna Fredrik Lindberg och Morgan Blomgren i Skåne.

Förhöret övergår därefter till händelsen i Megas och Jennys lägenhet. Mega säger att Stefan Armenius och de andra självklart hade fått alla tröjor och prylar med Hells Angels-anknytning om de velat. När det gäller smyckena hävdar han däremot att det är kutym att en utslängd medlem får smälta ner dessa och behålla guldet.

Åklagaren vill veta vilka känslor Mega och hans hustru hade vid tillfället.

"Jag har aldrig sett Jenny så rädd. Det har hon varit sen dess. Hon mår jättedåligt, och det är det värsta i det här, att se henne så rädd", svarar Mega.

Fniss hörs från en mörkhårig kvinna några meter från oss på åhörarbänken.

"Hon vet ju också om att det är medlemmar som har försvunnit. Det är till och med en medlem i Stockholm som har erkänt för henne att han har begått ett mord", fortsätter Mega.

Åklagaren tar fram det avtal som advokat Anders Lindstrand lämnat in till rätten.

"Det har ju lästs upp ett avtal här. Vad har du för synpunkter?"

"Jag kan inte minnas att jag skulle ha skrivit på något avtal. Jag är ledsen men jag gör inte det. Det ska vara underskrivet på en torsdag, och det tycker jag är konstigt. Vi har ju möten på onsdagar ..." svarar Mega och glömmer för ett ögonblick att han inte längre är en del av Hells Angels.

Beskrivningen av att Hells Angels Motorcycle Corporation i USA skulle äga alla medlemmars Hells Angels-märkta föremål säger han sig inte heller känna igen.

"HA corporation måste ju i så fall vara ett av världens rikaste företag, det måste ju vara guld och annat för miljarder. Det borde nån titta på", säger Mega.

Tålamodet tryter åter bland åhörarna. "Jävla fitta!" hörs från den bakersta raden.

Innan förhöret är slut vill Mega passa på att tacka polisen. Sedan han gjorde anmälan har han och hans fru levt med livvakter dygnet runt – och kommer att fortsätta göra det under överskådlig tid.

"Den respekt polisen har visat mig trodde jag inte fanns. Jag trodde bara att de ville ha information, de har ju varit på mig ända sedan branden och sagt att de skulle skydda mig mot att jag lämnade uppgifter. Men de har inte tvingat mig, utan gjort det här väldigt korrekt", säger han och tar en klunk ur en flaska Ramlösa som står på bordet framför honom.

Efter ännu en paus är det försvarsadvokaternas tur att ställa frågor till Mega. Taktiken de använder är den vanliga: att försöka sänka trovärdigheten hos målsäganden och så tvivel kring åklagarens beskrivning.

"Det uttalas inga hotelser, det finns inga vapen. Ändå säger du att du blev väldigt rädd?" inleder en av advokaterna. Mega är ju själv stor och stark, så han kunde väl ha slängt ut männen ur sin lägenhet om han inte ville ha dem där, menar han.

"Det är lätt att vara tuff när man är med i HA. Men har man HA mot sig är man inte så jävla tuff. Den man är när man är naken utan västar och allt, det är så tuff man är", kontrar Mega.

En annan av försvararna undrar vad Mega skulle ha gjort om han inte hade blivit tatuerad där på klubben. Mega svarar att han skulle ha följt reglerna och tatuerat över bokstäverna "AFFA" med något annat. Därefter skulle han ha visat upp resultatet för organisationen.

"Var det inte skönt för dig att få detta gjort på samma dag istället för att komma tillbaka en vecka senare?" frågar advokaten.

Mega suckar.

"Nej, det var inte skönt."

En tredje försvarare tar fasta på vad Mega sa om den ex-medlem som hittats död och de två som försvunnit. Detta har väl inte hänt i Göteborg, så vad har det för betydelse i det här sammanhanget? undrar advokaten. Mega anstränger sig för att behålla lugnet.

"Menar du att de andra avdelningarna i Sverige skulle vara tuffare? Det är inte min uppfattning efter att ha varit med i HA i tio år", svarar han.

Mot slutet haglar hårda frågor från flera håll.

"Är det inte så att du sitter här nio månader senare och hittar på att du är hotad av din gamla klubb när det i själva verket är andra fraktioner du är rädd för?"

"Nej, så är det inte", svarar Mega med trött röst.

"Du säger att det är dimmigt i huvudet när det gäller minnena från mötet på gården. Vad beror det på?"

"Jag var rädd."

"Det var inte så att du tog narkotika? Kokain? Stesolid?"

"Jag och Stefan har knarkat tillsammans …", svarar Mega och syftar på advokatens klient Stefan Armenius.

"Knarkar du fortfarande?"

"Nej!"

Rättens ordförande konstaterar att det får bli sista frågan. Det är hög tid för lunch.

"Tackar och bugar", säger Mega från sitt gömställe, lutar sin stora kropp tillbaka i fåtöljen och för handflatorna upp över ansiktet. Två av hans antagligen tuffaste timmar i livet är över.

Rättssalen töms än en gång och parterna går åt olika håll. Tommy Steele Pettersson och tatueraren ansluter sig till vännerna som lyssnat och lommar iväg till hamburgerrestaurangen Max vid Gamla Ullevi.

"Mitt liv är totalt förstört"

På eftermiddagen är det Jennys tur att ta plats framför den riggade kameran. Även hon är somrigt klädd, vilket betyder vitt linne med

FOTO: UR POLISENS FÖRUNDERSÖKNING

Efter att Michael Johannessen valt att samarbeta med polisen anses hotbilden mot den förre Hells Angels-medlemmen vara den högsta möjliga. Sedan våren 2010 ingår han och hans fru i ett vittnesskyddsprogram i utlandet.

tryck, tajt jeansjacka och kort jeanskjol. Naglarna lyser röda och runt handleder och hals har Jenny färgglada smycken. Under förhöret ska hon berätta att hon är i trettioårsåldern, har jobbat som frilansande stylist och är en sådan som gillar att ta tag i saker direkt.

"Har du träffat alla de som sitter här idag?" inleder åklagaren.

"Ja", svarar Jenny och tittar in i kameran.

Rösten låter stark och bestämd.

"Är det någon av dem som har varit hemma hos er?"

"Allihopa."

"Vad var det som hände den tolfte augusti?"

"Det var ju väldigt obehagligt den här dagen. Vi körde runt på Tjörn bara för att få timmarna att gå. Vi hade fått höra av en del personer att han hade problem med klubben, att han skulle åka ut eller så..."

"Vad trodde du skulle hända med Michael?" frågar åklagaren.

"Jag visste inte om de skulle döda honom, misshandla honom eller om han skulle få komma tillbaka. Jag hade alla olika scenarier i huvudet. Jag var orolig för hur illa de skulle göra honom." säger Jenny.

De fem kvinnorna längst fram lyssnar uppmärksamt. Den här gången fnissar de inte.

Och hur var det i lägenheten när Hells Angels-männen klev på? undrar åklagaren. Kunde hon och Mega säga att de inte ville ha dem där?

"Det finns inte. Det existerar inte. Vi kunde inte göra det. Vi hade absolut inget läge att domptera dem. Jag var livrädd, jag skakade ..."

Jenny ger en liknande beskrivning som Mega och pekar ut samma medlemmar. Hon bekräftar att det var hon som hade köpt det stora hänge i guld som bar hennes namn på ena sidan och texten "Hells Angels World" på den andra. Och liksom Mega anklagar Jenny Hells Angels för att ha tagit hennes motorcykel och parets bägge båtar – trots att detta inte omfattas av rättegången.

Åklagaren avslutar med att fråga hur Jenny ser på framtiden.

"Jag undrar varje dag om jag ska dö i dag. Jag tänker på det varje dag ...", börjar hon.

Gråt hörs i hennes röst.

"Mitt liv är totalt förstört. Jag kan aldrig skaffa barn, vi har fått säga hejdå till våra familjer, lämnat bort våra hundar ... Vi kan aldrig mer bo i Sverige. Jag ... jag vet inte vad jag ska säga. Jag kommer alltid att vara rädd ... tror jag. Tack vare polisens beskydd vet jag att jag kan vara trygg. Men i huvudet vet jag att livet är förstört."

Vid det laget har flera av kvinnorna på åhörarbänken rest sig upp och gått ut. Varför de inte vill fortsätta att lyssna på den före detta väninnan får vi aldrig veta.

Även denna gång går försvarsadvokaterna ut hårt, då det är deras tur. Många av frågorna kretsar kring Megas och Jennys uttalade anklagelser om att det måste vara Hells Angels som ligger bakom även stölderna, husbranden och skotten mot Mega. Hur kunde det komma sig att Jenny beställde en fullständig stöld- och brandförsäkring för husbygget precis innan byggvarorna försvann? undrar en av försvararna. Jenny svarar att hon och Mega hade en känsla av att klubben ville skada dem.

"Är det en slump att all byggmaterial försvinner två dagar senare?" fortsätter advokaten.

Nu brister Jennys tålamod.

"Det har spekulerats i att vi har tömt det här huset och eldat upp det själva. Men det är inte sant!" säger hon med gäll röst.

Advokaten låter sig inte rubbas.

"Ytterligare två dagar senare står hela huset i lågor. Och det är precis brandtillägg som du har tecknat?"

"Polisen har kollat var vi fanns när det började brinna och det finns ingen misstanke mot oss. Sen att klubben har friserat det på det viset är en helt annan sak", svarar Jenny upprört.

"Hur var det med skottlossningen? Det är ju inga grannar som har hört några skott och det har ju inte hittats några kulor ..."

"Det är inte sant. De har visst hittat kulor. Det finns visst vittnen!"

Jenny skakar på huvudet.

"Världens mest seriösa hojklubb"

Advokaternas förhör med de åtalade blir desto kortare. Inställningen är oförändrad: de har bara följt Hells Angels avtal och därmed inte begått något brott. Tommy Steele Pettersson är mest fåordig av alla.

"Ja, jag är medlem i Hells Angels. Och ja, jag har skrivit under det här avtalet. För övrigt kommer jag inte att kommentera någonting som har med Hells Angels motorcykelklubb att göra", säger han.

Åklagaren gör otaliga försök att få Hells Angels-ledaren att berätta om mötet på klubben och uteslutningen av Mega.

"Det känns inte meningsfullt att fortsätta", avslutar han när Pettersson svarat "inga kommentarer" drygt tio gånger.

Den ende som verkligen har något att säga är Stefan Armenius. Han förklarar att han var praktiskt ansvarig vid uteslutningen och att det hela var "skitjobbigt", eftersom han och Mega varit så bra vänner under så lång tid.

"Jag tog på mig det då för jag ville att saker och ting skulle fungera hur smidigt som helst, även om det gjorde ont i hela bröstkorgen på mig ... av känslor. Som sagt, jag tyckte väldigt mycket om han."

Att Mega blev chockad var det ingen tvekan om. Stefan Armenius minns vad han tänkte:

"'Herre gud, bara han inte får hjärtattack nu!' För han var helt grå i ansiktet, karl'n. Jag tyckte så jävla synd om han ..."

Men någon fruktan för fysiskt våld där och då kan Armenius inte se att Mega skulle ha känt. Däremot menar han att det antagligen gick upp för den utslängde medlemmen att det fortsatta livet inte skulle bli så lätt.

"Att bli utslängd ur världens mest seriösa hojklubb, som Hells Angels är, det är ju en fruktansvärd skam som jag kan bara kan föreställa mig. Och sen då för Michael ... som var oerhört känd ... för han var det inte bara en oerhörd skam utan en massa tankar som att 'jädrar, nu försvann det skyddet som jag hade'. Han har ju betett sig som en bärsärk inom affärsvärlden i Stor-Göteborg och liknande ..."

Stefan Armenius hävdar att han därefter i vänlig ton erbjöd att hjälpa Mega med det som måste göras.

"'Jag hade tyckt att det var bra om vi fick klart allt idag', säger jag. 'Så jag har ordnat med tatuerare nere i grindstugan och sen åker vi hem och hämtar klubbens grejer. Så får vi det gjort så behöver vi aldrig mer träffas'."

"För mig var det inget brottsligt utan bara sorgligt. Men vi var helt överens om hur vi skulle göra enligt de traditioner som vi har", fortsätter Armenius.

Hans försvarare, advokat Anders Lindstrand, passar på att fråga hur klienten ser på anklagelserna om att Hells Angels skulle ha fortsatt att sätta press på Mega efter uteslutningen. Stefan Armenius svar blir kort:

"När det gäller skottlossning och sånt vill jag bara säga att klubben har överhuvudtaget ingenting med detta att göra."

Efter förhöret med Stefan Armenius behöver åklagarna inte lägga mer krut på att övertala rätten om vad som har skett på Hells Angels-gården och i Megas lägenhet. Den återstående knäckfrågan är hur rätten ska bedöma det kontrakt som Hells Angels-medlemmarnas advokater har presenterat. Åklagarens uppfattning är klar: en organisation kan aldrig besluta att en före detta medlem ska tatueras eller göra anspråk på privat egendom. Det finns ett ord för detta på latin, påminner han, som betyder "avtal som strider mot lag eller god sed".

"Det avtal som åberopas är ett så kallat pactum turpe som inte godkänns av rättsordningen – oavsett om Michael Johannessen har skrivit på eller inte", säger han i sitt slutanförande.

"Michael Johannessen kan inte i förväg avhända sig egendom som han själv förvärvat innan eller efter. Vill man ge bort egendom krävs både frivillighet och tradition och detta har inte förelegat. Liknande avtal har underkänts i andra länder. Det är viktigt att Michael Johannessen skyddas av svenska rättsregler. Det är alltså inte Hells Angels regler som ska gälla. Det har skett en förmögenhetsöverföring och den har skett genom råntvång."

De åtalade bör dömas till minst ett års fängelse, säger åklagaren innan ordet går över till motståndarsidan. Återigen är det advokat Anders Lindstrand som blir Hells Angels-männens talesman. Åklagaren har helt fel, säger Lindstrand. Hells Angels kontrakt ger organisationen långtgående befogenheter – men är egentligen inte särskilt märkvärdigt.

"Motsvarande avtal finns inom vissa ordenssällskap. Ta till exempel Frimurarlogen, där åker man hem till änkan och hämtar tillbaka märken och nålar. Även vissa kungliga ordnar ska återbördas efter att en person har avlidit", säger Lindstrand.

De båda bilder som målats upp kan inte bli mer olika. En kriminell organisation, som inte skyr några medel för att försvara sitt farliga rykte. Eller ett fredligt brödraskap, ungefär som grånande herrars privatklubbar. Det är upp till Göteborgs tingsrätt att välja vilken beskrivning som ska gälla.

Men innan dom avkunnas ska rätten bestämma om de fyra häktade ska vara fortsatt frihetsberövade eller inte. Återigen samlas Bo Moqvist och de andra i stödtruppen vid kaffeautomaten i väntrummet utanför salen. Under den sista timmen har ännu fler Hells Angels-anhängare anslutit sig till skaran. Stämningen är god, nästan uppsluppen.

Beskedet några minuter senare får hela gruppen att ställa sig upp och vråla ut sin glädje, ungefär som om de hade befunnit sig på en fotbollsläktare och Sverige gjort mål. Tatuerade armar i luften, knutna nävar som slår ut i segergester. Männen bakom pansarglaset är fria att gå. Domstolen ser inga skäl att hålla dem fortsatt häktade i avvaktan på den dom som ska komma fjorton dagar senare. Med strålande ansikten vänder de sig mot åhörarläktaren. Nu ska de bara upp till häktet och hämta sina saker, sen kan de återförenas med vännerna.

Scenen som utspelar sig en halvtimme senare är symbolisk. Framför polishusets nybyggda entré, ett par hundra meter från tingsrätten,

11.   I grant HAMC Corp., its officers and designated legal representatives Power of Attorney to claim or recover any article that includes or incorporates the HELLS ANGELS mark and/or DEATH HEAD logo over which I have exercised possession, whether such article remains in my possession or that of another.

12.   I grant HAMC Corp., its officers and designated legal representatives Power of Attorney to sign, correspond or engage in any action necessary to retrieve any and all articles bearing the HELLS ANGELS mark and/or DEATH HEAD logo, acquired or seized by any third party, including any law enforcement officer, agency and/or their representatives.

13.   HAMC Corp. and its Licensee Charters have the absolute, irrevocable right to institute any and all legal proceedings necessary to obtain or recover possession of articles bearing the HELLS ANGELS mark and/or DEATH HEAD logo, and I agree to cooperate fully in any proceedings which may be instituted by HAMC Corp. or its Licensee Charters.

Duly EXECUTED this _23_ day of. _08_ , 20_07_.

County of _Sweden_ , in the state of _Gothenburg_ .

_____
HAMC Charter Authorized
Representative's Signature

_____
Member's Signature

HAMC Corp. Property Agreement
Page 2

MEGA

För att skydda medlemmarnas ägodelar från utmätning har Hells Angels konstruerat ett särskilt licensavtal. I rättegången mot sex män inom Hells Angels MC Gothenburg hänvisade advokaterna till samma avtal för att visa att klienterna hade rätt att åka hem till den uteslutne Michael Johannessen och ta alla saker som var märkta med Hells Angels namn och emblem.

står bilar och Harley Davidson-motorcyklar på tomgång. Ett tjugotal män och kvinnor väntar med blickarna mot fastighetens glasdörrar. På tre västryggar lyser vita dödskallemärken. En av glasdörrarna öppnas. Men det är bara en ensam polisanställd som är på väg hem från jobbet. När mannen passerat hopen kan han inte låta bli att vända sig om.

Strax därpå kommer den förste av de fyra som suttit häktade. Han hinner precis sätta ner de kassar han har i händerna, innan de väntande springer fram och omfamnar honom. Ungefär samtidigt rullar ännu en mullrande motorcykel in. Den glada nyheten har uppenbarligen spridit sig och många vill vara med och gratulera.

I månader har polisen här inne i den stora byggnaden satsat obegränsade resurser på att få fast medlemmarna för brott. En före detta medlem har gjort sitt bästa för att svärta ner allt som organisationen står för. Och tidningarna har skrivit att Hells Angels Göteborgsavdelning var utraderad. Men när medlemmarna åter är samlade framstår det hela bara som en liten parentes i avdelningens historia.

Någon minut senare kommer ännu en av de frigivna genom dörrarna och glädjescenen upprepas. När de två sista också är ute hoppar alla in i bilarna. Bo Moqvist trampar gasen i botten på sin mörka Saab 9-5 och far förbi vår bil på nära håll. Det är ingen vild gissning att det blir fest på Hells Angels-gården i Gunnilse ikväll.

Hatattack på Internet

Lobbyisten Peter Schjerva försitter inte chansen att häckla rättsväsendet. Inför domen skriver han en rad kritiska artiklar på internet. I den första, som publiceras på den egna sajten www.payback.name, anklagar han polisen i Västra Götaland för att slösa med skattepengar och leta efter en brottslighet som inte finns:

> Kvar står polisens fullständiga och kapitala misslyckande. En oerhört kostsam razzia följdes upp av en väldigt dyr rättegångsprocess. Allt i avsikt att dölja det faktum att polisen inte har någonting att komma med som bevisar att någon enda mc-klubb i Sverige är en kriminell organisation som sysslar med organiserad brottslighet.

Några dagar senare attackerar Peter Schjerva Mega och dennes fru. I en lång artikel, som publiceras på en sajt där Schjerva inte är juridiskt ansvarig, anklagas paret för att ha "grovt utnyttjat och bedragit" ett stort antal människor på stora pengar.[83] Detta påstås ha skett i samband med att en tjugoettårig svensk kvinna gripits för stöld i Thailand.

---

83 http://www.mynewsdesk.com/se/view/pressrelease/polisen-media-mega-och-
    ebba-del-2-437876.

Enligt Schjerva ska Jenny, som känner kvinnan, ha utnyttjat situationen genom att samla in pengar under förespegling av att hon ville hjälpa kvinnan att komma tillbaka till Sverige. Pengarna har, enligt Schjerva, hamnat i Megas och Jennys fickor. Syftet med artikeln är uppenbart: i avvaktan på dom i Göteborgs tingsrätt vill Peter Schjerva skada målsägarnas trovärdighet så mycket det går.

Trovärdigheten ifrågasätts emellertid inte av Göteborgs tingsrätt. Ändå blir domen mild. Stefan Armenius och tatueraren döms till två respektive en månads fängelse. Övriga fyra frias helt. Enligt domstolen gjordes "Out"-tatueringen mot Megas vilja och innebar misshandel. Den som gav order om detta var Armenius. Men i rättens ögon var smärtan och kroppsskadan begränsad.[84]

Något rån i makarnas bostad var det aldrig fråga om. Situationen kan helt enkelt inte ha uppfattats som tillräckligt hotfull, enligt domstolen. Det faktum att Mega själv medgett att Hells Angels har rätt att ta tillbaka gåvor och andra föremål som är märkta med organisationens symboler friar också de åtalade. Enda undantagen rör två små guldbroscher med texten "Göteborg" samt den halskedja där Jenny låtit gravera in "Hells Angels World" tillsammans med sitt namn. Att Stefan Armenius stoppade på sig dessa ska, enligt tingsrätten, bedömas som olaga tvång och stöld. Som plåster på såren har Mega och Jenny rätt till skadestånd om vardera 5 000 kronor, plus 22 500 kronor för de stulna föremålen.

Någon egentlig värdering av Hells Angels interna avtal görs inte. Men eftersom domstolen inte heller ogiltigförklarar pappret kan domen ses som ett tyst godkännande. Vilka konsekvenser detta kommer att få för framtida brottsutredningar återstår att se.

Samma dag kommenterar Peter Schjerva domen på sajten Newsdesk. Enligt honom är insatsen mot Hells Angels Göteborgsavdelning det största fiaskot i modern polishistoria efter Palmemordsutredningen.

"Det måste bli ett slut på dessa mediakåta individer inom polisstyrkorna som gjort sig en karriär på att bekämpa spöken, så kallade 'kriminella mc-gäng', som inte existerar i den verkliga världen", skriver

---

84 Göteborgs tingsrätt, avd 3. Diarienr: B4132-10. Deldom.

Schjerva bland annat – utan att kommentera det faktum att polisen trots allt hittat en gömma med automatvapen vid razzian.[85]

Den som bär ansvaret för det klena resultatet är, enligt Schjerva, den före detta åklagare Barbro Jönsson, som utsattes för ett bombattentat av Brödraskapet Wolfpack i sin bostad hösten 2007. Sedan 2008 är Jönsson stabschef vid polisen i Västra Götaland.

Varken Barbro Jönsson eller någon annan inom polisledningens sida kommenterar domen i massmedierna denna dag. Men det kan inte råda någon tvekan om att polisen hade väntat sig mer av insatsen än en respektive två månaders fängelse.

Några veckor senare ska åklagarna uppgivet förklara att de inte ser några utsikter till straffskärpning i hovrätten. När Stefan Armenius och tatueraren segervisst lämnar in sina överklaganden väljer åklagarna för sakens skull ändå att gå in med ett så kallat anslutningsvad. I annat fall skulle hovrätten enbart kunna döma till de åtalades favör. När detta skrivs i september 2010 är någon ny förhandling inte utsatt.

"Tio procent av mina kriminella pengar gick till klubben"

Kanske är den mest intressanta frågan ändå inte huruvida Mega uteslöts med brottsliga metoder eller inte. För den som vill förstå Hells Angels inre liv är utredningen värdefull.

Under det långa förhöret i Göteborgs tingsrätt medgav den förre "vice presidenten" Mega utan omsvep att han under sin tid som Hells Angels-medlem försörjde sig genom brottslighet. En del av vinsten gick, enligt honom, till den egna avdelningen.

"Tidigare levde jag på kriminalitet. Av de inkomsterna betalade jag tio procent till klubben, som brukligt är när det gäller kriminella pengar", sa Mega.

För att öka intäkterna ska Göteborgsavdelningen ha fört diskussioner om narkotikaaffärer. Enligt Mega togs frågan upp på ett klubbmöte i början av 2009. Detta ligger i linje med uppgifter som vi publicerade i vår förra bok. Där berättade en annan före detta

---

85 http://www.mynewsdesk.com/se/view/pressrelease/apropaa-det-raettsliga-efterspelet-till-jaetterazzian-i-goeteborg-440744.

medlem att varje avdelning tar ställning till huruvida drogförsäljning ska vara tillåtet eller inte.

Även organiserad prostitution var en verksamhet som flera nya medlemmar ville ge sig in i, hävdade Mega i förhören hos polisen. Själv påstod han sig ha sagt nej, eftersom det skulle ha riskerat skada Hells Angels rykte om det avslöjades.

"Att göra en sån grej i klubbens regi eller så det är bara amatörer som tänker i dom banorna för att klubben gör ju allt för att inte bli kallad organiserad kriminell."[86]

Det är ingen tvekan om att Mega har drivits av hämndbegär mot Hells Angels och dess Göteborgsavdelning efter att ha blivit utslängd. Av det skälet kan det inte uteslutas att han överdrivit eller till och med riktat felaktiga anklagelser. Men ingen kan ta ifrån Mega att han befunnit sig inne i Hells Angels slutna rum i ett helt decennium. Som vi ska visa i senare kapitel har Megas beskrivning också i allt väsentligt bekräftats av polisens utredningar.

---

86 Polismyndigheten i Västra Götaland. Diarienr: 1400-K39320-10. FU-protokoll, s 301-302. Förhör.

ORMGROPEN

Sedan vår förra bok kom ut hösten 2007 har ett nytt inslag dykt upp i myllret av grupperingar. En egen art, inte besläktad med någon annan. Snabbväxande. Aggressiv. Och lättretad.

Första gången svensk polis fick Black Cobra under lupp var i Malmö under slutet av 2008. En grupp unga män med rötter i Mellanöstern hade låtit trycka en svart kobra på en vit tröja för att visa att de hörde ihop.

– Konstigt nog bar de sällan tröjorna på sig. Däremot hittade vi tröjor liggande i bilar och bostäder, säger Börje Sjöholm, operativ chef vid länskriminalen i Skåne.

Etableringen var väntad. Polisen i Danmark hade varnat för att nätverket, som bildats på ett danskt fängelse i slutet av 1990-talet, skulle ta sig över Öresund.

"Black Cobra vill, enligt egen utsago, expandera till både Jylland och Sverige", skrev Rigspolitiet i en strategisk rapport i början av 2008.[87] Rapporten sa också att Black Cobra tillhörde Danmarks mest våldsamma grupperingar och förekom i utredningar om mordförsök, dödshot, vapenbrott och narkotikabrott.

Den som tog Black Cobra till Sverige var, enligt samstämmiga källor, den tjugonioårige dansken Charif. I mitten av 2000-talet flyttade han och den två år yngre vännen Samir till Malmö. De slog sig ner i området Rosengård, där de hade släkt och vänner.

---

87 Sydsvenskan 080130: Danska ligor beredda att ta över. Av: A Johansson.

– Vi vet att de här killarna var länkade till personer inom Black Cobra i Danmark. Men om de hade fått ett formellt uppdrag att starta Black Cobra eller om det var något som bara växte fram kan vi inte säga, kommenterar en polisman som följt grupperingen sedan starten.

Vi har varit i kontakt med både Charif och Samir, men ingen av dem vill besvara den sortens frågor. En representant för danska Black Cobra – James Steven Eslabon – har däremot beskrivit processen i en kort mejlintervju som vi gjort med honom. Han vill inte nämna några namn utan kallar grundaren för "akhii", som betyder "bror" på arabiska.

"Akhii blev utsedd av Black Cobra i Danmark att öppna en avdelning i Sverige. Först kontrollerades den från Danmark, men efter tio möten blev avdelningen självständig."

Att syftet skulle ha varit att begå brott och tjäna pengar förnekar James Steven Eslabon.

"Black Cobra är en grupp vänner som ställer upp för varandra, inget annat!" skriver han.

De Malmökillar som danskarna fick med sig var kända av polisen sedan tidigare. Flera hade deltagit i de upplopp som från och med slutet av 2008 hade flammat upp i Herrgården, Rosengårds allra mest problemtyngda del. En snabb titt i statistiken ger en hint om varför de ungas frustration och irrationella vrede var störst just här; trots fina visioner har Malmös politiker låtit Herrgården bli en förvaringsplats för invandrare utan jobb och framtidstro. Av de cirka 5000 invånarna är 84 procent arbetslösa, 96 procent saknar rötter i Sverige och 47 procent är under arton år.[88] Enligt en färsk studie hade svaga vuxna nätverk öppnat upp för kriminella ungdomsgäng, som inte fann sig i att bli tillrättavisade utan tog över området kvälls- och nattetid.[89]

Taktiken vid upploppen i Herrgården var ofta enkel: anlägg en brand i en bil eller ett soputrymme och invänta brandmän och poliser. Kasta sten och andra föremål när dessa försöker göra sitt jobb. Men ibland förekom andra metoder. En av upprorsmakarna, tjugotreårige Bilal, sa i december 2008 åt en hundägare att släppa sin Amstaff-terrier på polisen.

88   Malmö stad: Områdesfakta Herrgården 2007 - pdf.
89   Gerell, Manne: Bränder och stenkastning i Herrgården – en studie i betydelsen av kollektiv förmåga. Lunds universitet, statsvetenskapliga institutionen. VT 2010.

Hundägaren vägrade. Då tog Bilal upp en pistol och sköt djuret i huvudet. Därefter slängdes kadavret i en container och eldades upp.[90]

När Bilal och flera av hans vänner greps i februari 2009 svarade områdets unga med nya bränder och mer stenkastning.

"Vi har tagit deras bröder ifrån dem", sa närpolischefen Börje Aronsson till Sydsvenskan som förklaring till upploppen.[91]

Relationen mellan polisen och ungdomarna i Herrgården var då redan minst sagt infekterad. Skälet var att Sydsvenskan hade avslöjat uttalat rasistiska attityder bland den uniformerade personal som skickades ut för att möta kravallerna.[92] I en rättegång mot en annan åtalad upprorsmakare spelades en videosekvens upp i rätten, som hade filmats av en polisman inifrån ett polisfordon. Filmsekvensen spreds via Sydsvenskan till landets alla massmedier.

"Den lille jävla apajäveln. Ska jag göra han steril när jag får tag på honom?" hördes en av poliserna i fordonet säga, när han såg den åtalade genom fordonets fönster. En av hans kolleger fyllde i: "Ja, han ska ha sig duktigt med stryk så han inte kan stå på benen". "Ni är komna till fel kommun, blattajävlar", sa en tredje.

Bilden i efterhand är att Herrgårdens kokande ilska delvis kom att kanaliseras genom Black Cobra.

– De känslor som fanns i området passade Black Cobra perfekt. De hade lätt att rekrytera, säger länskriminalens operative chef Börje Sjöholm.

Black Cobra-sympatisörer dök också upp bland de politiska aktivister som i mars 2009 protesterade mot en uppmärksammad Davis Cup-match i tennis mellan Israel och Sverige. En artonårig ledargestalt inom supportergruppen Black Scorpions greps för att ha kastat sten mot några av de tusen poliser som bevakade matchen i Baltiska Hallen i Malmö.

"Allt gick så snabbt, jag slutade tänka", sa han då han ställdes inför rätta för våldsamt upplopp.[93]

Några veckor senare hände något oväntat. Tre killar med koppling

90 Hovrätten över Skåne och Blekinge, rotel 38. Diarienr: B1095-09. Dom.
91 Sydsvenskan 090321: Polis straffas för gripanden. Av: T Barkman; H Younes.
92 Sydsvenskan 090205: Kravallvideo avslöjar polisens interna prat. Av: T Barkman.
93 Kvällsposten 090423: Kastade sten – vill slippa straff. Av: P Lindelöw.

*Den spända relationen mellan polis och ungdomar i bostadsområdet
Herrgården i Malmö gynnade Black Cobra. Under våren 2009 rekryterade
grupperingen snabbt nya medlemmar och supportrar.*

till Black Cobra kontaktade polisen och krävde ett möte med polisled-
ningen. Samtalet kopplades till närpolischef Börje Aronsson, som bjöd
in de tre.

– De kom till polisstationen och vi satte oss ner och pratade. De för-
klarade att de ville diskutera den spända situation som hade uppstått,
berättar Aronsson.

Ville polisen att det skulle bli lugnt på Rosengård? undrade trion.
I så fall kunde de fixa det. I gengäld måste samhället satsa på fritids-
aktiviteter för de unga.

– De tyckte att det fanns för lite vettigt att syssla med och menade att
det var därför det hade blivit bråk. Jag förklarade att polisen styrs av
polislagen, vi kan inte öppna fritidsgårdar och starta föreningar. Men
jag rekommenderade dem att ta kontakt med stadsdelens ordförande,
berättar Börje Aronsson.

Sydsvenskan hade fått nys om mötet och passade på att intervjua de
tre killarna, när de kom ut från polishuset. Svaren antydde att krav-
listan inte var särskilt konkret.

"Vi ville att de skulle hjälpa till och ställa upp med sysselsättning. Så att det finns något att göra. Som grillning till exempel. Kanske någon lokal", svarade en.[94]

"Om ni har inflytande, kan ni då inte bara säga till dem som kastar att sluta, utan att kräva något av polisen?" kontrade reportern Tobias Barkman.

"Då skulle folk bara säga att 'Vadå, jobbar ni för polisen eller?'", sa killarna och försvann.

Floppartat brott blev massmedial succé

Vid det här laget hade tecken kommit på att Black Cobra i själva verket hade andra ambitioner än att aktivera Herrgårdens unga. Tre män, som enligt polisen ingick i nätverket, satt häktade för utpressningsförsök. En bilhandlare i Malmö hade fått påhälsning och blivit uppmanad att betala en stor summa pengar. När han frågade vilka de var öppnade en av männen sin dunjacka och blottade en tröja med kobratryck.[95]

Besökarna hade sannolikt inte räknat med att bilhandlaren var beredd att gå till polisen. Men när de kom tillbaka, fanns dolda kameror riggade på mannens kontor och civilklädd polispersonal satt i ett rum intill. Efter att bilhandlaren fått höra att hans liv var i fara om han inte betalade rusade poliserna fram och männen greps. Alla tre dömdes till fängelse för försök till utpressning.[96]

Det misslyckade utpressningsförsöket blev Black Cobras massmediala genombrott. Tidningar och teve berättade att nätverket nu hade fått en svensk gren.[97] Men "kobrorna" själva var av allt att döma missnöjda med publiciteten. Några av dem kontaktade Kvällsposten och förklarade att de ville göra ett uttalande. Reportern Per Lindelöw och en fotograf åkte ut till Rosengård och träffade gängmedlemmarna i en källare. Lindelöw fick höra att utpressarna inte hade med Black Cobra att göra.

94 Sydsvenskan 090425: Unga ledare i möte med polisen. Av: T Barkman.
95 Polismyndigheten i Skåne. Diarienr: 1200-K17625-09. FU-protokoll, s 1. Brottsanmälan.
96 Hovrätten över Skåne och Blekinge. Diarienr: B770-09. Dom.
97 Sydsvenskan: Black Cobra ett av de största gängen i Malmö. Av T Barkman; O Westerberg.

FOTO: UR POLISENS FÖRUNDERSÖKNING

I februari 2009 försökte medlemmar i Black Cobra pressa en bilhandlare i Malmö på pengar. Men bilhandlaren gick till polisen, som monterade upp dolda videokameror.

"Det har funnits tröjor på drift. Vi har löst det", sa en maskerad person som kallade sig Malik och garanterade att Black Cobra inte sysslade med utpressning.[98] Black Cobra var inte heller någon brottsorganisation, utan bara en grupp "bröder" som skyddade varandra mot trakasserier, hävdade han. Det faktum att det var centralfiguren Samir från Danmark som hade skjutsat utpressarna till brottsplatsen talade dock mot Maliks påstående.[99]

Hur som helst banade publiciteten väg för Black Cobras expansion. I Helsingborg anslöt sig ett dussintal män mellan tjugo och trettio år, de flesta irakier. Minst en av dem hade tidigare tillhört Hells Angels undergrupp Red and White Crew.

Även här var attityden mot polisen aggressiv, vilket ett befäl i yttre tjänst fick känna på. I samband med att polismannen beslutade om kroppsvisitation gick en tjugofemårig Black Cobra-medlem till angrepp med slag och sparkar. Polismannen hamnade i underläge och blev tvungen att ta till pepparsprej.

98 Kvällsposten 090317: Killarna som sprider skräck – från källaren. Av: P Lindelöw.
99 Malmö tingsrätt, enhet 32. Diarienr: B1093-09. Dom, s 11-12.

– Det är det värsta som har hänt mig under mina fem år som polis. Jag har stoppat många kriminella, bland annat medlemmar i Hells Angels och Bandidos, men aldrig blivit attackerad på det här viset, sa polismannen när vi pratade med honom en tid efter händelsen.

Händelsen bidrog till att polisledningen såg ännu mer allvarligt på Black Cobras etablering. En kartläggning hade redan visat att trettio identifierade medlemmar misstänktes ha utfört 176 brott – på bara några månader.

"Vi måste göra något nu, annars blir vi aldrig av med dem", sa Göran Landvall, chef för polisens operativa underrättelsetjänst i Skåne till Expressen.[100]

Utvecklingen påminde om vad som hade hänt tjugo år tidigare. Den gången var det Hells Angels som hade spridit sig från Danmark till Malmö och vidare till Helsingborg. Och precis som nu hade den danska polisen varnat sina svenska kolleger.

Men där stannade likheterna.

– Vi insåg snabbt att Black Cobra inte alls gick att jämföra med Hells Angels. Det fanns ingen tydlig idé om hur man skulle organisera sig, inga utsedda ledare, inga formkrav för medlemskap och inga möteslokaler. De gånger som medlemmarna samlades skedde det i lägenheter, inte sällan hos föräldrar. Däremot var de långt mer aggressiva än HA, säger Börje Sjöholm vid Skånepolisen.

La Familia ansluter sig

En av många som blev nyfikna på Black Cobra var "Tyson" i Halmstad. Sommaren 2009 fick han kontakt med Black Cobras ledare i Malmö.

– Det var tuffa killar, det kändes direkt. Vi hade samma tänkande, säger Tyson när vi träffar honom på ett hotell i Stockholm, där han är på tillfälligt besök.

Vid det laget hade Tysons rykte nått långt utanför hemstaden.

– Olika saker gjorde att jag själv blev kriminell, jag valde det aldrig. Men man lär sig leva med det, säger han och vrider av korken på en flaska mineralvatten.

Tyson, som inte vill framträda med sitt riktiga namn, visste vad det

---

100 Expressen 090726: Ny maffia sprider sig. Av: Å Asplid; D Siksjö.

innebar att vara med i ett gäng. I början av 2000-talet hade han under en period tillhört Original Gangsters. Sedan sommaren 2005 hade han byggt upp ett eget nätverk av släktingar och vänner på Västkusten som kom att kalla sig La Familia.

Trots att Tyson egentligen var ganska nöjd med tillvaron fanns det någonting hos Black Cobra som lockade.

– BC var nåt helt nytt, det kändes som att det kunde bli stort och verkligen explodera. Därför bestämde jag och mina vänner oss för att haka på, fortsätter han och tar en klunk vatten.

Två av vännerna sitter bredvid honom under mötet. Precis som Tyson är de klädda i träningsoverall och gympaskor. Ingen av dem säger mer än några ord under hela tiden.

Anslutningen till Black Cobra var okomplicerad. Efter att Tyson gått i god för La Familia-medlemmarna fick de sina tröjor.

– Det gynnade bägge parter att vi gick med. BC växte med ungefär tjugo man och vi i La Familia fick ett större kontaktnät.

Men det fanns också en annan förklaring till att Tyson och hans vänner anslöt sig till det nya nätverket. La Familia hade länge haft ett infekterat förhållande till en grupp kriminella i Halmstad. Liksom Tyson och hans familj bodde en del av dem i området Andersberg utmed motorvägen E6 i östra delen av staden.

Konkurrenterna, som hade känningar i Danmark, hade tre år tidigare gjort ett försök att gå med i Black Cobra utan att lyckas. Nu förekom rykten om att gruppen ville bli medlemmar på riktigt.

Det var när Tyson fick höra talas om detta som han stämde träff med Black Cobra i Malmö för att, som han säger, diskutera saken.

– Vi vill inte ha några gäng i Halmstad, så är det bara. Det var därför jag tog kontakt med BC från första början. Men sen visade det sig att vi kom bra överens och vi bestämde oss för att köra ihop, säger han.

Ungefär samtidigt som detta hände utbröt en konflikt mellan de båda Halmstadsgrupperingarna. Under en vecka i juli 2009 rapporterades skottlossning vid fem tillfällen, varav fyra i Andersberg.[101] Som tur var skadades ingen, trots att skyttarna i flera fall sköt in i de lägenheter där fienderna fanns.

---

101 Göteborgs-Posten 090714: Kriminella för krig i Halmstad. Av: P Nygren.

Polisen misstänkte att Tyson var en av de inblandade och han greps för mordförsök. Men efter fem veckor i häktet var han fri igen och utredningen skulle aldrig komma att leda till åtal.

– Jag var helt oskyldig och fick skadestånd för att de häktat mig, kommenterar Tyson när vi tar upp saken.

När det andra gängets ledare väl frigavs hösten 2009 inleddes förhandlingar genom ett tredje gäng, Lions family i Malmö. Det ledde så småningom till att det blev fred.

– Vi gjorde upp om ett avtal och skakade hand. Jag vill inte säga hur det såg ut, men det betalades i alla fall inga pengar, berättar ledaren för den andra grupperingen och tillägger:

– Men sedan var det två skottlossningar till efter det. Egentligen kan man säga att båda parterna bad om det, men det gick aldrig att bevisa vem som gjorde vad.

Det misslyckade försöket att bilda Sveriges första Black Cobra-avdelning flera år tidigare kommenterar mannen så här:

– Vi startade i smyg, innan vi hade fått svar från Danmark att det var ok. Vi fick kontakt med presidenterna i Danmark först efter det att vi tryckt upp tröjorna. Det blev en massa jidder så vi tog av oss tröjorna och lade ner. Fast egentligen hade vi ju aldrig startat officiellt.

En ny ledare ringas in

Under sensommaren 2009 gick Black Cobras Hallandsavdelning in i en intensiv uppbyggnadsfas. Tysons plan var att etablera Black Cobra även i Göteborg, där La Familia redan hade ett antal medlemmar. För att hävda sig i Sveriges kanske gängtätaste stad insåg han att de behövde bli fler. Kontakter togs med en lokal gruppering i Hammarkullen.

Parallellt höll Black Cobra-celler på att bildas på en rad andra orter. Många yrkeskriminella mellan tjugo och trettio år såg en vinnande häst att satsa på. Etniciteten var blandad. Men svenska namn lyste med sin frånvaro.

I Eskilstuna anslöt sig en grupp rånare och narkotikahandlare med syriansk bakgrund. I Västerås gick en trettioårig iranier med. I Rågsved söder om Stockholm bytte ett antal X-teammedlemmar, varav flera irakier, sina gul-röda tröjor mot Black Cobras svart-vita. I Uppsala hakade en grupp kurder på.[102] Och i Örebro ringades en ny ledargestalt in: trettiofyraårige Shahin Amani, född i Iran.

Shahin Amani hade levt i den kriminella världen i nästan tjugo år. Redan som sextonåring dömdes han för utpressning och misshandel i Uppsala, där han hade vuxit upp. Socialförvaltningens insatser fick liten effekt och Amani återföll gång på gång i nya brott. Som tjugotvåårig fälldes han för grovt narkotikabrott och fick avtjäna ett treårigt fängelsestraff.

På anstalten kom Shahin Amani i kontakt med rånaren Denho Acar och blev medlem i dennes Original Gangsters. Efter några år i Göteborg, där Amani bland annat misstänktes för mordförsök, bröt han med OG och slog sig ner i Örebro. Här greps Amani 2005 i en utpressningshärva och dömdes på nytt till fängelse. I ett försök att få domen upphävd vände Amani sig till Högsta domstolen.

"Jag har försökt att bli en del av samhället och bryta en livsstil som följt mig en stor del av mitt liv", skrev Amani och förklarade att han hade fått en anställning och var "på god väg till det normala".[103] Högsta domstolen tog aldrig upp målet.

Sommaren 2006 bedömde Rikskriminalen att Shahin Amani fortfarande levde på brott och förde upp honom på den första versionen av Alcatraz-listan. Enligt underrättelseinformation hade Amani vid tidpunkten vänskapliga band till flera olika kriminella grupperingar, bland annat Asir och Tigrarna.

Inom Black Cobra blev Shahin Amanis breda kontaktnät och anseende bland kriminella en viktig tillgång. Under hösten 2009 klev han fram som en samlande kraft för Black Cobra-cellerna i Mellansverige och fick ytterligare fart på nyrekryteringen.

Vi har sökt Shahin Amani under arbetet med den här boken, men inte fått möjlighet att intervjua honom. Men flera av dem vi pratat med betraktar honom som Black Cobras verklige ledare och kallar honom vördnadsfullt för "storebrorsan".

---

102 Ej att förväxla med Loyalty BFL.
103 Högsta domstolen. Diarienr: B3630-05. Överklagan.

"Inget kunde ha hindrat mig från att bli gangster"

En av dem som ser upp till Shahin Amani är tjugotreårige Omed Parsa i Örebro. I mitten av augusti 2010 träffar vi honom på häktet i hans hemstad. Där sitter han sedan sju månader, efter att gripits för rån mot en guldsmedsbutik i Skara i början av 2010. Nu har domen om drygt fyra års fängelse vunnit laga kraft och imorgon ska Omed transporteras till Kumlaanstalten ett par mil söderut.

Hösten 2009 gick Omed in i Black Cobras nystartade avdelning i Örebro.

– Jag hade mina egna grabbar som jag hade gjort grejer med innan. Allt som allt blev vi fem-sex fullvärdiga medlemmar och sju-åtta Black Scorpions[104] här i Örebro, berättar Omed när vi satt oss tillrätta i ett kalt besöksrum.

Fikabrödet som vi köpt inför besöket har vi fått lämna utanför. Omeds gängtillhörighet gör att häktesledningen är extra hård och inte vill riskera att något otillåtet förs in.

Det som har fått Omed att vilja träffa oss är att han vill göra en del klarlägganden å Black Cobras vägnar. Vi lyssnar på vad han har att säga.

– För det första sysslar vi inte med utpressning. Det har skrivits så ibland i tidningarna, men det är helt fel, säger Omed med sin låga och lite skrovliga röst.

Men hur var det egentligen med den där bilhandlaren i Malmö? undrar vi.

Omed nickar. Han känner igen fallet.

– Vet ni, det var mycket tröjor ute på vift i början. Men det där har bröderna nere i Skåne tagit hand om, säger han och upprepar nästan ordagrant vad Black Cobra sa till Kvällspostens reporter efter händelsen.

Vi blir lite nyfikna på varför det är så viktigt för nätverket att inte förknippas med den ökande utpressningsbrottsligheten. Omed menar att Black Cobra har en särskild moral.

– Vi går aldrig in i en konflikt utan att ha rätten på vår sida. Vi vill inte skrämmas med vårt namn. Och vi bötfäller inte våra egna.

Nästa budskap som Omed vill förmedla är att Black Cobra inte värvar barn.

---

104 Black Cobras undergrupp.

– Någon har till och med skrivit att vi tar in dagsbarn. Det är ju löjligt! Vad ska vi med femåringar till? frågar han.

För att få vara med i supportgruppen Black Scorpions måste man vara arton år. Men det finns vissa undantag, lägger han till.

– Det är från fall till fall. Att vara lämplig har inte bara med ålder att göra.

Tredje punkten gäller droger. Omed säger att Black Cobra ska vara narkotikafritt, en regel som även finns inom flera andra kriminella grupperingar.

– Droger är farliga, de kan få dig att sälja ut vem som helst. Det går inte att lita på en missbrukare. Därför försöker vi verkligen få de unga att sluta knarka. De flesta lyckas, säger Omed.

Vi blir tvungna att invända. Det är ett faktum att många av de Black Cobra-medlemmar som vi har granskat är dömda för narkotikabrott, bland annat Omed själv. Förutom guldsmedsrånet gäller det fängelsestraff som han nu ska avtjäna innehav av kokain och påverkan av hasch.

– Äldre medlemmar kan väl ta en joint eller en lina när det är fest. Det handlar om att inte missbruka, svarar han när vi för saken på tal.

Efter detta går vi över till att prata om Omeds bakgrund. De första sju åren av sitt liv tillbringade han i hemlandet Iran. Men på grund av pappan blev familjen tvungen att fly.

– Han var pesh merga, vet ni vad det är? Det är kurdiska gerillakrigare. Dom slåss mot regimen. Han sköts i Turkiet, där vi gömde oss. Det var iranska agenter som gjorde det.

Tre dagar senare satt Omed, hans mamma, lillebror och systrar på ett plan till Sverige. De beviljades asyl och fick så småningom en bostad i Vivalla i norra Örebro. Minnena av mordet på pappan skulle förfölja Omed länge.

– Jag kunde inte prata om honom de första tio åren. Och jag klarade inte av att höra andra barn berätta om sina pappor ... jag bara gick ut ur rummet.

Idag har sorgen mattats av men stoltheten lever kvar. En tid innan Omed greps googlade han för första gången faderns namn på Internet. En artikel om mordet kom upp.[105]

---

105 http://www.greenleft.org.au/node/7290

– Min pappa var en stor man som slogs för vår sak och blev martyr. Jag är patriot precis som han, jag älskar Kurdistan, säger Omed och drar upp på Kriminalvårdens gröna t-tröja.

På högra sidan av bröstet har Omed tatuerat in den kurdiska röd-vit-gröna flagga, formad efter Kurdistans gränser så som de hade sett ut om området varit ett eget land. Flaggan täcks delvis av en kalasjnikov.

– Om jag vill dit och slåss? Ja, jag har faktiskt tänkt på det. Jag har en kompis som är där nere och tränar just nu.

När Omed började skolan tyckte han egentligen att det verkade kul. Men han och den svenska undervisningen blev aldrig någon bra kombination.

– Jag kunde ha blivit duktig, jag har läshuvud. Problemet var bara att jag inte kunde koncentrera mig. Lärarna frågade varför jag inte ville skärpa mig, men jag brydde mig inte.

Omeds berättelse är långt ifrån unik. Otrygghet, erfarenhet av våld, brist på manliga förebilder, rotlöshet och misslyckad skolgång är faktorer som går igen i de intervjuer med gängmedlemmar som vi har gjort de senaste åren. Men till skillnad från många andra vill Omed inte säga att det enbart är de externa faktorernas fel.

– Jag tror inte någon hade kunnat hindra mig från att bli kriminell. Jag har alltid velat vara gangster, ända sedan jag var liten. Det var bara så. När jag och mina kompisar gick i fyran-femman såg vi "Blood in blood out" på video och bestämde oss för att bli som dom i filmen.

Filmen handlar om tre unga män som hamnar i kriminalitet och gängbråk. En av dem knarkar ner sig, en hamnar i fängelset och en blir oväntat polis. Vem Omed identifierade sig med? Inte polisen i alla fall.

I Vivalla hittade Omed sina egna brottsbröder. Så småningom lärde han känna äldre kriminella och begick mer avancerade brott, blev gripen och hamnade på ungdomshem. Den kriminella identiteten förstärktes. På ryggen lät han tatuera in "omertá" – ordet för den italienska maffians löfte om total tystnad.

Det var genom de äldre killarna som Omed lärde känna Shahin Amani. Det råder ingen tvekan om att den blivande Black Cobra-ledaren gjorde stort intryck på Omed.

– Han är godhjärtad och korrekt. Det är därför han bestämmer, säger han.

Både Shahin Amani och Omed Parsa kommer från Iran, liksom många andra Black Cobra-medlemmar. Är det en slump att nätverkets medlemmar har sina rötter där och i andra Mellanösternländer? Omed menar att det har fallit sig naturligt när rekryteringen skett i gamla kompiskretsar.

– De flesta bröderna är muslimer, så är det ju. Det tar oss närmare varandra på något sätt. Jag är själv troende, jag fastar och går till moskén på fredagarna. Men det är inget måste att vara muslim, Black Cobra har inget med religion att göra. Det finns svenskar också, i alla fall i Black Scorpions, säger Omed.

– Det viktiga är att man ställer upp för sina bröder, vi tar bara in grabbar som är hundraprocentiga.

Att Black Cobra skulle få en del av det som Omed tjänade på sin kriminalitet var en självklarhet under den korta perioden innan han blev gripen.

– Det är så Black Cobra funkar. Det är som ett företag, säger Omed och talar plötsligt klarspråk.

– Vi är kriminella. Vi gör det här för pengarna. Så är det. Och gör man brott i BC:s namn ska BC ha en del.

Hur mycket? undrar vi.

– Det kan variera. Men för varje miljon som vi kunde ha gjort på guldrånet skulle minst femtio tusen ha gått till BC, svarar Omed och lägger till att andelen kan vara större ifall organisationen har investerat pengar i ett brott.

Om rån är en inkomstkälla, vilka är de andra?

– Spelklubbar ... de ger bra pengar ... vi har en klubb här i Örebro. Droger är också viktigt ... och stölder, jag har varit med och klippt några cigarettransporter som gett mycket pengar. Vad andra medlemmar sysslar med kan jag däremot inte svara på.

Omed tar en paus.

– Med livet som insats är gatan vår arbetsplats, säger han sen och ler lite grand.

– Det är mitt motto. Jag kom på det när jag skrev en rap-text. Jag brukar rappa i en studio som vi har och på lite festivaler och så. Men det är bara när jag sitter inne som jag orkar skriva texter.

Så fort polisen fattade att Omed hade gått med i Black Cobra blev han punktmarkerad. Gick han ut på gatan stod det spanare där, åkte han någonstans följde de efter. Ibland tyckte de att han verkade påverkad och bad honom lämna urinprov.

– När det var upplopp i Vivalla anklagade de mig för det också. Och visst, vi protesterade mot att de visiterade tioåringar. Men jag har inget hat mot samhället, däremot finns det ett ömsesidigt hat mot polisen.

När två poliser kom på besök i häktescellen fick han chans att ta ut sin ilska på dem. Det var inga vanliga förhörsledare, utan två poliser som Omed inte hade träffat tidigare.

– De försökte värva som informatör, jag är säker. "Det här är inget liv för dig, ska du inte tänka om?" sa de. Jag bad dem dra åt helvete. Vad tror de att jag är, en golare? Jag skulle hellre dö än att jobba med polisen. De som gör det är råttor!

Ju längre vi pratar, desto mer komplex blir bilden. Trots sin gangsterfilosofi har Omed periodvis också tjänat pengar på laglig väg. Bland annat var han under en tid fritidsledare i Vivalla. Och för något år sedan arbetade han i en släktings bemanningsföretag och rekryterade personal för hemtjänst och barnpassning. Dessutom hann han göra en ansats för att skaffa sig gymnasiekompetens, innan han greps för guldrånet.

– Vet ni hur man blir helikopterpilot? frågar Omed oss plötsligt.

– Är det typ luftfartsverket som utbildar en, eller? fortsätter han. Jag har alltid gillat helikoptrar, ända sen jag var liten. Det var därför jag ville läsa in gymnasiet.

Vi frågar om han någonsin har testat att flyga helikopter.

– Nej, svarar han. Fast efter guldrånet blev vi jagade av en ...

Mot slutet av vårt samtal förstår vi att Omeds förhoppning är att fortsätta kunna hålla dörrarna öppna till både ett kriminellt liv och ett lagligt. Hans dröm är att sluta med rån och annan tung brottslighet och leva ett lugnt liv. Först måste han bara tjäna det han ska.

Känner du någon som har lyckats? undrar vi.

– Mm. Jag vet många som har egna företag, egna fastigheter. Men de har ju kvar den här mentaliteten … och kan göra lite grejer vid sidan om. Det är så jag tänker mig att det ska bli: Vi i Black Cobra fortsätter att ta hand om varandra, men att vi tjänar pengar på företag istället.

Att fängelsestraffet som han har framför sig skulle få honom att lägga ner kriminaliteten tror han inte.

– Aldrig. Det kommer bara att göra mig starkare. Det är det här livet jag har valt.

Polisen taggar upp

I början av hösten 2009 insåg Rikspolisstyrelsens Operativa råd att drastiska åtgärder krävdes för att få stopp på Black Cobras snabba tillväxt. Lägligt nog hade en helt ny organisation sjösatts den 1 september. Denna bestod av 200 poliser och experter fördelade på nio aktionsgrupper runtom i landet, särskilt avdelade för grov organiserad brottslighet. Black Cobra och den kriminella grupperingen Asir blev aktionsgruppernas första måltavlor.

– Vi drog igång en insats som internt döptes till "ABC", efter Asir och Black Cobra. Bägge gängen befann sig i en uppbyggnadsfas och var brottsaktiva, dessutom hade de vänskapsband. Men ganska snabbt kom vi att koncentrera oss på Black Cobra, berättar polisintendent Per Wadhed som är chef för Operativa rådets kansli.

Vid det laget hade både Skånepolisen och Stockholmspolisen egna insatser, "Zebra" respektive "Serum".

– De fick löpa på som planerat. Parallellt engagerade vi de nya aktionsgrupperna i Uppsala, Norrköping och Göteborg. En nationell underrättelsegrupp skapades också, som började kartlägga medlemmarna och hitta uppslag till brottsutredningar, fortsätter Per Wadhed.

Satsningen var unik. Aldrig tidigare hade det decentraliserade Polissverige med sina tjugoen regionala myndigheter enats på detta sätt mot samma mål. Men en viss rädsla infann sig.

– Går polisen ut och pratar om ett gäng som farligt kan följden bli att vi bara hjälper dem att förstärka sitt varumärke. För att undvika detta kom vi överens om att inte nämna dem med namn, berättar Per Wadhed.

Det var effekterna av det här polisarbetet som Omed Parsa i Örebro fick känna på. Han var inte ensam. I Halmstad märkte Tyson snart att polisen hade honom och hans vänner under ständig bevakning. Nu var det inte bara de lokala Halmstadspoliserna som dök upp i Andersberg.

– Jag minns särskilt en gång, det var när de misstänkte någon form av narkotikabrott. Då kom det poliser som jag inte kände igen från bilar, buskar ... överallt. De hade mp5:or och var stenhårda, jag själv blev nedtryckt i gatan. Jag tänkte: "de här snutarna skämtar inte", berättar Tyson.

Även i Göteborg ökade trycket. Ledaren för Black Cobra-falangen där – tjugoåttaårige Bekas – greps med ett vapen i sin bil, häktades och dömdes till fängelse.[106] I Bekas lägenhet i Hammarkullen hittades flera Black Cobra-tröjor som låg färdiga för att delas ut till nya medlemmar. Men de kom aldrig till användning. Black Cobra fick inte fotfäste i landets andra stad.

Även i Helsingborg gjorde polisen flera tillslag mot den växande Black Cobra-avdelningen. En svartklubb sprängdes och en tjugosjuåring med anknytning till gänget greps och åtalades för hot, rånförsök, utpressning och misshandel. Offret var en nittonårig missbrukare som inte kunde betala sina knarkskulder och därför tvingades att begå brott.[107]

Att det sistnämnda agerandet hade satts i system antyddes av ett fall som Malmöpolisen rullade upp ungefär samtidigt. En tjugoettårig man hävdade att han hade hamnat i klorna på Black Cobra och inte blivit fri förrän han lurat till sig en dator, med hjälp av ett förfalskat kontokort som han fått av en person inom gänget.[108]

Stockholmspolisens Serum-insats riktades till en början mot två lägenheter i en hyresfastighet på Askersgatan i söderförorten Rågsved. Lägenheterna fungerade som samlingsplatser och övernattningslokaler för Black Cobras medlemmar. Grannarna i kommunala Stockholmshems fastighet tvingades på väg in och ut ofta passera någon av gängets underhuggare, som höll vakt med en kamphund vid sin sida.

Polisens strategi var att stoppa Black Cobra-männen, visitera dem

---

106 Göteborgs tingsrätt, avd 11:2. Diarienr: B10443-09. Dom.
107 Helsingborgs Dagblad 091020: Cobrautpressning. Av: M Berkmo.
108 Kvällsposten 091029: 21-åring lurade till sig dator. Av: M Gatemark.

FOTO: UR POLISENS FÖRUNDERSÖKNING

Hösten 2009 anslöt sig västkustgänget La Familia till Black Cobra. Planen var att etablera nätverket i Göteborg. Men försöket kom inte längre än till att några tröjor trycktes upp.

och inleda samtal – allt för att få en bild av hur medlemsstrukturen och ledarskapet såg ut.

– Det var inte helt lätt. För att förvirra oss hade de kommit överens om att alla skulle svara att just de var ledare när vi frågade dem, berättar kriminalinspektör Ingalill Hult, som var operativ chef för Serum.

Efter ett tag förstod hon och hennes kolleger dock att det var de irakiska bröderna "Hero" och "Delo" som styrde gruppen. Ingen av dessa hade dömts för något allvarligare brottslighet; belastningsregistren visade domar för ringa narkotikabrott, olovliga körningar, rattfylleri och misshandel. Men den tjugosexårige Delo hade tidigare tillhört Bandidos supportergrupp X-team och åtnjöt respekt bland unga kriminella i Rågsved och grannförorten Hagsätra.

Under hösten 2009 identifierades tjugoåtta medlemmar i Black Cobra i Stockholm. Dessa hade i sin tur kontaktytor till många andra kriminella. Det framgick när namnen kördes mot belastnings- och misstankeregistren.

– De tjugoåtta medlemmarna hade begått brott ihop med totalt 198 personer i och utanför Black Cobra. Jämfört med äldre och mer etablerade nätverk är det ändå ingen särskilt hög siffra. Det gjorde att vi såg goda möjligheter att bryta gängets uppbyggnad medan det ännu fanns tid, säger kriminalinspektör Amir Rostami vid Södertörnspolisens sektion mot gängkriminalitet, SGI.

Pappan som vågade säga ifrån

Det var inte bara polisen som kom till hyreshuset på Askersgatan. Det gjorde också den ensamstående pappan Fereidon. Anledningen var att hans sextonårige son hade börjat umgås med Hero, Delo och de andra i Black Cobra och Black Scorpions.

– Innan höll han på med sport och musik nere på fritidsgården. Men när han träffade gänget slutade han med allt, berättar Fereidon, när vi dricker te i tunna glaskoppar hemma hos honom en vinterdag i slutet av 2009.

Då har sonen redan vistats på ungdomshem för ett par misshandelsfall. Men sedan några veckor är han tillbaka hemma hos Fereidon. Åtminstone är det tänkt så.

– Han har varit ute ett par dagar. Jag vet faktiskt inte var han är, suckar Fereidon.

Platsen på gymnasiet står tom. Sonen har gjort flera försök att börja, men tappat sugen och hoppat av igen. En av gångerna blev han ovän med personalen och ställde till bråk.

– Jag tror det bästa är att han börjar jobba, kanske med något tekniskt, säger Fereidon.

Bakom honom i vardagsrummet hänger fotografier av sonen. Ett är taget när han gick i lågstadiet, ett annat lite senare. Fereidon berättar att han fram till nu varit stolt över att ha en pojke som alla tyckt om.

– Men han har inte haft det så lätt. När hans mamma lämnade oss och skaffade en ny familj blev han jätteledsen.

Frustrationen över sonens förvandling till en gängmedlem som många är rädda för fick Fereidon att söka upp Black Cobras ledare. En höstdag 2009 promenerade han bort till en av gängets lägenheter, som låg på bottenvåningen. Han gick runt huset till baksidan och såg att en balkongdörr stod på glänt med persiennerna nere.

– Jag ställde mig och lyssnade. Det hördes en massa röster, bland annat min sons, berättar Fereidon.

Till slut knackade han på rutan. Någon av männen där inne kom fram och föste upp dörren. Fereidon gick rakt på sak.

– Jag sa att jag inte ville att min son skulle vara därinne, att det inte var bra för honom. Först sa de att han inte var där, men jag såg ju honom. Jag sa åt dem att släppa ut honom. Då svarade de att jag måste vara tyst för att grannarna inte skulle störas. Sen sa de att det inte var några problem, min son kunde följa med mig om han ville.

Så blev det inte. Fereidon fick gå ensam tillbaka hem, där hans yngste son väntade.

Kände han någon rädsla när han konfronterade Black Cobra? undrar vi.

– Nej, faktiskt inte, svarar Fereidon. Man måste vara modig som förälder. Det är vi som har rätt, inte ungarna. Jag tycker faktiskt att det är de i gänget som är de fega. Varför måste de annars vara tio stycken när de går ut? Jag är ensam.

Någon dag efter att vi besöker Fereidon grips den lokale Black Cobraledaren Delo, efter misstankar om utpressning. Offret är en jämnårig man som krävts på 5 000 kronor. För att sätta press på mannen har någon skickat hotfulla SMS. Bland annat det här: "Gör det inte väre för dig själv. Annars kommer vi ta din lille bror."[109]

Polisen Ingalill Hult och hennes kolleger konstaterar att SMS:et kommer från en mobiltelefon som Fereidons son använder. Pojken hämtas till förhör. Han nekar och säger att någon annan måste ha lånat telefonen. Men när Ingalill Hult ber honom skriva ner formuleringen i SMS:et för hand stavar han fel på precis samma sätt som när bokstäverna knappades in på hans telefon. Trots detta anser åklagaren att pojken inte ska åtalas för medhjälp till utpressningsförsöket. Delo döms däremot till fängelse i ett år.[110]

Det dröjer bara några veckor innan polisen ändå kommer hem till Fereidons lägenhet. Sonen hämtas på sitt pojkrum och förs iväg. Pojken misstänks för flera råa misshandelsfall på Rågsveds tunnelbanestation.

---

109 Polismyndigheten i Stockholms län. Diarienr: 0201-K350443-09. FU-protokoll, s 66. Förhör.
110 Södertörns tingsrätt, enhet 5. B13080-09. Dom.

På övervakningsfilmer syns hur han och två andra till synes oprovocerat ger sig på jämnåriga pojkar. De nöjer sig inte med att slå och sparka, utan hoppar även på en killes huvud.

Fereidon blir förkrossad när han får reda på vad som hänt. Han säger att det känns som att alla ansträngningar för att få sonen på rätt kurs har varit förgäves. Men han går ändå på rättegången, som hålls i Södertörns tingsrätt en gnistrande vacker vinterdag. När domen kommer blir han glad. Straffet blir 110 timmars ungdomstjänst och vård i hemmet – trots att pojken fälls för både misshandel och grov misshandel.[111]

Ingenting tyder på att våldet i tunnelbanan hade någonting med Black Cobra att göra. Händelsen får istället oss att tänka på några rader i en låt om Rågsved, skriven tre decennier tidigare:

Det är gängen ifrån förorten som slår sig blodiga av hat
Samma blinda raseri, samma blinda hat[112]

När Joakim Thåström i Ebba Grön sjöng så befolkades Rågsved fortfarande till stor del av svenska familjer där föräldrarna – i motsats till Fereidon och många av dagens invånare – hade jobb. Kanske finns det något i den bortglömda förortens struktur som triggar grovt våld, oavsett vilka som bor där? I så fall är det en bra jordmån för 2010-talets kriminella gäng.

Under hela våren 2010 får Fereidon ha sin son hemma. Pojken sköter sin ungdomstjänst och begår inga nya brott. Men när det börjar bli sommar märker Fereidon att något håller på att hända. Sonen verkar rastlös. Den 1 juni grips han, misstänkt för mordförsök och grovt rån. Beväpnad med en revolver har han stormat in på en pizzeria i Enskede och hotat gäster och personal. När mannen i kassan vägrade ge honom några pengar höjde pojken vapnet och tryckte på avtryckaren. Först en gång. Sen en gång till och en gång till. Inget skott brann av. Men när polisen undersökte vapnet, sedan gäster övermannat pojken, hittades en skarpladdad patron i revolverns trumma.[113]

111 Södertörns tingsrätt, enhet 2. Diarienr: B579-10. Dom.
112 Hat & blod. Av Ebba Grön. Spår från albumet Kärlek & uppror. 1981.
113 Södertörns tingsrätt, enhet 8. Diarienr: B7988-10. Dom.

Den här gången går Fereidon inte på rättegången.

– Jag tror att det värsta straffet han kan få är att jag inte längre bryr mig, säger han uppgivet på telefon i juli 2010.

Kakstöld gav dåligt rykte

Under våren 2010 kommer de första tecknen på att Black Cobras framfart är på väg att avstanna. Inte bara i Stockholm utan över hela landet. Många medlemmar sitter i häkte eller fängelse. Andra har valt att lämna. Bland annat medlemmarna i La Familia på Västkusten.

– Det visade sig att vi hade olika visioner, vi växte helt enkelt ifrån varandra. Dessutom var det många av oss i La Familia som åkte in. Själv var jag efterlyst för olika brott och var därför tvungen att flytta till en annan stad. Allt det gjorde att vi valde att gå tillbaka till det vi hade innan, berättar Tyson under vårt möte.

– Men det är viktigt att säga att vi lämnade som vänner och det finns inga konflikter. Vi vill ha bra relationer med alla, lägger han till.

Enligt Tyson fanns det också en annan förklaring till att han valde att lägga ned Black Cobra.

– Polisen skickade in en infiltratör ibland oss, det märkte vi eftersom snuten visste alldeles för mycket. De hade fått bort vilket gäng som helst om de hade satsat som de gjorde mot oss, säger han.

Bland dem som greps fanns en tjugosexårig man i Falkenberg och hans två yngre bröder. De och deras vänner hade länge terroriserat sin omgivning och under våren 2010 samlade polisen ihop en mängd anmälningar till en gemensam utredning. Listan över brottsmisstankar var lång och rymde bland annat mordförsök, grov misshandel, grovt vapenbrott, narkotikabrott, stöld, anstiftan till övergrepp i rättssak, olaga hot och vållande till kroppsskada.

Många av brotten präglades av ett exceptionellt övervåld. Bland annat hade några av männen gått till våldsamt angrepp mot ett gift par och deras son, då dessa försökte hindra att bröderna gjorde inbrott i deras garage. Efter en månadslång rättegång i säkerhetssalen i Göteborgs tingsrätt dömdes den äldste brodern till fem års fängelse.[114]

---

114 Varbergs tingsrätt, rotel 2. Diarienr: B2255-09. Domen är överklagad till hovrätten.

I rättegången mot Falkenbergsbröderna dök även Samir upp bland de åtalade, dansken som hade varit med om att starta Black Cobra i Malmö. Enligt tingsrätten hade han försökt tränga sig in på Varbergs lasarett för att försöka tvinga en skadad målsägande att ta tillbaka uppgifter som denne lämnat till polisen. Även Samir har nu valt att lämna Black Cobra, för att istället följa med in i La Familia. Det samma gäller den tidigare nämnde Bekas i Göteborg.

Tyson betecknar La Familia som ett stabilt nätverk utan några ambitioner att växa. Medlemmarna finns i Skåne, Halland, Göteborg och Stockholm.

– Vi är inget gäng utan mer som en stor familj, säg minst femtio personer. Vi har ingen utsedd ledare eller några särskilda regler. Men alla är bröder och vi tar hand om varandra, avslutar Tyson.

Även Eskilstunas Black Cobra-cell lade ner verksamheten i början av 2010. Också i Helsingborg kom grupperingen att hålla en betydligt lägre profil än tidigare. En bidragande orsak kan vara den publicitet som en misslyckad stöldkupp genererade. 120 kartonger med bakverk – mazariner, dammsugare och brownies – stals från flaket på en parkerad lastbil en natt i mars 2010. Någon dag senare upptäckte polisen några män som kånkade in kaklådorna i en butik i Helsingborg.

Enligt polisen hade flera av de gripna anknytning till Black Cobra. Det utlöste skriverier i tidningar och på sajter även utanför Sverige.[115] På sajten flashback – ett populärt diskussionsforum bland kriminella – häcklades grupperingen ordentligt. Bland annat av signaturen "Laszlo Kovacs", som skrev en egen raptext:

Yo, alla brudar sina rumpor skaka
För på gatan är det jag som är kungen av kaka
Jag samlar alla mina kusiner
Det är nu dags att baxa mazariner
Aina våra fickor ständigt kollar
I sin jakt på stulna chokladbollar

---

115 Hufvudstadsbladet 100313: Gängmedlemmar stal småkakor. Av: TT; http://discardedlies.com/entry/?53088_; http://www.neogaf.com/forum/showthread.php?p=20280246

Men vårt gäng vi är listigare
Har redan becknat alla dammsugare
Det är så här vi i Black Cobra rullar
Vi är numero uno på kanelbullar[116]

Fortfarande brottsaktiva

Personer som vi har pratat med medger att kakstölden svärtade ner Black Cobras rykte i den kriminella världen. Men enligt polisen var brottet inte så amatörmässigt som det kunde verka.

– Det här är mer organiserat än vad man kanske tror. Samtidigt som vi hittade kakorna stötte vi på mängder av annat misstänkt stöldgods, exempelvis tvättmedel, te och annat. Att stjäla från lastbilsflak är en smart brottslighet med låga risker och ganska stora vinster. Genom sina familjenätverk har de här killarna goda möjligheter att sälja varorna vidare, många driver små butiker i södra Helsingborg, säger en polisman i staden.

Även i Malmö, där allting började, blev Black Cobra mer och mer splittrat. En kortvarig fusion med grupperingen Lions Family och dess cirka femton medlemmar gav aldrig nätverket någon fastare struktur.[117] Detta hindrade emellertid inte att enskilda grova brott kopplades till grupperingen. Ett av de mest uppmärksammade inträffade vid en busshållplats i östra Malmö i slutet av maj 2010. Mitt på ljusa dagen kom två personer fram och frågade en trettiotreårig man om det var han som skulle vittna i en rättegång. När mannen svarade ja tog en av männen upp ett vapen och sköt honom i benet. Kulan gick igenom muskelvävnaden, fortsatte vidare och skadade en tjugofyraårig kvinna lindrigt.

Rättegången som den beskjutne mannen skulle delta i rörde en misshandel utanför nattklubben Breeze i centrala Malmö ett år tidigare. En trettioåring vid namn Mohammad stod åtalad för att ha golvat trettiotreåringen med ett knytnävsslag och därefter ha sparkat honom i huvudet.[118] Mohammad var en av Black Cobras centralfigurer i Malmö.

Mohammad infann sig i Malmö tingsrätt på utsatt tid, men fick

---

116 www.flashback.info
117 Skånska Dagbladet 100805: Flera ledare i Black Cobra har hoppat av. Av: M G Svensson.
118 Malmö tingsrätt, avd 31. Diarienr: B10086-09. Stämningsansökan.

vända hemåt igen när han såg att rättegången var inställd. När han
senare hördes upplysningsvis av polis sa han sig vara helt ovetande till
vem som kunde ha skjutit den andre och varför. Polisens misstanke var
dock att Black Cobra på ett eller annat sätt låg bakom skjutningen.

Trettiotreåringen lät sig hur som helst inte skrämmas.

– Han har förklarat att han inte tänker falla till föga. Nu står han
under polisens vingar, sa åklagare Bo Albrektsson när vi pratade med
honom den 26 augusti 2010.

Några timmar senare kom trettiotreåringen till domstolen, där miss-
handelsmålet hade satts ut på nytt. Den här gången eskorterades han
av polis. Förhandlingen hade knappt hunnit starta innan trettiotre-
åringen högg tag i en av poliserna vid hans sida. Där är han! viskade
han och pekade diskret på en ung man på åhörarläktaren.

– Målsäganden sa sig känna igen den person som sköt honom vid
busshållplatsen, berättar åklagare Bo Albrektsson, som anhöll mannen
i avvaktan på fortsatt utredning.

En husrannsakan gjordes hos den utpekade, en artonåring som inte
var känd som medlem i något kriminellt gäng. Inga fynd av vikt gjor-
des och några dagar hävdes anhållningsbeslutet. Utredning pågår i
skrivande stund fortfarande.

Ett par veckor efter skotten vid busshållplatsen var Black Cobra-
medlemmar inblandade i en uppgörelse på ett växlingskontor i centrala
Malmö. Två av dem skottskadades, varav den ena allvarligt. Växlings-
kontorets ägare, en fyrtiotvååring kriminell man, medgav att han hade
avlossat skotten men påstod att det var ett misstag i det tumult som
uppstod när besökarna ville diskutera en skuld. Malmö tingsrätt valde
att fria fyrtiotvååringen med hänvisning till bristande utredning.[119]
Den tidigare nämnde dansken Charif var på plats utanför växlingskon-
toret, men undgick såväl skottskador som brottsmisstankar.

Under sommaren 2010 förekom Black Cobras namn även i en upp-
märksammad utpressning mot en före detta kommunpolitiker, mode-
raten Ulf Ranstorp i Laholm. Ranstorp hade anmält att han känt sig
så hotad av nätverket att han inte sett någon annan utväg än att betala
flera hundratusen kronor. Vad som låg bakom det hela var oklart, men

119 Malmö tingsrätt, avd 3. Diarienr: B5421-10. Dom.

Ranstorp stod själv under åtal för bokföringsbrott och hade stora skulder och trassliga affärer bakom sig.

En tjugoårig man från Rosengård i Malmö, Nangialay, greps och åtalades för bland annat utpressning. Han var tidigare känd för polisen och hade bland annat misstänkts för inblandning i stenkastning mot polisen i Herrgården året innan.[120] Nangialay erkände oväntat brotten mot Ulf Ranstorp – men hävdade att han i sin tur själv hade varit pressad av "kriminella i Malmö".[121] Huruvida detta stämde eller inte och om det i så fall handlade om Black Cobra framkom aldrig av utredningen.

Trots Black Cobras söndring ville de poliser som vi pratade med inför hösten 2010 inte räkna ut nätverket. Embryon till nya avdelningar kunde då skönjas i bland annat Lund och Kalmar. Och i Stockholm noterades en intressant förändring: en tjugofemårig svensk med bakgrund inom Bandidos hade, enligt underrättelseinformation, tagit över Black Cobras lokala ledning.

– Det pågår värvningar på olika håll i landet, det kan vi se. Jag tror visst att vi har åsamkat dem mycket besvär, men vi har inte raderat ut dem, sa Per Wadhed på Operativa rådets kansli.

Fortfarande framstod Shahin Amani som den samlande kraften inom nätverket. Trots hård bevakning hade polisen inte lyckats binda honom till något brott. Enda undantaget var ett innehav av en expanderbar batong, som hittades vid en fordonskontroll i södra Stockholm i början av 2010.[122]

Avhoppare från gänget som vi har pratat med hävdar att Shahin Amani aktar sig noga för att ta i något brottsligt själv.

– Han behöver inte det, andra gör saker åt honom, säger en av våra källor.

Fortsatt oroligt på Rosengård

De konfrontationer mellan polis och ungdomar i Rosengård som gav grogrund åt Black Cobra har fortsatt, men inte lika intensivt som under

---

120 Malmö tingsrätt, avd 2. Diarienr: B941-10.
121 Halmstads tingsrätt, domare 1. Diarienr: B1190-10. Dom.
122 Polismyndigheten i Stockholm. Diarienr: 0201-K4782-10. FU-protokoll.

2009. Andreas Konstantinides (S), ordförande i Rosengårds stadsdels-fullmäktige, vill se ett samband med de åtgärder som skett.

– Sedan 2009 har vi gjort jättemycket för att hitta sysselsättning för de ungdomar som inte hade något att göra. Arbetsförmedlingen har gått in med mycket pengar och nästan alla kommunala förvaltningar har ställt upp med praktikplatser. Vårt mål är att få igång tusen ungdomar och vi börjar närma oss, säger han när vi ringer upp honom i slutet av augusti 2010.

– Människor som jag möter är positiva och känner att det händer någonting. De är också väldigt positiva till polisens insatser, för de flesta vill inte ha bråk och upplopp. Samtidigt finns ju de grundläggande problemen kvar: trångboddhet, sociala problem i många familjer, posttraumatisk stress hos flyktingar. Det är sånt vi kommer att få jobba med under lång tid.

Samma dag som vi pratar med Andreas Konstantinides berättar tidningarna att flera bussar har beskjutits på Rosengård, troligen med luftgevär eller soft air-guns. Antalet skjutningar i Malmö med riktiga vapen uppgår till fyrtiofem hittills under 2010, enligt en sammanställning som Aftonbladet har gjort.[123] Andreas Konstantinides suckar.

– Det finns ju ett fåtal familjer som är genomkriminella, jag känner själv fyra stycken. De är tyvärr omöjliga att påverka. Det enda man kan göra är se till att polisen har tillräckliga resurser ... eller omhänderta ungdomarna enligt LVU[124], säger han.

– Oavsett om vi skaffar arbete till alla kommer några ändå alltid att tycka att 16 000–17 000 kronor i månaden inte är värt att jobba för, eftersom de kan tjäna det dubbla på en vecka genom kriminalitet. När det gäller de som vill ha snabba pengar på det sättet spelar det ingen roll vad kommunen gör.

Professor Per-Olof Hallin vid institutionen för urbana studier på Malmö högskola tycker att man bör förhålla sig avvaktande till Malmö stads insatser.

– Det är inte första gången som kommunen säger att utvecklingen

---

123 Aftonbladet 100824: Våldet i Malmö blir allt grövre. Av: V Stenquist.
124 Lagen om vård av unga.

ska vändas, menar Hallin, som hösten 2010 publicerade forsknings-rapporten "Det är inte stenarna som gör ont".

I rapporten pekar Per-Olof Hallin på att svagheten i de satsningar som hittills gjorts på Rosengård är att pengar skjutits till under begränsade perioder. För att ändra Rosengård i grunden krävs långsiktighet på många olika plan, menar han.

– Allt handlar om att bygga upp en bra social kontroll. För att lyckas med det krävs att människor i Herrgården och andra delar av Rosengård upplever att de faktiskt har något gemensamt som är värt att försvara.

Bättre bostäder och ökad närhet till övriga Malmö är två avgörande faktorer, menar Per-Olof Hallin. Det skulle få fler att vilja stanna i området, vilket i sig skulle förstärka banden mellan barn och vuxna. När dessa är tillräckligt starka uppstår, enligt rapporten, en "kollektiv förmåga" som kan motverka att unga tar till tändare och stenar.

Om detta också kan förväntas påverka de kriminella gängens rekryteringsmöjligheter berörs däremot inte i rapporten.

MC SOM I MULTI CRIMINAL

"Världens mest seriösa hojklubb" – så beskrevs Hells Angels av en av de åtalade i fallet med den uteslutne Mega. Vilken innebörd medlemmen lade i ordet seriös utvecklade han inte. Men om han menade regelstyrd, dogmatisk, kontrollerande och allvarstyngd är det lätt att förstå honom. Hells Angels har bestämmelser och paragrafer för allt. Det visar ett dokument som polisen hittade på ett USB-minne vid razzian mot Hells Angels MC Gothenburg våren 2010.[125]

Här följer några exempel:

Det är förbjudet att lämna väst med patch[126] i en obevakad bil, lämna in den i garderob (krogen), bära den ut och in etc. Påföljd: västavhängning i en månad vid första tillfället.

Inga privata vänner får närvara på Euro/Worldruns/meets.

En mediaansvarig per avdelning måste konsultera alla avdelningars presidenter före ett uttalande, majoritet gäller.

Endast två större fester per avdelning/år.

Om medlem ska arbeta i annan stad med omnejd, ska denna avdelning först kontaktas. Detta gäller även om arbete utföres ihop med medlem från denna avdelning. Lämpligen kontakta avdelningens sergeant at arms.

Det är förbjudet att medföra telefoner eller dyl i möteslokalen.

---

125 Polismyndigheten i Västra Götaland. Diarienr: 1400-K39320-10. FU-protokoll,
   s 236-238. Stadgar.
126 Märke som anger intern status.

Som utomstående är det svårt att se kopplingen mellan motorcykel-intresse och detta hårda reglemente. Om målet är att uppleva friheten på sadeln – varför frivilligt ställa sig under kadaverdisciplin?

Slutsatsen är att de som söker sig till Hells Angels lockas av annat än att få köra mc i grupp och meka. Behov av ordning och struktur förefaller viktigt. Detsamma gäller lojalitet, känslan av att vara en kugge i ett större maskineri och någon som andra kan lita på. Men kanske framför allt: att få ta del av något som många bara drömmer om.

Mycket av detta är gemensamt för många manliga gemenskaper. På det här planet är det ingen större skillnad mellan Hells Angels och exempelvis Frimurarna, en annan sluten och reglerad mansklubb. Det faktum att till och med poliser bildat mc-klubbar efter Hells Angels-modell visar också hur tilltalade konceptet är. Ett exempel är Iron Crew MC, som kom till Sverige 2007 och har en dödskalle och en rykande kpist som emblem. Advokaterna har sitt Law Riders, även detta en klubb som i sin estetik påminner om Hells Angels.

Men en viktig sak skiljer Hells Angels från andra gemenskaper: inställningen till omgivningen. Genom att definiera sig som "enprocentare" visar Hells Angels medlemmar sitt uttalade förakt för de regler som övriga medborgare vanligtvis följer. I det här kapitlet ska vi beskriva hur detta tar sig uttryck i praktiken.

Polisen och övriga rättsväsendet har hittills inte mätt sitt arbete mot den organiserade brottsligheten över tid. Det är ändå vår bestämda uppfattning att insatserna mot Hells Angels har ökat sedan 2007. Det är i så fall logiskt. Hells Angels har stärkt sin ställning som landets dominerande kriminella gruppering och öppnat fem nya avdelningar under perioden: Hells Angels MC Uppsala, Hells Angels MC Capital City (Stockholm), Hells Angels MC Eskilstuna, Hells Angels MC Norrköping och Hells Angels MC Luleå. Undergruppen Red and White Crew, som står under de fullvärdiga avdelningarna, har vuxit på motsvarande sätt.

Följden av att poliser, tullare, ekonomer och andra har vänt på alltfler stenar kring den växande Hells Angels-miljön är att brottslig verksamhet i ökad omfattning har blottlagts. Utpressning och olaglig skuldindrivning är fortfarande en av de vanligaste brottstyperna och framstår som en kärnverksamhet för dem som kan utnyttja Hells Angels våldskapital. I tidigare kapitel har vi nämnt flera exempel och längre fram kommer vi att redogöra för ytterligare fall.

En tydlig trend är att antalet utredningar om narkotikahandel har ökat. En del av dessa fall rör distribution inom den egna organisationen och personer har avslöjats då de försökt föra in kokain på olika Hells Angels-fester. I april 2009 greps exempelvis en medlem i Red and White Crew i Göteborg med cirka femtio gram pulver i kalsongerna.[127] Året innan kunde Sörmlandspolisen stoppa en supporter som var på väg in till en Hells Angels-fest i Eskilstuna med ett fyrtiotal portionsförpackningar med den vita drogen.[128]

Andra ärenden har rört amfetamin. Ett exempel är den tidigare nämnda utredningen mot "Jonas" och andra Red and White Crew-medlemmar i Östergötland. Ett annat är det fall där den folkkäre artisten Freddie Wadling greps 2008 efter att ha köpt amfetamin hos Hells Angels supportergrupp Red Devils MC i Svenljunga.[129]

Det hittills största narkotikabeslaget i Hells Angels-miljön gjordes av länskriminalen i Västra Götaland i november 2009. Cirka tjugo kilo amfetamin, värt ett par miljoner kronor, stoppades när det var på väg från en fabrik i Östeuropa till den västsvenska narkotikamarknaden. Trettiofemårige Andreas, fullvärdig medlem i Hells Angels MC Goth Town, misstänktes ha varit mottagare. Rättegång väntas i Göteborgs tingsrätt under hösten 2010.[130]

Värt att notera är att det däremot inte finns några indikationer på att personer inom den svenska Hells Angels-sfären skulle sälja cannabis eller hasch, något som är vanligt i bland annat Danmark. Detta kan bero på strategiska beslut. Eller så är förklaringen helt enkelt att de som handlar med narkotika håller sig till preparat som brukas inom de egna leden – och i Sverige dominerar centralstimulerande droger, enligt de mängder av domar rörande ringa narkotikabrott som vi har gått igenom.

Den kanske mest intressanta tendensen på senare år är emellertid att Hells Angels medlemmar och supportrar allt oftare knyts till brotts-

---

127 Hovrätten för Västra Sverige, målenhet 11:2. B1220-09. Dom.
128 Eskilstuna tingsrätt, rotelgrupp 1. B1351-08. Dom.
129 Hovrätten för Västra Sverige, rotel 12. Diarienr: B3652-08. Dom.
130 Göteborgs tingsrätt, avd 3. Diarienr: B15847-09.

projekt som går ut på att sälja varor och tjänster till kunder utanför den kriminella miljön. Affärsidén är att på olaglig väg sänka kostnaderna, vilket ger konkurrensfördelar i förhållande till lagliga aktörer. I de fall som avslöjats uppgår den totala omsättningen till över hundra miljoner kronor.

I flera av dessa fall har två eller flera medlemmar varit delaktiga i samma brott. Det pekar på en starkare förankring inom organisationen jämfört med tidigare avslöjade fall, där enstaka medlemmar begått brott ihop med utomstående. Brottsligheten skiljer sig åt över landet. I grova drag ser kopplingen mellan avdelningar och avslöjad kriminalitet på senare år ut så här:

Hells Angels MC Stockholm: Smuggling av tobak. Tillverkning och försäljning av anabola steroider.

Hells Angels MC Eskilstuna: Utpressning, olaglig indrivningsverksamhet.

Hells Angels MC Karlstad: Försäljning av svarta byggtjänster.

Hells Angels MC Luleå: Olaglig införsel och försäljning av finsk brännolja. Smuggling av sprit.

Red Devils MC Falun: Försäljning av svarta transporttjänster.

Röd diesel, svarta affärer

I februari 2008 slog tullen, polisen och Skatteverket till mot ett nätverk i Norrland som misstänktes tjäna stora pengar på skillnaderna i de svenska och finska skattereglerna. Genom spaning och dolda GPS-sändare hade myndigheterna kunnat följa hur nätverkets medlemmar åkte över gränsen till en bensinstation i finska Ylitornio i skåpbilar med tusenliterstankar i lastutrymmet. Dessa tankade de fulla med skattebefriad rödfärgad eldningsolja, så kallad röd diesel, och åkte hem igen – utan att anmäla införseln till Skatteverket.

Nätverkets kunder var villaägare med oljepannor som hade tröttnat på den höga svenska punktskatten. Efter att ha nappat på annonser i tidningarna och på blocket.se fick de eldningsolja hemlevererad mot svart betalning. Förlorarna var skattebetalarna – och de oljebolag som gjorde rätt för sig mot staten.

– På varje liter olja gjorde nätverket mellan två och fyra kronor i vinst eftersom de struntade i att betala svensk punktskatt, berättar Bertil Östgård, som ledde myndigheternas aktionsgrupp.

Under spaningarna upptäcktes att nätverket hade koppling till Hells Angels blivande avdelning i Luleå. Vid tillslaget i februari 2008 greps ledaren Jörgen Eriksson och en annan medlem, bägge i fyrtioårsåldern. Eriksson medgav att han hade kört eldningsolja över gränsen, men hävdade att det bara var en väntjänst till ett antal bekanta. Eriksson dömdes till fängelse i två år och fem månader för hantering av 700 000 liter olja. Enligt hovrätten hade verksamheten "pågått under lång tid, varit välplanerad och förhållandevis förslagen".[131] Den andre, som hävdade att han bara lånat ut sina bilar till verksamheten, friades.

Under rättegången väcktes frågan om huruvida Hells Angels hade intressen i verksamheten. Jörgen Eriksson förnekade att så skulle vara fallet. "Klubben" hade, enligt honom, ingen annan funktion än att medlemmarna träffades för att åka motorcykel.

Jörgen Eriksson var inte den ende i den blivande Hells Angels-avdelningen som gett sig in i smugglingsbranschen. 2006 dömdes Erikssons klubbkamrat Kent Nilsson för liknande brottslighet.[132] Under år 2000 hade lastbilschaufören Nilsson stoppats i Haparanda med 800 liter finsk eldningsolja som han inte anmält till Skatteverket. En skatterevision visade att han under knappt ett år hade tankat röd diesel för nästan en miljon kronor.

Att Jörgen Eriksson och Kent Nilsson delade brottsliga intressen skulle framgå av en annan dom. I avvaktan på att Jörgen Eriksson åtalades i dieselmålet åkte de till Tyskland för att köpa stora mängder öl, vin och sprit från Danmark. Resan, som skedde i augusti 2008, fick ett tvärt slut i tullfiltret i Helsingborg. Såväl tingsrätt som hovrätt ansåg det uteslutet att importen skett för egen konsumtion.[133] Båda gäng-medlemmarna dömdes för smuggling.

För Jörgen Erikssons del slutade myndigheternas granskning inte här. Våren 2009 fick han en inbetalningsavi på 1 816 728 kronor från

131 Hovrätten för Övre Norrland, rotel 8. Diarienr: B576-09; B117-10.
132 Hovrätten för Övre Norrland. Diarienr: B184-06.
133 Luleå tingsrätt, målenhet 2. Diarienr: B2035-06. Dom.

Hells Angels-ledarna Jörgen Eriksson, t v, och Kent Nilsson i Luleå har båda avslöjats med att smuggla stora mängder skattebefriad brännolja från Finland. Kunderna var bland annat villaägare som ville sänka sina energikostnader.

Skatteverket.[134] Det var så mycket han beräknades ha undanhållit i energi- och koldioxidskatt genom sin olagliga dieselimport mellan 2006 och 2008. Fortfarande i juli 2010 hade kronofogden inte lyckats driva in några pengar.

Razzia hos Red Devils MC

En tid efter razzian i Norrbotten var det Red Devils i Faluns tur att få påhälsning av myndigheterna. Mc-klubben, som tidigare gått under namnet Creutz MC, hade värvats av Hells Angels-sfären och därmed tagit de röd-vita färgerna till Dalarna – en del av landet som i gängsammanhang dominerats av Bandidos MC. Red Devils verksamhet gick knappast bara ut på att "fika med familjerna på lördagarna och ta en åktur med motorcyklarna", som en av medlemmarna senare skulle påstå i rätten.[135] Tre av de ledande medlemmarna dömdes i oktober 2008 för att ha hyrt ut svart arbetskraft för mångmiljonbelopp.[136]

Liksom i dieselhärvan var det Skatteverket som fick upp de första spåren. En revision i ett bemanningsföretag, CS Konsult- och

---

134 Skatteverket. Diarienr: 75129-08/712. Beslut.
135 Falu tingsrätt, enhet 2:1. Diarienr: B1393-08. Dom, s 62.
136 Svea hovrätt, rotel 0906. Diarienr: B6397-08. Dom.

Byggtjänst i Hägersten AB, pekade på att pengar försvann iväg utan att bokföras. CS Konsult hade hyrt ut chaufförer till olika bolag. Men i bolagets deklarationer stod det för det mesta "0" i rutorna för lön, arbetsgivaravgift och moms.

Tips från olika håll sa att medlemmar i Red Devils styrde verksamheten. Det bekräftades när polisen gjorde razzia i gängets lokaler.

– Olika handlingar och datafiler styrkte att det fanns tydliga kopplingar till mc-gänget, berättar kammaråklagare Martin Tidén på Ekobrottsmyndigheten.

Flera av medlemmarna i gänget hade själva arbetat som chaufförer, däribland den dåvarande ledaren Fredrik Noreberg. De visste att många etablerade företag gärna undviker att ha egna anställda och istället hyr in personal efter behov. Så istället för att fortsätta köra själva drog de igång en uthyrningsverksamhet med hjälp av vänner och bekanta.

Det var nu CS Konsult kom i bilden, ett bolag som Fredrik Noreberg fick kontakt med genom olika personer i Stockholm. Trettiosexårige Norebergs roll blev att värva chaufförer och hålla kontakt med kunderna, ett jobb som han bland annat utförde från mc-klubben och från sin pappas advokatkontor. Den viktigaste kunden var transportföretaget Frigoscandia, ägt av norska Posten och med en omsättning på över två miljarder kronor.

I flera år rullade verksamheten på bekymmersfritt. Frigoscandia och andra ringde och beställde frakter, Red Devils-ledaren såg till att godset kom dit det skulle och CS Konsult skickade fakturor för utförda tjänster. Kostnaden per timme låg på flera hundra kronor. Totalt uppgick de fakturerade beloppen till 17,8 miljoner kronor under 2006 och 2007.[137]

Men pengarna gick aldrig in på CS Konsults bankkonto. Istället tog ett litet fakturabelåningsföretag på Lidingö hand om betalningarna. Ägaren till detta, sextiosjuårige Per-Olov Zethrin, gick i sin tur till banken och tog ut kontanter eller postväxlar. På ett annat bankkontor satte Zethrin direkt in pengarna på konton som tillhörde personer i Fredrik Norebergs bekantskapskrets, både i och utanför Red Devils.

---

137 Falu tingsrätt, enhet 2:1. Diarienr: B1393-08. Dom, s 38.

För den till synes onödiga tjänsten tog Per-Olov Zethrin ett antal procent av beloppen i avgift.

Även kontoinnehavarna fick behålla en liten del av insättningarna som tack för hjälpen. Motkravet var att de tog ut pengarna igen och lämnade sedelbuntarna till Fredrik Noreberg eller någon av hans medarbetare. Dessa såg i sin tur till att chaufförerna fick sin betalning svart i handen. En vanlig mötesplats var en bensinmack i närheten av Frigoscandias lokaler vid Globen. Timlönen var då nere på 115 kronor.

Efter razzian i maj 2008 greps och häktades ett stort antal personer, däribland Fredrik Noreberg och två andra Red Devils-medlemmar. Även Per-Olov Zethrin ingick i skaran. Åklagare Martin Tidén menade att Zethrin varit fullt införstådd i den kriminella verksamheten.

– Allt tydde på att Zethrins enda uppgift var att tvätta pengarna och försvåra en spårning av pengaströmmarna, säger Tidén.

Politiker och nämndeman samarbetade med kriminella

Vem var då denne Lidingöföretagare som samarbetade med personer inom Hells Angels-sfären? Jo, en pensionerad gymnastiklärare med politiska uppdrag för centerpartiet inom Lidingö stad och Domstolsverket. När Per-Olov Zethrin greps var han på väg till Stockholms tingsrätt. Där skulle han själv sitta i rätten som nämdeman och ta ställning till om en åtalad person skulle dömas eller frias.

Per-Olov Zethrin nekade till anklagelserna. Men det låg honom i fatet att han tidigare hade dömts för bokföringsbrott, något som inte hindrade att han alltså själv hade statens förtroende att döma andra. Dessutom visade det sig att han även utfört liknande tjänster åt en dåvarande ledare inom den kriminella grupperingen Original Gangsters.[138]

Per-Olov Zethrins förklaring till de snåriga transaktionerna var att han inte var så "insatt i datorer".[139] Dessutom tyckte han att det var bra att få papperskvitton av banken. Den som hade bestämt hur pengarna skulle styras var, enligt Zethrin, inte han själv utan Fredrik Noreberg. Falu tingsrätt köpte inte ursäkterna utan ansåg att Per-Olov Zethrin

---

138 Solna tingsrätt, rotel 1:2. Diarienr: B5051-08. Dom.
139 Falu tingsrätt, enhet 2:1. Diarienr: B1393-08. Dom.

varit en viktig länk i brottskedjan. Påföljden blev tre års fängelse, förbud mot att driva näringsverksamhet under fem år och en företagsbot om 2,5 miljoner kronor.[140]

Fredrik Noreberg dömdes i sin tur till fyra års fängelse för bland annat grovt bokföringsbrott och grovt skattebrott. Två andra gängmedlemmar fick två respektive sex månaders fängelse för inblandning i affärerna.

Kanske var det ändå inte fängelsestraffet som blev den värsta chocken för Red Devils-ledaren. I häktet fick han reda på att han hade uteslutits ur mc-klubben med omedelbar verkan. Anledningen påstods vara att han hade "golat" – det vill säga pratat för mycket – under polisförhör och rättegång.

I ett desperat försök att blidka organisationen skrev Fredrik Noreberg ett brev till sina vänner på utsidan. Men det hittades av Kriminalvården och hamnade på Martin Tidéns bord.

– Brevet försämrade inte precis bevisläget, kommenterar åklagaren.

På tre handskrivna sidor förklarade Fredrik Noreberg hur upplägget hade sett ut från början, vem som skulle sköta "pengatvätten" och vad alla inblandade skulle säga om polisen kom. I brevet hävdade Fredrik Noreberg också att Red Devils fått del av brottsvinsterna: "Jag har gett klubben mycket pengar. All avkastning i vissa business." Brevet togs upp som bevis i hovrätten, där påföljderna för Fredrik Noreberg, Per-Olov Zethrin och de båda andra Red Devils-medlemmarna fastställdes. Liksom i dieselhärvan ledde brotten till kraftiga upptaxeringar för flera av de inblandade. Sommaren 2010 uppgick Fredrik Norebergs obetalda skulder till staten till cirka sex miljoner kronor. Även Per-Olov Zethrin fick en rejäl skattesmäll, sedan han upptaxerats med drygt 1,2 miljoner kronor.[141]

Men hade Red Devils ställning som undergrupp till Hells Angels egentligen någon betydelse för brottsplanen? Ja, menar åklagare Martin Tidén.

– Banden till mc-klubben var en förutsättning för att det hela skulle fungera. Du kan inte ha folk som går och tar ut 400 000 kronor i kon-

---

140 Ibid.
141 Skatteverket. Diarienr: 101-475384-08/5472.

tanter ifall du inte litar på att de inte kommer att blåsa dig. Och ett mc-gäng som det här blåser människor inte gärna.

Detta är långt ifrån det enda exemplet på hur personer i Hells Angels-sfären utnyttjat sitt farliga rykte i ekonomisk brottslighet. I vår första bok redogjorde vi för ett flertal fall där Hells Angels-medlemmar fällts för olika varianter av organiserat svartarbete inom byggsektorn. Misstankar om att den lukrativa verksamheten fortsatte fick Ekobrottsmyndigheten att i april 2009 genomföra en stor insats under namnet "Operation Morgan". Totalt greps sexton personer för grova skattebrott, däribland tre medlemmar i Hells Angels MC Karlstad: "presidenten" Torbjörn Tholén och medlemmarna Patrik och Pontus. Även en fyrtioettårig ledare för Hells Angels-lojala Dirty Ducks MC i Stockholm ingick i skaran.[142]

Granskningen riktades mot en sfär av byggbolag: Svets & Prefabmontage Sweden AB, SOM Sweden AB, Spectrum i Karlstad AB och Klaymore Installation AB. Dessa hade framgångsrikt sålt byggtjänster för sammanlagt cirka femtio miljoner kronor under 2007 och 2008. Bland kunderna fanns ståljätten SSAB och mobilnätskoncernen Relacom.

Problemet var att en del stor av intäkterna hade skickats raka vägen till ett nyöppnat växlingskontor i Hammarby Sjöstad i Stockholm. Där hade så kallade "gångare" hämtat ut tjocka sedelbuntar och sedan försvunnit från radarn. Enligt myndigheternas granskning hade staten gått miste om 27 miljoner kronor i utebliven skatt.

För att täcka uttagen misstänktes ägarna ha bokfört falska fakturor från andra bolag i Sverige och utlandet, fakturor som gällde inhyrd arbetskraft. Men inte heller dessa bolag hade redovisat några skatter eller avgifter och i styrelserna satt typiska "målvakter".

Utredningen skulle visa att "gångarna" hade stämt träff med Hells Angels-ledaren Torbjörn Tholén. Indicier pekade på att Tholén i sin tur hade skött en del av de svarta utbetalningarna. I Tholéns mobiltelefon hittades SMS som visade att han bara ett par veckor tidigare hade lämnat över pengar till byggjobbarna. Ett av dessa löd: "Löning onsdag

---

142 Värmlands tingsrätt, enhet 2. Diarienr: B2159-09. Dagboksblad.

15/4 kl 18:30 Vanliga stället Midsommarkransen."[143]

Torbjörn Tholén och de andra Hells Angels-männen har varit fåordiga i avvaktan på den rättegång som väntas starta i Värmlands tingsrätt i november 2010. Övriga misstänkta har i vissa fall medgett skattebrott, men skyllt på att de inte kunde stå emot byggjobbarnas krav på svart lön.

"I de tider det är gott om jobb är det gubbarna själva som styr det här. Då vill de ha svart lön annars så slutar de /.../ Det är svårt att ta sig ur den här karusellen. Jag vet att det är fel, men jag fick ingen personal annars", sa till exempel Dirty Ducks-ledaren i förhör.[144]

Vart de 27 miljoner kronorna har tagit vägen är oklart. Men listan över beslagtagna föremål antyder att de misstänkta Hells Angels-männen haft det gott ställt. Hos en av dem hämtades bland annat en fem hekto tung guldkedja med ett hänge i form av Hells Angels dödskallesymbol, värderad till cirka 140 000 kronor. Våren 2010 var kronofogden i färd med att sälja detta och andra smycken på exekutiv auktion, för att täcka mannens skatteskulder på cirka fyra miljoner kronor. Då fick myndigheten ett brev av Hells Angels svenska varumärkesrepresentant, HA-ledaren Bo Moqvist i Göteborg.[145]

Bo Moqvist skrev att smyckena inte ägdes av medlemmen utan av Hells Angels Motorcycle Corporation och genast skulle skickas till hans hemadress. Som stöd för detta hänvisade han till samma avtal som presenterats i målet mot ex-medlemmen Mega i Göteborg. Kronofogden avfärdade Bo Moqvists överklagande och menade att det inte var "rimligt att låta enbart det faktum att egendomen märkts med en logga ha den verkan mot borgenärerna att även guldvärdet undandras från utmätning".[146]

Bo Moqvist gav sig inte, utan överklagade till Värmlands tingsrätt. Följen blev en halv seger för Hells Angels varumärkeschef. Domstolen beslutade att den exekutiva auktionen skulle stoppas tills vidare. I skrivande stund är smyckena fortfarande i förvar hos kronofogden. Lyckas

---

143 Skatteverket. Omprövningsbeslut 091123. Svets & Prefabmontage Sweden AB, s 8.
144 Skatteverket. Omprövningsbeslut 091021. Klaymore Installation AB, s 12.
145 Kronofogden. Indrivningsavdelningen. Diarienr: 808 12439-10/583.
146 Ibid.

Bo Moqvist få rätt skapas ett prejudikat som säger att en organisations medlemmar enkelt kan säkra kriminella vinster genom att köpa guld och gravera in organisationens namn.

Växlingskontor ekobrottslingars favoritbutik

Parallellt med tillslaget mot männen i Hells Angels och Dirty Ducks gjorde Ekobrottsmyndigheten razzia på det växlingskontor i Hammarby Sjöstad dit pengarna gått. Mängder av handlingar beslagtogs tillsammans med fyra miljoner kronor i sedlar, som företaget hade beställt från Loomis och nu låg färdiga att lämnas ut.[147]

Ekobrottsmyndigheten visste vid det laget att även andra misstänkta skattebrottslingar hade använt sig av Valutacentralen AB, som växlingskontoret hette. Mellan september 2008 och februari 2009 hade sammanlagt 127 miljoner kronor lämnats ut över disk till ett tjugotal olika företag. Bedömningen var att växlingsverksamheten bara var en täckmantel och att den verkliga affärsidén var att förvandla elektroniska överföringar till sedlar åt den organiserade brottsligheten.

– Ett företag som tillhandahåller kontanter i den här omfattningen kan inte ha ett seriöst syfte, det är omöjligt. Inga kunder med en legal verksamhet behöver så här mycket sedlar, säger kammaråklagare Martin Tidén, som fick i uppdrag att granska bolaget.

Stockholms tingsrätt skulle ge honom rätt. I december 2009 dömdes Valutacentralens ägare för grovt bokföringsbrott och medhjälp till grovt bokföringsbrott gällande några av sina kunder.[148] Straffet: tre års fängelse, fem års näringsförbud och fyra miljoner kronor i företagsbot. Sedan ägaren, tjugoåttaårige Jonas från Solna, har begärt en ny prövning väntas målet tas upp i Svea hovrätt hösten 2010.

Hur valutaväxlaren Jonas hade fått kontakt med Hells Angelsmännens bolag framgick inte av utredningen. Hur som helst hade Jonas knappast en bakgrund som var typisk för entreprenörer inom den finansiella sektorn. Han hade läst halva bygglinjen på gymnasiet, jobbat extra på posten, drivit godisbutik och jobbat som arbetsledare

---

147 Stockholms tingsrätt, avd 2. Diarienr: B6864-09. Protokoll från
     kvarstadsförhandling.
148 Stockholms tingsrätt, enhet 21. Diarienr: B6864-09. Dom.

på ett städföretag. Några tidigare kunskaper om ekonomi och valuta-hantering hade han däremot inte. Men det var "möjligt", sa Jonas i rätten, att han "tagit del av de allmänna råd som Finansinspektionen utfärdat" rörande anmälan om misstänkt penningtvätt.[149]

Så hur kunde Jonas företag få myndigheternas förtroende att han-tera pengar? Den frågan är lätt att besvara. Vid tidpunkten behövdes inget tillstånd för att få driva den här sortens finansiella institut. Enda kravet var att ägaren fyllde i en blankett hos Finansinspektionen och betalade in 11 000 kronor i registreringsavgift. Och att han eller hon inte fanns med i Rikspolisstyrelsens belastningsregister över straffade personer.

– Det är den kontroll som vi har haft rätt att göra, förklarar man på Finansinspektionen när vi ringer dit.

Varken skulder, konkurser, knytningar till kriminella gäng eller misstänkta bulvanförhållanden ansågs alltså utgöra något hinder för den som ville öppna växlingskontor. Sannolikt är detta en del av för-klaringen till att just växlingskontoren blivit ekobrottslingarnas favo-ritföretag, något som konstaterades redan i Brottsförebyggande Rådets rapport "Organiserat svartarbete i byggbranschen" från 2007:

"Sådana företag beskrivs ofta som ett stort problem i arbetet mot penningmaskeringen, och ofta går det att på goda grunder misstänka att vissa av dem i själva verket har penningmaskering som affärsidé. Vissa av dessa företag ägnar sig i stort sett enbart åt kontant hantering av svenska kronor."[150]

Efter kraftig kritik från EU har Sverige nu, som ett av de sista län-derna i Europa, tvingats skärpa reglerna. Från och med den 1 augusti 2010 gäller EU:s betaltjänstdirektiv även här. För växlingskontorens del innebär detta att ägarna måste ansöka om tillstånd och genomgå en mer noggrann granskning. Kammaråklagare Martin Tidén, som ledde utredningen mot Valutacentralen, är skeptisk till att det skulle stoppa de mest drivna kriminella.

– Det går säkert att runda den granskningen och hitta målvakter med

149 Ibid.
150 BRÅ Rapport 2007:27. Organiserat svartarbete inom byggbranschen. Av:
      J Andersson; L Korsell, s 128.

en fin fasad. Grundproblemet är att det överhuvudtaget är tillåtet att hantera kontanter i den här omfattningen. Varför ska ett växlingskontor få betala ut 400 000 kronor på ett bräde i ett samhälle där vi nästan gjort oss av med alla sedlar? Så länge det är tillåtet kommer stora pengar fortsätta att rinna ut från staten.

Kinesiska "möbler" var miljontals cigaretter

Lysrören i taket tänds i ett lagerhotell på Brahevägen i Solna. Kallt sken blänker till i långa rader av metallportar. En säkerhetsdörr slår igen bakom en storvuxen man iförd arbetsbyxor och arbetshandskar. Mannen tar sats och börjar gå, lätt framåtlutad. Hans händer kramar handtaget på en vagn som är lastad med sex stora kartonger. Det går lite trögt. Innehållet verkar tungt.

Efter att ha stannat framför ett av förråden och låst upp portarna greppar mannen om en av de översta kartongerna. För några ögonblick försvinner han in i förrådets mörker – och ut ur synfältet för en av de övervakningskameror som lagerhotellets ägare har satt upp i lokalen. Kamerorna är ingen hemlighet för kunderna utan ett säkerhetsargument. Att mannen nu blir filmad är heller inget han verkar störd av. Lugnt och metodiskt lastar han in kartongerna i förrådet, en efter en.

Efter ett tag dyker en ny man upp. Han är rakad på huvudet och klädd i grön munkjacka. Även han föser en vagn framför sig. Framme vid förrådet stannar mannen, som är kraftigt byggd, och för upp händerna till ansiktet för att torka svetten ur pannan. Kånkandet har pågått hela morgonen och det är varmt både inne och ute, sommar som det är. Så småningom fastnar även en tredje man på övervakningsfilmen. Det är i hans namn som förrådet är hyrt, ska det senare visa sig.

Om det inte vore för en viss händelse skulle filmen ha stannat i datorn hos Minilager i Stockholm AB och raderats efter en tid. Men på ett omlastningslager i Skärholmen, några kilometer söderut, har likadana kartonger dagen innan spruckit och gått sönder. Personalen på transportföretaget Trabé upptäckte då att innehållet inte alls bestod av hopfällbara stolar från Kina, som det stod på tullhandlingarna. Under wellpappen syntes istället Marlboros välkända logotyp. Omlastningen stoppades och Trabés förman ringde upp kunden och förklarade att man inte befattade sig med lasten. Tobaksimport kräver tillstånd och något sådant hade inte visats upp.

Kort efter telefonsamtalet dök två hyrda Statoil-lastbilar upp. De backade upp mot den container som kartongerna hade levererats i och fyra killar hoppade ut. Männen hann knappt börja lasta över cigarett-kartongerna innan en mansröst frågade vad de sysslade med. Trabé hade uppenbarligen larmat tullen. Killarna i Statoil-bilarna greps, misstänkta för olovlig befattning med smuggelgods, och nio miljoner cigaretter togs i beslag.

De kartonger som nu staplas i lagerhotellet i Solna har skeppats från hamnstaden Shekou i södra Kina med samma fartyg, fast i en annan container. Efter en snabb insats har de tre männen säkrat tobaken. När den sista kartongen är inne stänger de dörrarna och låser förrådet.

Operation Ming

Dagen därpå får tullinspektör Anette Öjhammar och en ekonom på tullkriminalen fallet på sitt bord. Vid det laget sitter bara en av de gripna från Skärholmen kvar i arresten. Han är trettiotre år gammal och heter Karl-Thomas.

– Vi valde att koncentrera oss på honom eftersom han berättade att det var han som hade fixat hyrbilarna och hyrt in de tre andra som bärhjälp, berättar tullinspektör Anette Öjhammar när vi träffar henne några månader senare.

Karl-Thomas har ett vackert ansikte, ett adligt klingande efternamn och en välkammad back slick-frisyr. En sökning på google.se ska visa att han har deltagit i en dokusåpa, gärna poserar inför vimmelfoto-grafer på Stureplan och extraknäcker som stripteaseartist. En slagning i belastningsregistret avslöjar att Karl-Thomas även har andra sidor. Något år tidigare har han suttit i fängelse för en rå misshandel på Stureplan. Och på 1990-talet dömdes han för vapenbrott och rån.

Karl-Thomas tanke har aldrig varit att göra något olagligt, försäkrar han när han hörs. Han har bara ställt upp för en vän, som med kort varsel behövde flytta en del möbler.[151] Vännen hade hört av sig samma

---

151 Tullverket. Diarienr: 3200-2211-09. FU-protokoll, s 1-7. Förhör.

Smugglarna avslöjades av spruckna kartonger. I containern som precis hade anlänt från Kina hittades miljontals pirattillverkade cigaretter.

dag, hävdar Karl-Thomas. Karl-Thomas ringde i sin tur en kompis och bad denne att hjälpa till. Kompisen kände han från Mobile Connect Sweden AB, ett bolag där han jobbat som säljare under en period.

Några timmar senare satt Karl-Thomas, kompisen och två andra killar i Karl-Thomas Hummerbil på väg till Statoil i Midsommarkransen. Alla hade blivit lovade varsin tusenlapp i handen av Karl-Thomas vän för besväret. Det var hela storyn, så mycket mer fanns inte att säga, menade han.

Vart skulle kartongerna köras? undrar tullkriminalens förhörsledare. Karl-Thomas hävdar att han inte hade hunnit få reda på det. Vem är vännen? Det vill han inte svara på. Eller, rättare sagt, vågar inte. I alla fall inte i nuläget. Karl-Thomas säger att han "rädd för eventuella konsekvenser".

När Anette Öjhammar kontrollerar tullhandlingarna visar det sig mycket riktigt att den beslagtagna containern har påståtts innehålla möbler. Närmare bestämt 312 stycken kontorsstolar och bord, inköpta för 27 144 dollar. Företaget som fört in containern i landet heter Madena Investment AB och har adress i Hammarby Sjöstad. Enligt Bolagsverket ska det inte syssla med importaffärer utan bedriva "handel med aktier och värdepapper samt fastigheter, kameral-, administrativ- och företagsjuridisk rådgivning samt därmed förenlig verksamhet".

Anette Öjhammar och ekonomen söker vidare i Bolagsverkets register och kommer till Madena Investments styrelse. Den består av två män. Några musklick till och utredarna kan konstatera att männen även driver andra företag. Anette Öjhammar hajar till när hon läser ett av namnen på systerbolagen: Mobile Connect Sweden AB – samma företag som Karl-Thomas och bärhjälpen sa sig ha jobbat för.

Utredarna går tillbaka till Tullverkets system för importdeklarationer. Det blir träff direkt. Mobile Connect Sweden AB har anmält varuimport samma dag som Madena Investment. Även här handlar det om en container med möbler från Kina.

– Oj, det var nästan för bra för att vara sant, tänkte jag, minns Anette Öjhammar.

På skärmen visas namnet på ett speditionsföretag. Det är detta som har anlitats för att sköta tulldeklarationen och med hjälp av en transportfirma hämta Madena Investments container i Frihamnen. Anette Öjhammar ringer speditören och får veta att containern dagen innan har körts till ett lager i Järfälla, väster om Stockholm. Nu finns ingen tid att förlora. Den operation som ska få det interna namnet "Ming" dras igång med en rivstart.

En halvtimme senare svänger Anette Öjhammar och en kollega in på lagrets parkeringsplats. Jodå, personalen minns containern. Det var ett gäng killar här igår och bar ut ett berg av kartonger som de sen stuvade in i ett lagerutrymme, förklarar en av de anställda. Var någonstans? undrar Anette Öjhammar. Det är ingen idé att gå dit, svarar mannen. Andra killar var här alldeles precis och hämtade alla kartongerna. Med lastbilar från en Statoil-mack.

Anette Öjhammar känner frustrationen stiga inombords.

– Vi hade missat dem med bara en kvart!

Hade hon och kollegerna varit mindre energiska skulle utredningen ha kunnat sluta här. Men trots att det snart var midsommar och sedan semester bestämde de sig för att löpa linan ut. Vilken Statoil-mack? Stod det något ortsnamn på bilarna? Mannen på lagret funderade. Det var något på "R", trodde han.

Några timmar senare står Anette Öjhammar vid disken på Statoils bensinstation i Råsunda. Hon är tillbaka på spåret igen. Ett namn i listan över dem som hyrt lastbilar den här dagen är välbekant för Anette Öjhammar: Fredrik Åberg – en tjugoåttaårig medlem i Hells Angels Stockholmsavdelning. Som "extraförare" har Fredrik angett trettiofemårige Henrik, även han medlem i Hells Angels.

– För säkerhets skull bad jag att få gå igenom mackens övervakningsfilm. Det var ingen tvekan om vilka det var, berättar Anette Öjhammar.

Men även nu är hon lite för sent ute. Lastbilar och nycklar är tillbakalämnade. Och ett hyrkvitto bevisar i sig inte att Hells Angels-medlemmarna skulle ingå smugglingshärvan. Utan smuggelgods, inget ingripande. Anette Öjhammar och hennes kolleger inser att de måste ge sig till tåls.

En beslagtagen papperslapp i Karl-Thomas Hummer ska ge utredningen ny fart. På lappen står en gatuadress, en portkod och siffran "51". Tullarna åker iväg till adressen, som ligger i Solna. Intill porten finns en skylt med namnet "Minilager i Stockholm AB". Anette Öjhammar ringer till företaget och begär att få veta vem som hyrt förråd nummer 51. När denne hörs berättar han att han har lånat ut förrådet till en barndomsvän, Fredrik Åberg.

Efter beslut om husrannsakan kommer tullutredarna in i förrådet.

– Vi hittar mängder av förpackningar med sprutor, kanyler och en del narkotikaklassade läkemedel. Men inga cigaretter, berättar Anette Öjhammar.

För säkerhets skull begär hon ut en lista över Minilagers samtliga hyresgäster. När Anette Öjhammar ögnat igenom nästan hela den långa listan har hon inte hittat några namn av intresse. Men när hon kommer till bokstaven "Å" hajar hon till. Fredrik Åberg har hyrt två rymliga förråd i Minilagers lokaler på Brahevägen i Solna. Öjhammar ringer åklagaren. I Åbergs förråd hittas mängder av cigaretter, noga räknat 2 201 600 stycken.[152]

Några timmar senare sitter Anette Öjhammar mitt emot Hells Angels-medlemmen i tullkriminalens arrestlokal i Frihamnen. Fredrik Åberg informeras om misstankarna. Han svarar med en axelryck-

---

152 Södertörns tingsrätt. Diarienr: B8036-09. Stämningsansökan.

ning.[153] Han tänker inte säga någonting innan han fått en advokat.

I Fredriks lägenhet hittas 485 000 kronor i sedlar, varav en del ligger förpackade i plastpåsar från växlingsföretaget Forex. Dessutom: en diamantförsedd Breitling-klocka och en enorm guldkedja. I kedjan hänger en tung platta i guld med graveringen "1%" – symbolen för Hells Angels avståndstagande från samhället. Pengar och föremål bärs bort av tullarna och beläggs med kvarstad.

Övervakningsfilmen från Minilager i Stockholm AB ger tullutredarna de sista pusselbitarna. Tack vare denna identifieras de båda andra som hjälpt Fredrik Åberg att kånka in cigarettkartongerna i förrådet. Den ene av dem är Hells Angels-medlemmen Henrik, vars namn fanns med på hyrbilshandlingarna. Den andre är Mika, en trettiofemårig medlem i Hells Angels undergrupp Red and White Crew. Även Henrik och Mika grips, anhåll och häktas. Bägge nekar till brott. Henrik säger att det var en nära vän i "samma klubb" som bad honom om bärhjälp och att han därför saknade anledning att ställa några frågor.[154]

En brokig skara

Några dagar senare grips en av ägarna till Madena Investment AB och Mobile Connect Sweden AB. Mannen – trettioettårige Mahdi – vill först ge sken av att han inte förstår någonting. Men utdrag från mannens telefontrafik visar att han och Karl-Thomas har haft flitig kontakt i samband med att cigarettlasterna kom till Sverige. Så småningom medger Mahdi att han "lånat ut" sina bolag till sin före detta anställde för olika importaffärer.

Utredarna misstänker att Mahdi är mer inblandad än så. Av den fortsatta utredningen framgår att han personligen har betalat fraktavgifter för Kina-containrar som skeppats till Sverige vid tidigare tillfällen. I början av hösten 2009 delges han misstanke om grovt tullbrott i fem fall.[155] Också vid ett av dessa tillfällen har Hells Angels-männen varit på minilagret och lastat kartonger, vilket framgår när tullutredarna granskar äldre övervakningsfilmer.

---

153 Ibid, s 318. Förhör.
154 Ibid, s 360. Förhör.
155 Ibid, s 119. Förhör.

Hells Angels-medlemmar lastar in smuggelcigaretter i ett hyrt förråd i Solna. Ett par veckor senare slår tullkriminalen till.

– Misstanken som växer fram är att den här konstellationen har ägnat sig åt systematisk cigarettsmuggling under lång tid, säger Anette Öjhammar.

Först har hon och de andra lite svårt att förstå varför företagaren Mahdi gett sig in i smugglingsaffärer. Bara något år innan har Mobile Connect Sweden AB omsatt tretton miljoner kronor och redovisat vinstsiffror.[156] I samband med nyanställningar har bolaget kaxigt utnämnt sig till ett av landets ledande inom "event sales", det vill säga direktförsäljning på gallerior, köpcentrum och andra ställen.

Men en närmare granskning visar att bolaget har varit på fallrepet den senaste tiden. Kunder som nappat på Mobile Connects abonnemangserbjudanden har i efterhand känt sig lurade och vänt sig till Konsumentombudsmannen. När före detta anställda därefter gått ut i pressen och anklagat företagsledningen för att ha uppmanat dem att ljuga för kunderna har det snabbt gått utför. Försäljningen har praktiskt taget upphört och bolaget sjunkit ihop till ett tom skal.

En intressant fråga är hur banden knutits mellan Mahdi och Karl-Thomas respektive männen i Hells Angels. Utredningen ger inget

---

156 Årsredovisning för Mobile Connect Sweden AB. Räkenskapsåret 2006-11-17 – 2007-12-31.

entydigt svar, men väl några hintar. Bland Mahdis före detta anställda finns en kvinnlig stripteasedansös och bloggare. Hon har tidigare varit tillsammans med en medlem i Red and White Crew och umgås flitigt i Hells Angels-kretsar. När det uppdagas att hon har fått en annan person att öppna ett bankkonto, och att det är från detta konto som cigaretterna i Skärholmen har betalats, delges även hon misstanke om brott.[157] Också Karl-Thomas, som är god vän med strippan, har enligt flera källor besökt Hells Angels i samband med fester.

– Många av de inblandade har tillbringat mycket tid i utelivet kring Stureplan, där det inte är särskilt långt mellan olika världar. Det förenande intresset är sannolikt en längtan efter snabba pengar, kommenterar Anette Öjhammar.

Även Fredrik, Henrik och Mika hävdar att de bara blivit anlitade för att flytta möbelkartonger. Det hjälper dem inte. I februari 2010 döms Hells Angels-männen för grov olovlig befattning med smuggelgods. Förutom sedelbuntarna antyder en anteckning i Fredriks filofax att han knappast är den enkle "flyttgubbe" som han själv vill påskina:

Kvar i lager: 326 400
Bet: 500 000
Lagt ut: 220 000
Cash: 120 000
Pengar in: 436 960
= 1603360[158]

Fredrik Åberg döms till fängelse i fyra år och tre månader och de båda andra till fängelse i två år.[159] (Anledningen till det stränga straffet för Fredrik ska vi återkomma till.) Förutom de två miljoner cigaretterna i lagret anser Svea hovrätt att Hells Angels-männen har hanterat drygt fem miljoner cigaretter ur samma container, cigaretter som redan hunnit ut på marknaden när tullkriminalen kommer dem på spåren. Karl-Thomas och Mahdi fälls för befattning med bägge containrarna och

157 Tullverket. Diarienr: 3200-2211-09. FU-protokoll, s 86. Förhör.
158 Tullverket. Diarienr: 3200-2211-09. FU-protokoll, s 1-7. Förhör.
159 Svea hovrätt, rotel 1011. Diarienr: B5606-09; B9830. Dom.

FOTO: UR TULLKRIMINALENS FÖRUNDERSÖKNING

485 000 kronor beslagtogs hemma hos tobakssmugglaren och Hells Angels-medlemmen Fredrik Åberg.

döms till fyra respektive fem års fängelse. Även de inhyrda bärarna får kännbara straff. Stripteasedansösen undgår däremot åtal.

För Anette Öjhammar och hennes kolleger innebär domarna en bekräftelse på att inga trådar är för tunna för att dra i.

– Det som förvånade allra mest var kanske att Fredrik Åberg hade hyrt förråden i eget namn. Annars hade vi inte hittat den delen av cigaretterna, säger Öjhammar.

– Och det hade aldrig gått att få ihop det hela om det inte varit för att alla här jobbade så extremt bra ihop och slet hårt. Teamwork!

Genom insatsen, som alltså startade tack vare några uppmärksamma lagerarbetare, kunde en av landets ledande cigarettsmugglingsligor stoppas. Enbart de två containrarna som importerades i juni 2009 stod för nästan en fjärdedel av hela den avslöjade tobakssmugglingen till Sverige detta år.[160] Om alla de drygt 16 miljoner cigaretterna hade kommit ut på marknaden hade staten förlorat mer än 25 miljoner kronor i uteblivna skatter och avgifter. Som smugglare är det inga problem att hitta villiga återförsäljare, ifall man får tro en undersökning som tobaksjätten Japan Tobacco gjorde i Sverige 2009. Enligt

---

160 Totalt beslagtog tullen 57 miljoner smuggelcigaretter under 2009.

denna säljer 1000 av landets 9000 tobaksbutiker olagliga cigaretter.[161]

Vad är det då för företag i Kina som är beredda att leverera miljontals cigaretter till Europa under falsk flagg? Tullkriminalens förfrågningar hos de kinesiska myndigheterna har inte gett några svar. "Keda Import & Export Co LTD" står visserligen som avsändare till en av containrarna, men huruvida detta bolag verkligen existerar är oklart. Vad som däremot är säkert är att samtliga 16 miljoner cigaretter var pirattillverkade och att märkena Marlboro, Regal och Brokefield utnyttjats av förfalskarna.

Pirattillverkning av cigaretter är sedan många år en jätteindustri i Kina. Flera europeiska länder har förgäves försökt få landets regering att ta tag i problemet. Främst av ekonomiska skäl – smugglingen gör att stater förlorar miljardbelopp i uteblivna skatteintäkter. Men även det faktum att de innehåller betydligt högre halter av bly, tjära och andra skadliga ämnen än vanliga cigaretter används som argument.

"De tillverkas i smutsiga underjordiska fabriker och är sex gånger så farliga för hälsan", sa Storbritanniens dåvarande finansminister Gordon Brown vid ett besök i Peking 2005.

Dopingfabriken i Årsta

Det finns en särskild förklaring till att Anette Öjhammar kände igen Fredrik Åbergs namn i hyrbilslistorna hos Statoil i Råsunda. Tullkriminalen hade redan några år tidigare spanat på Hells Angels-medlemmen i en annan utredning. Då tillhörde han fortfarande Gjutjärn MC, en Hells Angels-lojal klubb i Uppsala.

Anledningen till spaningarna var att Fredrik Åberg misstänktes ha koppling till Viking Store, en nätbutik för anabola steroider och andra illegala preparat. Personerna bakom Viking Store gjorde ingen hemlighet av att de bröt mot lagen. Men eftersom verksamhetens servrar stod utomlands och all e-posttrafik till kunderna var krypterad betraktade de, av allt att döma, sin affärsidé som onåbar för myndigheterna. "Vi är Nordens största source inom anabola/androgena steroider och prestationshöjande preparat för atleter och motionärer", förklarade Viking Store på sin hemsida.[162]

---

161 TT 091211: Jätteökning av cigarettsmuggling. Av: Okänd.
162 www.vikingstore.org

Metbolin, trenbolan, dianabol, nandrolone, testobol, sprutor, kanyler – allt gick att köpa från det svarta apoteket. Två dagar efter att pengarna förts över till någon av de många bulvaner som Viking Store använde som betalningsmottagare damp pillren ner i kundernas brevlådor. Den snabba leveranstiden gjorde att de tullutredare som började granska verksamheten förstod att det måste finnas ett rejält lager någonstans i Sverige.

Vad det var som gjorde att Fredrik Åberg fick ögonen på sig är oklart. Men från november 2005 följde en grupp spanare regelbundet hans rörelser runt i Stockholm. Ofta hade Åberg vadderade kuvert i handen, kuvert som han lämnade över till okända personer. Hypotesen var att de innehöll beställda dopingpreparat. Fast var hämtade han i så fall tabletterna?

I slutet av januari 2006 trodde spanarna sig ha hittat en gömma. Fredrik Åberg hade skuggats till lagerhotellet Safe Box i Upplands Väsby norr om Stockholm, där det visade sig att han hyrde ett förråd i en annan persons namn. Efter beslut av åklagare tog spanarna sig in i förrådet och sökte igenom det. Mycket riktigt: i ett tiotal kartonger låg mängder av tablettkartor förpackade. Ännu mer förvånade blev tullarna när de öppnade en blå North Face-väska, som stod på golvet. Väskan innehöll två automatvapen, en kalasjnikov och en svensk kpist.

Normalt skulle tullkriminalen i det här läget ha åkt hem till Fredrik Åberg och gripit honom. Men någonting sa dem att detta inte var hela Viking Stores lager. I samråd med åklagaren beslöt spanarna därför att avvakta. Vapnen togs emellertid i beslag och ersattes av hastigt gjorda attrapper, i form av bland annat en kofot.[163]

Strategin ska visa sig framgångsrik. Några dagar senare återvänder Fredrik till Safe Box. Spanarna ser honom komma ut igen med den blå väskan i handen. Han hoppar in i sin bil. Färden går söderut via Essingeleden. Vid Bränningevägen 44 i Årsta, utanför ett vanligt flerfamiljshus, stannar Fredrik och går ut. Därefter försvinner han in i en källaringång, bara för att åter komma ut på gatan strax därpå.

Spanarna gör sitt bästa för att hänga på när Fredrik i hög fart kör

---

163 Tullverket. Tullkriminalenheten. Diarienr: 3200-2095-05.

motorvägen tillbaka upp mot Upplands Väsby. Deras gissning är att han nu har upptäckt att vapnen i väskan är borta och hoppas kunna tömma resten av förrådet själv – innan någon annan gör det. Det är också vad som sker. Tillsammans med en ljushårig man, som väntat på Fredrik vid Safe Box, bär han ut kartong efter kartong från lagerhotellet. Spanarna har is i magen. Målet är fortfarande att hitta den stora gömman.

En stund senare är Fredrik tillbaka på Bränningevägen. Även den ljushårige har följt med i sin bil. Senare ska det visa sig att han heter Andreas och liksom Fredrik är supporter till Hells Angels.

En tredje man, som stått och väntat vid källaringången, kommer fram och hjälper de båda andra att bära ut kartonger från bilarna. När trion gått några rundor till och från porten bestämmer sig spanarna för att slå till. Fredrik grips inne i fastigheten och Andreas strax utanför. Den tredje mannen sätter fart och försöker springa därifrån, men stoppas efter en kort jakt.

Kartongerna står staplade i källaren framför en tjock, grå metalldörr med två stora vred. Efter att ha tillkallat låssmed tar spanarna sig in i utrymmet, ett cirka hundra kvadratmeter stort skyddsrum. Där inne finns en park av elektriska apparater och maskiner. Bland annat två degblandare, varav en är påslagen och håller på att bearbeta en gulfärgad smet. Inuti ett ljudisolerat skåp står en märklig apparat med ett stort svänghjul på ena sidan och en metallbehållare undertill. I behållaren ligger tusentals orangefärgade tabletter.

En av spanarna tar upp en kamera. Föremål efter föremål dokumenteras: hinkar och påsar med färgämnen och olika ingredienser, lösningsmedel, förpackningspåsar, en våg, ett torkskåp, en förslutningsmaskin, kartonger med sprutor och kanyler och enorma påsar med tabletter och ampuller. Och så en likadan svänghjulsapparat till.

Successivt börjar det gå upp för tulltjänstemännen att ligan som de spanat på haft en egen fabrik där de tillverkat illegala dopingmedel. Något liknande har aldrig avslöjats i Sverige. När allt är sammanräknat visar det sig att det i källaren finns 2,5 miljoner doser anabola steroider färdiga för leverans. Cirka 1,5 miljoner av dessa ligger i de kartonger som Fredrik och Andreas hade hämtat i Upplands Väsby.

Men inte nog med det – skyddsrummet har även använts som vapenlager. I en kartong hittas en mini-kpist, fyra pistoler, ett stort antal tårgas- och startvapen, en elpistol och drygt 700 skarpa patroner. Tillsammans med automatvapnen i Fredriks förråd tillräckligt mycket för att iscensätta ett grovt rån – eller en attack på en konkurrerande gruppering i den kriminella gängvärlden.

Även ett annat fynd görs: En polisbricka med texten "Stockholm" och ett patrullnummer. Hur den hamnat i källaren ska aldrig klarläggas.

I källaren till ett hyreshus i Årsta söder om Stockholm tillverkades dopingtabletter dygnet runt. De olagliga preparaten såldes sedan via sajten Vikingstore.

Razzian hindrade inte dopingsäljarna

Det är ingen tvekan om att fabriken tillhör Viking Store. I källaren hittas mängder av förpackningspåsar märkta med sajtens namn och hos Fredrik Åberg beslagtas packar med visitkort. När det framkommer att den tredje mannen, tjugofemårige Kim, är dömd för liknande brottslighet tidigare klarnar bilden. Kim har av allt att döma värvats av personerna bakom Viking Store för sina expertkunskaper. På så sätt har de inte behövt smuggla in färdiga preparat från tillverkare i Asien, vilket annars är det vanligaste inom dopingbranschen.

Men det som ser lätt ut på papperet att bevisa ska i praktiken visa sig betydligt svårare. Exakt vad som händer har vi inte lyckats få klarhet i. Men enligt åklagare Gunnar Fjaestad sjabblar tullen när de enorma mängderna bevismaterial ska dokumenteras.

– De hade helt enkelt inte kontroll på utredningen. Därför ansåg jag att de misstänkta inte kunde sitta kvar i häkte, säger Fjaestad, som några månader senare beslutade att släppa Fredrik Åberg och Kim ur häktet.

Fram till dess har Viking Stores sajt legat nere. Nu öppnas den igen. Det kaxiga budskapet är att myndigheterna inte kan stoppa verksamheten. "We can guarantee that customers never suffer from actions committed to us by authorities", lyder beskedet till kunderna.

Att handeln åter är igång retar många inom rättsväsendet. Inte minst de som tillhör en nystartad grupp för narkotika- och dopningsspaning på internet.

"Vinsterna för [doping]säljarna är nästan lika stora som inom narkotikahandeln men polisens resurser för att jaga gärningsmännen är oändligt mycket mindre", säger kriminalinspektören och IT-experten Björn Andersson i en intervju i Dagens Nyheter sommaren 2007.[164]

Efter frigivningarna hamnar målet långt ner i högarna hos Södertörns tingsrätt. Först två år senare är allting klart för en första rättegång. Samtliga tre fälls, men på grund av förseningarna anser domstolen att strafftiderna ska halveras. I juni 2009 döms Fredrik Åberg och Kim till fängelse i två år för grovt dopningsbrott och grovt vapenbrott medan Andreas får böter för smuggling.[165]

Detta är bara några veckor innan det att Fredrik Åberg grips i tobakssmugglingsmålet och när han väljer att överklaga samordnas de bägge ärendena. Den slutliga domen för hantering av sju miljoner cigaretter, ett par miljoner dopingdoser och en rejäl arsenal livsfarliga vapen stannar vid fängelse i fyra år och tre månader.

En intressant omständighet är att det i tobaksutredningen finns en rak koppling till Viking Store. Ett av de bankkonton som användes för att betala smuggelcigaretterna var på samma gång mottagarkonto för Viking Stores kundintäkter. Slutsatsen är att en del av vinsten från dopingförsäljningen investerades i smuggelcigaretter.

Men trots att Fredrik Åberg nu sitter i fängelse rullar Viking Stores verksamhet på till synes ostört. Sommaren 2010 var sajten öppen och försäljningen igång. Huruvida någon ny underjordisk produktion i

---

164 Dagens Nyheter 070707: Dopningslangare skyddade på internet. Av: L Wierup.
165 Södertörns tingsrätt, avd 50. Diarienr: B7001-09. Dom.

Sverige återupptagits eller inte är okänt. Men vid sidan av testosteron från Egypten och trenbolan från Kina erbjuds kunderna att köpa "Viking Stores egna tabletter".[166]

Personerna bakom sajten är av allt att döma irriterade över att ha kopplats ihop med Hells Angels. "Vikingstore är och förblir någonting helt annat än en kriminell organisation i jakt på pengar", skriver de och kallar sig för "en grupp anonyma entusiaster och förespråkare av den fria viljan".

En av de inblandade i den stora dopinghärvan är dock sannolikt borta från marknaden för en lång tid. I mitten av juli 2010 greps tabletttillverkaren Kim i Thailand, dit han flyttat efter att ha gift sig med en kvinna från landet. I parets garage hittades ett laboratorium för framställning av droger och i ett kylskåp cirka två kilo "Ya Ice", en variant av drogen metamfetamin.

I en intervju med nättidningen Scandasia hävdade Kim att amerikanska DEA (Drug Enforcement Agency) låg bakom tillslaget. Många av de frågor som DEA:s personal ställt skulle ha rört Kims relation till Hells Angels, men han sa sig inte ha något att berätta.[167]

Dödskallelogon öppnar dörrar

Är det då en tillfällighet att så många Hells Angels-medlemmar och -supportrar förekommer i utredningar om avancerad organiserad brottslighet? Nej, det är inte vår uppfattning. Hells Angels-tillhörigheten öppnar dörrar och leder till affärsmöjligheter som annars inte hade uppstått. Inte minst därför att andra aktörer gärna bjuder in "änglarna", som Hells Angels-medlemmarna länge kallats i mer ljusskygga affärskretsar.

Detta är logiskt – personer utan eget våldskapital måste i vissa lägen ha beskyddare för att inte bli överkörda. Ett sådant exempel är ekobrottslingen och bedragaren Torgny Jönsson i Malmö, som vi ska berätta mer om längre fram i boken. I en rättegång sommaren 2009, då Jönsson stod åtalad för att ha lurat en grupp företagare på 116 miljoner

---

166 www.vikingstore.org
167 www.scandasia.com First Hand Report on Kim XX's Police Interrogation. Av: G Möller.

kronor, svarade han så här när åklagaren frågade varför han utan syn-
bar anledning hade betalat stora summor till Hells Angels-medlem-
men Thomas Möller:

"Thomas Möller har hjälpt mig i situationer där jag blivit utsatt för
hot. Han har en viss respekt i undre världen ..."[168]

De illegala indrivningsuppdrag som Hells Angels får från olika håll
kan också leda till att medlemmar "äter sig in" i lönsamma verksam-
heter. Inte bara hos indrivningsoffren, utan även hos uppdragsgivarna.
Den som en gång betalat för Hells Angels tjänster kan, så att säga, ha
svårt att kasta fan ur båten.

Men den främsta förklaringen till att medlemmar och supportrar
dyker upp i utredningar om organiserad brottslighet är förmodligen
inte mer komplicerad än att de har valt en kriminell livsstil. Att vara
"enprocentare" innebär att underkasta sig enbart det egna kollektivets
regler. Vilka moraliska hinder finns då mot att blåsa Skatteverket eller
sälja olagliga varor? Det tunga hänget med "1%" ingraverat i Fredriks
guldlänk visar hur central denna filosofi är.

Det faktum att alla inom Hells Angels-sfären bekänner sig till
samma ideologi borgar också för att det är lätt att hitta kumpaner.
Såväl tobakssmugglingsfallet som dopinghärvan visar att det alltid
finns tillgång till lojala "bröder", beredda att hjälpa till. För dessa är
det en självklarhet att inte ställa några frågor, något som bekräfta-
des av den dömde Hells Angels-medlemmen Henrik. En sådan upp-
backning är säkert värd de tio procent av vinsten som ex-medlem-
men Mega i Göteborg hävdar att alla Hells Angels-medlemmar måste
betala till organisationen.

Hells Angels farliga rykte fungerar som kitt även i konstellationer
som innehåller utomstående personer. Som åklagare Martin Tidén sa:
vet de inblandade att organisationen har intressen i en kriminell affär
är det få som vågar sko sig själva – eller prata bredvid mun. Ett exem-
pel på detta är de ekonomiska bulvaner som lånat ut sina bankkonton i
doping- och tobakshärvorna. Även om stora belopp passerat över kon-
tona har personerna sannolikt aldrig ens snuddat vid tanken att sno åt
sig pengarna själva.

---

168 Malmö tingsrätt. Diarienr: B8571-08. Förhör vid huvudförhandling.

Borde då inte medlemmar i Bandidos MC och andra enprocents-grupperingar vara lika väl representerade i utredningar om organiserad brottslighet? Jo, det skulle man kunna tro. Men så är inte fallet. Åtminstone inte om man utgår från den brottslighet som blivit känd genom rättsväsendets avslöjanden. Förklaringen är, enligt vår uppfattning, att de som söker sig till Hells Angels generellt har en annan profil. De är äldre, har oftare jobb, driver i större utsträckning egna företag och har allmänt sett fler kontaktytor till det samhälle som de säger sig vilja ta avstånd ifrån.

Hells Angels-medlemmen Fredrik Åberg berättade exempelvis i förhör att han var "projektkoordinator" på ett byggföretag, då han greps för tobakssmuggling.[169] Såväl den dömde Red Devils-ledaren i Dalarna som de skattebrottsmisstänkta Hells Angels-medlemmarna i Karlstad verkade i bolag som lyckats vinna förtroende hos stora, branschledande företag. Motsvarande är sällsynt inom Bandidos MC och övriga kriminella grupperingar som vi har granskat. Med andra ord: konkurrenterna har sämre kunskaper om samhället och affärslivet och därmed svårare för att kringgå skatteregler, ta hand om containerlaster, tvätta pengar och annat.

Det faktum att så många Hells Angels-medlemmar egentligen har goda förutsättningar för en laglig försörjning bekräftar att brottsligheten är följden av ett rationellt val. Vanliga sociologiska förklarings-modeller om utanförskap etcetera går inte gärna att tillämpa på en grupp välintegrerade individer som vid sidan av sina vanliga jobb begår brott för att sätta guldkant på tillvaron. Det vi har beskrivit här är, menar vi, en lukrativ yrkesbrottslighet intimt förknippad med Hells Angels grundidé: att det övriga samhället ska vika ner sig av rädsla för repressalier.

Tvingades svabba upp sitt eget blod

Avancerade skattebrott och smugglingsaffärer till trots – Hells Angels har inte lämnat det råa våldet bakom sig. Det framkom bland annat när polisen slog till mot organisationens Eskilstunaavdelning en fredags-eftermiddag i juli 2010. Blodspår säkrades i lokalen och senare skulle

---

169 Tullverket. Diarienr: 3200-2211-09. FU-protokoll, s 336. Förhör.

en livrädd man berätta vad som hänt. Så här sammanfattades hans berättelse av polisen:

> J säger att det var någon som la plast på golvet innan han fick stryk och sedan fick J svabba upp blodet från golvet som hamnade utanför plasten. Han är blå på ena kinden och näsan är av. J har varit både på vårdcentralen och akuten men de kunde inte göra så mycket för näsan var för svullen. J säger att Olle gav honom 5–10 slag i ansiktet med knuten näve. Olle hotade J med att han skulle hänga i fötterna i taket och sedan skulle de köra upp en lödkolv i baken på honom.[170]

"Olle" är tjugoåttaårige Olof Eriksson, Hells Angels-avdelningens ledare och starke man. Enligt J hade han tröttnat på att J inte kunde betala 300 000 kronor till honom. En vecka före misshandeln hade J lyckats låna upp 13 500 kronor, som han gett till Olof Eriksson. Mer kunde J alltså inte få fram.

Före misshandeln hade Olof Eriksson och en annan medlem försökt få J att sälja sin och sin sambos bil. De surfade på Blocket-annonser åt J och tvingade honom att ringa bilhandlare. Men det gick trögt, ingen var intresserad av att köpa J:s bil mitt i semestern.

Varför ansåg Hells Angels-ledaren sig ha rätt till flera hundratusen kronor? J kunde inte riktigt svara, när han fick frågan av polisen. Men det hela hade startat med att han fått ett par unga yrkeskriminella killar från Eskilstuna efter sig. En av killarna hade velat att J skulle delta i någon form av brott. J backade ur. Men den andre löpte linan ut – och hamnade i fängelse.

Sedan dess hade den dömde gått med i det kriminella gänget Black Cobra. Han hörde av sig till J och förklarade att det var dags att göra upp räkningen. "Böterna" för J:s agerande bestämdes till 300 000 kronor.

I desperation vände J sig till Hells Angels och Olof Eriksson. Först hade Hells Angels-ledaren också lovat att ge honom beskydd. "Du är

---

170 Polismyndigheten i Södermanlands län. Diarienr: 0400-K21813-10. FU-protokoll, s 32. Förhör.

med oss nu", ska Eriksson ha sagt.[171] Men av någon anledning hade han ändrat sig – och istället gjort upp med Black Cobra-medlemmen. J hade gått ur askan i elden.

Ingen vet hur det hela hade slutat om J inte hade lyckats kontakta en vän inifrån Hells Angels-huset. Under förespegling av att vännen skulle hjälpa honom att sälja bilen hade J ringt efter misshandeln. Vännen, som visste att J hade blivit upphämtad i bostaden av Eriksson, hörde hur J sluddrade och lät allmänt konstig.

"Vill du att jag ska ringa polisen? Säg då så här: 'Har du pratat med Jenny?'" instruerade vännen. J förstod. Det dröjde inte länge innan han ringde tillbaka och upprepade vad vännen hade sagt. "Ring Jenny, nu på en gång!" betonade han.[172] Vid det laget satt vännen utanför HA-huset i sin bil. Medan han ringde polisen såg han hur Olle Eriksson ledde ut J till en silverfärgad Volvo S40. Bilen rullade iväg och försvann innan några patrullbilar hade hunnit fram.

Först visste poliserna inte vad de skulle göra. Men när de fick klart för sig att J:s bil stod kvar i närheten av hans bostad bestämde de sig för att åka dit. Chansningen visade sig vara smart. Plötsligt svängde Volvon in på gatan i hög fart. Olof Eriksson och hans kumpan greps. J verkade lättad men sa inte mycket.

När poliserna frågade om J hade varit hos Hells Angels nickade han. "Det var de längsta två timmarna i mitt liv", fick han fram.

Efter löften om beskydd vågar J några dagar senare öppna sig. Det är då han berättar om den påhittade skulden. Han hävdar också att både medlemmar från Black Cobra och Hells Angels undergrupp Red and White Crew fanns i lokalen när han blev misshandlad. Ingen av dessa var dock kvar när polisen inledde sin husrannsakan.

Att Hells Angels ledning av allt att döma samarbetade med personer från Black Cobra förvånade Eskilstunapolisen.

– Bara några månader tidigare råkade gängen i luven på varandra inne i stan. Men sedan flera Black Cobra-medlemmar åkt in i fängelse kan relationerna ha förändrats, säger kommissarie Lars Franzell, chef inom länskriminalen i Sörmland.

---

171 Ibid, s 60. Förhör.
172 Ibid, s 57. Förhör.

I Hells Angels lokal i Eskilstuna misshandlades en man som inte hade kunnat betala en påhittad skuld om 300 000 kronor. Efteråt hade Hells Angels-medlemmarna försökt städa undan alla spår, men mannens blod kunde säkras på fotstödet i baren.

I mitten av augusti 2010 åtalades Olof Eriksson och den andre Hells Angels-medlemmen för försök till grov utpressning.[173] Bägge fälldes av Eskilstuna tingsrätt. Påföljden blev fängelse i ett år respektive en månad. När det skrivs är det oklart ifall domen kommer att överklagas eller inte.

Det faktum att det brutala utpressningsförsöket utfördes av två medlemmar inne i Hells Angels lokal kan inte leda till någon annan slutsats än att brottet var sanktionerat av organisationen.

HA-ledaren utpressade kvinnor

Detta var inte Olof Erikssons debut i utpressningssammanhang. I själva verket är han den fullvärdige Hells Angels-medlem i landet som har straffats för denna brottstyp flest gånger. 2006 dömdes Eriksson till åtta månaders fängelse sedan han åkt hem till en barnfamilj på Värmdö utanför Stockholm, beväpnad med ett hagelgevär.[174] Uppdragsgivaren

---

173 Eskilstuna tingsrätt. Diarienr: B1996-10.
174 Nacka tingsrätt, rotel 2. Diarienr: B2403-05. Dom.

var en byggföretagare som inte hade fått full betalning av familjen efter klagomål om att han gjort ett undermåligt jobb. Vid detta tillfälle var Eriksson ledare för Desperados MC, som senare skulle ombildas till Hells Angels MC Eskilstuna.

Strax före besöket hade Olof Eriksson ringt upp mamman i familjen och krävt henne på 170 000 kronor. Kvinnan blev chockad men fann sig. Ville byggföretagaren diskutera fakturan fick han kontakta familjens advokat, sa hon. Olof Eriksson svarade att så jobbade han inte – och tillade att han visste att det fanns barn i huset. Om det var så att mamman inte tänkte samarbeta skulle det gå illa för både henne och dem, hotade han.[175]

Lägligt nog fanns det en polispatrull i närheten. När kvinnan och hennes man, som också var hemma, ringde 112 dröjde det bara några minuter innan den var på plats. Olof Eriksson och en supporter till Desperados MC överraskades utanför huset. I deras bil hittades ett hagelgevär och en kniv. Bägge fälldes för utpressningsförsök, brott mot knivlagen och vapenbrott.[176] Påföljden blev åtta månaders fängelse för Olof Eriksson och sex månaders fängelse för den andre. Domen innebar även att männen måste betala 20 000 kronor i skadestånd till den drabbade kvinnan.

Efter att ha suttit av sitt straff dröjde det inte särskilt länge innan Olof Eriksson greps på nytt. Även nu var offret en kvinna. Men om utpressningsförsöket på Värmdö hade skett utifrån en viss planläggning utlöstes det nya brottet av plötsligt raseri.

I ett stall i Torshälla utanför Eskilstuna hade Eriksson gett sig på den fyrtioåttaåriga fyrabarnsmamman och lärarinnan Karina. Bakgrunden var diskussioner om en häst. Erikssons dåvarande flickvän, som hade varit fodervärd åt Karinas svarta valack Geronimo, hade uppfattat att hon hade blivit lovad att få köpa hästen billigt. Men i ett sent skede förklarade Karina att hon inte kunde sälja hästen.

– Det gick bara inte. Jag hade för starka känslor för honom.

Det berättar Karina, när vi träffar henne på hennes arbetsplats våren 2010. Det är fredagseftermiddag och eleverna har precis gått

175 Ibid, s 10.
176 Nacka tingsrätt, rotel 2. Diarienr: B2403-05. Dom.

hem. Karina har gjort rent på tavlan, packat ihop sina saker och gjort sig redo att lämna klassrummet.

Innan vi följer med henne ut visar hon en bild på Geronimo. Han ser stor och vild ut.

– Jag hade fått honom av min man i present när jag tog examen på lärarhögskolan. Men när vi var tvungna att renovera vårt hus fick jag svårt att ha råd att ha honom kvar. Det var därför jag skaffade en fodervärd, säger Karina.

Från skolan åker vi norrut. Efter en stund har vi kommit ut på landet. Karina kör längs en grusväg mellan två åkrar. När den nästan tar slut är vi framme vid en stor stallbyggnad. Vi öppnar bildörrarna och kliver ut på stallbacken. Luften är kall och lite rå.

– Oj, det här känns lite jobbigt, säger Karina och tar ett djupt andetag.

Hon har inte var här sedan påsken 2008, då det hela hände.

– Där är dörren. Det var bakom den som jag föll ner i golvet, säger Karina och pekar medan vi närmar oss den stora byggnaden.

Hon känner på handtaget. Dörren är låst. Karina ställer sig vid ett stallfönster och kikar in.

– Ja, det kanske är lika bra det … det känns inte så bra att bli påmind, säger hon.

Karina hade träffat Olof Eriksson vid stallet flera gånger tidigare. Hon visste att han hade suttit inne och att han var med i en mc-klubb. Det hade hans dåvarande flickvän berättat, en kvinna som var betydligt äldre än den tjugoåttaårige Eriksson.

– "Hur kan du vara ihop med honom?" kommer jag ihåg att jag frågade innan jag hade träffat honom. "Mig rör han inte, mig har han respekt för", sa hon – samtidigt som hon betonade att han inte hade några spärrar när det gällde andra, berättar Karina.

När Karina väl hälsade på Olof Eriksson blev hon en aning överraskad.

– Jag kommer ihåg att vi satt här och fikade, säger Karina och pekar på en uteplats en bit från stallet. Jag och min man tyckte väl att han var ungefär som vilken kille som helst. Vi pratade om allehanda saker och hade rätt så trevligt.

Men den person hon mötte den där dagen för två år sedan var annorlunda. Direkt när Olof Eriksson uppenbarade sig i stalldörren såg Karina att något var fel. På telefon hade Karina förklarat för Erikssons flickvän att hon ville ta tillbaka hästen. Flickvännen hade blivit arg, det märkte Karina. Och Olof Eriksson hade uppenbarligen bestämt sig för att ta hennes parti.

– "Vet du att det finns något som heter muntliga avtal?" sa Olle till mig när vi stod inne i stallet. "Jo", sa jag, "det vet jag. Men det spelar ingen roll, för jag kan inte sälja honom, så är det bara." Och så förklarade jag att jag ville avsluta fodervärdsavtalet.

Karina hade tagit med sig en väninna. Olof Eriksson vände sig emot henne och sa till henne att gå ut. Motvilligt gjorde kvinnan som han sa och dörren slog igen bakom henne. Nu var Karina och Olof Eriksson ensamma. Karina kände obehagskänslorna komma.

– Jag kom ihåg att Olle hade sagt att han var rädd för hästar, så därför knäppte jag loss hästen. Jag hoppades på något sätt att det skulle hålla honom lugn, berättar Karina.

Försöket misslyckades. När Karina höll den stora hästen i grimman kände hon hur Olof Eriksson tog tag i hennes jacka bakifrån.

– Han slet och drog så att det knakade i jackfodret. Jag hade hästens huvud mellan mina händer och det följde med när jag kastades från ena sidan till den andra. Till slut måste jag släppa hästen och han sprang bort från oss, längre in i stallet, berättar Karina.

– Då sa Olle att han skulle ha pengar. "Fjorton tusen ska jag ha, fattar du det? Du har en månad på dig."

Karina förstod inte vad Olof Eriksson menade. Hon hade ingen skuld till varken honom eller hans flickvän. Men hon sa inte emot av rädsla för att situationen skulle riskera att förvärras.

När Karina kände att greppet om jackan lättade bestämde hon sig för att försöka ta sig ut. Hon tog sats för att rusa mot dörren, kom en bit men tappade balansen.

– Jag rände rakt in i den delen av dörren som inte gick att öppna och föll ner på knä. Olle kom efter och tog tag i mig igen. Jag kände något hårt i ryggen. Sen fortsatte han att säga att han skulle ha pengar – annars skulle jag inte ha någon häst kvar.

Paniken växte inom Karina.

– Jag minns att jag såg mina fyra söner för mitt inre och tänkte "är det så här det ska sluta?" Han väste i mitt öra att han skulle ha de där pengarna, men jag sa fortfarande ingenting. Jag vågade varken det eller att göra motstånd med kroppen.

Till slut öppnades dörren. Karinas väninna skrek åt Olle att sluta. Han lydde och Karina kom loss. "Kom så går vi", sa väninnan och ledde ut Karina. Varken Olof Eriksson eller hans flickvän, som stod på stallbacken, sa något mer. Karina skakade i hela kroppen när hon gick förbi dem på väg till bilen.

När de hade åkt någon kilometer stannade Karina och väninnan. De såg på varandra. Vad var det egentligen som hade hänt?

– Jag hade ju blivit misshandlad och krävd på pengar, helt utan anledning. Och så hade han hotat att göra någonting mot min häst. Så får man ju inte göra, sa vi till varandra när vi satt där i bilen, minns Karina.

De ringde polisen och förklarade att de ville göra en anmälan. På ledningscentralen sa man åt dem att vänta, så skulle det komma ut en patrull. Medan de satt där såg de Olof Erikssons bil komma emot dem. Karina och väninnan sjönk ner i sätena. Skulle han stanna och ge sig på dem? Nej, han åkte förbi.

Till slut kom patrullen och Karina berättade om händelsen. Poliserna noterade hennes uppgifter. Men av någon anledning ville de inte åka bort till stallet.

– Det hjälpte inte att jag förklarade att jag var för rädd för att åka tillbaka och hämta hästen. Det tyckte jag var konstigt, säger Karina.

Karina kände att hon måste ha tillbaka Geronimo så fort som möjligt. Genom en annan väninna fick hon tag på en hästtransport och några timmar senare gav Karina, Karinas man Nisse, väninnan och väninnans sambo sig iväg mot stallet.

Tillbaka på den lilla grusvägen kände Karina hur rädslan kom tillbaka. När hon såg att Olof Eriksson inte var där blev hon lättad.

Men flickvännen var kvar.

"Gjorde du en polisanmälan?" frågade hon när Karina och den andra kvinnan hade svängt upp hästtransporten utanför stallet.[177]

---

177 Eskilstuna tingsrätt, rotelgrupp 1. Diarienr: B1248-08. Dom.

Olof Eriksson eller någon annan hade uppenbarligen sett Karinas möte med polisen.

"Ja, hurså?" svarade Karina.

"Det var ju dumt", fortsatte flickvännen.

"Varför då?" frågade Karina.

"Vet du att han är med i HA nu? Då är man inte ensam", sa flickvännen.

– Då klev min kompis fram och frågade "är detta ett hot?" "Nej, se det mer som en rekommendation", svarade flickvännen.

Först tänkte Karina inte så mycket på samtalet. Men när de hade hämtat hästen och kört den till ett annat stall började hon att fundera på vad det var kvinnan hade sagt. Att HA stod för Hells Angels förstod Karina.

– Jag berättade allthop för min man. Då sa han att sådär får man ju inte säga, det är ju ett brott i sig. Så vi ringde polisen igen.

Den som tog emot samtalet bekräftade deras aningar. Att antyda att Olof Eriksson och Hells Angels skulle agera mot Karina för att hon hade gått till polisen innebar övergrepp i rättssak. En ny anmälan skrevs, nu med flickvännen som misstänkt.

Rädslan förlamade familjen

Karina hade föreställt sig att saken skulle komma till ett snabbt avgörande. Men eftersom Eskilstunapolisen valde att inte gripa Olof Eriksson och hans flickvän hamnade ärendet långt ner i högarna. Tiden gick utan att de fick något besked. Skulle de bli något åtal eller inte? Den polisman som fick utredningen verkade dessutom tvivla på att Karina verkligen skulle våga stå för det hon sagt i rätten.

– När jag kallades till förhör frågade han mig om jag var beredd att gå hela vägen. Jag förstod inte vad han menade. Det var väl självklart – jag tänkte inte vika mig. Som mamma och lärare har jag alltid varit tydlig med att man måste stå för sina handlingar. Hur skulle det se ut om jag accepterade att bli utsatt för något sånt här? säger Karina, när vi sitter vid köksbordet i hennes och familjens hus en bit utanför Eskilstuna.

Även bland Karinas vänner och kolleger ifrågasatte en del om det var värt priset. Tänk om mc-gänget sökte upp henne och hennes familj?

Karina erkänner att hon hade samma tankar själv. På kvällarna, när hon och hennes man gått och lagt sig, låg de på helspänn och lyssnade efter minsta ljud.

– Kom det en bil på vägen här utanför for vi upp som fjädrar och tittade på varandra. Bromsade den in? Svängde den hit? Var det nån här utanför? Den första tiden sov vi bara några timmar per natt, säger Nisse och fingrar på kaffekoppen framför sig.

– Du fick springa upp med ficklampan och kolla att det inte var nåt, för att lugna mig så att jag kunde lägga mig igen. Nej, usch. Det var inte kul, säger Karina.

Även dagtid kunde rädslan slå till. Som till exempel i mataffären. På håll såg Karina en kille med rakad hjässa och associerade till Olof Eriksson. Hon stannade upp och blev stel i kroppen, innan hon insåg att hon tagit fel.

– En annan gång, när jag var på väg hem, märkte jag att en pick-up låg alldeles bakom min bil. I backspegeln såg jag att det satt två unga killar i framsätena, som också var rakade på huvudena. När jag saktade in körde de inte om, utan fortsatte att ligga bakom. Det räckte för att jag skulle känna skräcken komma och trycka gasen i botten, berättar Karina, som till slut insåg att det var falskt alarm.

Oron drabbade även de två av Karinas pojkar som fortfarande bodde kvar hemma.

– Varför var jag och Nisse så konstiga? Varför kunde vi sitta och gråta helt plötsligt? Till sist fick vi ju säga som det var och då blev de också rädda.

Karina och Nisse reagerade på olika sätt. Nisse kapslade in sina känslor och gick in i en depression. Karina kom istället till en punkt där hon mest kände sig förbannad. Varför skulle ett mc-gäng få dem så ur balans? Sakta vande hon och övriga familjen sig vid att leva med de ständiga tankarna på Hells Angels. Månaderna gick och inget hände.

Först mer än ett år senare fick Karina en kallelse till Eskilstuna tingsrätt. En åklagare vid internationella åklagarkammaren i Linköping hade till sist fattat beslut om att väcka åtal mot Olof Eriksson och hans flickvän. Av okänd anledning hade ingen av de vanliga åklagarna i Eskilstuna velat handlägga målet.

Karina satt mitt emot Olof Eriksson och hans flickvän under förhöret. Hon hade inte en tanke på att utnyttja sin rätt att begära att de åtalade skulle föras ut. Hon sökte ögonkontakt, men Olof Eriksson tittade mest bort.

Trots den långa tid som gått hade Karina glasklara minnen. Hennes berättelse fick dessutom stöd av de båda väninnornas vittnesmål. Men Olof Eriksson vill inte kännas vid att han skulle ha gått till angrepp mot Karina.

"Det har absolut inte skett något våld. Däremot påpekade jag ett kontraktsbrott. Och jag har kanske pratat högt ...", sa Hells Angels-medlemmen.

Några pengar hade han inte heller krävt av Karina, försäkrade han. Även flickvännen nekade. Varför skulle hon hota med Hells Angels, det fanns väl ingen anledning? menade hon.

Eskilstuna tingsrätt ansåg att Karina var mest trovärdig. Olof Eriksson dömdes till fem månaders fängelse för försök till utpressning. Att han använt våld och krävt pengar bedömdes som en och samma gärning. Erikssons dåvarande flickvän fälldes i sin tur för övergrepp i rättssak.[178] Eftersom den fyrtiotreåriga kvinnan var ostraffad stannande påföljden vid 70 timmars samhällstjänst. Utöver detta måste paret betala 16 000 kronor i skadestånd till Karina.

Flickvännen accepterade domen medan Olof Eriksson överklagade till hovrätten. Där gjordes samma bedömning. Under 2010 har Hells Angels-ledaren begärt att Högsta domstolen tar upp målet. I skrivande stund har HD ännu inte fattat något beslut.

Karina säger att det grämer henne att Olof Eriksson inte vill inse att han är överbevisad. Men hon tänker att det kanske har att göra med att hon är kvinna. Utåt säger sig ju Hells Angels ta avstånd från våld mot kvinnor och att en ledare har dömts för ett sådant brott ser, ur organisationens perspektiv, antagligen inte bra ut.

– Att ge sig på en tjej är väl inte särskilt tufft, jag kan inte tänka mig att HA tycker det. Fast att han får vara kvar visar ju ändå att det är accepterat, säger hon.

Att vi har valt att ta upp fallet här beror egentligen inte på själva

---

178 Ibid.

FOTO: POLISEN

Tjugoåttaårige Olof Eriksson, ledare för Hells Angels MC Eskilstuna, har fällts för utpressning tre gånger. I två av fallen var offren kvinnor.

brottet; det är inte särskilt ovanligt att människor utsätts för lindrig misshandel i vardagliga situationer. Men det som är speciellt är att Hells Angels rykte utnyttjas för att påverka den drabbade. Därigenom faller händelsen inom ramen för vad som brukar kallas systemhotande brottslighet.

Hur ofta liknande händelser har inträffat kan vi inte veta. Men mycket talar för att det sannolikt finns andra som inte vågat göra som Karina och gå till polisen. I Stockholm misstänktes en Hells Angels-ledare 2006 för hot och misshandel efter att han, på precis samma sätt som Olof Eriksson, hade tagit ställning för sin flickvän i en diskussion i ett stall.[179] Av oklar anledning ledde händelsen aldrig till åtal.

Karinas fall visar också att polis, åklagare och domstolar ibland underskattar de känslor som drabbar den som hotats med Hells Angels namn. Hade rättsväsendet i Eskilstuna agerat snabbare hade Karina och hennes familj sluppit en lång tids oro.

Hittills har vi koncentrerat oss på brott där pengar på ett eller annat sett har stått i centrum. Men långt ifrån allt som sker inom Hells Angels-miljön har ekonomiska motiv. Ofta är grovt våld ett självända-mål. Det visar fyra brutala fall som inträffat under bara några år.

Den röd-vita mördarklubben

Jägaren som var på väg ut i skogen undrade om han verkligen såg rätt. På parkeringsplatsen framför skjutbanan låg någonting som hade

---

179 Åklagarmyndigheten, Söderorts åklagarkammare. Diarienr: C107-6329-06.

samma längd och form som en människokropp. Men föremålet var mörkt, nästan svart. Från ena sidan kom det vit rök. Jägaren gick närmare. När några meter återstod behövde han inte tvivla längre. Personen på marken var död. Brännskadorna på kroppen och marken intill antydde att någon hade försökt elda upp liket, men inte lyckats.

Det skulle dröja innan rättsläkarna fick klarhet i vem kroppen tillhörde. Ansiktet var blåslaget och sönderskuret med kniv. Dessutom hade mördaren eller mördarna skjutit offret genom munnen med ett kulvapen. Till sist framkom att den döde som hittats vid Sanda skjutbana söder om Stockholm var en trettioettårig iranier från Uppsala vid namn Mohammed Bay, även kallad Mossman.

Mossman var allt annat än guds bästa barn. Han hade ingått i flera kriminella grupperingar, bland annat Original Gangsters, och stod på Rikskriminalens lista över landets hundra mest brottsaktiva gängmedlemmar. Belastningsregistret visade domar för medhjälp till människorov, medhjälp till rån, misshandel, våld mot tjänsteman, övergrepp i rättssak, grovt vapenbrott och narkotikabrott. Södertörns tingsrätt skulle senare slå fast att Mossman var en "person som var ökänd för sitt humör och sin våldsamhet" samt att han var "orädd, aggressiv och saknade spärrar".[180] Så vem hade vågat ge sig på Mossman och ta livet av honom på detta utstuderade sätt?

Ett samtal till SOS Alarm dagen innan skulle leda polisen till ett hus i Farsta. En granne hade ringt och berättat att hon hört skottlossning och därefter sett en bil och en motorcykel köra iväg. Polisen hade av okänd anledning aldrig åkt ut till platsen. Men efter upptäckten av Mossmans döda kropp gjordes husrannsakan i huset, som ägdes av ett gift par i medelåldern.

Mannen i huset var själv kriminell och hade suttit i fängelse. Efter ett tag berättade han och hans fru att Mossman hade bott hos dem i några dagar. Mossman hade varit stökig och bland annat hotat skära brösten av en kvinnlig bekant om hon inte skjutsade honom till Skåne. Till slut hade de känt att det var nog. Mossman måste ut.

Men det var inte de som verkställde avhysningen. Istället ryckte några bekanta ut för att få iväg Mossman. En av dem hette Mattias.

---

180 Södertörns tingsrätt, enhet 5. Diarienr: B10599-07. Dom.

Han var trettionio år gammal, tidigare dömd för grova våldsbrott och medlem i Hells Angels supporterorganisation Red and White Crew. Kanske hade Mattias och de andra aldrig tänkt mörda Mossman. Men när Mossman gjorde motstånd var det så det slutade. På gårdsplanen till huset i Farsta höggs han ner och sköts med tre skott.

Trots att makarna gjort sitt bästa för att städa undan alla spår säkrades Mossmans blod på platsen. Senare hittades också den bil som använts för att frakta iväg kroppen. En av Mattias kumpaner hade oförsiktigt nog kört iväg den till en rekonditioneringsfirma, där personalen fattat misstankar. Kumpanen hade dessutom bett en kvinnlig bekant att gå in på en bensinstation och handla två flaskor tändvätska. Dessa använde han när han tände eld på kroppen ute i skogen. Övervakningsfilmerna skulle senare ingå i bevisningen.

Mordet på Mossman begicks den 9 september 2007. Nio månader senare dömdes Mattias och hans kumpan till livstids fängelse för mord.[181] De gifta makarna fälldes i sin tur för skyddande av brottsling. Rättegången förbigicks med tystnad i medierna. När det stod klart att det brutala mordet hade föregåtts av vardagligt tjafs mellan kriminella och narkotikamissbrukande personer falnade journalisternas intresse.

"Ja, så brann han som en fackla och lukta bacon"

Tre månader efter mordet på Mossman gör en kvinna i Götborg en minst lika makaber upptäckt som jägaren vid skjutbanan. Hon är på väg hem i decembernatten efter att ha besökt en av svartklubbarna längs Ångpannegatan på norra sidan av Göta Älv i Göteborg. Ute i gatan ser kvinnan någonting som brinner. Hennes första tanke är att det måste vara ett djur av något slag.[182] Det är det inte, utan en man som ligger i fosterställning.

Kvinnan brister i gråt och vet inte vad hon ska göra. Men när en kvinnlig väktare parkerar sin bil och springer fram till henne samlar hon sig. Tillsammans försöker kvinnorna släcka elden. Det hjälper inte. Mannen är död.

En stund senare badar Ångpannegatan i blått sken. Det är knappast

---

181 Svea hovrätt, rotel 0801. Diarienr: B2806-08.
182 Göteborgs tingsrätt, målenhet 11:1. Diarienr: B12346-07.

första gången som polisen är här; bara under 2007 har två mord och två mordförsök skett i området. Minst tre av fallen har varit gängrelaterade och medlemmar inom Brödraskapet Wolfpack, Asir, Original Gangsters och Red and White Crew har utretts för inblandning. Göteborgs kommunpolitiker har förklarat att de bara ser en lösning på problemen: att riva de gamla industri- och lagerlokaler som hyser svartklubbar och andra mötesplatser för Göteborgs gäng. Men det arbetet har ännu inte startat och fortfarande kommer unga hit för att dricka billig alkohol.

Polisen har inga förhoppningar om att någon frivilligt ska peka ut den eller de som har tänt eld på mannen på gatan. Taktiken blir istället att frysa läget och kontrollera så många som möjligt av dem som finns i området. Polisens insatschef begär förstärkning av piketen. Sedan deras fordon rullat in görs razzia mot den svartklubb som ligger närmast fyndplatsen. Officiellt drivs klubben av en svensk-tunisisk vänförening. Men det är allmänt känt att det är Hells Angels och Red and White Crew som håller i trådarna.

I lokalen, som är inredd med biljardbord och spelmaskiner, är det glest med folk. En av få som är kvar är en trettiotvåårig medlem i Red and White Crew. En registerslagning visar att han är dokumenterat farlig och har dömts för bland annat grov misshandel. I mannens sällskap finns hans flickvän och en tjugofyraårig kamrat. Samtliga anhålls, männen för medhjälp till mord och flickvännen för skyddande av brottsling. Senare framkommer att en annan kvinna har sett blod i trapphuset utanför svartklubben. Istället för att ringa polisen har hon torkat bort blodet med en trasa. Också hon anhålls, misstänkt för att ha skyddat mördaren eller mördarna.

Några dagar senare tar utredningen en oväntad vändning. En annan Red and White Crew-medlem hör av sig till polisen och hävdar att han var inblandad i mordet. Mannen heter David, är tjugoåtta år och tillhör Red and White Crew i Göteborg. När David kommer in på polisstationen i Trollhättan och säger att han har begått ett mord har han med sig ett fotografi på Hitler.

Först är polisen misstänksam. Men vet att det inom den hierarkiska Hells Angels-världen förekommer att underhuggare tvingas ta på sig

brott för att de verkliga gärningsmännen ska gå fria. Men Davids berät-
telse anses trots allt trovärdig. En åklagare beslutar att han ska anhållas.

David påstår att det hela började med att han genom ett fönster såg
hur en kompis till honom blev knivhotad av en okänd man utanför
svartklubben. Han rusade ut och sa till den okände att släppa kniven.
När denne inte gjorde det drog han själv upp en kniv och gick till attack.
Han fick in några stick och sprang sedan från platsen.

Några dagar senare ändrar David sig. Nu tar han på sig fullt ansvar
för mord.

"Jo, det har gått till som så att ja det, varför det har hänt så, det orkar
jag inte ta nu utan det får vi ta senare tillfälle utan det som hände var
att jag krossade hans huvud och nacke med en klyvyxa och även slog
i ryggen med yxan, sen skar jag halsen av han och högg han i halsen
tre, fyra gånger hällde bensin över han och tände eld på han, och sen
så stod jag och kollade på han, ja, så brann han som en fackla och lukta
bacon. Det var vad som hände."[183]

David hade inte haft någon tanke på att släcka elden. När han beskri-
ver mannens hopplösa kamp mot döden är det utan ånger.

"Till att börja med så ligger han ju, men så lyckas han resa sig, så står
han på knä, och krälar och brinner, ett bra tag."

Vem det var som brändes till döds där på gatan säger sig David inte
veta. Han hann bara uppfatta att mannen pratade polska. Förhörs-
ledarna hajar till över svaret. De har fått reda på att mordoffret är en
polsk gästarbetare vid namn Andrzej, men detta är ännu inte känt
utanför polishuset. Lite senare kommer det provresultat som ska bli
det starkaste beviset mot David. På en av de strumpor som han hade
på sig när han överlämnade sig till polisen finns stänk av Andrzejs blod.

Vid det här laget är de anhållna kvinnorna släppta. Efter några dagar
friges även den trettiotvåårige Red and White Crew-medlemmen
och hans kamrat. David åtalas så småningom som ensam ansvarig för
mord.[184] Innan rättegången görs en personutredning. Av denna fram-
går att David ätit anabola steroider sedan tonåren, att han vid ett till-
fälle tagit så mycket kokain att han blivit inlagd på sjukhus samt att han

---

183 Ibid.
184 Göteborgs tingsrätt, mål 11:1. Diarienr: B12346-07. Stämningsansökan.

sannolikt lider av psykisk störning. David har inga invändningar mot det sistnämnda.

"Jag är oerhört våldsbenägen och tycker om våld av alla slag, faktiskt så länge jag kan minnas", säger han till Frivårdens utredare.[185]

För att gå till botten med Davids psykiska hälsa begär Göteborgs tingsrätt en fullskalig rättspsykiatrisk undersökning. Här framkommer något intressant. Den ansvarige läkaren konstaterar visserligen att det föreligger en "narcissistisk och antisocial personlighetsstörning". Men det är inte hela bilden. Davids medlemskap i Red and White Crew kan i hög grad antas ha bidragit till det bestialiska våldet.

> Det framkommer en upptagenhet kring den egna självbilden, vilken liksom identiteten har knutits starkt till den kriminella organisation David är medlem av. Status och avancemang inom denna är den främsta ambitionen och den kodex av alternativ och från gängse samhällsnormer ofta skilda regler som tillämpas i organisationen tycks David ha införlivat som sin egen och betrakta som absolut.[186]

Det här är inte vad David vill höra. Inför domstolen säger han att han hade förväntat sig att bli "kryssad", det vill säga bedömd som allvarligt psykiskt störd. Det skulle i så fall ha inneburit att han dömts till vård på en rättspsykiatrisk avdelning. Nu blir straffet livstids fängelse.

I besvikelse överklagar David domen, tar tillbaka sitt erkännande och hävdar istället att han gjort upp med fyra personer om att "ta på sig" mordet. Ifall dessa också har koppling till Hells Angels vill han inte svara på. Hovrätten avfärdar berättelsen med att den kommer för sent för att vara värd att lyssna på. Men påföljden sänks till tio års fängelse.[187]

Något egentligt motiv framkommer inte under rättegångarna. Davids påståenden om att den döde skulle ha bråkat med en kompis till honom styrks varken av den tekniska utredningen eller av något

---

185 Göteborgs-Tidningen 080702: "Jag tycker om våld av alla slag" Av: I Nilsson.
186 Ibid.
187 Hovrätten för västra Sverige. Diarienr: B3569-08. Dom.

vittnesmål. Allt talar för att gästarbetaren Andrzej bara haft oturen att vid fel tillfälle komma i vägen för en, eller möjligen flera, av Hells Angels tickande bomber.

Mordet vid panncentralen

– Många av dem som vi pratade sa att de inte kunde fatta vad som hade hänt. Enligt deras uppfattning gör man bara inte så här. Lite hagel i baken som flickvännen kan plocka ut, det ingår i spelets regler, menade de. Men inte att bli avrättad på det här viset.

Det säger kriminalinspektör Peter Thylén på länskriminalen i Västra Götaland. Han är en av de polismän som tvingades utreda nästa mord där gärningsmännen misstänktes tillhöra Red and White Crew.

Den 10 september 2008 hittas tjugoårige Andreas död på en asfaltplan i Länsmansgården i norra Göteborg. Det var Andreas som vi berättade om i bokens inledning. En till synes vanlig kille från bostadsområdet Lövgärdet, som något år tidigare hade gått ut skolan och skaffat ett jobb. Men av någon anledning hade han valt bort ett vanligt liv för medlemskap i Bandidos undergrupp X-team.

Månaderna innan Andreas mördades hade flera av hans vänner i X-team utsatts för beskjutning. Alla hade överlevt; skyttarna hade medvetet siktat lågt för att undvika skador i bål och huvud. Andreas hade däremot först skjutits med en hagelsvärm, som fått honom att falla till marken. Därefter hade en person gått fram och dödat Andreas med nackskott från ett kulvapen.

– Det var just det som många blev så upprörda över. Varför sköt mördaren honom i huvudet? undrade man. Han var ju redan oskadliggjord, fortsätter Peter Thylén.

För polismannen var mordet i Länsmansgården speciellt även av ett annat skäl. Det insåg han när han fick veta identiteten på den döde. Sex år tidigare hade Peter Thylén haft kontakt med Andreas familj i ett annat ärende.

– Det var min första mordutredning och offret var hans storebror. Jag visste ju hur hårt det hade tagit på Andreas och hans mamma. Att det nu var lillebrodern som var död berörde mig starkt. Ingen familj ska behöva drabbas på det viset.

Mordet på Andreas storebror Christian hade ingenting med kriminella gäng att göra. En psykiskt störd och kraftigt berusad man hade angripit Christian med kniv utanför Göteborgs centralstation och träffat så illa att livet inte gick att rädda. I Andreas fall var polisen däremot övertygad om att mordet skett på grund av hans koppling till gängvärlden.

Det låg nära till hands att gissa på ett samband med de tidigare skjutningarna mot X-teammedlemmar i Göteborg den här sommaren. Ingen hade dömts för dessa, men polisen anade att det var en lokal kriminell gruppering i Angeredsområdet som låg bakom. Men i fallet med Andreas sa tips från den undre världen att polisen skulle titta i en annan riktning.

Dagen efter mordet hålls förhör med Sirak. Han är tjugosex år gammal och ett känt ansikte i Göteborgs kriminella gängmiljö. Fram till 2006 var han med i Red and White Crew, men någonting gjorde att han lämnade grupperingen. Sirak är känd för sitt heta temperament och har tidigare dömts för våldsamma uppgörelser.[188] Han bor tillsammans med sin familj alldeles i närheten av brottsplatsen. Dessutom är det allmänt känt att Sirak aldrig har gillat X-team.

Vad gjorde han i tisdags? undrar polisen. Först var han i Frölunda och köpte GHB, svarar Sirak.[189] Sen åkte han hem till Biskopsgården och träffade en kompis. Kompisen, som hette Edis, hade bett honom ladda ner musik på en iPod som denne skulle ge till sin son. Mötet skulle ha skett vid en panncentral mellan Länsmansgården och Biskopsgården, precis på den plats där Andreas senare under natten hittades död. Men Sirak säger sig inte ha sett någon uppgörelse. Däremot hörde han skottlossning, alldeles efter att han och Edis skilts åt. Hans reaktion blev att springa hem så fort han kunde, hävdar Sirak.

Förhörsledaren tittar på Sirak. Tjugosexåringen har precis placerat sig väldigt nära mordet i tid och rum. Varför kontaktade han inte polisen och berättade om skotten han hört? Jag ville inte bli inblandad, svarar Sirak. Men det är precis vad han ska bli. Sirak får veta att han är misstänkt för mord och mordförsök.

---

188 Ibid, s 1104. Förhör.
189 Narkotikaklassad drog som ger en känsla av lycka och avslappning.

Polisen vet mycket väl vilken Edis det är som Sirak har nämnt. Han är tjugosex år gammal och, till skillnad från Sirak, fortfarande medlem i Red and White Crew. En kartläggning av mobiltrafiken visar flera samtal mellan Sirak och Edis under mordnatten. Men Sirak har även pratat med en annan Red and White Crew-medlem: nittonårige Deniz.

Även Edis och Deniz dras nu in i utredningen. Utöver telefonsamtalen har boende i Länsmansgården sett en silverfärgad Mercedes av kombimodell köra iväg i hög fart efter mordet. När polisen får fatt på ägaren visar det sig att Edis och Deniz har lånat just denna bil.

Deniz är den förste som anhålls. Han har inget att säga och förstår inte varför polisen misstänker honom. Några dagar senare sitter även Edis inlåst. Han är mer pratsam. Det stämmer som Sirak har sagt att de träffades vid panncentralen. Några skott hörde Edis aldrig. Fast senare under natten ska Sirak och Deniz ha kommit hem till Edis och berättat att Sirak varit nära att bli skjuten.

"Sirak sa att han stod och pratade med några killar som tillhör X-team och så kom det flera personer fram. Sirak sa att det blev skottlossning och att de sköt på dom killarna men inte på Sirak", hävdar Edis.[190]

Var Deniz också med vid panncentralen? undrar förhörsledaren. Edis skakar på huvudet. Sen är det precis som att han svarar på en annan fråga:

"Deniz skulle inte göra det för han är medlem av Red and White och han skulle inte sätta sitt liv på spel för det finns ett avtal mellan HA och Bandidos om att vi inte skall ge oss på varandra. Om en medlem dödar en annan medlem så antingen blir han dödad av sina egna eller så slänger man ut honom så att det andra gänget kan döda honom, det är väldigt allvarliga grejer det här förstår du, jag kan svära på mitt barn att Deniz inte har något med det här att göra."

Avtalet som Edis hänvisar till är den fredsuppgörelse som slöts mellan Hells Angels och Bandidos i Danmark 1997, efter att mer än tio personer skjutits ihjäl i de skandinaviska länderna. När Edis får klart för sig att även han själv är misstänkt är det återigen detta han klamrar sig fast vid.

"Jag är oskyldig, jag nekar allt, jag har inget med detta att göra. Jag

---

190 Ibid, s 1064. Förhör.

skulle aldrig sätta mitt eget liv på att skjuta på några av gängen som vi har avtal med, har man avtal så har man avtal."

Vid det här laget har Mercedes-bilen hittats. Den stod parkerad i ett garage som tillhör Edis mamma. Inuti bilen ska teknikerna göra ett viktigt fynd. Fläckar av blod från Andreas finns på mittkonsollen och det främre passagerarsätet. Att Edis har färdats i bilen råder det ingen tvekan om – avtryck från hans fingrar säkras i kupén.[191]

Edis har rätt i att det är ologiskt att Hells Angels-sfären skulle ha mördat en Bandidos-anhängare. Detta har inte hänt i Sverige sedan ett antal HA-medlemmar misstänktes ha skjutit ihjäl Bandidos-ledaren Michael Ljunggren på E4:an i Småland sommaren 1995. Men Peter Thylén och de andra som jobbar med fallet kan inte se annat än att skotten vid panncentralen avlossats i en uppgörelse mellan den röd-vita respektive röd-gula miljön. Fast har mordet verkligen sanktionerats uppifrån? Eller skedde det genom en impulshandling? Oavsett vilket riskerar mordet på Andreas i X-team att bli gnistan som kan antända en krutdurk.

En vän träder fram

På olika sätt får Peter Thylén veta att Andreas inte var ensam när han sköts. Bara några meter från honom stod Jamshid, en annan medlem i X-team. Varför Jamshid plötsligt bestämmer sig för att prata ska inte framgå av förundersökningen. Men på något sätt vinner polisutredarna över honom på sin sida. I början av 2009 ger X-teammedlemmen en detaljerad redogörelse av vad som hände före, under och efter mordet.

– Detta var första gången under den här sommaren som vi fick någon i Bandidos-sfären att samarbeta. Vi märkte att det här var en kille som mådde oerhört dåligt på grund av det som hänt. Han sov illa, hade dåligt samvete och verkade inte längre se någonting värdefullt i det liv han levde, minns Peter Thylén.

Jamshid hävdar det hade varit bråk mellan medlemmar i Red and White Crew och X-team en tid före mordet. Detta ska ha skett på natt-klubben Inferno inne i Göteborg, men han själv var inte med. Efter

191 Ibid, s 467. Sakkunnigutlåtande.

detta hade Red and White Crew letat efter enskilda medlemmar inom X-team. Jamshid hade själv sett Sirak, Deniz och Edis utanför sitt hus.[192] Vid ett tillfälle hade Jamshid också träffat på Sirak på ett torg i Biskopsgården. Sirak skulle då ha sagt åt honom att inte "tjafsa".

Den här kvällen hade Sirak och Deniz åter stått utanför huset. Jamshid ignorerade dem först. Men efter att Andreas och den tredje mannen kommit hem till honom bestämde Jamshid sig för att gå ut. Uppe i backen till panncentralen stötte trion på Sirak. Först var stämningen avspänd, Jamshid hade delat en cigarett med Sirak medan Andreas och den andre stått några meter bakom. Men så plötsligt steg två personer ut en liten träddunge. Därefter började det smälla, hävdar Jamshid och säger att han och vännerna måste hade lurats in i en fälla. Jamshid och kompisen lyckades fly medan Andreas låg kvar på marken.

Under förhöret framkommer att även X-teammedlemmarna hade varit beväpnade. Jamshid berättar att Andreas burit ett automatvapen, en kpist av märket Heckler & Koch MP5. Men han använde det aldrig, hävdar Jamshid.

Polisen vill veta vad Jamshid gjorde under den fortsatta natten. Jamshid säger att han ringde en kompis, som hämtade upp honom och körde till Bandidos klubblokal på Hisingen. När han kom till klubben var "vice presidenten" Riadh Bouhlal där. Det minns Jamshid av en särskild anledning. Bouhlal fick nämligen ett samtal. Det var från Sirak. Han ville be om ursäkt för det som hänt, hävdar Jamshid. De var påtända och "det blev fel", skulle Sirak ha sagt.[193]

Peter Thylén kallar Riadh Bouhlal till förhör. Det blir ett av de kortaste han hållit. Efter att Bandidos-ledaren svarat "inga kommentarer" på fyra frågor ger Thylén upp.[194] Både Sirak och Edis ska emellertid så småningom bekräfta att de tog kontakt med Bandidos-ledaren. Edis ska till och med berätta att han träffade representanter för Bandidos under natten.[195]

Vad som sades vid mötet vet bara de inblandade. Av allt att döma

---

192 Ibid, s 243. Förhör.
193 Ibid, s 244. Förhör.
194 Ibid, s 973. Förhör.
195 Göteborgs tingsrätt, målenhet 12:1. B9187-08. Dom.

ledde det i alla fall till att faran för en större konflikt blåstes av. Bandidos har, så vitt känt, aldrig hämnats mordet på den unge supportern Andreas. Detta trots hotfulla slagord som "God Forgives, Bandidos Don't" and "Cut One and We All Bleed", vilka förekommer flitigt på kläder, klistermärken och internetsajter. Slutsatsen är att en ensam anhängares död väger lätt i förhållande till fredspakten mellan de forna fienderna Bandidos och Hells Angels. Storpolitik har blivit viktigare än blodshämnd.

Våren 2009 åtalas Sirak, Edis och Deniz för mord.[196] Edis erkänner att han var den som höll i hagelgeväret och på långt håll sköt mot Andreas och Jamshid. De båda andra nekar till brott. Vem som avlossade de nära och dödande skotten mot Andreas huvud har inte kunnat klarläggas. Men enligt åklagaren är det troliga att någon av de tre sprang fram till den skottskadade Andreas, tog ifrån honom hans kpist och sköt honom med hans eget vapen.

Göteborgs tingsrätt köper beskrivningen och dömer Sirak och Edis till tio respektive elva års fängelse för medhjälp till mord. Deniz frias däremot helt. I hovrätten anses bevisningen dock alltför svag och den ende som slutligt fälls är Red and White Crew-medlemmen Edis. Domstolen menar att det inte är styrkt att Edis verkligen haft för avsikt att döda och brottsrubriceringarna stannar vid grov misshandel, försök till grov misshandel och grovt vapenbrott. Påföljden bestäms till fängelse i fyra år. Sirak ska senare få 300 000 kronor från staten i skadestånd för den långa tid han suttit häktad.

Något motiv till mordet framkommer aldrig. Jamshids påstående om att den till synes lugna situationen plötsligt urartar kommenteras inte av de åtalade.

– Det kan vara så enkelt att någon kan ha kastat ur sig en förflugen kommentar på platsen. Vi vet inte, säger kriminalinspektör Peter Thylén idag.

Andreas mamma Christina följer båda rättegångarna. En av de saker som upprör henne mest är att Edis flickvän inte får vittna. Inför hovrättsförhandlingen har den unga kvinnan hört av sig till polisen och sagt att hon har något att berätta. Framför en videokamera berättar

196 Göteborgs tingsrätt, målenhet 12:1. Diarienr: B9187-08.

hon sedan att Edis kom hem under den aktuella natten och sa att Sirak hade skjutit en människa.

– För mig var det konstigt att hon inte fick berätta detta i rätten. Men pojkvännens advokat avrådde henne och åklagaren tog ingen strid. Det är ju mycket möjligt att det faktiskt var så det hade gått till, säger Christina.

När vi frågar om det finns något som hon skulle vilja förmedla till andra föräldrar, vars söner är med i kriminella gäng, svarar hon:

– Det är väl att försöka få dem att förstå att det är inget liv att leva. För det är inga vänner man har runt omkring sig ... bröder eller vad de nu kallar sig. Man har inget stöd, man har ingenting. Att vara med i ett gäng är bara att ha ett namn.

"Man stjäl inte vapen från organisationen ostraffat"

Klockan är strax efter tolv på dagen när de tre polismännen närmar sig det lilla huset. De har lämnat sin bil och går till fots längs en smal asfaltväg som leder över tomten. Blickarna är fixerade vid den nedgångna, vita enplansbyggnaden. I händerna håller de sina tjänstevapen.[197]

En stund tidigare har en bonde ringt till SOS Alarm och sagt att en person ligger skjuten inne i huset. Informationen har han i sin tur fått av några män som kom körande i en svart BMW. Männen verkade oroliga för den skjutna. Ring efter ambulans, sa de innan de drog vidare. Det verkar inte råda någon tvekan om att uppgifterna är korrekta. En bit från huset har poliserna stött ihop med en kvinna som uppjagat och osammanhängande pratat om "blod", "att de inte var kloka" och att "Glenn bara flög".[198] En kvinnlig kollega har stannat kvar för att få henne lugn och hörbar.

Steg för steg fortsätter de tre poliserna mot huset. När de har kanske tio meter kvar ser de att ytterdörren står öppen. Men istället för att gå in tar de betäckning bakom en tjock björk. Tittar. Lyssnar. En av dem smyger bort till ett garage, öppnar porten och kikar in. Det är tomt.

197 Polismyndigheten i Västra Götaland. Diarienr: 1400-K132325.09. FU-protokoll, s 15. Avrapporterings-PM.
198 Ibid, s 122. Förhör.

När inte heller några rörelser hörs eller syns inifrån huset lämnar två av polismännen björken. "Polis!" ropar en av dem, samtidigt som de kliver uppför trätrappan. Fortfarande inga ljud.

Inne i huset är det stökigt och belamrat med prylar. Poliserna söker av rummet till höger, rummet längre in, kök och badrum. Ingen där. En trappa leder ner till en källare. En av poliserna går fram till avsatsen och ska börja ta sig ner. Det är då han ser mannen som ligger med gapande mun och uppspärrade ögon på trappans nedersta steg.[199] Ansiktet är vitt. "En person anträffad!" ropar polismannen innan han sakta fortsätter ned. Är mördaren kanske kvar där nere i mörkret?

När polismannen kommit ner till mannen böjer han sig ner och känner på dennes hals. Puls obefintlig. En av kollegerna kommer efter honom med höjd pistol. Tillsammans går de förbi kroppen och ställer sig på källarens betonggolv. Här är ännu stökigare än där uppe. En skinnfåtölj, en stereo och mängder av slängda kläder. Under en dammsugarslang, en halvmeter från den dödes knän, ligger ett avsågat hagelgevär.

En av polismännen går till höger och in i en tvättstuga. Förutom enorma mängder kläder är även detta utrymme tomt. Den andre har i sin tur svängt till vänster och ställt sig med vapnet riktat in i ett sovrum. Trots bristen på ljus upptäcker polismannen en kropp på golvet. Han ropar till sin kollega och tillsammans kliver de in i rummet med pistolerna framför sig. Första åtgärden blir att försäkra sig om att personen på golvet inte har något vapen i händerna.[200] Åtgärden visar sig vara överflödig. Även han är stendöd.

Poliserna vill säkerställa att ingen ytterligare människa finns i det dunkla rummet. En av dem sliter upp madrassen från en säng som står längst in men under är det tomt. Polismännen kan andas ut. De går tillbaka upp igen för att hämta ficklampor och en kamera i bilen.

Hade det inte varit för kvinnan ute på vägen är det tveksamt om polisen skulle ha räknat ut hur morden skett. Efter att ha samlat sig berättar det trettionioåriga vittnet, som vi kan kalla Malin, så här:

Malin hade begett sig till huset samma dag för att städa upp efter att

---

199 Ibid, s 55. Brottsplatsundersökningsprotokoll.
200 Ibid, s 14. Avrapporterings-PM.

en av de missbrukare som Stenungsunds kommun hyrt plats till i huset hade dött. Den som bett henne komma var Glenn, en fyrtiofemårig amfetaminist och vän till några av hyresgästerna.

Malin befann sig i köket när hon såg en mörk BMW köra in på tomten. Hon anade oråd direkt. Malin visste att Glenn var jagad. Glenn hade själv berättat varför: Hemma hos en kille som hette Jouni hade han fått se ett automatvapen, en kalasjnikov. Jouni hade hållit upp vapnet mot Glenns ansikte, av allt döma på skoj. Glenn hade uppenbarligen inte uppskattat skämtet, för i ett obemärkt ögonblick hade han stoppat på sig vapnet och lyckats ta det med sig utan att Jouni såg. Senare hade han sagt till Malin att småkillar inte ska hantera vapen, för "de vet inte vad de gör".[201]

Men automatkarbinen var inte Jounis egen, han hade bara förvarat den åt några vänner. Någon vecka efter händelsen förstod Glenn vilka vännerna var. Det var medlemmar i Red and White Crew i Göteborg. De hade ringt till Glenn och sagt att de ville träffas. Men Glenn hade hållit sig undan och något möte hade aldrig skett. Istället hade Jouni och Red and White Crew-medlemmarna åkt hem till Malin, som de visste umgicks med Glenn. "Man stjäl inte vapen från organisationen ostraffat", hade en av dem sagt – strax innan han "råkade" tappa en pistol på gräsmattan utanför Malins hus. Trots den obehagliga situationen hade Malin inte berättat var Glenn fanns.

Dagen därpå hade Jouni kommit tillbaka. Nu berättade han att han och de andra hade varit uppe på Hells Angels gård i Gunnilse. En av dem som de skulle ha träffat kallades Mega och var medlem. Enligt Jouni hade Mega gett dem "fria händer" att ta tillbaka automatkarbinen.[202] Om Malin inte trodde honom var det bara att ringa Mega, sa Jouni. Sen klappade han på sin högra ficka och sa:

"Jag har fått en egen puffra ifall att Glenn skulle slå mig."

Dagen därpå hade Malin träffat Glenn på McDonalds i Kungälv och berättat vad som hänt. Glenns svar blev kort. "Låt dem komma", sa han och ryckte på axlarna.

---

201 Ibid, s 122. Förhör.
202 Ibid, s 124. Förhör.

Skjuten av sina egna

När Malin den 10 augusti 2009 såg BMW:n rulla upp mot det lilla huset i Stora Höga kopplade hon direkt till de tidigare besöken. Hon ropade till Glenn, som befann sig en trappa ner. "Skynda dig ner i källaren", svarade han. Malin lydde.

Efter att ha störtat in i rummet kröp Malin upp i en säng och med händerna mellan knäna.[203] Glenn stängde dörren inifrån och sa åt henne att vara så tyst som möjligt. "För jag kan inte försvara oss". Sen hörde Malin och Glenn hur den låsta ytterdörren bröts upp.

Att de är tysta hjälper inte. När inkräktarna sökt av markplanet kommer de nerför trappan. Glenn har tagit en käpp och tryckt upp den mot dörrens handtag. Motståndet gör att den som grabbar tag i handtaget på andra sidan förstår att Glenn finns på andra sidan.

Kulsvärmen som träffar dörren sliter upp ett stort hål i träet. Glenn kastas bakåt och Malin ser blod. En smäll till och sen en till. Glenn ligger på golvet och hasar sig fram på magen. Han får tag i en byrå och försöker dra sig upp. Malin ser att byrån är på väg att välta och rusar upp från sängen. Hon hugger tag i den precis innan den välter. Sen hör hon någonting konstigt. Någon av männen på andra sidan skriker att de blir beskjutna.

"Jonas! Jonas för helvete!"

"Är han skjuten?"

"Sead, vi drar. För helvete kom!"[204]

Snabba steg i trappan. Bildörrar som smäller igen utanför huset. En motor som startar. Sen är det tyst. Glenn får fram att Malin måste ringa en ambulans. Det är det sista han säger. Malin far fram i rummet och i jakt på en fungerande mobiltelefon. Men alla hon hittar är urladdade.

Malin bestämmer sig för att springa över till grannen och tacklar upp dörren, som fortfarande är stängd. Hon är nära att trampa på mannen i trappan. Hon tycker att hon känner igen honom, det kan vara en av dem som har besökt henne några dagar tidigare. En skottsäker väst har uppenbarligen inte räddat mannens liv. I tumultet har han träffats av vännernas kulor och dött omgående.

---

203 Ibid, s 125. Förhör.
204 Uddevalla tingsrätt, rotel 1:3. Diarienr: B3099-09. Dom.

Innan Malin började sin berättelse gav hon poliserna BMW:ns registreringsnummer. Hon hade hunnit anteckna det på ett papper, som hon stoppade på sig. Polisen får fram att ägaren är en medelålders man i Göteborg som inte förekommer i några register. Det gör däremot hans son. Han heter Sead, är tjugotre år och medlem i Red and White Crew. Det är hans namn som Malin hört sägas under tumultet.

Två spanare som befinner sig Göteborgsförorten Angered är de som först får syn på den efterlysta bilen. Den kommer västerifrån och kör i riktning mot Rannebergens bostadsområde. Spanarna låter ett par bilar passera. Sen hänger de på.

I en återvändsgränd saktar BMW:n in och stannar. Den civila polisbilen följer efter. När tio meter återstår går en av poliserna ut med dragen pistol. Hans tanke är att "säkra" personerna i bilen.[205] Men föraren tänker inte låta sig gripas. Han vänder och kör med hög fart mot polisbilen. När polismannen ser BMW:ns front närma sig höjer han pistolen och trycker av. Skottet tar i grillen men stoppar inte fordonet. Med bara några decimeters marginal drar BMW:n förbi polismannen, som följer efter med siktet och avlossar ytterligare skott.

Det ska dröja två dygn innan polisen hittar de båda män som suttit i BMW:n. De ligger då och trycker i en lägenhet på Kosmosgatan i Bergsjön. En av dem är Sead. Den andre är Deniz, som vi berättat om i föregående avsnitt. Bägge har femtontusen kronor i kontanter på sig, pengar som de berättar att de har fått för att köpa mat medan de "ligger lågt". Vem som gett dem kontanterna vill de inte svara på.

När Deniz körs in till polishuset försöker han sig på ett skämt:
"Ni får väl marsipantårta imorgon för att ni hittade oss."[206]

Då är det bara några timmar kvar till dess att Hells Angels-medlemmen Mega ska infinna sig organisationens gård i Gunnilse, beordrad dit med kort varsel av ledaren Tommy Steele Pettersson. Någonting har hänt som gjort att Mega inte längre kan vara kvar som medlem. Som vi nämnt i tidigare kapitel hävdar såväl Mega som en av de

---

205 Polismyndigheten i Västra Götaland. Diarienr: 1400-K132325.09. FU-protokoll, s 255-256. Förhör.
206 Ibid, s 488. PM avseende husrannsakan.

åtalade att skälet var obetalda skulder. Men var detta verkligen hela sanningen? En medlem inom undergruppen Red and White Crew har två dagar tidigare skjutits ihjäl av sina egna under ett uppdrag som, enligt vittnen, skett efter att Mega gett de inblandade "fria händer". Genom händelsen har Hells Angels – som utåt sett förnekar att man är en brottsorganisation – återigen förknippats med dödligt våld. Huruvida detta bidragit till Hells Angels beslut att kasta ut Mega kommer utomstående sannolikt aldrig att få veta.

– Vi har självklart tänkt i de banorna. Men det finns inga konkreta uppgifter som säger att det skulle vara på det viset, säger en av de polismän som haft kontakt med Mega.

Inte heller i det här fallet ska åklagaren få någon fälld för mord. Det anses dock klarlagt att Red and White Crew-medlemmen Deniz varit ute efter att döda och han döms till fem års fängelse för mordförsök. Sead döms för medhjälp till grov misshandel till fyra års fängelse. Jouni döms för sin medverkan för samma brott till fängelse i tre år och två månader.[207]

Vem som skjutit mannen i trappan ska aldrig bli utrett. Även den döde, som hette Jonas och blev trettio år, var medlem i Red and White Crew. När en representant ifrån Hells Angels några dagar efter händelsen kontaktar Jonas familj och frågar om organisationen får närvara vid begravningen blir svaret nej.[208]

Våldet bygger varumärket

De fyra ovanstående exemplen är knappast illustrationer av organiserad brottslighet i egentlig mening. Snarast bär dödandet karaktär av impulsivt och irrationellt övervåld. Fallen är ändå av betydelse om man vill förstå Hells Angels-sfärens ställning inom den undre världen. Red and White Crews medlemmar befäster med jämna mellanrum bilden av Hells Angels som en farlig kraft, med kapacitet att gå hur långt som helst. Ingen annan kriminell gruppering har knutits till lika många våldsdåd med dödlig utgång på senare år.

---

207 Hovrätten för Västra Sverige, avd 4. Diarienr: B1109-10. Dom.
208 Polismyndigheten i Västra Götaland. Diarienr: 1400-K132325.09. FU-protokoll, s 162. PM.

Det faktum att ett par av offren själva varit kriminella och ingått i grupperingar tydliggör hackordningen inom gängvärlden. Red and White Crew kan attackera medlemmar i andra gäng utan att riskera hämndåtgärder. Det omvända ter sig, utifrån alla erfarenheter, otänkbart.

Det har under senare år spekulerats i att den danska utvecklingen, där invandrardominerade lokala grupperingar utmanat Hells Angels, skulle smitta av sig på Sverige. I början av hösten 2010 fanns överhuvudtaget inga tecken på detta. En förklaring kan vara att svenska Hells Angels har varit smidigare och hellre ingått samarbete än sökt konflikt. En annan kan vara att Hells Angels i Sverige har undvikit vissa brottstyper. I Danmark anses striden bland annat gälla kontrollen över cannabis- och haschförsäljningen, verksamheter som svenska Hells Angels så vitt känt aldrig gett sig in i.[209]

En viktig fråga är förstås hur Hells Angels förhåller sig till de rödvita dödspatrullerna, som uppgår till ett dussintal i hela Sverige och totalt består av cirka hundra medlemmar. Kan moderorganisationen verkligen styra Red and White Crew? Och hur väl känner Hells Angels dem som rekryteras?

Beslagtagna dokument ger en del svar kring detta. Ett exempel är de ansökningshandlingar som vi tidigare berättat om och som hittades när polisen gjorde husrannsakan hos Hells Angels i Norrköping 2008. Pappren, som är de samma som för blivande Hells Angels-medlemmar, innehåller ingående frågor om allt från eventuella ärftliga sjukdomar till uppgifter om föräldrar och andra familjemedlemmar. Den som vill ansluta sig till Red and White Crew måste också svara på nedanstående frågor, vilket ger Hells Angels full koll på samtliga underhuggares kriminella bakgrund:

> Är du tidigare straffad eller misstänkt för något brott?
> För vad och var har straffet avtjänats?
> Är du villkorligt frigiven?

---

209 Berlingske Tidende 100508: 21-årig mand faengsles for hashlikvidering. Av: Ritzau; Berlingske Tidende 091128: Da Blågårds Plads opsøgte madame Helene. Av: M Frich; B Steensback.

Har du någonsin arbetat för någon myndighet t ex polis, kriminalvård?
Har du någonsin samarbetat med ovanstående i någon utredning?[210]

Polisen har i olika sammanhang sammanställt den information som kommit från informatörer och andra källor. En sådan sammanställning ingår i förundersökningen om mordet på Glen i Stora Höga. Här sägs följande:

> För att bli antagen i Red and White Crew skall följande kriterier vara uppfyllda: manligt kön, lägst arton år, rekommenderad av minst tre stycken medlemmar i Red and White Crew och godkänd av Hells Angels MC /.../ Varje "crew" har en utsedd teamleader. Huvudansvarig för respektive "crew" är minst en HAMC-medlem.

Så varför håller sig en organisation, som utåt sett marknadsförs som en seriös motorcykelklubb, med en stödtrupp som har så lätt för att döda? Slutsatsen är att det handlar om att försvara en maktposition. Hells Angels har under sina två decennier i Sverige nått en nivå där våldskapitalet ger medlemmarna goda möjligheter att göra vinstrika affärer genom ekonomisk brottslighet, smuggling, organiserade hälerier, utpressning etcetera. Till skillnad från 1990-talets etableringsfas behöver fullvärdiga medlemmar – som i många fall är företagare och familjefäder i femtioårsåldern – sällan ta till vapen eller ens nävarna för att understryka organisationens våldskapital.

Samtidigt tillåter idén om Hells Angels inte att våldsfältet lämnas öppet för andra grupperingar; våld och hot om våld är fundamentet för hela Hells Angels verksamhet. Genom Red and White Crew upprätthålls denna ordning.

ÄTA ELLER ÄTAS

I tidigare kapitel berättade vi om hur Bandidos MC hösten 2007 växte genom att organisationen lade under sig det nystartade nätverket Loyalty BFL. Detta var inte den gul-röda sfärens enda taktiska drag för att försöka hålla jämna steg med konkurrenten Hells Angels MC. Direkt därefter såg ledningen sig om efter nya möjliga erövringar.

Bandidos europachef Jim Tinndahn hade sedan en tid visat intresse för Hog Riders MC, ett enprocentsnätverk som bildats i Danmark på 1980-talet och spridit sig vidare till Norge, Sverige och Island. Hog Riders i Danmark hade besvarat inviterna och börjat fraternisera med Bandidos. Det ledde i sin tur till att även svenska Hog Riders tussades ihop med de "gul-röda".

– I slutet av 2007 fick vi order från våra danska bröder om att börja umgås med Bandidos. Det kändes väl inget vidare, personligen hade jag aldrig förstått mig på dem. Men det blev i alla fall så att vi åkte till några av deras fester och visade upp oss i någon timme. I och med det trodde vi att det var lugnt, berättar en före detta Hog Riders-medlem.

2007 hade Hog Riders fyra svenska klubbar: Västerås, Örebro, Linköping och Frillesås-Gällinge i Halland. En femte avdelning i Stockholm – nätverkets äldsta – hade lagts ner året innan. Men trots att den svenska "moderklubben" lämnat nätverket hävdar våra källor att Hog Riders fortfarande var en stabil mc-klubb.

– Vi var ett stort gäng seriösa bikers som levde för kamratskapet och ville gå vår egen väg, utan att ta ställning för någon annan, säger ex-medlemmen.

Liksom Bandidos hade Hog Riders medlemmar som straffats för brott. Ett exempel var dåvarande ledaren för Hog Riders i Linköping, femtiotvåårige Jörgen Runesson. Runesson var visserligen sjukpensionär men hans belastningsregisterutdrag visade färska domar för bland annat grovt vapenbrott, försök till utpressning och narkotikabrott. Det faktum att två Hog Riders-medlemmar dömts för inblandning i mordet på Brödraskapet-ledaren Danny Fitzpatrick sommaren 1998 visar också att nätverket genom åren inte varit främmande för att ta lagen i egna händer.

Ändå var det två i grunden helt olika grupper som nu närmade sig varandra. Bandidos-medlemmarna var utan tvekan mer renodlat kriminella. Kulturskillnaden blev särskilt tydlig i Västerås, där Bandidos startat en provmedlemsavdelning. I toppen för denna fanns den då fyrtiotvåårige Michael Bjellder. Flerfaldigt dömd för utpressningsförsök, med en bakgrund som ledare inom först nynazistiska Westra Aros Stormavdelning och därefter den kriminella organisationen Brödraskapet Wolfpack. Under honom stod fyrtioårige Jörgen Karlsson, en före detta ordningsvakt som senare skulle komma att dömas för hot och vapenbrott.[211] Även ett flertal andra medlemmar var straffade för våldsbrott.

Hog Riders avdelning i Västerås bestod däremot i huvudsak av medelålders hojåkare utan några större prickar i registren.

– Vi hälsade på Bandidos ifall vi såg dem, annars ville vi inte ha med dem att göra. När vi förstod att de ville gå ihop med oss sa vi till varandra att de aldrig skulle komma in i vårt klubbhus, berättar en dåvarande medlem i Hog Riders Västeråsavdelning.

Mycket talar för att det var just det sistnämnda som Michael Bjellder, Jörgen Karlsson och de andra var ute efter. En tid innan hade de nämligen vräkts från en stuga i området Norra Vallby i Västerås. Stugan, som ägdes av kommunen, hyrdes egentligen av en raggarklubb men på olika vägar hade Bandidos kommit över nycklarna.

Efter vräkningen hade polisen stuckit käppar i hjulet för gruppe-

---

211 Svea hovrätt. Diarienr: B1771-08. Dom.

ringen genom att varna olika fastighetsägare. Men i Hog Riders klubb-lokal såg de alltså en attraktiv öppning. Den välskötta 1920-talsvillan på Järnvägsgatan i den lilla orten Tillberga var inredd och klar med verkstad, bar och sovutrymmen.

En natt i slutet av oktober 2007 dök ett antal personer upp utanför planket till Hog Riders-huset. En av männen hade en sprejburk, de andra buntar med klistermärken. När de var klara med sin räd var por-ten till mc-klubben pepprad med Bandidos- och X-team-klistermärken och nedsprejad med ett stort "X". Budskapet kunde inte missförstås: Bandidos ville in.

Slag i slag inträffade därefter ett antal nya händelser. Någon satte en yxa i ytterdörren hemma hos en flickvän till en av Hog Riders-medlem-marna. Flera bilar med knytning till mc-klubben vandaliserades. Och vid lunchtid tisdagen den 30 oktober 2007 fick polisen larm om att en av Hog Riders-medlemmarna hade blivit överfallen.

Tre-fyra män hade legat på lur i en bil på Järnvägsgatan och rusat ut när de såg en man komma gående från Hog Riders-huset. De gick till angrepp med tillhyggen, men avbröt attacken innan mannen hade fått några allvarligare skador. Kort därpå stoppade polisen en bil med flera Bandidos-sympatisörer. Männen togs med till förhör, men eftersom Hog Riders-medlemmen inte ville peka ut någon av dem ledde utred-ningen ingenstans.

En tid senare fick polisen via källor veta att överfallet inte var det första. Hog Riders fyrtiotvåårige ledare hade blivit svårt misshandlad – inne i den egna klubblokalen.

– Ett helt gäng från Bandidos-sfären hade stormat in och gett sig på honom med slag och sparkar. Enligt våra källor fick han kopiöst med stryk och blev avtvingad sin klubbväst. Men eftersom inte heller han gjorde någon anmälan kom det inte till vår kännedom förrän i efter-hand, berättar en polisman i Västerås.

Inte ens när polisen några månader senare hittade ledarens Hog Riders-väst hemma hos Bandidosledaren Jörgen Karlsson ville man-nen kännas vid händelsen. Polisen upprättade trots detta en anmälan om stöld.

Inget av de brott som riktades mot Hog Riders skulle komma att klaras upp. Ändå tvivlar polisen inte på att det var Bandidos och dess undergrupp X-team som låg bakom.

– Bandidos ville, som vi såg det, få bort Hog Riders helt och hållet från kartan. Det skulle helt enkelt inte få finnas några andra aktörer än dem och HA i Sverige, fortsätter polismannen.

Efter den förnedrande misshandeln av klubbens ledare höll Hog Riders krismöte. Skulle de ge upp och lämna över nycklarna till Bandidos? Skulle de köra vidare på egen hand? Eller kanske söka skydd någon annanstans? Att de inte kunde räkna med stöd från Hog Riders-ledningen stod snabbt klart – och ledde till besvikelse.

Så här berättar en före detta medlem:

– Vi ringde ner till Hog Riders i Danmark och sa att vi behövde hjälp. Men de fattade inte vad vi pratade om, de såg inga problem med Bandidos. Vi tolkade det som att de till varje pris ville undvika att få Bandidos emot sig på hemmaplan.

Inte heller inom det svenska Hog Riders-nätverket var någon, enligt våra källor, beredd att åka till Västerås och slåss för klubbens färger. Även avdelningen i Halland hade utsatts för påtryckningar och det fanns av allt att döma en utbredd rädsla för att dras in i konflikten. Men västeråsarna vägrade att lägga ner. Istället samlade de ihop så mycket vapen som de kunde få tag på – och förskansade sig i huset.

– Jag har aldrig sett så mycket vapen, säger den före detta Hog Riders-medlemmen.

Genom olika kanaler fick polisledningen i Västmanland klart för sig att risken för en våldsam uppgörelse var överhängande. Enligt våra källor fanns det uppgifter om att Bandidos-männen förfogade över ett eller flera militära pansarskott. Och en upprepning av den situation som rådde i mitten av 1990-talet, då Bandidos attackerade Hells Angels med pansarskott i tättbebyggda områden, var något som bara inte fick ske.

– Hotbilden bedömdes som allvarlig, men jag vill inte gå in på exakt vilken underrättelseinformation vi hade, kommenterar polismästare Bo Andersson, som var operativ chef inom polisen i Västmanland.

För att kyla ner situationen valde polisen att agera preventivt. Flera patruller kommenderades ut till Järnvägsgatan för en synlig bevakningsinsats. Förvånade grannar undrade vad som stod på och Expressen skrev: "Tillberga belägrat av poliser".[212] Strategin var lyckad. Inga nya incidenter inträffade.

I tysthet jobbade andra poliser med ett helt annat spår. Flera personer hade den senaste tiden gått till polisen och berättat att de utsatts för utpressning, däribland ett brödrapar som blivit misshandlade och hotade. Om de inte betalade 100 000 kronor till Bandidos skulle de dödas eller få ansiktena bortskurna, hävdade bröderna.[213] En annan person hade blivit krävd på "böter" eftersom han felaktigt skulle ha hänvisat till Bandidos i en affärsuppgörelse.

Någon vecka före julafton ansågs bevisen tillräckliga. Michael Bjellder och flera av hans underhuggare greps. Hog Riders kunde pusta ut.

Redan någon vecka senare, på nyårsafton 2007, hände något som måste ha gjort Hog Riders-medlemmarna i Västerås ursinniga. Hog Riders i Linköping hade bjudit in ett stort antal Bandidos-medlemmar från Stockholm till fest. Några dagar senare lade Bandidos ut bilder på sin hemsida. Där syntes hur västklädda män från bägge lägren satt sida vid sida och åt, skålade och skrattade.

Även för en utomstående andas bilderna svek och illojalitet, om man känner till bakgrunden. Före detta Hog Riders-medlemmar som vi pratat med hävdar dock att de inte hade något val.

– Det var inte vi som ville ha gemensam fest, Bandidos bjöd in sig själva som vanligt. Alla vet vad som hänt om vi hade sagt nej, hävdar en ex-medlem.

Fyra gör en kupp

Påskhelgen 2008 kör en karavan av bilar ut ur Stockholm och söderut längs E4:an. I fordonen sitter fullvärdiga medlemmar, provmedlemmar och supportrar till Bandidos. Strax före Linköping svänger männen av från motorvägen. En stund senare är de framme på Råtorpsgatan, i ett litet industriområde alldeles intill Linköpings flygplats. Männen kliver ur och går i riktning mot en kraftig port, tillverkad av stålrör och gallernät och försedd med decimeterlånga metalltaggar högst upp. Bakom

---

212 Expressen 071105. Tillberga belägrat av poliser. Av: Håkan Wikström.
213 Västmanlands tingsrätt. Mål B5888-07. Stämningsansökan.

porten ligger Hog Riders klubblokal i grå, korrugerad plåt.

Bandidos-männen behöver inte forcera låsen för att komma in. En fyrtioåttaårig medlem i Hog Riders och tre provmedlemmar – varav två från Hog Riders Örebro-avdelning – väntar på dem. Medan Hog Riders Linköpingsledare Jörgen Runesson och ett par andra medlemmar varit på besök hos Hog Riders i Danmark har de fyra i hemlighet ingått en uppgörelse med Bandidos.

– De gick bakom ryggen på sina bröder. Antagligen kände de att det ändå inte fanns någon framtid för Hog Riders, säger en källa.

Uppgörelsen innebär att de fyra ska få provmedlemsstatus i Bandidos mot att de ser till att Hog Riders läggs ned. Fyrtioåttaåringen, som är delägare i det handelsbolag som i sin tur äger Hog Riders klubblokal, har lovat att en nybildad Bandidos-avdelning ska få överta fastigheten. Men för att överenskommelsen ska gå i lås måste fyrtioåttaåringen ha med sig den andre delägaren. Det är Hog Riders ledare Jörgen Runesson. Och Runesson har aldrig haft mycket till övers för Bandidos.

Runesson och ett par av de återstående medlemmarna kallas till klubben för ett möte. Där ställs de mot väggen av de fyra kuppmakarna och ett helt gäng Bandidos-anhängare. De får höra att de har en vecka på sig att byta färger från Hog Riders röd/blå till Bandidos röd/gula. Annars kommer de att bli av med västarna och Runesson kommer att tvingas ge upp sin andel i klubbhuset.

Runesson och hans lilla skara lämnar mötet med en känsla av förnedring. Hur kunde deras bröder hugga dem i ryggen? Om bara några månader skulle de ju fira tioårsjubileum tillsammans i klubben. Men att försöka slå tillbaka mot den maktfullkomliga konkurrenten är detsamma som självmord, det inser Jörgen Runesson.

Vid det här laget återstår heller inte mycket av Hog Riders svenska nätverk. Hog Riders i Örebro har under vintern tappat flertalet av sina medlemmar och de få som är kvar har ställt sig på kuppmakarnas sida. Att ringa Hog Riders i Västerås är av naturliga skäl inte aktuellt. Och avdelningen i Halland har bara några veckor tidigare offentliggjort att den anslutit sig till Hells Angels supporterorganisation Red Devils MC.

Hjälpen ska komma från oväntat håll. När tidsfristen håller på att rinna ut slår polisen plötsligt till mot Hog Riders-huset på Råtorps-gatan. Orsaken till razzian, som utförs den 28 mars 2008 av Linkö-pingspolisen med hjälp av Nationella insatsstyrkan, hemlighålls. Polisens presstalesman säger bara att man letat efter en brottsmisstänkt person, som ska vara skriven på adressen. Mannen är inte där. Däremot grips en annan man för misstänkt drogpåverkan.

Genom tillslaget får myndigheterna klart för sig att Bandidos är i färd med att etablera sig i Östergötland. Hog Riders-skylten på fastighetens fasad är övermålad och Bandidos-dekaler syns på flera ställen. Bara några månader tidigare har länets tretton kommuner och en rad olika myndigheter gjort en unik uppställning i kampen mot den organiserade brottsligheten. Enligt den handlingsplan som politiker, poliser, åklagare och tjänstemän har enats om ska det "inte finnas några kriminella motorcykelgäng i Östergötland vid utgången av 2009". Att stoppa Bandidos blir nu överordnat allt annat.

– Jag blir uppringd av polisen som undrar vad vi håller på med. Ska vi bli Bandidos? Jag svarar att jag har i alla fall inga sådana planer, berättar Jörgen Runesson, när vi pratar med honom våren 2010.

Några dagar senare får Jörgen Runesson och fyrtioåttaåringen ett anbud. Linköpings kommun vill köpa Hog Riders klubblokal. Kommunens flygplatsbolag är berett att ge tre miljoner kronor för indu-strifastigheten. Elva år tidigare hade Jörgen Runesson och fyrtioåtta-åringen betalat 550 000 kronor.

– Det var inte mycket att fundera på för min del, säger Runesson.

Sedan även fyrtioåttaringen sagt ja går affären blixtsnabbt. Den 2 april 2008 är fastigheten såld. I ett pressmeddelande beskriver kommunen köpet som ett strategiskt förvärv. Strategin är inte särskilt kompli-cerad – den går ut på att jämna byggnaden med marken.

"Jag erbjuder mig att köra bulldozern så att vi kan plantera ett frukt-träd istället", säger kommunstyrelsens ordförande Paul Lindvall (M) till Tidningarnas telegrambyrå, TT.[214]

I efterhand står det klart att kommunens snabba agerande sköt Ban-didos etableringsförsök i sank. Bandidos kom aldrig längre i Östergöt-land än till några klistermärken på Hog Riders-huset. Det är tydligt

---

214 TT 080404: Köper och river Bandidos klubbhus.

att de nyblivna Bandidos-supportrarna klandrade Jörgen Runesson. Hämnden skulle ske på ett oväntat sätt.

Brutna lojalitetsband

I mitten av april 2008 greps Jörgen Runesson och anhölls. Misstanken gällde grovt häleri. I ett förråd i Lindesberg i norra Närke hade polisen hittat ett åttiotal datorer, som visade sig tillhöra ett kraschat telemarketingföretag. Företaget, som hette XLNT och hade haft verksamhet i Norrköping, Linköping och Västervik, misstänktes ha plundrats på stora tillgångar alldeles innan konkursförvaltaren hade kommit in bilden.

Jörgen Runesson skakade på huvudet. Vad hade han med datorerna att göra? Då berättade förhörsledarna att han var utpekad av en klubbkamrat – en av de provmedlemmarna i Hog Riders Örebro-avdelning som hade deltagit i kuppförsöket. Mannen, som var ägare till förrådet, påstod att Runesson en dag hade dykt upp med ett stort släp fullt av grejer som han behövde gömma undan.

"Ren hämnd", svarade Jörgen Runesson när han ställdes inför häktningsdomaren och berättade att klubbkamraten numera var hans fiende.[215] För att få domaren att leva sig in i hans pressade situation avslöjade Runesson att han var hotad till livet av Bandidos och hade "kontinuerligt polisbeskydd".

Beskyllningarna mot Jörgen Runesson skulle fortsätta. Även en annan av kuppmakarna pekade ut sin före detta klubbkamrat. I det här fallet gällde saken ett hagelgevär som polisen hade hittat på mannens vind.

Kuppmakarna lyckades dock inte överklaga utredarna.

– De påstod att Runesson var den som gett dem datorerna och hagelbössan. Men det var inget som kunde styrkas. Utredningen mot Runesson lades ner och han släpptes, kommenterar åklagare Gunnar Brodin i Örebro.

Kuppmakarna skulle däremot komma att fällas för grovt häleri respektive vapenbrott.[216]

---

215 Örebro tingsrätt. Mål B1490-08. Häktningsprotokoll.
216 Svea hovrätt. Mål B Göta hovrätt. Mål 496-10. Dom.

Jörgen Runessons försvarare, advokat Göran Gabrielsson, minns fallet som lite speciellt.

– Jag tyckte att det var uppseendeväckande att gamla vänner lade skuld på varandra på det här viset. Men det var väl en del av spelet mellan Hog Riders och Bandidos, säger han.

Kuppmakarna fullföljde sin strävan att gå in i Bandidos-sfären. När ännu en provmedlemsavdelning bildades inom Bandidos, denna gång i Örebro, var männen initiativtagare. I samband med detta överlät de Hog Riders klubblokal i industriområdet Holmen till Bandidos.

– Det var väl egentligen bara den slitna gamla kåken som Bandidos vann på att kriga mot oss, säger Jörgen Runesson.

Själv vägrade han att hänga av sig Hog Riders-västen och lämna bikerlivet. Men utan klubblokal och tillräckligt många trogna medlemmar gick det inte att driva Linköpingsklubben vidare. Lösningen för Runesson och en annan äldre medlem blev att ansluta sig till Hog Riders MC Westland på Jylland i Danmark. Det skulle på sikt innebära en automatisk anslutning till Hells Angels-sfären. I mars 2010 var Hog Riders MC Westland en av tolv danska mc-klubbar som gick samman i Devil's Choice MC – en helt ny officiell supporterorganisation till Hells Angels. Därmed blev Jörgen Runesson och hans gamla klubbkamrat till sist ändå tvungna att ersätta Hog Riders-märket. Men man får gissa att det kändes betydligt bättre att ställa sig på Hells Angels sida än på Bandidos.

De och medlemmarna i Halland var inte heller de enda som gick in i Hells Angels-sfären. Även Hog Riders i Västerås skulle så småningom gå samma väg. På ett möte i Norrland inom den Hells Angels-styrda "Sverige-modellen" förklarade de i början av 2008 att de hade tagit ställning för den röd-vita sidan. Många inom Hells Angels var först skeptiska. Få kände västeråsarna och en del rynkade på näsan åt att de inte hade gjort mer för att stå upp mot Bandidos.

Tack vare att Hells Angels i Karlstad gick i god för Hog Riders fick de till sist sin chans. I september 2009 syntes en ny skylt på den gamla trävillan i Tillberga, som nu var ommålad i Hells Angels klarröda färg. "Support 81 Karlstad" löd den text som visade att klubben hade styrt in på en helt ny väg.

– Rädslan fick avgöra. Hade det inte varit för Bandidos maktgalna attacker hade det här gänget aldrig gått in i HA, säger en polisman som följt gänget.

Frågan är förstås om detta var en utveckling som någon egentligen hade varit intresserad av. Men i den märkliga logik som styr den kriminella mc-miljön sattes en sten i rullning som inte gick att stoppa. När stenen trots allt stannade hade Hog Riders ganska harmlösa organisation styckats upp i en liten gul-röd del och en betydligt större röd-vit del. I efterhand framstår Hells Angels som maktspelets enda vinnare.

Ironiskt nog skulle den aggressiva Bandidos-grupperingen i Västerås kort därpå försvagas av inre splittring. Michael Bjellder, som utgjort en samlande kraft, hoppade av och ersattes av Jörgen Karlsson. Lokalproblemen fortsatte, vilket framgick av en annons på Blocket.se:

> BESTÄMMER DU ELLER POLIS O MEDIA ÖVER DIN FASTIGHET/LOKAL
> OM DET ÄR DU, ÄR VI EN MC-KLUBB SOM VILL HYRA
> VI GARANTERAR HYRA OCH ETT LUNGT O SÄKERT OMRÅDE, EV
> FÖRSLAG MAILAS

När Västmanlands läns tidning ringde till Bandidos och undrade hur det gick lät det så här:

"Vi har tyvärr inte fått något svar än."

Till sist hittade Jörgen Karlsson en villig hyresvärd: det lokala bolaget MRB Fastigheter AB. Till polisens frustration flyttade Jörgen Karlsson och hans anhang in i en fastighet på Saltängsvägen i industriområdet Hacksta. Lokalen blev snart en populär samlingsplats för unga män och kvinnor, som ville festa vidare när Västerås krogar stängt.

Besöken slutade inte alltid trevligt. En sen februarinatt 2009 flydde en tjugosexårig man för sitt liv, sedan han blivit utsatt för en sadistisk och tortyrliknande misshandel med kniv och borrmaskin. Ordentligt berusad hade han sagt något skämtsamt om medlemmarna och deras klubb. Två män greps och satt häktade under flera månader, men släpptes och friades till sist.[217] Även ledaren Jörgen Karlsson var borta

---

217 Svea hovrätt, avd 7. Diarienr: B3156-09. Dom.

under våren, sedan han börjat avtjäna ett sex månader långt fängelse-straff för vapenbrott och olaga hot.

Under tiden funderade Bandidos Sverigeledning på om avdelningen i Västerås verkligen var något att satsa på. Hur diskussionerna gick vet vi inte. Men en tid efter att Jörgen Karlsson frigivits från fängelsestraffet kom beskedet: Bandidos provmedlemsavdelning i Västerås skulle flyt-tas till Uppsala. Ny ledare blev trettioåttaårige Morgan Lundström från Örbyhus.

Jörgen Karlsson fick ett mindre smickrande erbjudande: Om han ville kunde han få starta en ny stödgrupp till Bandidos under namnet Solidos MC. Jörgen Karlsson svalde stoltheten och sa ja.

– Det finns nog en del olika versioner till varför det gick som det gick, säger en av de poliser som kartlagt grupperingen.

– Karlsson själv hävdar att det handlade om att han är emot droger och inte ville göra narkotikaaffärer. Men den officiella versionen är nog så enkel som att han inte är någon ledartyp, utan mer en vanlig torped. Vi var ganska förvånade över att han utsågs till ledare från första början.

Att Uppsala-avdelningen verkligen var intresserad av att ge sig in i narkotikabranschen får stöd av ett polistillslag som gjordes i slutet av sommaren 2010. Flera personer med koppling till organisationen greps och häktades, misstänkta för affärer med amfetamin. När detta skrivs har åtal ännu inte väckts.

Internationellt maktspel

I början av februari 2010 träffar vi den danske advokaten Thorkild Höyer på ett seminarium om gängkriminalitet i Köpenhamn. Höyer var den som mäklade fred mellan Hells Angels och Bandidos i Skandi-navien hösten 1997, ett uppdrag som han beskrev utförligt i boken *Den store nordiske rockerkrig*.[218] Sedan dess har han fortsatt hålla kontakt med organisationernas danska företrädare, som enligt det avtal som skrevs ska träffas regelbundet och informera varandra om nya etableringar etcetera.

Under lunchen berättar Thorkild Höyer att han är oroad över det

---

218 Höyer, Thorkild: *Den store nordiske rockerkrig* (Gyldendal 1999).

som han beskriver som ett mycket spänt läge inom enprocentsvärlden. Han tänker inte på konflikten mellan Hells Angels och de så kallade "gadebandene", Köpenhamns lokala kriminella grupperingar. Istället syftar han på relationen mellan Hells Angels och Bandidos i Tyskland.

– En massa tyska Bandidos-medlemmar har precis gått över till Hells Angels. Nu undrar alla hur detta kommer att påverka relationerna här i Norden, säger Höyer mellan tuggorna.

– Enligt vad jag har hört ska det vara kritiskt även i Sverige.

Vid det tillfället tycker vi att det Thorkild Höyer säger låter lite väl sensationellt. Men några dagar senare bekräftar officiella källor att åtskilliga avhopp har skett från Bandidos Germany. Danmarks kriminalunderrättelsetjänst NEC uppger för Danmarks Radio att inte mindre än sjuttiosex medlemmar och supportrar till Bandidos-avdelningen "Berlin Centro" gemensamt ska ha beslutat sig för att lämna organisationen. Tysk polis sägs ha noterat att Bandidos-loggan är borttagen från avdelningens lokaler. Och precis som Thorkild Höyer sagt ska avhopparna ha synts tillsammans med Hells Angels-medlemmar.

Inte bara det: även sex danska Bandidos-medlemmar i Ålborg ska ha bytt sida. För att inte störa det gamla fredsavtalet påstås Hells Angels ha hittat en speciallösning. Avhopparna rekryteras inte formellt av Hells Angels i Danmark utan av systerorganisationen i Luxemburg.

Svensk polis tar uppgifterna på allvar. Det är inte svårt att förstå varför. Om svenska Bandidos, som försvagats genom polisens insatser och diverse avhopp, plötsligt skulle välja att gå över till konkurrenten skulle kartan över den kriminella mc-miljön i landet ritas om totalt.

Farhågorna ska visa sig vara överdrivna. Kort efter avhoppen i Tyskland och Danmark uppdaterar svenska Bandidos sin hemsida. Solidos MC och provmedlemsavdelningen i Uppsala finns nu listade, tillsammans med en ny hangaroundavdelning – Veterans MC i Trelleborg.

Inte heller på det internationella planet verkar Bandidos ha för avsikt att göra några förändringar. Den 12 februari 2010 ger Europaledaren Jim Tinndahn sin version av händelseutvecklingen. Under rubriken "Statement about the happenings in Berlin/Germany" skriver han så här:

After numerous requests from the press and from other clubs, it is obvious that not everybody understands the situation yet. In order to clarify it, this will be our last statement concerning this issue.

The Bandidos MC is more than surprised about the commotion and the headlines in the press concerning the retirement of the Berlin Centro Members. Only one out of five of our Berlin Chapters is closed and only 6 Bandidos MC Members left our club, NOT 70 as stated in the press before.

The President of Berlin Centro Chapter "Kadir", his Sgt at Arms "Harty" and the Members "Chucky", "Bülow", "Ibo", and "Grille" along with 9 club prospects and 2 none club associates betrayed our Nation and immediately switched as full patch members of another motorcycle club.

We won't approve any hateful guestbook entries on our web pages.

Fears about an escalation of a "Biker War", are unwarranted and not true!!!

Bandidos MC Europe

BFFB[219]

Ytterligare några dagar senare har svenska Bandidos ännu en nyhet att berätta. I Kristianstad, cirka elva mil öster om Bandidos moderklubb i Helsingborg, finns nu en helt ny provmedlemsavdelning. Etableringen är överraskande; i nordöstra Skåne har det aldrig funnits några personer med uttalade sympatier för Bandidos. Däremot har flera kriminella tidvis varit knutna till bland annat Brödraskapet Wolfpack, Original Gangsters och Syndicate Legion. Den enda egentliga mc-klubb med outlawprofil på orten – Mellowheads MC – har länge haft goda relationer med Hells Angels.

– Vi undrade förstås vilka det var som gått in i Bandidos och var de kom ifrån. Allt tydde på att det hela gått väldigt snabbt, säger en polisman i Kristianstad.

Några kolleger till honom, som var ute och rullade i Kristianstad en

---

dag i februari 2010, skulle räta ut frågetecknen. På en bil upptäckte de ett klistermärke med texten Support your local Bandidos. Inuti syntes två välbekanta ansikten.

Männen – trettiotre respektive trettiosex år gamla – hade ingen kriminell bakgrund att tala om, åtminstone var de inte straffade för någonting uppseendeväckande. Däremot hade de tidigare tillhört Hells Angels-sfären. Den äldste av dem hade varit fullvärdig medlem i Red Devils MC i Trelleborg och den yngre provmedlem. Av någon anledning hade duon emellertid hamnat i en återvändsgränd och lämnat mc-klubben.

Redan detta fick männens nya tillhörighet att te sig smått sensationell. Ännu mer förvånande ur polisens synvinkel var att männen, fram till för bara några veckor sedan, hade satsat helhjärtat på en helt annan gruppering: Top Dogz.

Peter Bergüns PR-kupp

"För mig är kriminalitet den enda banan i livet."

Så sa fyrtiotreårige Peter Bergün från Simrishamn när han intervjuades av reportern Claes Petersson i Aftonbladet den 16 november 2009.[220] Det var Bergün som hade startat Top Dogz.

– "Top dogs" är ju ett slanguttryck för företagsledare och andra som styr däruppe. Det var i de banorna jag tänkte. Jag hade strukturerat upp det hela på kåken när jag var dömd för den där dynamiten, säger Bergün när vi ringer upp honom i juni 2010.

Med "dynamiten" menar han de sjuttio kilo sprängmedel som polisen hittade i ett förvaringsskåp på Malmö Central sommaren 2008. För detta dömdes han och den före detta Hells Angels-medlemmen Jonas Granborg till fängelse i ett år.[221]

Även Peter Bergün hade varit fullvärdig medlem i Hells Angels Malmö-avdelning. Men efter att ha "tröttnat på mc-svängen" hade han en dag lämnat tillbaka den röd-vita västen och sagt adjö till Sveriges äldsta enprocentsklubb.

Någon mer konkret förklaring till avhoppet måste väl finnas? invänder vi.

---

220 Aftonbladet 091116: Gängen tar över Sverige. Av: Claes Petersson.
221 Hovrätten för Skåne och Blekinge. Mål B1947-08. Dom.

– Nej. Jag bara tröttnade på hela konceptet, hela livsstilen, hävdar han.

Det blir tyst i luren en kort stund.

– Men visst, det var ju en väldig omsättning på folk ... och det kom in nya som jag inte fattade vad de gjorde där.

Redan under anstaltstiden började Peter Bergün att knyta människor till sig. Men det var först sedan han frigivits i slutet av sommaren 2009 som rekryteringen tog ordentlig fart. Genom vänner och bekanta lade Bergün ut krokar på olika håll. En bilhandlare från Höör, en kranförare i Tyringe, en hantverkare i Klippan och en konkursad bolagsmålvakt från Harlösa utanför Lund var några av dem som nappade. Och så de båda avhoppade Red Devils-anhängarna i Kristianstad och en del av deras umgänge.

I likhet med de båda sistnämnda hade ingen av de andra medlemmarna utmärkt sig för någon grövre brottslighet. Vad Peter Bergün själv beträffar hade han börjat sin brottsliga bana i tjugoårsåldern med hembränning – ett brott som han skulle återfalla i. 1999 dömdes han till fängelse i ett år och åtta månader för att ha drivit en av landets största illegala spritfabriker i modern tid. En brand avslöjade anläggningen, som var gömd i en lada i byn Fjälkinge öster om Kristianstad. Fram till dess hade Bergüns liga tillverkat 4 000 liter drickbar sprit per månad med hjälp av ett tio kubikmeter stort kärl. Helt fredlig var Bergün heller inte, enligt straffregistret. 2006 hade han dömts till ett års fängelse för grov misshandel.[222]

Steg två i Top Dogz uppbyggnad blev att fixa en klubblokal. Detta löstes genom målvakten i Harlösa. En gård som tidigare tillhört en lokal mc-klubb i den lilla byn föll Top Dogz-ledaren i smaken. Att det var nära till grannarna var ingen nackdel. För Sydsvenskans reporter skulle Peter Bergün senare förklara att det bara var bra ifall det fanns barnfamiljer i närheten.

”Då är det ingen som sätter en bomb eller något där, det skulle bli för många oskyldiga offer”, sa Top Dogz-ledaren.[223]

Minst lika viktigt som en insynsskyddad mötesplats var en hemvist

---

222 Hovrätten över Skåne och Blekinge, avd 3. Diarienr: B 1330-05. Dom.
223 Sydsvenskan 091123: Affärsidé: Att vara farliga. Av: J Palmkvist.

på Internet.[224] Peter Bergün registrerade en domän och byggde upp en hemsida. Resultatet blev smått unikt. Inget annat gäng hade dittills fått in så många pistoler, automatvapen och hagelgevär med rykande pipor på en och samma sajt. Lägg till rånarluvor, eldsflammor och en hård-rockslåt där sångaren vrålade "fuck the police!" genom hela refrängen så blir bilden klar. Här var det inga förtäckta hot eller inlindade bud-skap som gällde. Bergün och hans Top Dogz ville skapa ett farligt rykte och hade inte tid att gå den långa vägen.

Likheterna med Dennis Petersens Loyalty BFL var uppenbara. Peter Bergün berättar också för oss att han är bekant med Petersen. Sam-tidigt säger han sig inte ha blivit inspirerad från något särskilt håll, utan "byggt på sina egna erfarenheter". Liksom Loyalty BFL-ledaren använde gängvärldens nye entreprenör alltså Internet till att blåsa upp ryktet. Intill ett fotografi av en lång, vit limousin med Top Dogz logga på sidorutan kunde besökarna läsa att grupperingen hade inte mindre än sex avdelningar: "north", "south", "west", "east", "nomads" och "Europe".

En marknadsföringsstrateg med lång utbildning och hög lön hade inte kunnat göra jobbet bättre. Landets största tidning svalde bete, krok och lina. I mitten av november 2009 hamnade Peter Bergün på Aftonbladets förstasida iförd en nytillverkad klubbväst och kunde exponera sitt kriminella varumärke i varenda ICA-butik, Pressbyrå och bensinstation över hela Sverige.

– Journalisten kontaktade mig via hemsidan, jag svarade på några frå-gor och sen togs det en bild. Det hela blev litta större än vad jag hade trott, säger Bergün på sin breda malmöitiska när vi pratar om artikeln.

Aftonbladets reporter Claes Petersson skrev att det fanns uppgifter om att gänget hade åttiosju medlemmar. Det fick redigeraren att sätta rubriken "Gängen tar över Sverige". I både huvudtext och bildtext cite-rade tidningen Peter Bergüns påstående om att han styrde "en kriminell organisation". I många läsares ögon var Top Dogz nu ännu en stark kraft utanför lagen. Aftonbladet tar normalt 312 099 kronor plus moms för ett annonsuppslag.[225] Peter Bergün hade inte behövt betala en krona.

---

224 www.iis.se Kontaktinformation.
225 Format & priser. Aftonbladets officiella annonsprislista från den 1 januari 2009.

I efterhand verkar det dock som att genomslaget blev lite väl bra.

– Jag vet att någon medlem fick problem med att lämna ungarna på dagis efter den där artikeln. De var familjefäder som inte alls ville framstå som öppet kriminella, hävdar en polisman i nordöstra Skåne.

I efterhand vill Peter Bergün inte riktigt kännas vid det där med kriminell organisation.

– Det var mest för att provocera som jag sa så … som en kul grej, säger han.

Å andra sidan gav artikeln en hel del intresseanmälningar. Många kom från unga killar som undrade hur de skulle göra för att bli medlemmar. Peter Bergün fick en ny idé: Underdogz.

– Vi ville helst bara ta in folk över tjugofem, såna som är vuxna och tänker själva. Vi ville liksom inte påverka någon. Men man kan inte dra alla över en kam, det finns unga killar som är riktigt mogna och tvärtom. Därför startade vi Underdogz för dem under tjugo, berättar Bergün.

Några åttiosju medlemmar såg polisen aldrig till, möjligen ett par dussin. En helgkväll hösten 2009 hade Kristianstadsfalangen bjudit in övriga Top Dogz till Skånes nordöstra hörn. Kvällen började på en kinakrog. Därefter skulle det bli stripshow på en biljardhall.

Kvällen hann knappt börja innan bråk utbröt. En av Top Dogz-anhängarna, som tidigare tillhört Brödraskapet, hamnade av okänd anledning i konflikt med en av biljardhallens stamgäster. Den förstnämnde fick tag i en flaska, som han höjde i luften för att gå till attack. Men stamgästen var van vid tuffa tag. Han parerade, tog ifrån Top Dogz-anhängaren flaskan och föreslog att de skulle gå ut och göra upp man mot man.

I det läget kom polisen. Patrullerna kunde snabbt kyla ner situationen. När det var gjort började de fundera över vad det egentligen var för figurer som hade ställt till med fest.

– Många av besökarna kände vi till som ganska sorgliga individer. Bland annat satt där en krake som tidigare hade fått örat avskuret av just den där före detta Brödraskapet-medlemmen. Det var liksom svårt att få ihop att det här skulle vara en organisation att räkna med, säger en av de poliser som kom dit.

*Den 16 november 2009 var en stor dag för Peter Bergün i Top Dogz.
Tack vare Aftonbladet blev han känd som gängledare i hela landet.*

Föräldrar varnas

I Aftonbladet-intervjun hade Peter Bergün sagt att Top Dogz var "helt
fristående och utan konflikter med andra grupper". Men en lördags-
eftermiddag i december hände något som tolkades som en tydlig mar-
kering gentemot det nya gänget. Mitt i julhandeln dök ett trettiotal
Hells Angels-medlemmar och -sympatisörer upp i Kristianstad. Tyst
och lugnt gick de längs gågator och torg. Men de var knappast ute efter
att handla julklappar.

– Butiksvakter och andra ringde och sa att det var en invasion i stan
av storvuxna HA-människor, bland annat en riktig jätte. Först fattade
vi ingenting, HA hade ju aldrig visat något intresse för Kristianstad.

I efterhand kan vi inte se annat än att syftet var att visa Top Dogz att det inte var lönt att sticka upp, säger samma polisman som tidigare.

Hells Angels-hopen upplöstes av sig själv när polisen dök upp. "Jätten" och de andra satte sig i sina bilar och körde iväg igen. Varken Red Devils-avhopparna eller några andra Top Dogz-medlemmar syntes till och bråk uppstod aldrig.

Under de kommande veckorna var det lugnt – åtminstone på ytan. Men Top Dogz expansionsförsök fortsatte. Det fick Kristianstads polischef Jarl Holmström att på julafton vända sig till invånarna genom en insändare i tidningen Kristianstadsbladet. Anledningen var att polisen fått uppgifter om att till och med fjortonåringar nu uppvaktades av den nya grupperingen och lockades med medlemskap i Underdogz. Holmström skrev:

> Syftet är naturligtvis att knyta till sig ungdomar som därefter beordras att utföra diverse kriminella gärningar, i linje med de uttalanden som ledaren för Top Dogz har gjort i medierna, där han deklarerade att organisationen är en rent kriminell organisation. De gärningar som begås i organisationens namn utgör ett led i en befordringsgång där de unga männen kvalificerar sig för att så småningom nå fullvärdig status i moderorganisationen.[226]

Polisen gjorde vad den kunde för att punktmarkera kända gängmedlemmar, försäkrade han. Men för att slå undan benen för Top Dogz ville han ha föräldrarna med på vagnen.

"Var uppmärksamma på eventuella tecken på att era ungdomar börjar visa intresse för gängverksamhet. Det kan handla om kläder med textmärkning eller andra attribut. Tveka inte att ta kontakt med polisen för att diskutera eventuell oro ni känner."

Polischefen avslutade med en varning om hur det annars kunde sluta.

"Det är lätt att bli medlem. Däremot är det betydligt svårare och kan vara förenat med stora kostnader, eller rent av risk för svåra fysiska skador, att ta sig ur ett medlemskap."

---

226 Kristianstadsbladet 091224: Bekämpa den organiserade brottsligheten. Av:
    J Holmström.

Att Top Dogz verkligen var kapabla till grova brott blev uppenbart några veckor senare. Skånepolisens insatsgrupp mot gängrelaterad brottslighet, "Bravo", slog en natt i mitten av januari 2010 till mot Top Dogz i närheten av klubbhuset i Harlösa. I olika bilar hittades både vapen och sprängmedel. Tillslaget ledde vidare till en razzia hemma hos den trettiosexårige Red Devils-avhopparen i Kristianstad. Sex medlemmar greps och anhölls. Men efter att en av dem tagit på sig ansvaret för vapnen släpptes oväntat resten.

Vid det här laget fanns inga andra tecken än att Top Dogz verkligen tänkte löpa linan ut och ta en plats i den kriminella gängvärlden. Mot den bakgrunden är det inte svårt att förstå förvåningen inom Kristianstadspolisen när trettiosexåringen redan några veckor senare körde omkring i en bil med Bandidos-dekaler.

– Top Dogz blev väl inte riktigt vad de hade förväntat sig. Det är vår enda slutsats. Så när de fick en chans att gå med i Bandidos var det kanske inte så konstigt att de tänkte om, resonerar poliskällan.

Vi vet inte hur det gick till när Bandidos erbjöd Top Dogz Kristianstadsfalang att bli provmedlemmar. Men mönstret går igen från exemplet med Loyalty BFL och belägger att det är en medveten strategi från Bandidos sida att "köpa över" redan existerande kriminella nätverk. Kanske var det heller aldrig meningen att Top Dogz skulle stå på egna ben; Loyalty BFL hade visat att det snabbaste sättet att avancera inom Bandidos är att göra en uppmärksammad start-up och hoppas på ett bud – för att låna begrepp från företagsvärlden.

Den andra helgen i februari 2010 åkte de båda Red Devils-avhopparna från Kristianstad och ett flertal andra till Bandidos Helsingborgs-avdelning för att ta emot sina röd-gula västar. Detta var inte vilken helg som helst. Bandidos svenska moderklubb fyllde femton år och det är lätt att föreställa sig att nykomlingarna upplevde en viss högtidlighet.

Efter att ha åkt hem igen skickade en av de nya provmedlemmarna, som tagit sig namnet "Texas", dagen därpå ett mejl till faddrarna i Helsingborg:

Vi tackar för förtroendet med vårt nya chapter.

LL&R Texas

Prospect chapter Kristianstad.[227]

Det ligger nära till hands att tro att Peter Bergün blev besviken på avhopparna. Men så är det inte, försäkrar han när vi talas vid.

– De var mer sugna på att vara en mc-klubb, det visste jag egentligen från början. Då var det bättre att de gick sin egen väg. Det är ju värdelöst att ha ett chapter som inte trivs, säger Bergün och hävdar att det inte finns någon osämja.

Och annars då? Är det som polisen säger, att Top Dogz är uträknade?

– Absolut inte, vi finns kvar. Men jag har hellre mindre folk runt mig som är bra än många som inte håller måttet. När det gäller media och sånt har vi bestämt oss för att inte vara så offentliga längre. Så jag vill inte säga var vi finns och inte, svarar Peter Bergün.

Aftonbladet har han inte pratat med något mer. Hittills har tidningen inte heller berättat för sina läsare om vad som hände med det gäng som påstods ha tagit över Sverige.

---

227 http://www.bandidosmchbg.se

MYCKET VÅLD, LITE PENGAR

Hittills har vi beskrivit Bandidos aggressiva förhållande till konkurrenterna i den kriminella världen. I det här kapitlet ska vi koncentrera oss på attacker mot enskilda. Rån och utpressning mot privatpersoner – både kriminella och andra – är två vanliga sätt för Bandidos medlemmar och supportrar att tjäna pengar, visar vår kartläggning. Medan många inom konkurrerande Hells Angels gått vidare till mer sofistikerad och vinstgivande brottslighet står Bandidos medlemmar i hög grad kvar på samma nivå som i början av 2000-talet.

Bara en enda gång har organisationen knutits till miljonaffärer i klass med dem som vi har redogjort för när det gäller Hells Angels-sfären. Och då ska man veta att polisen under de senaste åren lagt ännu större resurser på att störa, kontrollera, avlyssna och spana på Bandidos.

Undantaget som vi tänker på har vi redan berört som hastigast. En av huvudpersonerna var den förre ledaren Dennis Petersen i Skåne. Petersen och flera av hans vänner inom dåvarande "prospect chapter Ystad" hade försett ekobrottslingen Hans Antonsson i Göteborg med stora summor i kontanter. Kontanterna hade Antonsson i sin tur använt till att betala ut svarta löner.

Enligt åtalet såg upplägget ut så här:

Hans Antonsson och en kumpan till honom erbjöd företag i Västsverige ett lockande erbjudande. Ville de sänka sina lönekostnader? Då hade Antonson en lösning. Många bolag nappade, främst inom bygg-, städ- och transportbranscherna. När det var dags att betala ut lön fick Antonssons kunder en faktura från ett personaluthyrningsbolag i Skåne. Det enda de behövde göra var att sätta över pengarna. Resten skötte Hans Antonsson och hans kumpaner.

Personaluthyrningsföretaget styrde i sin tur över pengarna till X-change i Malmö, ett växlingskontor ägt av Forex-koncernen. Det var enkelt, några knapptryck med en internetdosa och sen låg pengarna klara att hämtas ut i kontanter. Penningtvättsreglerna säger visserligen att växlingskontor och andra finansiella institut inte får göra affärer med personer som kan misstänkas för brott. Men på X-change ställdes sällan besvärliga kontrollfrågor.

En av dem som skötte pengahanteringen var Nicklas, som stod direkt under Dennis Petersen i rang inom Bandidos. Nicklas och andra "gångare" inom Bandidos-sfären körde därefter sedelbuntar i bil upp till Hans Antonsson i Göteborg. Denne såg till att de anställda i kund-bolagen fick sina löner – rakt i handen.

Verksamheten kom snabbt att omsätta stora summor. Enbart mel-lan mars 2007 och januari 2008 strömmade 18 miljoner kronor in på de skånska bolagens konton. Av dessa pengar fick Dennis Petersen, Nicklas och andra behålla en viss procent – beslagtagna handlingar talar om tio eller elva.[228] Även Hans Antonsson och hans medhjälpare skalade av en andel, innan de fördelade de svarta lönerna.

Alla verkar ha varit nöjda och glada, inte minst Antonssons kunder. Skulle revisorerna eller Skatteverket ha några invändningar kunde de bara plocka fram sina fakturor och förklara att ansvaret för skattein-betalningarna låg på dem som hyrt ut personalen. De enda som hade skäl att bekymra sig var skattebetalarna, som gick miste om nära tio miljoner kronor.

Men i januari 2008 fick affärerna ett tvärt slut. Ekobrottsmyndig-heten hade kartlagt Bandidos-männens flitiga resor till och från Göte-borg. Bandidosledaren Dennis Petersens roll hade klarnat först efter ett tag; till skillnad från sina underhuggare hade han hållit sig i bakgrun-den. Men att det var han som var länken mellan Hans Antonsson och bemanningsföretaget i Skåne var det ingen tvekan om.

---

228 Ekobrottsmyndigheten. Diarienr: 900-K101-08. FU-protokoll, s 322. Förhör.

Våren 2009 dömdes Dennis Petersen för grovt skattebrott och grovt bokföringsbrott till fängelse i två och ett halvt år.[229] Dessutom förbjöds han att driva näringsverksamhet i fem år. "Vice presidenten" Nicklas fick ett års fängelse och provmedlemmarna Robert och Daniel ett år och två månader respektive åtta månader.

Av allt att döma fanns det fler än dessa som var irriterade över att affärerna tog slut. Medan Petersen och de andra satt häktade sköt någon eller några två skott in i en lägenhet i Malmö som tillhörde Mats Mattsson, den åklagare som hade kommenterat fallet i massmedia. Varken Mattsson eller någon annan befann sig dock i lägenheten vid tillfället. Personer inom Bandidos hördes upplysningsvis, men ingen kunde delges brottsmisstanke.

Redan innan domen fallit var Dennis Petersen korta karriär inom Bandidos över. Obekräftade rykten säger att ledningen ansåg att han inte hade gjort rätt för sig mot organisationen. Själv säger Petersen, som nu tillhör Outlaws MC, att han gick i samförstånd med ledningen. Även Nicklas, Robert och Daniel har hoppat av Bandidos.

Detta är alltså i princip den enda gång som Ekobrottsmyndigheten haft anledning att ägna uppmärksamhet åt Bandidos. Desto vanligare är det då att polisen tvingats reda ut fall där medlemmar och supportrar använt hot och våld. Ibland har påtryckningarna stannat vid diskreta hänvisningar till varumärket Bandidos. Men inte sällan har offren drabbats av fysiska skador. Det var vad som hände en konkursad småföretagare i byggbranschen hösten 2007.

Indrivning urartade i mordförsök

Företagaren, som vi kan kalla Tommy, hade haft högflygande planer på att starta en konferensanläggning med spa i Åtvidaberg av alla ställen. Men finansiärerna drog sig ur, Tommy blev hudflängd i lokalpressen och det hela slutade i fiasko. Efter detta fick Tommy svårt att betala sina räkningar. En mäklare, som förgäves hade krävt honom på 40 000 kronor, tröttnade och vände sig till indrivare. Det var så Bandidos kom in i bilden.[230]

---

229 Hovrätten för västra Sverige, rotel 42. Diarienr: B3131-08. Dom.
230 Södertörns tingsrätt, enhet 5. Diarienr: B12182-07. Dom.

I ett slag hade skulden stigit till 100 000 kronor. Det fick Tommy veta när han blev kontaktad av en provmedlem i Bandidos Stockholmsavdelning. Istället för att gå till polisen valde Tommy att förhandla. Kunde det inte räcka med 70 000 kronor? Provmedlemmen accepterade och Tommy lyckades skramla ihop summan. Trots den skyhöga "räntan" var han glad över att ha fått problemet ur världen.

Men en tid senare fick Tommy en ny påstötning från Bandidos. Skulden var fortfarande inte reglerad, förklarade en annan person. Tommy blev förtvivlad och fattade först ingenting. Sedan fick han veta att provmedlemmen inte hade lämnat pengarna vidare till uppdragsgivarna utan behållit dem själv. Tommy kände sig lurad. Men inte heller nu vågade han söka hjälp hos polisen.

Mellan 15 000 och 20 000 kronor var vad Tommy kunde fixa fram. Sen fick det räcka, sa han. Det tyckte inte den nye indrivaren, som hette André och var fullvärdig medlem i Bandidos. Tommy bestämde sig för att spela ut sitt sista kort. Han tog kontakt med den man som varit länken mellan mäklaren och Bandidos. Kanske kunde han medla?

Ett möte arrangerades och en kväll i oktober 2007 träffades Tommy, mellanhanden, André och en vän till denne utanför en restaurang i Enskede söder om Stockholm. Vad som sades är oklart. Men något gjorde att Tommy och André började knuffa på varandra. Knuffarna övergick i brottningsmatch och efter ett tag hade den välväxta Tommy satt sig grensle över André. I det läget gav sig Andrés vän in i bråket och sparkade Tommy till marken. Under tiden kunde Bandidos-medlemmen resa sig och springa iväg till den bil som han och de andra kommit i.

"Jag ska hugga dig, din jävel", hörde Tommy André säga och såg en stor kniv i handen på Bandidos-medlemmen. En snabb blick bakåt räckte för att konstatera att Andrés vän blockerade vägen i den riktningen. Desperat vände sig Tommy mot mellanhanden. Inga tecken syntes på att han tänkte ingripa. När André bara var någon meter bort slet Tommy åt sig en av restaurangens menyskyltar.

Tommy höll skylten framför sig som en sköld, men det hjälpte inte. I nästa stund högg André honom kraftigt i sidan och sedan en gång till i ryggen. Tommy föll till marken, med ansiktet uppåt. Hjälplös såg han hur André tog ett grepp om hans ena fot. Ögonblicket därpå kände han en brännande smärta. Ena hälsenan var avskuren.

Trots skadorna lyckades Tommy få upp sin mobil. När de andra hade försvunnit tryckte han in numret till den första person han kom att tänka på: sin ex-fru. Om han skulle dö ville han åtminstone att någon skulle veta vem som hade knivhuggit honom.[231]

Ambulansen var framme innan Tommy hunnit förblöda. Läkarna konstaterade att hans ena lunga var punkterad och att njuren på ena sidan hade perforerats. När poliserna kom till sjukhuset berättade Tommy allt. André anhölls i sin frånvaro, misstänkt för mordförsök.

Vad som hände sedan är något av en gåta. André lyckades i alla fall hålla sig undan. Vecka efter vecka. Månad efter månad. Att André fanns på Stockholmspolisens så kallade Nova-lista och var ett av 150 prioriterade "targets" i länet hjälpte inte. Lika lite som att Tommy vid flera tillfällen hörde av sig till polisen och lämnade tips om var André kunde befinna sig. Länskriminalen hittade honom inte.

– Vi visste att han var någonstans i stan. Men trots att vi letade som tokar fick vi inte fram någon adress, säger polisutredare Bengt Rehnberg.

Ju längre tiden led, desto mer irriterad blev Tommy.

– Han var förbannad på oss och det kan jag förstå, han var ju angelägen om att det här skulle klaras upp. Men jag sa att vi gjorde en massa saker som vi inte kunde prata om, minns Bengt Rehnberg.

Först i april 2009, alltså arton månader efter händelsen, lyckades polisen gripa André. Vid det laget var Tommy inte längre intresserad av att Bandidos-medlemmen skulle dömas. När han hördes i domstolen tog han tvärtom André i försvar och menade att det måste ha varit någon annan som angripit honom. Motivet till detta vet vi inte. Södertörns tingsrätt skulle dock spekulera i att Tommy kunde vara "hotad, köpt eller liknande".[232]

– För mig var det ganska klart att han och gärningsmannen till slut hade gjort en uppgörelse. Om det hade med den långa väntan att göra? Ja, det tror jag nog tyvärr, säger polismannen Bengt Rehnberg.

Att sätta rättvisan ur spel är inte heller främmande för Bandidos.

---

231 Ibid.
232 Ibid.

Det framkommer i en av få intervjuer som gjorts med organisationens ledare. Eddy Paver, som sedan dess har ändrat namn till Eddy Vincenzo de Leoni, bjöd i december 2007 in sin barndomsvän Fredric Karén på Svenska Dagbladet bakom Bandidos kulisser. Till Karén sa Bandidos organisatör och problemlösare bland annat:

"Man behöver inte hota någon. Men om det går att erbjuda ett vittne någon typ av ekonomisk ersättning innan rättegången för att hindra den personen från att säga vad hon eller han sett, så ser jag inget fel i det."[233]

Att skuldindrivning är en lönsam affär visste Eddy Paver för övrigt av egen erfarenhet.

"Det ger ganska bra pengar. Jag får 50 procent av skulden. Om jag driver in 100 000 kronor, får jag 50 000 i fickan."

En lång rad råa våldsdåd

Trots Tommys plötsliga helomvändning blev det fällande dom för André. Tingsrätten skrev att Tommys ursprungliga berättelse var "så precis och detaljrik att den skall läggas till grund för den fortsatta prövningen". Särskilt tungt vägde det att Tommy hade nämnt Andrés namn i samtalet med ex-frun.

André dömdes till sju års fängelse, men gav sig inte. I hovrätten kallade han mellanhanden som vittne. Det var inte första gången som mannen – trettiotvååring Michael Badelt – infann sig i en rättssal. Några år tidigare hade han själv dömts till fängelse för utpressning och utpressningsförsök.[234]

Michael Badelts bakgrund är värd en kort utvikning: Från att ha varit en lovande hockeyspelare i Rögle och Hammarby dök han i början av 2000-talet upp som entrévärd på olika Stockholmskrogar. Liksom många andra i branschen fick Badelt förfrågningar om att driva in skulder och snart var han en flitigt anlitad torped. I en intervju i tidningen Moore skulle han senare, med en blinkning åt reportern, kalla verksamheten för "ekonomisk rådgivning".[235]

---

233 Svenska Dagbladet 071216: Visst har det blivit tuffare. Av: F Karén.
234 Stockholms tingsrätt, avd 13 rotel 5. Diarienr: B1713-03. Deldom.
235 http://www.moore.se/2010/01/13/hockeyproffset-som-blev-porrkung/

Det faktum att Michael Badelt var nära vän med den ökände stripp-klubbsägaren Mille Markovic bidrog till hans rykte. Badelt och Markovic kände varandra från Halmstad, där de båda hade tränat boxning och jobbat som dörrvakter. När Mille Markovic greps för grova skattebrott hösten 2008 tog Badelt över Markovics strippklubb Privé på Birger Jarlsgatan – en verksamhet som omsatte tiotals miljoner kronor per år. Vad som hände med indrivningsuppdragen därefter är okänt.

Den 10 augusti 2009 var det hur som helst dags för Michael Badelt att infinna sig i Svea hovrätt. Efter att ha svurit vittneseden bedyrade Badelt att André var oskyldig. Det hade helt enkelt varit fysiskt omöjligt för Bandidos-medlemmen att komma åt Tommy, hävdade Badelt. Detta eftersom han själv skulle ha ställt sig mellan männen. Hovrätten tog inget intryck av berättelsen. Domen stod fast.

I slutet av 2009 överfördes André till Kriminalvården. Där sa han sig ha brutit med Bandidos och sitt kriminella liv, vilket gav honom chans att börja studera.[236] En ny våldsincident i början av 2010 – där André misstänktes ha försökt döda en annan intagen – gjorde att studierna avbröts och han överfördes till säkerhetsanstalten Kumla. Fortfarande i augusti 2010 var hans bild publicerad på Bandidos hemsida under rubriken "Free Bandido André", vilket signalerade att han var kvar inom organisationen.[237]

För Michael Badelt skulle försöket att rädda André få rättsliga konsekvenser. Chefsåklagare Agneta Isborn Lind valde att åtala stripp-klubbsföreståndaren för mened.[238] Rättegång var planerad att hållas i slutet av september 2010.

Enligt vår uppfattning är fallet illustrativt för den råa brottslighet som blivit Bandidos-sfärens signum. Många medlemmar och anhängare har använt grovt våld även i situationer som inte rört särskilt stora pengar – eller några pengar alls. Nedan följer ytterligare exempel.

Hösten 2007:
X-teammedlemmen Göran i Umeå döms till fängelse för rån, miss-

---

236 Kriminalvården. KVA Norrtälje. Diarienr: 10/1583. Beslut 2010-02-17.
237 http://www.bandidosmcsthlm.se/chaingang.html
238 Stockholms tingsrätt, avd 1. Diarienr: B14916-09.

handel, olaga hot och övergrepp i rättssak.[239] Beväpnad med kniv och baseballträ hade Göran trängt sig in hos ett par och stulit en teve, en dvd, ett par högtalare och 2 200 kronor. I samband med detta hade han skallat mannen, slagit kvinnan i ansiktet och hotat med mer våld om paret gick till polisen.

Våren 2008:

Bandidos-ledaren Anders Gustavsson i Värmland döms till fyra års fängelse för bland annat grov misshandel och grov utpressning.[240] Gustavsson hade krävt en medelålders man med kriminellt förflutet på en månatlig avgift i "beskydd". När denne vägrade betala fick han besök av Gustavsson och en ytterligare en man. Mannen misshandlades svårt och fick blödningar i hjärnan, revbensfraktur, knäckt näsben och sårskador. Kort efter rättegången tog offret sitt liv.

Hösten 2008:

X-teammedlemmarna Jimmi och Magnus i Värmland fälls för grov misshandel. Offret var en jämnårig man som slagits och sparkats blodig samt hotats att få ett finger avklippt ifall han inte betalade 10 000 kronor.[241] I samband med misshandeln anklagade gängmedlemmarna offret för att sälja narkotika till minderåriga, något denne förnekade.

Vintern 2008:

Bandidos-medlemmen Mathias i Stockholm misshandlar och knivhugger en bekant inför vittnen på en McDonalds-restaurang. Offret, som klarar sig utan allvarligare skador, vill inte medverka i polisutredningen. Mathias medger att han gått till angrepp i plötsligt raseri men hänvisar till nödvärnsrätten. Rätten dömer honom till fängelse för misshandel.[242] Några dagar före gripandet har Mathias friats från åtal om skottlossning mot en nattklubbsentré i Stockholm.[243]

---

239 Umeå tingsrätt. Diarienr: B1601-07. Dom.
240 Värmlands tingsrätt, enhet 3. Diarienr: B5479-07. Dom.
241 Hovrätten för västra Sverige. Diarienr: B3625-08. Dom.
242 Södertörns tingsrätt, enhet 3. Diarienr: B12094-08. Dom.
243 Stockholms tingsrätt, enhet 11. Diarienr: B10601-08. Dom.

Sommaren 2009:

X-teammedlemmen Nickolai i Stockholm döms för att ha sökt upp och överfallit en hantverkare som han ansåg var skyldig honom en mindre summa pengar.[244] Hantverkaren misshandlades med en spade och fick sparkar i ansiktet.

Hösten 2009:

Bandidos-medlemmen Mattias i Värmland döms till fängelse för rån, olaga hot och grovt övergrepp i rättssak.[245] Offret är samme man som hösten 2008 anmälde X-teammedlemmarna Jimmi och Magnus för misshandel. Mattias hade knivhuggit, dödshotat och tvingat av mannen pengar som hämnd för att denne hade satt fast hans "bröder". Innan han lämnade sitt offer hade han sagt: "egentligen begår jag tjänstefel som inte klipper dig".

Inte heller dessa exempel rör organiserad kriminalitet i egentlig mening. De flesta brotten har skett oöverlagt och utan någon närmare planering. Den ekonomiska vinsten är som sagt liten eller obefintlig. Likväl är vår uppfattning att det finns en stark koppling mellan våldet och Bandidos som organisation.

Bandidos är, precis som konkurrerande Hells Angels, en sammanslutning som strävar efter makt. Enprocentsidealet är centralt och tilllåter att medlemmarna använder de medel som de anser är lämpliga, oavsett vad lagen säger. För enskilda medlemmar är våld en lösning när omgivningen inte vill lyda.

Men våldet tjänar också ett annat syfte: det laddar Bandidos namn och rykte med farlighet. Detta gagnar alla medlemmar och fungerar som ett slags sköld. En persons till synes irrationella våldsdåd kan alltså höja säkerheten för andra inom gruppen. Det farliga ryktet blir dessutom ett påtryckningsmedel som kan användas som verktyg vid utpressning och annan kriminalitet. Det som möjligen skiljer Bandidos från Hells Angels är att inte ens ledarna drar sig för att delta i grova våldsbrott.

---

244 Svea hovrätt, rotel 0801. Diarienr: 4996-09. Dom
245 Hovrätten för västra Sverige, rotel 22. Diarienr: 3570-09. Dom.

Bandidos ledning avfärdar däremot att våldsbrotten skulle ligga i organisationens intresse.

"Visst, många kriminella söker sig till Bandidos, flera av våra medlemmar sitter inne för brott, men de har handlat på egen hand. Många har betett sig som idioter och dem har vi slängt ut. Vi beordrar ingen att begå brott. Vanliga människor som inte har valt det här livet har inget att frukta från Bandidos", sa ledaren Eddy Paver i intervjun med Svenska Dagbladet.

Det skulle inte dröja särskilt länge innan det stod klar hur fel han hade.

En krigare hittar sin armé

Driton var tjugo när han flyttade från Älmhult i Småland till Göteborg. Kanske hade han en förhoppning om att få rätsida på sitt liv, som dittills mest handlat om sprit, droger och brott. Han ordnade i alla fall en lägenhet i Angered, skrev in sig på komvux och ansökte om studiemedel hos CSN.[246]

Men det nya livet blev snabbt likt det gamla. Under en av de första sommardagarna 2005 drog Driton och två jämnåriga killar runt i centrala Göteborg, påtända på marijuana och beväpnade med knivar. När en man i fyrtioårsåldern dök upp i trions synfält sa en av de andra "han är skyldig mig pengar". Kort därpå låg mannen på gatan, blödande från huvudet och kroppen. Vittnen berättade att alla tre hade deltagit i misshandeln och Driton dömdes till fängelse i ett år.[247]

Våren 2006 var Driton tillbaka i Angered. Komvuxplanerna var glömda. På anstalten hade han fått nya vänner. Flera av dem tillhörde Bandidos och undergruppen X-team. Tillsammans med duon som deltagit i misshandeln – Abdi och Johnson – började Driton besöka Bandidos lokal i industriområdet Marieholm i norra Göteborg.

De första månaderna hände inget särskilt. Driton var bara hos Bandidos för att "festa", skulle han senare säga.[248] Men i mitten av

---

246 Göteborgs tingsrätt, avd 9. Diarienr: B5576-05. Aktbilaga 39, yttrande från Frivården.
247 Ibid, dom.
248 Polismyndigheten i Västra Götaland. Diarienr: 1400-K-148288-06. FU-protokoll, s 345. Förhör.

sommaren frågade någon om Driton inte ville ta steget fullt ut. "Ja, va fan", tänkte han och så var han plötsligt provmedlem i X-team. Driton hade någonstans hoppats att det skulle ge pengar. Till en början innebar medlemskapet dock mest att han fick städa, stå i baren och utföra andra sysslor.

I slutet av sommaren kom en av provmedlemmarna i Bandidos fram till Driton och Johnson. Provmedlemmen, som hette Lasse, förklarade att de behövde hjälp med ett "mission". Lasse sa inte rakt ut vad det gällde. Men han förklarade att det handlade om två bilar. Sen förde han ihop händerna och slog ut med dem hastigt igen. "Så här!"

Driton visste att det inte ansågs säkert att prata i lokalen; trots att polisen ännu inte hade fått rätt att bugga utgick många från att det ändå fanns dolda mikrofoner i lokalen. När Lasse senare förklarade att två "äpplen" skulle användas förstod Driton vad uppdraget gick ut på.

HANDGRANAT ORSAKADE BILEXPLOSION

GÖTEBORG (TT)

En osäkrad handgranat orsakade att en taxi flög i luften i Göteborg på tisdagsmorgonen. Taxin som stod parkerad på en parkeringsplats vid Klassikergatan på Hisingen i Göteborg exploderade vid 6.30-tiden på tisdagsmorgonen.

– Det var en handgranat som någon lagt under taxins bakdäck och som exploderade när bilen körde i väg, säger polisens presstalesman Thomas Fuxborg till TT.

Explosionen var så pass kraftig att det bildades en tryckvåg som skadade fönster i bottenvåningen på ett hus intill parkeringsplatsen. Dessutom blev det skador på ytterligare ett par bilar. Ingen människa skadades.

Bilen hade parkerats under måndagskvällen och någon har under natten placerat handgranaten under den. Polisen har ännu inga spår efter gärningsmannen och vill komma i kontakt med vittnen till händelsen.

Polisen är förtegen om vilka motiv det kan finnas till sprängningen.

– Ett sådant brott händer inte dig och mig, men vi vill i dagsläget inte närmare gå in på förarens bakgrund, säger Thomas Fuxborg.

ANDERS TORESSON/TT BENNY ÖINERT/TT

Explosion på fina gatan

Kanske var det platsen för sprängningen som gjorde att journalisternas intresse blev måttligt; Backa på Hisingen med sina hyreslängor är inte precis Göteborgs gräddhylla. Men Göteborgs-Tidningen lade i alla fall lite energi på att forska i ett möjligt motiv. Reportern Pierre Adolfsson kunde berätta att det fanns en känd hotbild mot bilägaren. Den femtioårige taxichauffören hade vittnat i en rättegång som rörde "grov gängkriminalitet i Göteborgsregionen" och därefter fått skyddade personuppgifter.[249] Tidningen hade också pratat med en person i offrets närhet. Denne hälsade att mannen turligt nog hade undgått skador. I övrigt ville han inget säga.

Den tekniska undersökningen skulle visa att handgranaten som exploderat var av äldre modell och tillverkad i Jugoslavien.[250] Gärningsmannen hade knutit fast ena änden av ett snöre i granatens tändmekanism och den andra inuti taxibilens hjulhus. När bilen kom i rörelse hade sprängladdningen antänts. Några sekunder senare kastades 150 små metallkulor ut med en hastighet av 1400 meter per sekund. Asfalten under bilen slets upp, två andra bilar fick splitterskador och några av kulorna gick igenom fönster till en lägenhet i närheten. Även i taxibilens ena ryggstöd hittades splitter, men föraren klarade sig undan skador. Tack vare att taxibilen drevs med dieselbränsle uppstod aldrig någon brand.

Dagen därpå, vid lunchtid onsdagen den 20 september 2006, blev uppmärksamheten desto större. Som vi berättade i vår förra bok fokuserade hela nyhetssverige denna dag på ett likadant attentat, nu på Storgatan mitt i centrala Göteborg. Säkert hade det stor betydelse att det var den andra bilsprängningen på bara lite mer än ett dygn. Säkert spelade det in att den aktuella bilen den här gången började brinna, liksom flera andra intill. Men det är ingen tvekan om att journalister och nyhetschefer – och även polisledningen – såg

---

249 Göteborgs-Tidningen 060920: Hotat vittne utsattes för attentat. Av: P Adolfsson.
250 FOI Memo. Diarienr: E26305. Utlåtande teknisk undersökning.

mer allvarligt på sprängningen i innerstaden än på den i ytterområdet dagen innan.

"Detta är att kliva ett trappsteg upp på våldsspiralen. Att spränga en bil i centrala stan, med alla de risker det medför för vanliga medborgare, det är fullständigt oacceptabelt", sa länskriminalens chef Klas Friberg till Göteborgs-Posten.[251]

Ägaren till den sprängda bilen var ett känt ansikte i Göteborgs nattliv. Han hade arbetat som ordningsvakt i många år och drev nu ett eget vaktbolag. Den senaste tiden hade mannen jobbat som vaktchef på nattklubben Nivå på Avenyn.

Vaktchefen såg bara ett tänkbart motiv, förklarade han när han hördes av polisen.[252] Sex veckor tidigare hade en kollega nekat ett par män inträde på Nivå. En av männen hade bett att få prata med chefen.

"Ok, nu har du portat mig här", sa mannen när vaktchefen kom fram till honom. Sen gick han därifrån.

Det var ett neutralt konstaterande och inget hot. Ändå kände den luttrade vaktchefen obehag. Anledningen var att han kände igen mannen från bilder i tidningarna. Den han portat var trettiotvåårige Mehdi Seyyed, ledare för Bandidos MC i Göteborg.

När vaktchefen berättade detta stod Mehdi Seyyeds namn redan på listan över intressanta personer. Taxichauffören på Backa hade nämligen året innan vittnat mot Seyyed i en rättegång och det var detta ärende som Göteborgs-Tidningen hade hänvisat till. Fallet rörde den uppmärksammade utpressningen mot krögarparet Masoud och Shanaz Garakoei, som hade tvingats stänga sin restaurang Khan Salar efter att Seyyed och andra Bandidos-medlemmar terroriserat dem under lång tid. Polisen misstänkte dessutom att någon hade planerat att skjuta taxichauffören några månader tidigare men tagit fel. Istället fick en annan taxichaufför, som bodde i samma område, en kula i benet.

Vaktchefens berättelse stärkte länskriminalens teori: Bandidosledaren hade kommit över ett parti handgranater och bestämt sig för att göra upp med sina fiender. Detta var i så fall inte första gången

251 Göteborgs-Posten 060921: Bombdådet som skakade Göteborg. Av: P Linné.
252 Polismyndigheten i Västra Götaland. Diarienr: 1400-K-148288-06. FU-protokoll, s 57. Förhör.

Vaktchefens Audi A6 övertändes på några ögonblick sedan en handgranat exploderat under ett av hjulhusen.

som Bandidos aggressiva Göteborgsavdelning använde handgranater. Våren 2004 hade det skett ett liknande dåd mot en medlem i konkurrerande Original Gangsters. Den gången gick det dock illa för attentatsmannen, tjugofyraårige X-teammedlemmen Younes. En handgranat utlöstes under apterandet och Younes ena arm slets av.

Mehdi grips och släpps

Åtta timmar efter sprängningen på Storgatan slår polisen till mot Bandidos-lokalen i Marieholms industriområde. Den gamla verkstadsbyggnaden visar sig vara full av folk; Bandidos håller stormöte och till och med Europachefen Jim Tinndahn från Danmark är på plats.

Piketstyrkan går rakt in och griper Mehdi Seyyed. Övriga förhörs upplysningsvis. Däribland Tinndahn, Sverigechefen Jan "Clark" Jensen och ledaren för Bandidos Nomad-avdelning[253] Eddy Paver. Var

---

253 Bandidos MC Nomad är en särskild avdelning för ett fåtal medlemmar som verkar över hela landet.

befann de sig när bilarna sprängdes? Vad gjorde de timmarna innan? Vilka andra i gänget har de haft kontakt med de senaste dagarna? När svaren skrivits ner ber poliserna att få se Bandidos-männens mobiltelefoner. Såväl abonnemangsnummer som IMEI-nummer[254] noteras.

Även Driton finns i lokalen. Förhöret med honom blir kort. Han säger att han hört om bilsprängningarna på teve.[255] Men både den gångna natten och natten dessförinnan sov han hos sin flickvän och rörde sig inte ute på stan, påstår han.

Alla förhör följer samma mall. Polisens syfte är att få Bandidos-männen att binda upp sig vid tidpunkter och platser. Dessa uppgifter kan senare kontrolleras mot listor från Telia och andra operatörer som visar hur deras telefoner har använts.

I ett fall passar polisen också på att framföra ett budskap. Detta sker under förhöret med Mikael, Bandidos-avdelningens sekreterare och kassör och en av få ostraffade medlemmar. I baksätet på en polisbil får Mikael veta att polisen i Västra Götaland är beredd att kavla upp ärmarna på allvar. Så här ska samtalet senare sammanfattas i ett protokoll:

"NN har under förhöret ingående informerats om hur samhället och polismyndigheten i synnerhet ser på den senaste tidens sprängattentat. Bland annat att samhället kan tvingas till extremt hårda förordningar som hör samman med terroristbekämpning, och att en gruppering som Bandidos och dess medlemmar i de sammanhangen, genom lagliga åtgärder från samhällets sida, kan få det mycket bekymmersamt."[256]

Därefter röjer förhörsledaren medvetet polisens arbetshypotes.

"NN får klart för sig att man från myndighetens sida är helt övertygad om att Mehdi och Bandidos ligger bakom brotten, och att det är dennes inställning till våld och dess följder som helt styr Bandidos verksamhet för närvarande, men att det samtidigt finns medlemmar som sannolikt inte delar hans inställning till våldsamheter."

254 International Mobile Equipment Identity – en personlig identifikationskod för alla GSM- och UMTS-mobiltelefoner.
255 Polismyndigheten i Västra Götaland. Diarienr: 1400-K-148288-06. FU-protokoll, s 336. Förhör.
256 Polismyndigheten i Västra Götaland. Diarienr: K1400-K148288-06. FU-protokoll, s 165. Förhör.

Förhörsledaren har av allt att döma en känsla av att Mikael står för en annan hållning än Mehdi Seyyed. Två rader i protokollet kan tolkas som att han har rätt.

"Utan att bekräfta att Bandidos har med sprängningarna att göra, menar NN att det sannolikt torde kunna förhålla sig på det sättet när det gäller medlemmarnas inställning. Personligen tar han helt avstånd från denna typ av våldshandlingar."

Mehdi Seyyed själv nekar som väntat till brott, då han hörs på polishuset. Vad som kan ligga bakom sprängningarna säger han sig inte ha en aning om. Att taxichauffören har vittnat mot honom och vaktchefen portat honom är en ren slump. De senaste veckorna har Seyyed inte heller varit särskilt mycket på klubben, ifall polisen nu verkligen tror att Bandidos är inblandade. Efter att ha kört omkull med en motorcykel har han helt enkelt tagit en time-out. Kvällen efter den första sprängningen var han dock på möte i lokalen, berättar Seyyed. Anledningen var att Bandidos planerade en födelsedagsfest för honom. Efter mötet åkte Seyyed och andra medlemmar till spelklubben Rush Hour. Några timmar senare var han hemma sin lägenhet i centrala Göteborg.

Driton belönas – men får själv betala

"Vem fan är Al Capone?" Så säger Mehdi Seyyed med ett leende, när han två dagar senare är tillbaka i Bandidos-lokalen.[257] Polisen hade gjort en chansning – bevisen höll inte för häktning. I avvaktan på fortsatt utredning fick Seyyed dock lämna ifrån sig sitt pass, sedan tingsrätten beslutat om reseförbud. Med en dags försening firar Bandidos-avdelningen sin ledares födelsedag. Alla kommer fram och gratulerar. Även Driton, som jobbar i baren.

Någon vecka senare sitter Driton i en bil på väg söderut från Göteborg. Med i bilen är Johnson, en provmedlem i Bandidos som heter Daniel och Mehdi Seyyed. Resan går till Halmstad, där den kringresande Nomadsledaren Eddy Paver har sin bas. Paver, Jan "Clark" Jensen, Mehdi Seyyed och andra ska hålla ett så kallat West Coastmöte. Vad som avhandlas får Driton inte veta, han får vänta utanför.

---

257 Polismyndigheten i Västra Götaland. Diarienr: 1400-K-148288-06. FU-protokoll, s 384. Förhör.

Ashkan Moyaed Abedi, 26, och Ahad Arabzadeh Mohammad Abadi, 27, var männen bakom sprängattentatet mot dåvarande åklagaren Barbro Jönssons bostad i Trollhättan november 2007. Sommaren 2009 dömdes Brödraskapet Wolfpack-medlemmarna till fängelse för allmänfarlig ödeläggelse och hot mot tjänsteman.

Sommaren 2007 gick den kriminella grupperingen Loyalty BFL ihop med mc-gänget Outlaws. Målet var att skapa en organisation som kunde stå emot trycket från Hells Angels och Bandidos. Men bara några månader senare hoppade Loyalty BFL av och förenades med Bandidos.

Hells Angels Göteborgsavdelning, som den såg ut år 2000. Mannen i mitten med korslagda armar och ljusa byxor är Michael "Mega" Johannessen. Efter att ha uteslutits valde Johannessen under 2010 att samarbeta med polisen.

Hösten 2009 etablerade Black Cobra sig i Halmstad. Några månader senare slog polisens nybildade aktionsgrupp i Västra Götaland till mot gängets medlemmar.

*Vid jul 2008 tände frustrerade unga eld på mängder av bilar i bostads-
området Rosengård i Malmö. Flera av gärningsmännen hade anknytning
till det kriminella gänget Black Cobra.*

*Hells Angels-ledaren Jörgen Eriksson i Luleå filmas av tullens spanare
när han smugglar stora mängder skattebefriad finsk dieselolja till Sverige.
Utredningen slutade i fängelsestraff och miljonskulder till staten.*

Tydliga ordningsregler kännetecknar såväl Hells Angels MC som Bandidos MC. Varje medlem och supporter vet vem som ska göra vad – och vad som händer i annat fall. Den översta bilden är tagen av polis i samband med husrannsakan i Hells Angels MC Norrköpings lokaler. Den andra härrör från Bandidos MC Probationary Chapter Uppsala.

När kommuner och myndigheter i Östergötland i början av 2008 håller möte om gängutvecklingen i länet dyker en grupp supportrar till Hells Angels upp på gatan utanför. Gruppen fotograferar mötesdeltagare och antecknar registreringsnummer på bilar.

*Hells Angels visar gärna upp en fredlig fasad. Våren 2010 dök flera med-
lemmar upp på en antivåldsdemonstration i Landskrona, där en äldre
kvinna hade slagits ihjäl på en parkeringsplats. En av medlemmarna
tillhörde skaran "Filthy Few", enligt polisen de som dödat för Hells Angels
färger.*

FOTO: UR POLISENS FÖRUNDERSÖKNING

B

*Hells Angels har länge hävdat att man inte gör affärer med narkotika.
Men i slutet av 2009 beslagtogs tjugo kilo amfetamin, som låg gömt inuti
två fejkade påfartsramper till en lastbil. En trettiofemårig medlem i Hells
Angels MC Goth Town åtalades ett år senare för grovt narkotikabrott.*

FOTO: BJÖRN LOCKSTRÖM

Sommaren 2010 mördas två bröder till X-teamledaren Dany Moussa i Södertälje. Vid begravningen i syrisk-ortodoxa kyrkan håller anhängare till Bandidos vakt utanför.

FOTO: MATTI LARSSON

Den före detta hockeyspelaren och grävmaskinisten Jonas Bergdahl från Dalarna dyker under 2008 upp som ledare för Original Gangsters i Stockholm. "OG är som ett företag", säger Bergdahl men blir kortvarig inom gänget.

FOTO: MATTI LARSSON

I början av 2009 friges Original Gangsters-medlemmen Geofrey Kitutu (till höger) från ett långt straff för grovt narkotikabrott. Han och Jeremy Kaczynski (till vänster) har fått ledarens uppdrag att ta över styret i Sverige.

FOTO: OKÄND

Fadi Bonde (till vänster) och Wojtek Walczak är några av många före detta Original Gangsters-medlemmar som gått vidare till andra grupperingar. 2009 ingick männen i nystartade Syndicate Legion.

Polisen var i ett tidigt skede övertygad om att Bandidos-ledaren Mehdi Seyyed låg bakom bilbomberna.

Men när mötet är slut kommer Mehdi Seyyed fram till honom, Johnson och Daniel. I sin ena hand håller Seyyed en påse.

"Bara ni vet varför ni får de här", säger han.[258]

I påsen ligger tre ringar. Bandidos-ledaren tar upp dem en efter en.

"Grattis", säger han och räcker över ringen till Driton.

Jan "Clark" Jensen, som står intill, säger något på danska.[259] Driton vrider och vänder på ringen. Den är tung och gjord helt i guld. På klacken finns tre kronor ingraverade – symbolen för Sverige. Ovanför kronorna sitter två stenar. Den ena röd, den andra gul – Bandidos färger. På ringens sidor syns korslagda sablar. När Driton ska trä ringen på fingret märker han att den är för liten.

"En sak till", säger Seyyed. "Ni är skyldiga mig sextusen kronor."[260]

Tillbaka i Göteborg går Driton in på Hedens Guld och får ringen förstorad. Personalen där är att lita på, det vet han. Både medlemmar i Bandidos och Hells Angels brukar gå dit och få smycken gjorda. När ringen väl sitter på plats märker Driton att han blir behandlad på ett nytt sätt av de andra i X-team. Han får mer respekt och slipper göra lika mycket av det tidigare "skitgörat".

Inombords är Driton ändå orolig och nojig. För att inte dra på sig polisens uppmärksamhet sitter han inne i sin lägenhet under långa

258 Ibid, s 36.
259 Ibid, s 370. Förhör.
260 Ibid.

perioder. Han slutar träna, går upp i vikt och börjar röka ännu mer hasch än tidigare. Men ingen polis knackar på dörren och en bit in på hösten börjar Driton känna sig lugnare.

Inte heller någon annan av medlemmarna i Bandidos eller X-team grips – trots polisens skarpa tonläge vid razzian. I oktober 2007 beslutar Göteborgs tingsrätt att reseförbudet mot Mehdi Seyyed ska hävas, trots att han formellt fortfarande är misstänkt för bombdådet. Bandidos-ledaren återfår sitt pass och åker på semester, först till Teneriffa och därefter till hemlandet Iran.[261]

Under 2007 växer X-team stadigt. Medlemmar ansluter sig från bostadsområden över hela Göteborg: Högsbo, Mölndal, Västra Frölunda, Biskopsgården, Länsmansgården, Lövgärdet och Rannebergen. Några av de nya bär svenska namn, men de allra flesta har invandrarbakgrund liksom Driton. Så gott som alla är straffade, mest för våldsbrott.

En konkurrerande kriminell gruppering som störs av expansionen är Asir. Efter att ha startats av två avhoppare från Original Gangsters några år tidigare har Asir under senare tid aktivt börjat rekrytera medlemmar i Göteborg. Flera av dessa är före detta medlemmar i gäng som Red and White Crew och X-team.

I början av hösten 2007 är läget spänt i Göteborg. Rykten säger att Asir tänker starta krig mot Bandidos och X-team. En av anledningarna är att Asirs ledare, trettioettårige Soar Gürbüz, under sommaren har angripits av tre män med stickvapen inne på Tidaholmsanstalten. Gürbüz lyckades med nöd och näppe undkomma sina fiender, som alla hade koppling till Bandidos.[262]

Anledningen till attacken var, enligt flera källor, ett bråk på telefon mellan Soar Gürbüz och Ali Reza Dashti Pour, tidigare ledare för den lokala grupperingen Tigrarna i Göteborg. Dashti Pour är barndomsvän med Bandidos-ledaren Mehdi Seyyed och information till polisen säger att de båda har bestämt sig för att sätta Asir på plats.[263]

---

261 Polismyndigheten i Västra Götaland. Diarienr: 1400-K-148288-06. FU-protokoll, s 271. Förhör.
262 Polismyndigheten i Västra Götaland. Diarienr: K1400-K152425-07. FU-protokoll, s 4. Motivbilder.
263 Ibid.

Fotsoldaten Driton drar ut krig

Kvällen den 5 september 2007 sker den första kända attacken på Göteborgs gator. Asir-medlemmen Murat beskjuts i närheten av sin bostad i Angered men inga skott träffar. Murat, som själv tidigare tillhört X-team, anar att det är hans forna vänner som ligger bakom. Ett samtal senare under kvällen bekräftar misstankarna. Den han ringer är Mehdi Seyyed. Seyyed står under telefonavlyssning och samtalet spelas in av polisen. Här följer ett utdrag:

Mehdi Seyyed: "Det är bara början, så du vet det. Det var ni som startade det och det är bara början. Och det här kommer att fortsätta, bara så att du vet det."

Murat: "Du kommer att få se slutet."

Mehdi Seyyed: "Du din ... lyssna här: spela inte kaxig för mig. Jag vet vem du är från topp till tå. Vet du vad du gör? Du går och hämtar ett paket cigaretter till mig när jag säger till dig, som du brukar göra."[264]

Driton misstänks för inblandning i skjutningen. Han grips och anhålls dagen därpå. Men bevisen är inte tillräckligt starka för häktning.

– Vi kunde knyta honom till en bil som hade kört från brottsplatsen. Men vi hittade aldrig något vapen och det fanns inga vittnen som pekade ut honom, säger chefsåklagare Mats Sällström.

Det spända läget fortsätter. Några månader senare är Driton och Johnson inblandade i ett stort bråk i Hisings-Backa. Motståndare är en lokal gruppering – "Backabarnen" – som har tagit ställning för Asir. Driton hamnar i underläge och blir knivhuggen. Att han bär skyddsväst är sannolikt det som räddar honom från dödliga skador.

För Driton är det självklart att Bandidos måste hämnas. Först har han också organisationen med sig. Redan ett par dagar senare sker en vild skottlossning vid Brunnsbotorg, som räknas till Backabarnens territorium. Händelsen får stor uppmärksamhet i medierna eftersom ett skott går in i en åttiofemårig mans lägenhet.[265] Polis är snabbt på plats och hittar en kalasjnikov och en pistol slängda på marken. Men någon misstänkt grips aldrig.

---

264 Ibid, s 82. Samtalsutskrift.
265 Göteborgs-Tidningen 071113: De sköt vilt omkring sig. Av: A Håkansson.

Lite senare känner Driton att det blåser nya vindar. Bandidos vill lägga ner vapnen. Gör han något på egen hand kommer han att bli utslängd, förklarar medlemmarna.[266] Driton fattar ingenting. Som bärare av Bandidos färger, till råga på allt belönad av högste ledaren, måste han väl ha rätt till hjälp?

Vad Driton inte vet är att fredsförhandling har inletts mellan Bandidos och Asir. Detta ska framkomma långt senare i en polisutredning där en avhoppare från Asir valt att samarbeta med polisen.[267] I samma utredning ska Soar Gürbüz själv berätta att han vid tidpunkten pratade med Bandidos-ledaren Eddy Paver.[268] Gürbüz var beredd att förlåta Bandidos för attacken i fängelset på ett villkor: att fyra personer lämnade Bandidos-sfären. Enligt avhopparen var Driton en av dem.

Under slutet av 2007 får Driton höra att han har blivit kaxig och uppkäftig. Driton svarar med att utebli från flera möten. Istället sitter han hemma och spelar poker på Internet.[269] När han trots allt blir inbjuden till en stor nyårsfest i Bandidos lokal säger han att han hellre vill vara med sin flickvän. Mehdi Seyyed kontaktar Driton och uppmanar honom att festa med Bandidos. När tolvslaget kommer har Driton fortfarande inte dykt upp.

"Din jävla fitta, nu ska du dö!"

Det är tre X-teammedlemmar som kommer hem till Driton och hans flickvän den 8 januari 2008. De förklarar att Driton ska följa med ut i deras bil. Driton tycker att det hela känns konstigt men ställer inga frågor. Innan han lämnar lägenheten tar han på sig sin skyddsväst – för säkerhets skull.

I Bandidos-lokalens mötesrum får Driton sätta sig på en stol. Ingen pratar med honom. Han ser att det står en tårta på mötesbordet och försöker lätta upp stämningen genom att fråga vad det är som ska firas. Ingen svarar.

I nästa ögonblick känner han hur någon tar tag om honom bakifrån

---

266 Göteborgs tingsrätt, målenhet 11:1. Diarienr: B9178-08. Dom, s 37..
267 Polismyndigheten i Västra Götaland. Diarienr: K1400- K152425-07. FU rörande
    förberedelse till mord. Misstänkt: Soar Gürbüz.
268 Ibid, s 326. Förhör med Soar Gürbüz..
269 Göteborgs tingsrätt, målenhet 12:2. Diarienr: B463-08. Dom, s 18.

och kopplar ett grepp om hans hals. Det är Mehdi Seyyed. Driton slits ner i golvet. I den positionen hålls han fast av Daniel, som nu blivit fullvärdig medlem i Bandidos.

"Ge mig lampan", säger Mehdi Seyyed till Daniel.[270]

Ficklampan av metall träffar Dritons knä. Bandidos-ledaren fortsätter att slå flera hårda slag.

"Vad har jag gjort?" skriker Driton.

"Håll käften!" svarar någon.

Driton får ögonkontakt med Riadh Bouhlal, avdelningens andreman.

"Säg åt dem att sluta, Ridde!"

Dritons vädjan får gehör. Riadh Bouhlal säger att nu räcker det. Mehdi Seyyed slutar slå och Driton kommer på fötter.

Därefter öppnar någon dörren och Kiarad kommer in. Han är en av de yngsta i gänget och provmedlem i X-team. Kiarad är instruerad om vad han ska säga och anklagelserna haglar. Driton har misshandlat honom, lurat honom på pengar och stulit från klubben. Dessutom ska Driton ha slagit sin egen flickvän.

Mehdi Seyyed tar över.

"Din jävla fitta, nu ska du dö!" hör Driton honom säga.[271]

Seyyed drar upp en kniv och går emot Driton.

"Håll honom", säger han till Daniel.

Bandidos-ledaren höjer handen och hugger mot Dritons överkropp. Knivens spets träffar Dritons skyddsväst. Driton försöker sparka bort Seyyed, men det leder bara till att han blir huggen i benen istället. Han får ett djupt sår på höger lår, ett annat på vänster underben.

Mehdi Seyyed byter tillbaka till ficklampan och Driton får ett hårt slag i huvudet. Liggande på golvet höjer han armarna för att skydda sig. När ficklampans metall slår i ena underarmen gör det så ont att han tror att den ska gå av.

Till sist skriker någon "sluta, vi kan inte döda honom här". Mehdi Seyyed vänder sig om, lägger ner ficklampan och går ut. Driton ligger kvar på golvet. Hans kropp skakar. Han är fortfarande övertygad om att han kommer att dö. Men istället för att ge honom mer

---

270 Ibid, s 13.
271 Ibid.

stryk kommer några av medlemmarna fram och hjälper honom upp
på stolen igen. Lugnet blir dock kortvarigt. Några ögonblick senare
rusar Daniel emot honom och måttar en spark. Foten träffar i ansiktet.
Nästa spark tar i bröstet, därefter ett knytnävsslag emot ögat och ännu
ett emot käken.

När misshandeln till slut är över lämnas Driton ensam kvar i rum-
met. Han hör Mehdi Seyyeds röst från ett annat rum. Bandidos-leda-
ren säger åt Kiarad att åka hem till Driton. Kiarad tar nyckelknippan
ur Dritons jacka och försvinner iväg. En stund senare kommer "vice
presidenten" Riadh Bouhlal in. Som om Driton inte fattat det redan
förklarar han att Driton är utesluten.

Driton går till polisen

Utanför Bandidos-lokalen får Driton svepa in sig i en sopsäck. Med-
lemmen som kör honom hem vill inte att Driton solkar ner hans bil
med blod. Tillbaka i Lövgärdet behöver Driton hjälp att ta sig ut ur
bilen och upp i lägenheten. Där väntar hans flickvän. Skärrad berät-
tar hon att Kiarad och en annan person precis hade varit där och tagit
guldföremål, smycken och en del kontanter. Först hade flickvännen
opponerat sig och undrat varför de inte tog det hela med Driton. Då
hade Kiarad sagt att han var tvungen att göra henne illa om hon inte
lämnade över alla värdesaker.

När Driton är tillbaka inne i lägenheten ber han flickvännen gå och
hämta "team-tröjorna", som han kallar de svarta sweatshirts som bär
X-teams namn och färger. Medlemmen tar emot plaggen och går ut till
bilen. Äntligen är helvetet över.

Det dröjer inte länge innan Driton inser att han inte kan vara kvar
hemma. Han blöder från benen och skadan i armen värker. Han måste
till sjukhus.

Det är i sjukhussängen Driton gör sitt livs kanske första polis-
anmälan. Men istället för att berätta sanningen kommer han och flick-
vännen överens om att det är okända, maskerade män som har rånat
dem. Göteborgs-Tidningen spekulerar dagen därpå vilt i vad det är
som har hänt, sedan anmälan blivit känd.

GÖTEBORG. En 23-åring misshandlades och knivskars svårt av flera maskerade män.

Dådet är det senaste i kriget mellan Bandidos X-team och fängelsegänget Asir.

– Mannen var okontaktbar, säger polisen.

Det var vid 21-tiden som flera män maskerade med luvor attackerade 23-åringen på Paprikagatan i Lövgärdet. Mannen slogs till marken på en vändplats – och överöstes med slag, sparkar och knivhugg.

– Efteråt släpade de honom in på gården och fortsatte misshandeln, säger en granne.

Polis och ambulans kom till platsen en kort stund senare. Då hade våldsmännen flytt i tre olika bilar.

– Mannen var svårt skadad och hade fruktansvärt ont. Det gick inte att få ur honom många ord, säger Carina Johansson, en av poliskvinnorna som kallades till platsen.

Mannen var svårt skuren i ena benet och i en arm. Han hade även frakturer i armarna och händerna.

– Han var rejält mörbultad, säger Carina Johansson.

Så sent som i november knivskars 23-åringen i ett annat gängslagsmål, den gången på Blendas gata i Backa. Då var det ett 20-tal medlemmar ur gängen X-team och Asir som drabbade samman. En månad tidigare satt 23-åringen häktad misstänkt för en skottlossning mot en gängmedlem på Angereds torg, men släpptes i brist på bevis.

Mycket talar för att gårdagens knivskärning är en fortsättning på det pågående gängkriget mellan X-team och Asir. Den mest uppmärksammade händelsen i kriget var när flera män, troligtvis X-team-medlemmar, sköt vilt med automatvapen vid Brunnsbo torg i mitten av november. Om 23-åringen var inblandad i den skottlossningen är oklart. Mannen opererades i natt. Tidigt i morse var hans tillstånd okänt.[272]

272 Göteborgs-Tidningen 080109: 23-åring knivskuren i natt. Av: A Håkansson.

Redan några dagar senare spricker Dritons och flickvännens uppdiktade historia. Driton inser att han måste tala sanning om han ska få skydd av polisen.[273] På länskriminalen ser man nu ett gyllene tillfälle att ta revansch på Bandidos och dess ledare. När tillslaget sker, den 14 januari 2008, lämnas inget åt slumpen. Teknikerna går igenom minsta föremål inne i Bandidos-lokalen i jakt på spår och mängder av beslagtagna föremål skickas till Statens kriminaltekniska laboratorium, SKL, i Linköping.

Mehdi Seyyed grips i sin Hummer-bil utanför bostaden i centrala Göteborg. Kort innan har civilklädda poliser sett honom i en mörk Audi Q7. Poliserna som kontrollerade Audins registreringsnummer hajade till. Bilen ägdes av deras tidigare kollega, den dömde och avskedade kommissarien Olle Liljegren i Stockholm. Mehdi Seyyed ska senare säga att detta är en tillfällighet och att han inte känner Liljegren; Audin påstår han sig ha lånat på en bilfirma som haft bilen till försäljning.

Beskedet från SKL får polisutredarna att jubla. Dritons DNA säkras på en bräda som någon försökt slänga i en container, på möbler, på Daniels jacka och på en sko som tillhör Medhi Seyyed. Ett avtryck av Seyyeds sula finns dessutom på Dritons blodiga tröja. Den här gången sitter Bandidos-ledaren säkert i häktet.

En omfattande skyddsinsats dras igång för att få Driton och hans flickvän att känna sig trygga. Att det behövs är det ingen tvekan om; när det spritt sig att Driton gått till polisen skjuter någon genom deras ytterdörr och vandaliserar den tomma lägenheten. Länskriminalen inser att man gjort ett storkap, det gäller bara att inte rycka för snabbt i spöet så att fångsten trillar av. Från att ha tillhört fienden förvandlas Driton till polisens bästa vän.

När Mehdi Seyyed får se den färdiga utredningen inser han att läget är prekärt. I samråd med sin försvarare bestämmer han sig för att tiga tills det är dags för rättegång. Förhandlingen hålls i mars 2008. Förutom Bandidos-ledaren åtalas Daniel och Kiarad. Driton transporteras under stort säkerhetspådrag från sitt gömställe till tingsrätten. Han slipper möta sina gamla vänner, trion förs ut till ett angränsade rum.

---

273 Göteborgs tingsrätt, målenhet 12:2. Diarienr: B463-08. Dom, s 14.

Driton finner sig väl till rätta i rollen som målsägande. När han får frågor om varför han, som grovt kriminell, valt att samarbeta med polisen tar han upp bråket med Backabarnen.

"Jag blev nästan dödad av ett gäng i Hisings Backa. Jag hade tänkt mig att få stöd av mina kompisar och blev mycket besviken på att de inte ställde upp för mig", säger Driton.[274]

Mot slutet av rättegången börjar Mehdi Seyyed plötsligt att prata.

"Jag erkänner misshandel", säger han oväntat och berättar om halsgreppet, ficklampan, slagen och knivhuggen. Flera saker gjorde att det "svartnade" för honom och han bestämde sig för att Driton måste uteslutas. Det överraskande erkännandet kan bara tolkas på ett sätt: Bandidos-ledaren inser att han är överbevisad om grovt våld och anser att han inte har något att skämmas för.

Efter detta är saken klar. Mehdi Seyyed fälls för grov misshandel. Påföljden bestäms till fängelse i två år och sex månader, en dom som ska stå sig även i hovrätten. Daniel och Kiarad döms i sin tur för grov misshandel och rån till fängelse i ett år och nio månader respektive ett år och två månader.[275]

Driton lämnar nya uppgifter

Med Driton kvar i skyddsprogrammet börjar polisen föra mer informella samtal om annat som hänt inom Bandidos-sfären. Även om utredningarna kring bombdåden hösten 2006 har lagts ned är brotten långt ifrån glömda. Exakt hur polisen går till väga kommer vi sannolikt aldrig att få veta. Men under våren 2008 har förhörsledarna i alla fall lyckats lirka fram så mycket uppgifter så att förundersökningarna kan återupptas.

– Polisen berättar att Driton har ny information att lämna och det bestäms att vi ska ses för ett informellt samtal utanför polishuset, vilket får bli på ett hotell. Jag känner med en gång att det här vill vi inte prata om på det här viset, eftersom det rör sig om hans egen brottslighet. Vi avbryter och kommer överens om att vi måste hålla ett riktigt förhör

---

274 Dagens Nyheter 080320: Misshandlad gängmedlem vittnade i rätten. Av: P Sandberg.
275 Hovrätten för Västra Sverige, avd 3. B2406-08. Dom.

med advokat närvarande, berättar kammaråklagare Anette Wiberg-Koffner i efterhand.

Efter lång tvekan säger Driton ja. Utredarna kan konstatera att det han berättar stämmer väl överens med de tidigare insamlade telefon-uppgifterna. Bland annat säger han att han och Johnson varit ute och rekognoserat i närheten av vaktchefens bostad nätterna före spräng-ningen. Detta gör Driton automatiskt själv misstänkt. Först vill han inte medge delaktighet, men under sommaren 2008 känner Driton sig "mogen att stå till svars för de handlingar han har begått", som det ska heta i förundersökningsprotokollet.[276]

Driton börjar berätta om diskussionerna med provmedlemmen Lasse inne i Bandidos-lokalen. Först trodde Driton att det "mission" som Lasse pratade om gick ut på att elda upp en bil, något Driton kunde tänka sig att göra. Men när Lasse pratade om att lägga "äpplen" under bilen insåg han att det handlade om att spränga handgranater.

Driton hävdar att han försökte backa ur. Vännen Johnson ska då ha sagt att det var för sent – de visste redan för mycket.

"Man hade mycket respekt för dom här och man var ju rädd. /... / Jag var ju ny också och de skulle aldrig låta mig vara bara så där om jag vet en sån väldigt stor grej", säger Driton till förhörsledaren.[277]

Lite senare fick Driton och Johnson en dragning inne i Bandidos-lokalen om hur de skulle gå till väga. Den som pratade var Lasse. Även Daniel var med. Med handgranaterna framför sig visade Lasse hur de skulle göra för att osäkra dessa – utan att de exploderade i handen. Lasse berättade om den X-teammedlem som några år tidigare hade sprängt bort sin arm.

Kort därpå satt Driton, Johnson, Daniel och Lasse i en bil på väg till Vasastan, där de visste att vaktchefen bodde. Meningen var att Driton och Johnson skulle få vaktchefens bil utpekad för sig. Men bilen, en Audi A6, syntes ingenstans.

Driton hade vid det här laget fått klart för sig vad som låg bakom. Vaktchefen ansågs ha förödmjukat klubben och han och alla andra

---

276 Polismyndigheten i Västra Götaland. Diarienr: 1400-K148288-06, s 340. PM.
277 Ibid, s 350. Förhör.

vakter skulle veta vad som hände om man gjorde det.[278] Vad taxichauf-
fören beträffar handlade det om att skrämma honom och andra vittnen
till tystnad. "Vem tror du kommer att vittna nu?", hade Lasse frågat,
enligt Driton.

Under de kommande två veckorna fortsatte Driton och Johnson
letandet på egen hand. Det gick inte bra. De var nervösa och kände sig
pressade.

"Jag var ju så jävla stressig och så fort vi såg någon människa ute så
avbröt vi det direkt", berättar Driton för förhörsledaren.

På ett måndagsmöte i Bandidos-lokalen fick de höra att de måste
skärpa sig. Detta kom från Medhi Seyyed själv. Driton berättar:

"'Alltså, nu ska jag berätta en sak för er', sa han exakt i ord kommer
jag ihåg. 'Folk som går med i den här klubben tror att det är någon lek
… tror dom kan gå med här på grund av vårat namn som vi har byggt
upp och kan leva på vårat namn och gå och tuffa sig ute i stan och så
och säga att dom är med i Bandidos. Men jag ska säga att så här, att det
funkar inte så. Har man gått med här så ska man leva upp till namnet.
/…/ Se till att det blir gjort för fan, jag kan för helvete inte sova!'"[279]

Efter att Mehdi Seyyed lämnat rummet förklarade en annan av med-
lemmarna att det var allvar. Driton och de andra försökte säga att de
hade gjort allt de kunde, men medlemmen ville inte lyssna. "Det ska
ske idag, så är det bara", sa han.

Morgonen därpå sov Driton länge. När han kom till Bandidos-loka-
len på eftermiddagen visste han fortfarande inte vad som hänt. Inne
på kontoret berättade Lasse att han och Daniel var klara med sitt upp-
drag. Skojar du? sa Driton. Lasse gick bort till en dator och skrev in
Göteborgs-Postens adress i webbläsaren. En bild av den sprängda taxin
på Klassikergatan kom upp. Skamset tvingades Driton erkänna att han
och Johnson inte hade hittat Audin i natt heller.

Senare under dagen träffade Driton och Johnson två andra X-team-
medlemmar inne i stan. Dessa hade blivit utsedda att följa med och
hjälpa till. X-teammedlemmarna hade redan sett Audin stå parkerad på
Storgatan. Driton insåg att nu måste det ske. Men uppenbarligen var

---

278 Göteborgs tingsrätt, målenhet 11:1. Diarienr: B9178-08. Dom, s 30.
279 Ibid, s 356. Förhör.

han och Johnson inte längre betrodda, för under kvällen fick de reda på att Lasse och Daniel även skulle rigga den här bilen.

Några timmar senare var Driton och Johnson på plats i Vasastan. Driton hade mörka byxor och mörk luvtröja, Johnson sjal för ansiktet och svarta handskar. De hade fått fram handgranaten från gömstället – ett hål i marken under en buske. När Lasse och Daniel dök upp i en bil lämnade de över granaten och ställde sig på vakt. Lasse och Daniel försvann iväg bort mot Audin. Några minuter senare kom de tillbaka. Det var klart.

Först vid sjutiden på morgonen lyckades Driton äntligen somna. När han vaknade på eftermiddagen var nyheten ute överallt. Driton slog på textteve.

"Jag bara ... shit!", återberättar han till förhörsledaren.

Först blev han stel. Varför hade Audin börjat brinna, det gjorde ju inte taxibilen? Men när han kom längre ner i telegrammet kände han viss lättnad.

"Det var skönt att läsa att han hade klarat sig bra i alla fall", säger Driton och syftar på vaktchefen.

Några timmar senare åkte Driton och Johnson till lokalen. De möttes av glada ansikten. Någon kallade Driton för "Bin Ladin".[280] Sedan kom Mehdi Seyyed emot dem.

"Kom får jag ge er en puss!" sa ledaren och kramade om dem. Samtidigt passade han på att viska att Driton från och med nu tillhörde de fullvärdiga inom X-team.

Mehdi Seyyed: Jag hatar honom

Nästan exakt två år efter bilsprängningarna är polisen klar att slå till. Mehdi Seyyed grips i sin cell på Kumlaanstalten och förs till häktet i Göteborg. På Kumla grips även Johnson. Några månader tidigare har han dömts till tre års fängelse för att ha satt eld på byggnader i samband med ungdomskravaller i Lövgärdet. Daniel finns i sin tur på en anstalt i Vänersborg.

Lasse är den ende av de misstänkta som är på fri fot. Han är också

---

280 Göteborgs tingsrätt, målenhet 11:1. Diarienr: B9178-08. Uppgift från Driton L under huvudförhandling.

den av de fyra som lämnat Bandidos-sfären. Efter att ha blivit upphöjd till fullvärdig medlem efter bombdåden har han under sommaren 2008 bett att få kliva av med hänvisning till familjeskäl.[281]

Mehdi Seyyed följer samma linje som förra gången. Han är trevlig och artig mot förhörsledarna, men säger att alla frågor som rör misstankarna för vänta till rättegången. Fast om det är så att Driton verkligen har pekat ut honom måste det bero på att Driton vill hämnas den tidigare misshandeln, menar Seyyed och hävdar att Driton var missnöjd med att han bara fick cirka 50 000 kronor i skadestånd.

"Driton skiter i straffskalan, det är ju pengarna som är viktigt för honom ... som han inte fick", säger Seyyed.[282] När Bandidos-ledaren får reda på att utredarna har kartlagt hans telefonsamtal med Lasse och Daniel visar han tecken på irritation.

"Det är inget konstigt att dom ringer mig. Jag menar så här att vi har alltid haft kontakt med varandra, innan händelsen, efter händelsen /.../ Så att vi har samtal, telefonsamtal, det är inget konstigt med det", säger han.

Även Daniel blir märkbart störd när han förstår att Driton har fortsatt att samarbeta med polisen. Efter att först ha svarat på en del frågor säger Daniel plötsligt att han inte vill säga något mer. Daniel dikterar hur han vill att förhörsledaren ska skriva i protokollet:

"På grund av att Daniel tycker att förhöret har blivit lite snurrigt vill han att förundersökningen ska fortgå utan hans medverkan då han uppenbart tycker att herr Driton har uppenbara och tydliga mål med att se till att den svarande och hans vänner skall befinna sig omhändertagna och anser herr Driton ej trovärdig som sagoman."[283]

Utredningen går snabbt. I december 2008 skickar åklagare Anette Wiberg-Koffner in sin stämningsansökan till Göteborgs tingsrätt. Lasse och Daniel åtalas för mordförsök och grov allmänfarlig ödeläggelse i två fall och Mehdi Seyyed för anstiftan till samma brott. Driton och Johnson åtalas i sin tur för medhjälp till mordförsök och grov allmänfarlig ödeläggelse. Antalet målsäganden uppgår till tjugosju

---

281 Ibid. Dom, s 39.
282 Polismyndigheten i Västra Götaland. Diarienr: 1400-K148288-06, s 273. Förhör.
283 Ibid s 301. Förhör.

stycken enbart i Storgatan-fallet. Förutom bilägaren består listan av butiksägare, lägenhetsinnehavare och folk som bara råkat passera. Skadeståndsanspråken rör allt från krossade fönsterrutor till splitterskadade kläder.

Den 9 december 2008 startar rättegången i Göteborgs tingsrätts säkerhetssal. Åhörarplatserna tar snabbt slut. Medlemmar, supportrar och vänner till Bandidos är här för att ge de åtalade sitt stöd. Daniel är den förste som leds in i rättssalen. Han vänder sig mot kompisarna bakom glasrutan längst bak, brister ut i ett brett leende och vinkar – ungefär som en artist som kommer in på scen och välkomnar sin publik.

"Vad fräsch han ser ut!" hörs en tjej säga en bit bort från där vi sitter.

Johnson passerar med slängig gång och söker inga blickar, kastar bara upp ena armen som en hälsning. Mehdi Seyyed agerar neutralt; iklädd svart tröja och med en plastmugg i handen nickar han uttryckslöst till någon av åhörarna, innan han släntrar bort till sin plats. Driton är inte här, utan sitter precis som förra gången i ett rum intill. Men snart dyker hans ansikte upp på en bildskärm i salens ena sida.

Två personer saknas: taxichauffören och vaktchefen.

"Jag kan ju bara spekulera i varför han inte vill komma hit. Men med tanke på bakgrunden kan det vara så att han helt enkelt inte vågar", säger åklagare Anette Wiberg-Koffner i samband med att hon redogör för attentatet mot taxichauffören. Senare ska hon göra ungefär samma kommentar när det gäller vaktchefen.

"Tanken var att han skulle berätta själv om de skador han fått, men han är ju inte här", säger hon.

Redovisningen av bevisen är lång och invecklad. För att göra det enkelt: det handlar om telefonmaster. Lasses mobil har kopplat upp mot den mast som är närmast Klassikergatan, natten innan sprängningen av taxibilen, och han har ringt ett kort samtal till Mehdi Seyyed. Daniels telefon har befunnit sig i området tidigare, vilket åklagaren tolkar som en rekognosering. Även masterna i Vasastan har registrerat telefonrörelser som stämmer med vad Driton berättat.

"Hans uppgifter har stor bärighet i förhållande till den telefondokumentation vi har. Då ska man komma ihåg att det gått två år. Det finns en klar överensstämmelse med rörelsemönster, personer som träffats och personer som ringt till varandra", säger Anette Wiberg-Koffner.

Försvarsadvokaterna ger inte mycket för det påstådda bevisvärdet. "Det är ett hypotetiskt händelseförlopp", säger en av dem.

Till och med rättens ordförande tycker vid ett tillfälle att Anette Wiberg-Koffner övertolkar informationen från telemasterna.

"Det är väldigt mycket slutsatser. Åklagaren kan väl läsa upp fakta", avbryter ordföranden.

Ledarens försvarstal

Under den andra rättegångsdagen är det Mehdi Seyyeds och de andras tur att sitta i medlyssningsrummet. Ordföranden kollar med åklagaren att allt är klart. Sen säger hon:

"Nu tar vi in Driton."

En dörr öppnas till höger i salen och en storvuxen, mörkhårig kille i svart-vitrandig skjorta och slitna jeans uppenbarar sig. Avspänt går han förbi glasrutan som skiljer honom från de gamla vännerna inne i åhörarbåset. Någon bredvid oss mumlar något som vi inte lyckas uppfatta.

Under de kommande timmarna återger Driton sin berättelse från polisförhören. Han pekar ut Daniel, Lasse, vännen Johnson och Mehdi Seyyed. Han beskriver hur handgranaterna varit fästa med snören i bilarnas hjulhus. Han berättar om guldringen och hävdar att sju andra personer i Sverige har fått en likadan, som utmärkelse för att de dödat eller försökta döda en fiende för "klubben". Och inte minst: han tar på sig ansvar för att ha hjälpt till att spränga vaktchefens bil.

Under det långa förhöret får Driton frågor om hur han ser på sitt liv idag, sedan han valt att vittna mot sina forna "bröder":

"Jag ser det som en räddning, jag har kommit från den här världen. Jag trivdes inte där, jag försökte slingra mig undan klubben. Nu känns det skönt att veta att jag slipper leva där och riskera ett långt fängelsestraff eller att bli dödad."

Driton sticker inte under stol med att han känt hämndbegär gentemot Mehdi Seyyed efter den grova misshandeln. Men detta säger han sig ha tillfredsställt redan under den förra rättegången. Att han gick vidare och berättade om bilbomberna har andra orsaker.

"Jag visste att jag inte skulle kunna leva i Sverige och ville starta ett nytt liv med fru och hus och så. Då ville jag inte att det här skulle kunna komma efter mig. /.../ Jag är beredd att ta mitt straff", säger han.

Innan Driton lämnar rättssalen ber åklagaren honom att berätta om hur hans liv ser ut idag.

"Jag har bara träffat min familj två gånger sedan januari. Jag har ingen som helst kontakt med mina vänner, bara med skyddspolisen."

Känslorna går inte att ta miste på hos de fyra andra, när det är deras tur att förhöras. Johnson säger att han är förbannad på Driton. Daniel kallar honom för lögnare och tung narkotikamissbrukare. Och Mehdi Seyyed förklarar att han hatar Driton och önskar att den utsparkade underhuggaren kom hem till honom med en pistol. Vad som skulle hända då utvecklar Bandidos-ledaren inte.

Bandidos är en mc-klubb och inget annat, försäkrar Mehdi Seyyed. Han är ingen envåldshärskare, utan klubben styrs demokratiskt. Det förekommer inte att man sitter på möten och beslutar om att någon ska skadas. Däremot säger reglerna att den som stjäl av sina vänner eller slår en kvinna kan slängas ut, vilket var det som drabbade Driton.

Mehdi Seyyed gillar visserligen varken taxichauffören eller vaktchefen, men skulle ändå inte utsätta någon av dem för ett bombdåd. Ville han skada vaktchefen kunde han ha slagit ner honom där i entrén utanför Nivå, men det gjorde han inte. Är männen nu rädda för att möta honom i rätten är det medias fel, som tillsammans med polisen felaktigt utmålar Bandidos som en kriminell organisation, menar Seyyed. Det stämmer visserligen att Driton har fått en ring av honom. Men det var ingen gåva, utan Seyyed sålde den för att han behövde pengar. Ringen står inte för något särskilt, vem som helst får bära den.

Vad som hände inom Bandidos-avdelningen under hösten 2006 säger sig Mehdi Seyyed bara ha vaga uppfattningar om. Han hade ju kört och krockat med sin mc och låg på sjukhus i flera veckor. Under rehabiliteringstiden var han mest hemma i sin lägenhet och gick med kryckor och rollator. Som avslutning ber Bandidos-ledaren rätten att fundera över hur polisen och åklagaren kan tro på Driton. Driton har ju själv varit tungt kriminell i hela sitt vuxna liv, påminner Seyyed.

Tingsrätten får jul- och nyårshelgerna på sig att värdera bevis och vittnesmål. Den 14 januari 2009 kommer domen. Det blir full pott för kammaråklagare Anette Wiberg-Koffner: Samtliga fem åtalade fälls på alla punkter.

Mehdi Seyyed, Daniel och Lasse skulle egentligen ha dömts till tio års fängelse, men kommer undan med nio. Anledningen är att de har dömts till andra fängelsestraff efter det att brotten begicks, och därmed anses ha rätt till viss strafflindring.[284] Av samma skäl sänks Johnsons straff från fyra till två och ett halvt års fängelse. Driton får i sin tur ett års "rabatt" för att han angett sig frivilligt och därmed "bidragit till att klara upp svårutredd och synnerligen allvarlig brottslighet". Påföljden blir i hans fall fängelse i tre år.

Det som avgör saken för tingsrättens del är att Driton har lämnat så många uppgifter som han omöjligt skulle ha kunnat hitta på. Ett exempel är de snören som använts för att knyta fast handgranaterna. Domstolen ser heller inget annat skäl för Driton att ta på sig straffansvar än det som han själv har uppgett. De fyra andras berättelser har däremot flera brister i rättens ögon. En sådan sak är Mehdi Seyyeds påstående om att han inte deltog i Bandidos verksamhet på grund av sina skador – bevisligen befann han sig ju i lokalen samma dag som bombdådet på Storgatan ägde rum.

Men målet är inte över med detta. Daniel, Lasse och Mehdi Seyyed överklagar till hovrätten. Det gör även Driton. Han har inget emot att dömas för medhjälp till mordförsök, men tycker att samarbetet med polisen måste vara värt mer än ett års strafflindring.

Några nya förhör hålls inte med de åtalade, hovrätten nöjer sig med att titta på videoinspelningar från tingsrätten. Den nya domen blir en antiklimax för Driton. Straffet för honom står fast medan de tre andra får mellan ett och ett halvt och två års sänkning. Enligt hovrätten går det inte att bevisa att gärningsmännen haft för avsikt att döda taxichauffören och vaktchefen, bara allvarligt skada.[285] Därför ska de inte dömas för försök till mord utan försök till grov misshandel.

– Jag tyckte nog att det var en lite konstig bedömning. Man kan inte

---

284 Göteborgs tingsrätt, målenhet 11:1. Diarienr: B9178-08. Dom, s 71.
285 Hovrätten för västra Sverige, avd 1. Diarienr: B1236-09. Dom, s 14.

utesluta att det hade blivit annorlunda om rätten hade fått höra målsägandenas berättelser, säger åklagare Anette Koffner-Wiberg.

Hovrätten håller visserligen med om att Driton bör få en mer generös strafflindring. Men till skillnad från tingsrätten tycker domstolen
att straffvärdet i hans fall egentligen ligger på sex års fängelse, varför
tre år "netto" ändå får anses vara rimligt. Driton blir besviken och vänder sig till Högsta domstolen. Riksåklagaren anser att det finns behov
av ett vägledande beslut och säger ja till att saken prövas. HD ökar
rabatten till fyra års fängelse, men höjer samtidigt det egentligen straffvärdet till sju års fängelse.[286]

– För Driton ändrade det ju ingenting, han fick i alla fall tre års fängelse. Och det är för mycket med tanke på att han gjorde en väldigt
stor personlig uppoffring för att klara upp det här, säger advokat Mats
Åberg, som företrädde Driton.

Trots detta kan HD:s avgörande väntas få stor betydelse för liknande
mål i framtiden. För första gången finns nu ett prejudikat som anger
vad det är värt att dels ta på sig eget straffansvar, dels få en akut hotbild
emot sig på grund av uppgifter man lämnat om andra.

Sommaren 2010 avtjänar Driton fortfarande fängelsestraff på en
specialavdelning någonstans i Sverige. Trots flera förfrågningar har vi
inte fått möjlighet att intervjua honom. Mats Åberg hävdar att hans
klient riskerar att förlora sitt polisbeskydd om han pratar med massmedia.

– Jag kan bara säga att senast vi hade kontakt var han full av förhoppningar om att starta ett nytt liv utomlands. Även om han är besviken
på straffet har han inte ångrat sig, han är inte den typen.

Medhi Seyyed är placerad på Kumlaanstaltens säkerhetsavdelning.
Han väntas friges under sommaren 2014.

Poliser i Västra Götaland som vi har pratat med betecknar utredningen mot Mehdi Seyyed som en av de största segrarna hittills för
myndighetens länskriminalavdelning.

– Det här fallet visar att det faktiskt går att bryta igenom de tjocka
murar som byggts upp av de här grupperna. Framgångkonceptet är att
vi har en uthållighet och en väl fungerande struktur för att ta hand

---

286 Högsta domstolen. Diarienr: B2074-09. Dom.

om nyckelpersoner som väljer att vittna, säger kriminalinspektör Sven Lindgren, som kartlagt enprocentsgängen i Västra Götaland under lång tid.

Som vi har berättat tidigare är detta inte enda gången som polisen i Sveriges andra stad har fått gängmedlemmar att bryta sina tystnadslöften och vittna mot forna vänner. En provmedlem respektive en fullvärdig medlem i Hells Angels Göteborgsavdelning – Michel och "Mega" – har övertalats på liknande sätt 1999 respektive 2010. 2008 pekade två medlemmar i en rånliga som slog till mot postterminalen i Göteborg ut sina kumpaner. Och Brödraskapet Wolfpacks bombattack mot före detta åklagaren Barbro Jönsson 2007 hade sannolikt förblivit ouppklarad om inte supportern Ahad våren 2009 hade övertalats att ange sig själv och den fullvärdige medlemmen Ashkan.

Detta är framgångar som ingen annan del av Polissverige kommer i närheten av, Rikskriminalen inräknad. På pappret ska polisarbetet ske på samma sätt över hela landet, men det är ett faktum att de tjugoen regionala polismyndigheterna präglas av olika kulturer. Och i polishuset på Skånegatan i Göteborg har man en unik förmåga att få gängmedlemmar att avslöja sina och andras brott.

Man skulle kunna tro att förklaringen var proffsiga psykologteam, särskilda gömställen i utlandet eller en extra stor plånbok för "skyddspersonernas" oförutsedda utgifter. Men enligt Sven Lindgren, som själv haft nära kontakt med flera avhoppare, finns det inget sådant.

– Det handlar om vanligt, envist polisarbete där alla jobbar mot samma mål. Och förstås att man måste ha en förmåga att se de här individerna och förstå vad det är som är viktigt för just dem.

En organisation i motvind

I Mehdi Seyyeds frånvaro har ledarskapet för Bandidos Göteborgsavdelning tagits över av trettiotreårige Riadh Bouhlal. Bouhlal uppfattas av polisen som mindre kontrollerad och disciplinerad än sin föregångare. Ett talande exempel var en händelse i centrala Göteborg sommaren 2009, då polisen upptäckte att Bouhlal bar kniv. Under visitationen sparkade Bandidos-ledaren en av poliserna i låret och skrek "jag ska plocka er, jag ska ta er, jag ska våldta era mammor och döttrar".

FOTO: POLISEN

Trettiotreårige Riadh Bouhlal, med bakgrund inom Brödraskapet Wolfpack, leder sedan 2008 Bandidos MC i Göteborg.

Under färden till polisstationen påstod Bouhlal att han hade listor över polisernas bostadsadresser och att han skulle se till att deras fruar och barn blev dödade – allt enligt det åtal som senare väcktes.[287] I skrivande stund har målet ännu inte prövats av tingsrätten.

Under den nya ledningen har Bandidos framtoning i Göteborg förändrats. Fram till 2007 var utpressning ett av de vanligaste brott som medlemmar och supportrar utreddes för, däribland Bandidos-ledaren själv. Sedan Seyyed greps i januari 2008 har inte en enda anhängare åtalats för detta brott, enligt våra efterforskningar.

– Överlag håller Bandidos och X-team mycket lägre profil här i stan än tidigare, säger en polisman på länskriminalens kriminalunderrättelsetjänst.

Därmed inte sagt att den kriminella aktiviteten skulle ha upphört. Detta framgår om inte annat av en polisutredning som offentliggjordes hösten 2009. En vapensmed i den undre världen greps när han levererade fem hemmagjorda kpistar till en provmedlem i Bandidos, alldeles utanför ledaren Riadh Bouhlals bostad. Provmedlemmen dömdes i tingsrätten för medhjälp till grovt vapenbrott, men friades av hovrätten.[288] Även Bouhlal var ursprungligen misstänkt, men åtalades i slutändan enbart för innehav av ammunition.[289]

Sedan Mehdi Seyyed försvann har myndigheterna satsat hårt på

---

287 Göteborgs tingsrätt. B8121-09. Stämningsansökan.
288 Hovrätten för Västra Sverige, rotel 22. Diarienr: B4914-09. Dom.
289 Göteborgs tingsrätt, avd 2. B16669-09.

att bryta Bandidos intressen inom krogbranschen, något som Seyyed anses ha odlat. En av de krogar som kopplats till Bandidos är natt-klubben Razzia på Kungsgatan i centrala Göteborg. Formell ägare var en pokerspelare som tidigare hade utsatts för utpressning av en person inom Bandidos-sfären och vid flera tillfällen iakttagits i samma bil som Seyyed.[290] När pokerspelaren tog över krogen 2009 anställde han en lång rad Bandidos-knutna män som entrévärdar, däribland Riadh Bouhlals bror. Efter en granskning beslutade Göteborgs stad att dra in serveringstillståndet för krogen med hänvisning till bland annat ovan-stående uppgifter.[291]

Ledargestalter har försvunnit

Det är inte bara Bandidos i Göteborg som haft det motigt under de senaste åren. Sedan vår sammanställning i *Svensk maffia – en kartlägg-ning av de kriminella gängen* år 2007 har mängder av namn försvunnit på alla nivåer – från supportergruppen X-team till den högsta ledningen. Det mest uppseendeväckande avhoppet stod den förre "Sverigepresi-denten" Jan "Clark" Jensen för. I slutet av 2008 hängde han av sig Ban-didos-västen och lämnade Helsingborg och Sverige. Samtidigt slutade han som "Sargento de Armas" i Bandidos Europaorganisation. Idag är Jensen folkbokförd på en adress i Naestved i hemlandet Danmark.

Anledningen till avhoppet är oklar. Vissa rykten säger att ett bråk om pengar låg bakom, andra att Jensen drabbats av sjukdom.

– Men kanske var det så enkelt att hans maktfullkomliga ledarstil inte fungerade, säger en polisman i Skåne.

Två andra ledargestalter som försvunnit är Patrick Huisman och Michael Bjellder. Inte heller dessa har offentligt uppgett något skäl till sina avhopp. Det faktum att bägge har en bakgrund inom nazirörelsen kan, enligt våra källor, ha lett till ett alltmer ansträngt förhållande till det ökande antalet Bandidos-medlemmar med invandrarbakgrund.

Kvar i toppen är Eddy Paver i Halmstad, veteranen Johan Jacobsson i Helsingborg och Europaledaren Jim Tinndahn, som pendlar mellan Danmark och Skåne. Polisen har lagt stor kraft på att försöka knyta

---

290 Polismyndigheten i Västra Götaland. Diarienr: AL-729-2194/09. PM.
291 Göteborgs Stad, sociala resursnämnden. Diarienr: 13-2008-00558. Beslut 090311.

trion till brottslig verksamhet. Detta har hittills inte gått särskilt bra.

Hösten 2008 bedrev Rikskriminalen och Skånepolisen en omfattande häleriutredning mot Jim Tinndahn. Misstanken var att Tinndahn hade tagit hand om tre stulna tävlingsmotorcyklar, värda cirka 200 000 kronor styck. I avlyssnade telefonsamtal hördes Bandidosledaren prata om motorcyklarna och polisen utgick från att Tinndahn hade ekonomiska intressen i hanteringen. Men när Tinndahn greps berättade han en helt annan historia:

En dansk som Jim Tinndahn kände hade fått reda på var de stulna motorcyklarna fanns. Dansken ville att cyklarna skulle lämnas tillbaka till ägarna, som fanns i Falkenberg. För att få hjälp med det praktiska hade dansken vänt sig till Tinndahn, som lovade att ställa upp. Någon hittelön skulle Bandidos-ledaren inte få.

"I bikermiljön så är det på det viset att om man gör någon en tjänst, så har man en tjänst tillgodo", sa Tinndahn i förhöret.[292]

Helsingborgs tingsrätt trodde honom. Åtalet för grovt häleri föll platt.[293] Det enda Bandidos-ledaren dömdes för var ringa narkotikabrott genom påverkan av kokain – en drog som ofta kommer fram när det är fest inom Bandidos.

Förbryllande snedsegling

Sommaren 2009 dök Jim Tinndahn upp i ett något oväntat sammanhang. Sjöräddningssällskapet och Kustbevakningen fick larm om ett båthaveri utanför Råås hamn söder om Helsingborg. När de kom fram såg de en segelbåt som höll på att sjunka och två män som kämpade för att hålla sig flytande.

"Det var desperata, de låg i vattnet och det var svårt att få upp dem", sa en person från Sjöräddningssällskapet.[294]

En av de nödställda var Jim Tinndahn. Den andre var en fyrtiotreårig Bandidos-supporter, som nyligen frigivits från ett fängelsestraff för mord. Man skulle kanske ha kunnat tro att männen blev tacksamma.

---

292 Polismyndigheten i Skåne. Diarienr: 1200-K157554-08. FU-protokoll, s 130. Förhör.
293 Helsingborgs tingsrätt. Diarienr: B5718-08. Dom.
294 Expressen: Här sjunker Bandidos båt. Av: T Hansson; U Mossberg; I Thellenberg.

Men när Kustbevakningens personal ville går ner i deras båt höjde de
nävarna. Först efter att kustbevakarna sprejat pepparspray fick de kon-
troll över situationen. Bandidos-ledaren och mördaren anhölls, miss-
tänkta för försök till våld mot tjänsteman respektive våld mot tjänste-
man.[295] Bägge släpptes dock efter någon dag och ännu ett år senare har
åtal inte väckts.

Händelsen ledde till spekulationer i tidningarna. I Expressen antyd-
des att det skulle kunna finnas narkotika ombord på båten.[296] Trots en
noggrann undersökning hittades varken detta eller något annat olag-
ligt.

Vid samma tid satt Nomads-ledaren Eddy Paver häktad i ett mål
i Stockholm. Misstanken gällde olaga hot, men egentligen handlade
saken om just narkotika. En avhoppad supporter hade avslöjat för poli-
sen att han hade köpt 150 gram amfetamin på kredit av personer inom
Bandidos. Narkotikan hade den tjugotreårige mannen tänkt sälja på
Gotland, men polisen kom honom på spåren och beslagtog pulvret.

Enligt Bandidos regler slapp man betalningsansvar ifall man höll tyst
under rättegången, sa avhopparen. Problemet var bara att han hade
stämplats som "golare". Och då var det inte bara det förlorade knarket
som han måste betala för – utan även en straffavgift på 100 000 kro-
nor. Det hade han fått höra av provmedlemmarna Mischa och Tommy,
sedan han muckat från fängelset.

Avhopparen var pank och kunde inte betala. I hopp om att slippa
åtminstone straffavgiften kontaktade han Eddy Paver. Ett möte gjor-
des upp, Paver lyssnade och föreslog en avbetalningsplan. Men när
avhopparen inte ens klarade att hålla sig till denna förklarade Paver på
telefon att han tog sin hand ifrån mannen – och att "killarna" fick göra
vad de ville med honom.[297]

Mot bakgrund av vad Bandidos var kapabla till måste detta uppfat-
tas som ett hot, hävdade vice chefsåklagare Erika Lejnefors. Helt fel,
sa Paver och menade att han aldrig skulle hota någon eftersom han
visste att han jämt var avlyssnad. Solna tingsrätt gick på åklagarens

295 Helsingborgs tingsrätt. Diarienr: B3527-09. Begäran om offentlig försvarare.
296 Expressen: Här sjunker Bandidos båt. Av: T Hansson; U Mossberg; I
    Thellenberg.
297 Solna tingsrätt, rotel 1:3. Diarienr: B4613-09.

linje och dömde Paver till en månads fängelse. Domen skulle komma att överklagas och en ny förhandling var utsatt i Svea hovrätt i oktober 2010.

Att polisen inte anser att några käppar är för små för att sticka in i Bandidos hjul framgår av det näst senaste avsnittet i Eddy Pavers belastningsregisterutdrag. Våren 2008 ingrep polisen i hemstaden Halmstad när Paver stod och kissade offentligt. Följden blev en ordningsbot på 800 kronor för "förargelseväckande beteende".[298] När Bandidos-ledaren intervjuades i Svenska Dagbladet hävdade han att den sortens insatser var kontraproduktiva och bara stärkte gemenskapen inom organisationen. Samtidigt medgav han att han aktade sig noga för att bjuda polisen på möjligheter att gripa honom.

"Jag har valt det här livet, jag får skylla mig själv. Men visst har det blivit tuffare. De har oss under lupp hela tiden."[299]

Rotlösa 90-talister Bandidos nya rekryter

Det råder ingen tvekan om att Bandidos idag har klara svårigheter att hålla jämna steg med konkurrenten Hells Angels. Mellan 2007 och 2010 växte Hells Angels med fem nya fullvärdiga avdelningar.[300] Bandidos lyckades med nöd och näppe öppna tre. I augusti 2010 har Hells Angels totalt tolv fullvärdiga avdelningar jämfört med Bandidos åtta. De sistnämnda var: Helsingborg, Göteborg, Stockholm, Karlstad (tidigare Säffle), Borlänge (tidigare Ludvika), Borås, Göteborg-Hisingen och Malmö.

På flera orter har Bandidos etableringar också misslyckats. En provmedlemsavdelning flyttades från Ystad till Malmö. Bandidos prospect chapter i Västerås lades ner för att återuppstå i Uppsala. Och en tredje provmedlemsavdelning – Gävle – försvann helt sedan polisen gripit ledaren och flera medlemmar för grova brott.

Även undergruppen X-team har haft svårt med kontinuiteten. Landets i särklass största X-teamavdelning var den som lydde under Bandidos i Göteborg 2008 och bestod av nästan ett tjugotal kriminella

---

298 Polismyndigheten i Halland. Diarienr: 553482290. Ordningsbot.
299 Svenska Dagbladet 071216: "Visst har det blivit tuffare". Av: F Karén.
300 Nya Hells Angels-avdelningar: Capital City (Stockholm), Eskilstuna, Luleå, Norrköping och Uppsala.

Trettioåttaårige Eddy Paver, numera Eddy Vincenzo de Leoni, har klivit fram som Bandidos starke man.

mellan arton och trettio år. Två år senare hade skaran krympt till ett par personer. Också i Södertälje har grupperingen trängts tillbaka och i Stockholm har X-team förlorat medlemmar till Black Cobra. Andra X-teamavdelningar har raderats ut helt och hållet. Jönköping, Umeå och Varberg är tre exempel.

En förklaring är att polisens ökade press har slagit hårdare mot Bandidos än mot Hells Angels. Detta kan i sin tur bero på att Bandidos anhängare, enkelt uttryckt, är lättare att få fast. De är yngre och mer oerfarna, använder mer våld och är oftare narkotikapåverkade.

Detta hindrar inte att unga kriminella fortsätter att köa för att komma in i den röd-gula gemenskapen. Bandidos varumärke är betydligt mer lättåtkomligt än Hells Angels; rekryteringen sker snabbare och är mindre kravfylld. Till skillnad från Hells Angels tar Bandidos dessutom lika gärna in personer med utländsk som svensk bakgrund.

Som en illustration av denna dragningskraft återger vi några rader ur en utredning av socialtjänsten i Uppsala. Utredningen låg till grund för att nittonårige Hussein, som nyligen värvats av X-team, tvångsomhändertogs enligt Lagen om vård av unga. Husseins fall visar att rekryteringen till kriminella gäng långt ifrån är ett problem som polisen kan förväntas lösa på egen hand:

> Under ett samtal med Hussein den 23 mars 2010 då Hussein satt i häktet berättade han att han sedan några veckor tillbaka blivit medlem i ett kriminellt gäng i Uppsala. Det är dessa personer han har umgåtts med den senaste tiden. Hussein berättar att han mår bra i deras sällskap, att de tar hand om varandra och är lite som en familj. /.../
>
> Husseins föräldrar lider båda två av psykisk ohälsa. Hans syster uppger att det har varit jobbigt ända sedan familjen kom till Sverige. Mamman har varit sjuk med kroppssmärtor och haft svåra depressioner och inte klarat av att ta hand om sina barn. Därför har Husseins syster tagit mycket av sin mammas roll och det är hon och pappan som har tagit hand om hemmet och de mindre syskonen. Hussein känner liksom sin syster ilska och besvikelse över mammas frånvaro. /.../
>
> Hussein har inga särskilda framtidstankar utöver det som är just nu. Han tänker inte återgå till skolan utan kommer att försöka få ett jobb och därefter flytta till en lägenhet i Uppsala. Han tänker ha kvar det sociala umgänge han idag har och står fast vid att det inte behöver innebära att man begår kriminella handlingar bara för att man är med i en kriminell organisation.[301]

---

301 Förvaltningsrätten i Uppsala. Diarienr: 3552-10. Dom.

DE OSYNLIGA NÄTVERKEN

När patrull 26-10 kommer fram till Saffransgatan i Gårdsten norr om Göteborg står det fullt av människor på trottoarerna. För några minuter sedan larmade ledningscentralen ut att en elvaårig pojke skulle ha blivit skjuten i magen med ett luftgevär. Men det poliserna möts av vittnar om något helt annat.

Mitt i gatan står en ljus Volvo V70. Förardörren och en av bakdörrarna är öppna. Den främre vänstra sidorutan är krossad. Ett av framdäcken har punkterats.[302]

Poliserna kliver ur sin bil. Den ene går fram till Volvon och kikar in. Det hörs musik från bilens radio, men kupén är tom.[303] I det krossade glaset på passagerarsätet har en silverfärgad pistol lämnats kvar. Bilens förare måste ha haft bråttom ut – nycklarna sitter kvar i tändningslåset.

Senare ska konstateras att Volvons vindruta är genomborrad av en kula och högersidans plåt perforerad av flera skott. Runt bilen ligger tomhylsor och på gatan finns stänk av blod.

Poliserna kontaktar ledningscentralen och säger att någon annan får ta hand om luftgevärsolyckan. Sen vänder de sig mot folkhopen. Har någon sett vilka det är som skjutit? Finns det någon skadad? Vem äger bilen?

---

302 Polismyndigheten Västra Götaland. Diarienr: 1400-K74295-08. Förundersökningsprotokoll, s 37. Avrapporterings-PM.

303 Ibid, s 131. Brottsplatsundersökning.

FOTO: ERIK ABEL/SCANPIX

Den 9 maj 2008 utbryter skottlossning mitt ibland mängder av invånare i Göteborgsförorten Gårdsten. Polisen har svårt att få en bild av vad som hänt – nästan ingen vågar vittna.

Det är en fin fredagskväll i början av maj 2008. Majsolen har värmt upp luften och framkallat försommarkänslor. En hel del av Gårdstens invånare har befunnit sig utomhus när skotten brann av. Men ingen av de kanske hundra människor som samlats i närheten av Volvon är villig att hjälpa polisen. Någon säger att folk här inte gärna vill "blanda sig i".[304]

Två män tar sig dock till sist ur hopen och går fram till poliserna. Med de andras blickar i nackarna berättar de vad de har sett. Det satt tre eller fyra män i Volvon, säger de. Någon eller några av dem sköt mot en röd Toyota Corolla. Efter att ha besvarat elden kastade sig männen ut ur Volvon och sprang iväg. När skedde det här? undrar poliserna. Bara någon minut innan poliserna kom dit, svarar männen. Sen pekar de bort längs Saffransgatan. Där borta står Toyotan, slarvigt parkerad framför ett dagis.

Vid det här laget har ytterligare polisbilar hunnit fram. Avspärrnings-

---

304 Ibid, s 40.

band håller på att sättas upp runt Volvon. I luften snurrar en polis-helikopter. När folksamlingen börjar upplösas inser poliserna att de måste vara pragmatiska. Mot löften om att ingen behöver uppge sitt namn får de fram ytterligare viktiga pusselbitar.

En av dem som förhörs anonymt är en man som varit ute och pro-menerat med sin fru och sina barn. Mannen berättar att han först hör-de ett eller två skott, sedan en serie om kanske tio. Därefter såg han en lång, ljushyad kille lämna platsen haltande.

Fler visar sig ha sett den haltande mannen. Några av dem pekar bort mot den väg som leder till grannområdet Lövgärdet. Det var dit han sprang, säger de. Ungefär samtidigt får SOS Alarm ett samtal.

"Hej, det är en som är skottskadad ... snabba er ... här i Lövgärdet", säger en ung kille.[305] "Det rinner blod som faaan!"

Han lämnar över luren till den skottskadade mannen.

"Hej, lyssna! Jag har blivit skjuten i benet ... kulan gått rätt igenom på ena ..."

Mer får mannen inte fram. Han har sprungit för sitt liv och segnat ner på en äng.[306] Båda benen på hans grå träningsbyxor är röda av blod.

Kort därpå kommer människor fram till honom. En av dem är sjuk-sköterska. Hon lyckas stoppa blodflödet hjälpligt genom att knyta ett skärp runt hans ben.

Sjuksköterskan frågar vad mannen heter. Olof, svarar han och berät-tar att han är tjugotre år gammal och bor i området. Innan han hinner säga mer dyker en vän till Olof upp. Ett vittne ska senare påstå att vännen tar upp en skottsäker väst som legat intill Olof och stoppar ner denna i en väska. Innan han försvinner iväg hejdar Olof honom och ber om en sak:

"Ring inte mamma."[307]

I Gårdsten fortsätter polisen att skapa sig en bild av händelseför-loppet. Även Toyotan visar sig ha skottskador. Bakrutan är krossad och undertill, runt registreringsskylten, syns en tät samling hål. Men plåten har fläkts utåt och inte inåt; skytten eller skyttarna måste alltså

---

305 Ibid, s 136.
306 Ibid, s 124.
307 Ibid, s 51.

ha befunnit sig inne i kupén. I bilens tak, alldeles ovanför förarplatsen, syns däremot en skada som orsakats av en kula som gått i motsatt riktning.

Även vid Toyotan har polisen svårt att få några vittnesmål. Men efter en stund kliver en tjugoettårig man fram och säger att han vill berätta vad han sett.[308] Han och en vän hade gått ut för att leka med vännens sjuårige son när de hörde skott. De tittade ner mot Saffransgatan och såg en person i beige tröja och rånarluva över huvudet. Det måste ha varit en av skyttarna.

Senare under kvällen får länskriminalen ärendet på sitt bord. Där vet man vem den skottskadade Olof är. Sedan flera år umgås han med personer inom Bandidos och dess undergrupp X-team. Vännerna kallar honom Wolf. Han är ingen ledartyp, snarare en lojal underhuggare.

Från patrullerna på fältet får utredarna andra intressanta uppgifter. Minst två Bandidos-anknutna personer har varit synliga i området efter skottlossningen. En av dem är en tjugotreårig X-teammedlem som heter Edis och som syntes intill den blödande Olof. Och på en gata i närheten noterade en civil polis en fullvärdig medlem i Bandidos.

Spår leder till en känd adress

Före skottlossningen på Saffransgatan har det varit relativt lugnt i den kriminella miljön i Göteborg. Polisen har nöjt konstaterat att Göteborgs Bandidos-avdelning äntligen är tillbakaträngd efter flera års aggressiv expansion. Ledaren Mehdi Seyyed och ett par andra sitter, som vi berättat tidigare, häktade för misshandel mot avhopparen Driton.[309]

Mot den bakgrunden kan det te sig förvånande att Bandidos-sfären valt att ta till vapen.

– Eller så var det just därför det inträffade. Ibland är det paradoxalt nog så att ju fler polisen griper, desto oroligare blir det i gängmiljön.

Det säger Bengt-Olof Berggren. Som åklagare fick han i uppdrag att leda förundersökningen. Nästan två år senare står vi tillsammans med honom på exakt den plats där den sönderskjutna Volvon hittades.

– När jag fick fallet på mitt bord tog jag bilen och åkte upp hit. Jag

---

308 Ibid, s 63-73. Förhör.
309 Göteborgs tingsrätt, målenhet 12:2. Målnr: B463-08.

I den övergivna Volvon hittades en niomillimeterspistol med en patron i loppet.

ville se med egna ögon hur det såg ut i området, berättar Bengt-Olof Berggren.

Gårdsten är en förort som få göteborgare har anledning att besöka. Angereds Centrum har sin teater. Hammarkullen har en populär karneval. Gårdsten har ett köpcentrum, en kristen frikyrka och några fotbollsplaner. När regeringen i slutet av 1990-talet listade tjugofyra bostadsområden i landet som var i behov av uppryckning fanns Gårdsten med. Arbetslösheten var då fyrtiotre procent och medelinkomsten 93 000 kronor.[310] Staten och Göteborgs stad kom överens om att satsa åtskilliga tiotals miljoner kronor för att få de cirka 8 000 invånarna här att trivas bättre, bli mer aktiva och känna sig tryggare. Det kommunala bolaget Gårdstensbostäder förband sig att rusta upp hyreshusen utifrån en tioårsplan, "Vision 2007". Så här beskrevs de långsiktiga målen:

Ett bostadsområde där människor tar ansvar för den miljö de lever i. En plats där mångfald inte bara betyder att många olika

---

310 Dagens Nyheter: Hjällbo och Gårdsten blir utvecklingsområden. Av: TT.

tänkesätt och livsstilar, olika nationaliteter, religioner, åldrar och erfarenheter finns representerade utan att dessa verkligen samexisterar, samverkar för att skapa en långsiktigt sund och trygg livsmiljö med fungerande välfärd. Ett område där den nya generationen, traktens barn och ungdom, tror på framtiden.[311]

Skotten på Saffransgatan innebar ett brutalt synande av hur väl bostadsbolagets vision hade fallit ut. Bengt-Olof Berggren slutsats blev att mycket återstod att bevisa.

– Det var en vacker fredag och mycket folk i rörelse. Många såg vad som hände. Men nästan ingen ville eller vågade berätta. I mina ögon var det ett klart underbetyg åt förtroendet för polisen och samhället, säger han.

När poliserna drog fallet för honom var hypotesen att Olof och dennes vänner i X-team hade kört in i området och blivit attackerade av männen i Toyotan. Att besökarna var beväpnade tydde på att de var beredda på att möte en fiende. Men vem?

En gruppering som låg nära till hands var Asir. Lite mer än ett halvår tidigare hade flera sammandrabbningar skett mellan Asir och X-team. Men nu ansågs även Asir vara försvagat. Frontfiguren Soar Gürbüz satt häktad, misstänkt för att ha planerat att mörda Bandidos-ledaren Mehdi Seyyed med en fjärrstyrd bomb.

– Asir fanns med i diskussionerna. Men konkret var det inget som pekade mot dem, säger Bengt-Olof Berggren.

Olof blev inte till någon hjälp för honom och polisen. Tjugotreåringen ville inte ens kännas vid att han skulle ha suttit i Volvon. Han hade bara haft oturen att gå förbi på väg hem från en kompis och råkat bli träffad, hävdade Olof. Att han skulle ha någonting med X-team att göra? Nej, även det måste polisen ha fått om bakfoten.

Istället blev det de beskjutna bilarna som ledde polisen vidare. Ägaren till Volvon var en femtiofyraårig svensk man i Vänersborg. Han hade inte anmält bilen stulen. Men när utredarna fick tag på honom blev han lättad och berättade att han och hans familj i snart en vecka hade funderat på att gå till polisen. Ägarens son hade blivit utsatt för

---

utpressning av en medlem i X-team i Göteborg. När sonen inte lyckats få fram de 25 000 kronor som gängmedlemmen krävt hade han tvingats lämna ifrån sig pappans Volvo.

Vad hette utpressaren? undrade poliserna som höll i förhöret.

Abdi, svarade sonen.

Några dagar senare satt Abdi i en cell i polisens lokaler på Aminogatan i Göteborg. En kvinnlig förhörsledare som ville veta vad han hade att säga fick vända i dörren. Abdi, som var påverkad av amfetamin, tyckte att hon kunde fara åt helvete.[312]

Den röda Toyotan visade sig i sin tur stå skriven på en sextioårig irakier. Även han hade lånat ut bilen till sin son. Sonen hette Amir, var tjugosju år gammal och liksom Olof uppvuxen i Lövgärdet. När Bengt-Olof Berggren tog över förundersökningen satt Amir redan anhållen. Natten efter skottlossningen hade han kommit in till polisstationen i Kortedala för att anmäla att någon måste ha stulit pappans Toyota.

Amirs version var att han hade åkt iväg med bilen för att handla i en kiosk som ligger alldeles intill brottsplatsen på Saffransgatan. Under den korta tid som han var inne i kiosken skulle en okänd person ha hoppat in i bilen och kört iväg. Poliserna tyckte att det lät osannolikt. Han lämnade väl inte kvar nycklarna i bilen? Om en flink biltjuv ändå varit framme, varför tog Amir i så fall inte kontakt med polisen direkt? Det kryllade ju av patruller i Gårdsten.

En slagning i registren visade att Amir var ostraffad. Men i hans bekantskapskrets fanns gott om kriminella. Det stod klart när utredarna inledde förhör. Ungefär en timme före skottlossningen hade Amir hämtat upp en av dessa vänner i Toyotan.[313] Färden hade gått till ett radhus i Gårdsten, bara några hundra meter från brottsplatsen. Där hade de träffat bland annat två bröder i tjugofemårsåldern. Vid 20-tiden skulle Amir ha lämnat radhuset för att åka iväg och köpa snus. Några minuter senare föll skotten.

Poliserna visste mycket väl vilket radhus Amir pratade om. De hade varit där flera gånger. Senast hösten 2006, efter att ägaren hade blivit

---

312 Polismyndigheten Västra Götaland. Diarienr: 1400-K74295-08.
    Förundersökningsprotokoll, s 36. PM ang förhör.
313 Ibid, s 74. Förhör.

De okända skyttarna i Toyotan hade skjutit inifrån kupén och ut genom bilens baklucka.

skjuten i ett parkeringshus i stadsdelen Majorna i Göteborg. Mannen – fyrtiosjuårige Naser Dzeljilji – överlevde attentatet men beklagade att han inte kunde hjälpa polisen med deras utredning. Polisen blev knappast förvånad; Naser Dzeljilji var känd som ledare inom den så kallade Albanligan och van att lösa sina problem på egen hand. Den här fredagskvällen hade Naser Dzeljilji dock inte varit hemma. Hans söner, det vill säga de båda bröderna, skulle senare berätta att han befann sig utomlands.[314]

Vad gjorde då Amir, hans vän och de andra gästerna hemma hos familjen Dzeljilji? undrar förhörsledarna. Inget särskilt, sa Amir. Några hade druckit öl, andra hade spelat poker. De hade pratat om att grilla. Men när de hörde skotten blev de nyfikna och gick bort till Saffransgatan för att se vad det var som hade hänt. Poliserna som noterat Amirs uppgifter tyckte att hans berättelse innehöll många frågetecken. Jouråklagaren höll med. Amir anhölls och delgavs misstanke om medhjälp till mordförsök och skyddande av brottsling.[315]

---

314 Ibid, s 79. Förhör.
315 Ibid, s 338. Arrestantblad.

För att kontrollera Amirs uppgifter bestämde sig poliserna att höra så många som möjligt av hans vänner, inklusive Naser Dzeljiljis söner.

– Det blev naturligt att leta efter möjliga gärningsmän i den här kretsen. Det fanns en koppling till en av de inblandade bilarna och ingen annan än de själva påstod att Toyotan skulle ha blivit stulen, kommenterar Bengt-Olof Berggren.

Även om Amir inte varit direkt inblandad kunde han ha kört gärningsmännen till platsen, resonerade utredarna. Till detta kom färska uppgifter om att kretsen kring Naser Dzeljilji hade ett ont öga till Bandidos. En avhoppare från Asir, själv av albanskt ursprung, hade berättat för polisen att albanerna beskyllde mc-gänget för att ligga bakom det tidigare mordförsöket mot Dzeljilji.[316]

Den tekniska undersökningen av Toyotan gav dock inga bevis mot någon av männen i Dzeljiljis bostad. Passfoton visades för vittnet. Han skakade på huvudet. Det var ingen av dem, hävdade han. Även misstankarna mot Amir skulle leda in i en återvändsgränd. Efter tio dagar släpptes han av Bengt-Olof Berggren. Olof och Abdi blir blev däremot kvar i häkte. Blodspåren på asfalten vid Volvo kom från dem.

Göteborgspolisen utgick från att X-team skulle försöka att hämnas på fienden i Gårdsten. Men inget hände. När en skottlossning inträffade i området två månader senare var offret istället återigen en anhängare till X-team.

Överraskad i sömnen

Klockan tre på morgonen natten till den 10 juli 2008 vaknade nittonårige Elvis av att någon ryckte i hans kropp.[317] Omtöcknad vred han sig ut mot rummet och fick upp ögonen. Adrenalinpåslaget gjorde honom klarvaken. Händerna som bryskt grabbat tag i honom tillhörde två män, den ene med rånarluva över ansiktet och den andra med en ihopdragen munkhuva.

”Vilka är ni? Vad håller ni på med?” fick Elvis fram.[318]

Männen svarade inte.

---

316 Göteborgs tingsrätt målenhet 11:2. Diarienr: B12451-07.
317 Polismyndigheten i Västra Götaland. Diarienr: K113713-08. Anmälan.
318 Ibid. FU-protokoll. Förhör.

"Gör inget framför tjejen!" vädjade Elvis.

Hans flickvän, som låg intill honom, hade vaknat. Skräcken fick henne att skrika gällt.

"Ta det lugnt tjejen, annars skjuter vi", sa en av de maskerade männen.

I nästa stund såg flickvännen Elvis ledas ut i trerummarens vardagsrum. Två kraftiga smällar hördes, därefter ett plågat skrik. Snabba steg i hallen och inkräktarna var borta.

Flickvännen var beredd på det värsta. Men när hon vågade sig ut i vardagsrummet förstod hon att männen hade skonat Elvis liv. Han satt upp i en fåtölj – bägge skotten hade tagit i benet. Flickvännen sprang fram till honom och knappade sen in 112 på sin mobiltelefon. Elvis ringde i sin tur till en kompis. Kompisen, som låg och sov i en lägenhet ett hundratal meter bort, fattade att det var allvar. Någon minut senare hade han fått på sig gympadojorna och sprungit över till Elvis.

Nittonårige Elvis tillhörde sedan en tid X-team. Det gjorde även kompisen. Han hette Andreas och var ett år äldre. Vi har berättat om honom tidigare i boken. Vid det här tillfället hade han två månader kvar att leva.

När Elvis förhördes på sjukhuset hade han inte mycket att säga. Ännu en gång stod polisen inför den otacksamma uppgiften att försöka klara upp ett brott mot en person som undanbad sig hjälp.

"Har du några fiender?" frågade en polisman honom.

"Inte vad jag vet", svarade Elvis.

En utskrift från ett avlyssnat telefonsamtal något halvår tidigare sa något annat. I handlingen stod att Elvis och en fem år äldre man vid namn Sader hade skrikit otidigheter till varandra. Sader var vid tillfället ledare för Angereds tigrar, ett nätverk av kriminella som stått Naser Dzeljilji och den albanska grupperingen i Göteborg nära. I ett annat avlyssnat samtal från samma tid hade Sader hörts säga till en vän att de skulle åka och skjuta Elvis. Men polisen visste att konflikter i Göteborgs kriminella gängvärld ofta klingade av lika snabbt som de uppstått. Informationen bedömdes som alltför gammal för att Sader skulle kunna tas in för förhör.

Polisen hade även uppgifter om att Elvis sålde droger till unga. En man hade dömts för att ha hotat döda Elvis om Elvis inte slutade att förse hans lillebror med narkotika.[319] Men även detta låg längre tillbaka i tiden.

Skottlossningen på Saffransgatan var mer färsk. Elvis förekom inte själv i utredningen men det gjorde hans storebror, tjugofyraårige Edis. Edis hade varit en av de första på plats hos den blödande Olof.

En av många frågor som polisen ville ha svar på var hur gärningsmännen hade lyckats ta sig in i lägenheten. Dörren, som vid tillfället varit låst, hade inga skador. Men Elvis sa sig vara helt oförstående även inför detta.

– Vi kom helt enkelt ingen vart när målsäganden inte ville samarbeta, säger Hans Nilsson på länskriminalen.

Ännu en gång låg det hämnd i luften. Men inte heller nu slog X-team tillbaka. Sommarvärmen lade sig över Göteborgs nordöstra förorter och invånarna i Gårdsten och Lövgärdet slapp fler dystra beskrivningar av de egna kvarteren.

Bandidos spelar högt

Mannen höjde pistolen och tryckte av, rakt emot krogkön. Gästerna vid nattklubbsentrén hann aldrig ta skydd. Att kulan bara träffade byxbenet på en av dem var ren tur.

Sommaren 2008 var "Respekt" vid Järntorget en av Göteborgs mest populära nattklubbar och därmed också ett skyltfönster för stadens gängmedlemmar. För att hålla emot när adrenalin och grupptryck skapade press i dörren hade klubbens ägare frestats att ta in egna hårdingar som "entrévärdar". Många av dessa hade koppling till Bandidos.[320]

En av entrévärdarna hette Reza. Han var landsman och personlig vän till Bandidos-ledaren och iraniern Mehdi Seyyed. Att en krog värvade personal från ett kriminellt mc-gäng kunde tyckas uppseendeväckande. Men som vi berättat i tidigare kapitel fanns det en koppling mellan olika krögare och Bandidos.

Reza sa sig inte ha någon aning om vem som skjutit mot krogkön. Polisen trodde honom inte. Enligt olika tipsare var det just Reza som

---

319 Göteborgs tingsrätt, målenhet 12:1. Diarienr: B6052-07. Deldom.
320 Polismyndigheten i Västra Götaland. Diarienr: AL-729-2194/09. Promemoria.

gärningsmannen hade siktat på. Rykten sa att Reza hade nekat en grupp killar från Gårdsten att komma in på krogen bara några dagar tidigare.

Det var efter skottet mot Respekt den 10 augusti 2008 som Bandidos-sfären verkligen skulle få problem. Skjutningarna i Gårdsten och Lövgärdet hade varit isolerade händelser som inte hotat grupperingens ställning nämnvärt. Skjutningen mot nattklubben blev starten på något helt annat.

Så här berättar en av våra källor:

– Allt började med att Ridde, chefen i Bandidos, ringde upp en av killarna i Gårdsten som man trodde hade varit inblandad i skjutningen mot Respekt. Gårdstenskillen fick höra att han skulle böta en halv miljon. Då svarade han så här: "Okej, du ska få dina pengar – du kan till och med få en miljon. Men då får du komma hit och hämta dem själv".

Ridde, det vill säga Bandidos "president" i Göteborg Riadh Bouhlal, hade sannolikt inte räknat med ett så kaxigt bemötande. Men mannen i Gårdsten var inte vem som helst. Tjugosju år gammal hade han nått hög kriminell status, bland annat som ledargestalt i grupperingen Angereds tigrar. Några år tidigare hade han åtalats för mordförsök men gått fri. I rätten hade målsäganden och vittnen inte velat stå för vad de tidigare hade sagt.

Hur diskussionerna gick inom Bandidos kan vi inte veta. Men redan kvällen efter skotten mot Respekt stacks en korvvagn i brand utanför varuhuset Willys i stadsdelen Gamlestan.[321] Korvvagnens ägare var en nära anhörig till tjugosjuåringen i Gårdsten.

Ett par dagar senare föll nästa dominobricka. En tjugofyraårig man utsattes den 14 augusti 2008 för beskjutning i Kortedala och träffades i benet. Mannen sa till polisen att han hade blivit rånad av några okända män. Underrättelseuppgifter pekade på något annat: Bandidos hade gjort mannen till en måltavla.

– Offret hade knytning till den lokala gruppering som vi började skönja i Gårdsten. Det gjorde att vi misstänkte att Bandidos-sidan låg bakom, säger en av de poliser som förgäves försökte lösa fallet.

---

321 Polismyndigheten i Västra Götaland. Diarinr: K133222-08. Polisanmälan.

Fienden skjuter – men inte för att döda

De kommande dagarna sker händelserna slag i slag. Den 16 augusti får SOS larm om en ny skottlossning, denna gång på Hisingen. Uppringaren påstår att en man på en crossmotorcykel ska ha tagit upp ett vapen i trafiken och skjutit mot ett okänt mål. Patrullerna som skickas dit hittar dock varken gärningsmän eller eventuella offer.

Två dagar senare, natten till måndagen den 18 augusti 2008, ringer skräckslagna människor från Saffransgatan i Gårdsten – samma plats som vid skottlossningen tre månader tidigare. De har vaknat av långvariga automatsalvor och rusat fram till sina fönster. En skärrad lägenhetsinnehavare upptäcker skotthål i rutan, men polisen avfärdar att det skulle röra sig om en riktad attack.

– Det var en ren maktuppvisning, X-team kom hit och sköt i luften. Förmodligen ville de visa att de inte var rädda för Gårdstensgänget, säger åklagare Bengt-Olof Berggren.

Sammanlagt hittas ett femtiotal hylsor på marken. Den tekniska undersökningen ska visa att några av dem har kastats ut från en kpist av samma moderna slag som polisens insatsstyrkor använder: Heckler & Koch MP5, tillverkad i Tyskland. Polisen vet det inte då, men senare ska det framgå att vapnet tillhör X-teams arsenal.

Vid niotiden nästa kväll skjuts två män ned i en port vid Brunnsbotorget på Hisingen. Det faktum att dådet sker intill en lekplats visar hur kort avståndet är mellan gängens hänsynslöshet och vanliga människors vardag. Å andra sidan kan polisen konstatera att gärningsmännen valde att skona offrens liv.

– Killarna var instängda i ett låst trapphus, det hade varit den enklaste sak i världen att döda dem. Men alla skott satt i benen, minns kriminalinspektör Peter Thylén, som får i uppdrag att försöka lösa fallet.

Offren heter Hany och Julius och är båda i tjugofemårsåldern. Även de ingår i X-team. Och liksom deras tidigare skottskadade vänner Olof, Abdi och Elvis gör de klart att om polisen vill hitta de skyldiga får de göra det på egen hand. Det är nu samhället reagerar på allvar. Politiker och opinionsbildare säger att det är dags att återta Göteborg från "gangstrarna".[322] "Nyckeln till att stoppa den här utvecklingen är

---

322 Göteborgs-Posten 080821: Gangsterstaden Göteborg? Av: Okänd.

chockhöjda straff för brott mot vapenlagstiftningen", menar en ledarskribent på Göteborgs-Tidningen.[323]

Göteborgs-Posten går på samma linje, men betonar att det även krävs förebyggande åtgärder för att minska gängens nyrekrytering: "Gängkriminaliteten kan aldrig utrotas med bara polisiära åtgärder. De flesta grova brottslingar har startat sin bana i unga år och det går ofta att se redan på skolgården eller fritidsgården vilka som ligger i farozonen. Förekomsten av våldsamma ungdomsgäng är ett symptom på vuxensamhällets misslyckande."[324]

Göteborgs starke man, kommunalrådet Göran Johansson (S), ger i samma tidning uttryck för viss självkritik och medger att socialtjänsten svikit barn och unga i förorterna.[325] Fler fältassistenter i tjänst under kvällar och helger är det löfte han kan ge.

Samtidigt kan ett visst misstroende gentemot rättsväsendet skönjas. En enig kommunstyrelse beslutar sig för att kalla polisen till en särskild hearing. "Bilden av Göteborg blir allt mer synonym med skottlossning och uppgörelser i den undre världen", säger folkpartisten Mikael Jansson till Göteborgs-Posten och vill veta vad som egentligen görs. Länskriminalens chef Klas Friberg garanterar tidningens läsare att myndigheten är på tå. "Ha tålamod, vi tar de här killarna förr eller senare", säger han.

Redan två dagar senare gör maktlösheten sig åter påmind, nu på Storhöjdsgatan i det lugna området Strömmensberg. En man har precis satt sig i sin bil när kulor slår in genom rutorna. Han är tjugofyra år, jobbar som hantverkare och ska just köra till jobbet. På väg ut från bostaden såg han aldrig de båda män som väntat på honom.

Trots chocken lyckas mannen trycka gasen i botten och fly. Senare under dagen ska han säga att det hela är oförklarligt, gärningsmännen måste ha tagit fel. Men polisen vet att mannen och X-team har gemensamma vänner. En av dessa är Reza, vakten på Respekt.

"Vi har litet slarvigt sagt att de tidigare offren inte velat tala med oss. Det är inte sant för de talar artigt med oss. Men det de säger för inte

323 Göteborgs-Tidningen 080821: Chockhöj. Av: J Fredriksson.
324 Göteborgs-Posten 080821: Gangsterstaden Göteborg? Av: Okänd.
325 Göteborgs-Posten 080821: Göran Johansson vill inte recensera polisen.
    Av: A Isemo.

utredningen framåt och det gör inte heller det den här mannen säger", säger spaningsrotelns chef P O Johansson till Dagens Nyheter.[326]

Bomben som klickade

Två dagar senare går två X-teammedlemmar fram till en blå Audi S8, som står parkerad på Bergavägen på Hisingen. När bara några meter återstår hör männen en liten melodislinga. Först en gång. Sedan en gång till. Männen förstår först inte var ljudet kommer ifrån. Sen ser de den vita plastpåsen.

Vad gängmedlemmarna inte vet är att en civilklädd spanare följer dem på håll. I det extrema läge som konflikten nu befinner sig har polisen börjat punktmarkera olika gängmedlemmar. Spanaren har i uppdrag att diskret bevaka Audin, som polisen vet används av X-team. Polismannen ska senare vittna om att det är tjugoettårige Adnan som sträcker sig in under Audin och drar fram plastpåsen.[327] Hela tiden fortsätter det att ringa i påsen.

Polismannen är på helspänn. Han har tidigare lagt märke till en man med jugoslaviskt utseende stå runt hörnet till ett av gatans hyreshus. Men Adnan och hans ett år äldre vän Pooria verkar inte inse allvaret i situationen. De står lugnt kvar i närheten av bilen. En av dem tar upp en mobiltelefon och ringer. En kortväxt man kommer ut på gatan. Spanaren känner igen honom som medlem i Bandidos.

En stund senare rullar en radiobil från ordningsavdelning in på den lilla gatan. X-teammännen har svalt stoltheten och bett polisen undersöka påsen. Utan att få någon varning av sin civilklädde kollega går en av ordningspoliserna fram till den och gläntar på öppningen. Det han ser räcker för att han och hans kolleger omedelbart ska spärra av flera kvarter och evakuera bostäder och butiker.

Lite senare rullar en bombrobot fram till Audin. Från en buss en bit därifrån aktiveras robotens högtrycksspruta. De blöta delar som sprids på gatan bekräftar farhågorna. En sprängkapsel, tre hekto sprängdeg, en batteridriven motor och en mobiltelefon är en dödlig kombination.

– Bomben var komplett. Men av någon anledning hade den inte

326 Dagens Nyheter: Boende drabbas av gängkrigen. Av: P Sandberg.
327 Göteborgs tingsrätt, målenhet 12:2. B8561-08.

utlöst, trots att gärningsmännen ringt och ringt till den mobiltelefon som skulle fungera som fjärrutlösare, berättar Bengt-Olof Berggren.

Liksom efter vårens uppgörelse i Gårdsten är det han som utses att leda förundersökningsarbetet. Den här gången ska det gå lättare. Polisen har blivit förvarnad om att ett sprängdåd kan ske och vet i vilka kretsar man ska leta.

– Några veckor tidigare har en polisman från länskriminalen här i Västra Götaland varit nere i Slovenien och hört en man som bett att få prata med svenska myndigheter. Mannen hävdade att två yrkesmördare befann sig i Sverige under falska identiteter. Den enes specialitet skulle vara just fjärrstyrda bomber, berättar Bengt-Olof Berggren.

Tipsaren, en trettiofemårig serb, hade gripits efter att slovenska tullen hittat falska eurosedlar i hans bil. Motivet till att han velat prata med svensk polis var hämnd. Sedlarna hade han fått av personer i Sverige som varit ute efter att lura honom, sa han. En av dessa skulle kallas ”Rodjo” och förmedla olika beställningsuppdrag.

Tipsaren hade träffat Rodjo i Göteborg sedan han själv frigivits från ett fängelsestraff för ett mord i Stockholmstrakten. Rodjo skulle efter en tid ha bett honom döda ännu en människa. Tipsaren påstod sig ha tackat nej, vilket skulle ha gjort Rodjo irriterad och arg. Mordplanerna hade dock fortsatt utan honom, påstod serben. Bland annat med hjälp av en bombexpert som gick under namnen ”Tesla” och ”Davor”.

Rodjo och bombexperten kunde efter en tid lokaliseras till Göteborg. Bägge kom från Bosnien-Hercegovina, var i trettioårsåldern och hade vistats illegalt i Sverige i flera år. Rodjos namn var i själva verket Zelimir och han hade förekommit i en utredning om misshandel och hot. Bombexperten hette Branislav och hade rymt från ett fängelsestraff i hemlandet.

Två veckor innan det att plastpåsen hittades under bilen på Bergavägen hade polisen inlett telefonavlyssning mot bosnierna. Det man hörde stärkte misstankarna. Branislav berättade för en släkting att han fått ett jobb som skulle ge honom 22 500 kronor. Jobbet skulle ta en dag att utföra och krävde bland annat en billig, begagnad mobiltelefon.

Polisen hade inte vågat ta några risker. Redan två dagar senare, den 13 augusti 2008, greps Branislav och Zelimir. I bombexpertens lägenhet beslagtogs en mängd elektronikutrustning, beställningskataloger, två mobiltelefoner som kopplats ihop med små, batteridrivna motorer – men ingen sprängladdning. Även om polis och åklagare hade sin teori klar räckte bevisen inte för häktning. Branislav och Zelimir släpptes efter tre dagars anhållande.

Det tar inte lång tid för tekniska roteln att konstatera tydliga likheter mellan bomben på Bergavägen och utrustningen i Branislavs lägenhet. Någon timme senare sitter bosniern återigen anhållen.

– Bevisningen mot honom var stark. Bombens mekanism stämde med de tidigare fynden, säger Bengt-Olof Berggren.

Branislav väljer oväntat att samarbeta med polisen. Jo, det är han som har konstruerat den fjärrstyrda anordningen i plastpåsen, medger han. Men inte bara det. Han pekar ut Zelimir som beställare. "Jag vågade inte säga nej", påstår Branislav.

Att få tag på Zelimir verkar däremot bli svårare. Hans vänner berättar att han har lämnat Göteborg. Men sedan Bengt-Olof Berggren begärt honom internationellt efterlyst kan han gripas i Belgien.

Begreppet Gårdstensalliansen myntas

Efter det misslyckade bombdådet blir det tillfälligt lugnt i gängmiljön och inga nya attentat sker. Bengt-Olof Berggren och utredarna börjar känna viss medvind i utredningsarbetet. Inte bara när det gäller bilbomben, utan även i fallet med skottlossningen i Gårdsten. Överbevisade av blodspåren har både Olof och Abdi medgett att de satt i den sönderskjutna Volvon.[328]

Den pistol som hittades kvarlämnad i bilen har också fått en ägare. På vapnet har Statens kriminaltekniska laboratorium säkrat DNA-spår. En matchning har gett träff för en tjugotvååring som heter Admir. Även han tillhör X-team och ingår i en falang som kommer från Högsbo i södra Göteborg. Admir bor fortfarande hemma och när han grips av piketstyrkan blir hans pappa så chockad att han faller ihop på golvet.[329] När pappan återfår medvetandet säger han att han är så knäckt

328 Polismyndigheten i Västra Götaland. Diarienr: 1400-K74295-08.
     Förundersökning, s 302.
329 Ibid, s 307.

Kärra

Angered

Tuve

Bergsjön

Kortedala

Hisingen

Backa

Lundby

Biskopsgården

Härlanda

Centrum

Majorna

Linnéstaden

Örgryte

GÖTEBORG

Älvsborg

Högsbo

Tynnered

**Brott relaterade till konflikten mellan
X-team och "Gårdstensalliansen" 2008**

1	9/5	Saffransgatan	Skottlossning	Två skadade
2	10/7	Paprikagatan	Skottlossning	En skadad
3	10/8	Järntorget	Skottlossning	Ingen skadad
4	14/8	Kortedala	Skottlossning	En skadad
5	18/8	Saffransgatan	Skottlossning	Ingen skadad
6	19/8	Brunnsbotorget	Skottlossning	Två skadade
7	22/8	Storhöjdsgatan	Skottlossning	Ingen skadad
8	25/8	Bergavägen	Bilbomb	Ingen skadad
9	18/9	Höstvädersgatan	Skottlossning	En skadad

av sonens kriminella livsstil att han funderar på att ta sitt liv.

Admir har ingen förklaring till varför hans DNA finns på vapnet. Att han måste gå runt med skyddsväst är inte hans fel, menar X-teammedlemmen.

"Göteborg är en flippad stad, man måste ju ha det", säger han.[330]

Vem eller vilka som satt i Toyotan vet polisen fortfarande inte. Men polisen har ändå börjat skönja konturerna av Bandidos-sfärens motståndare. Tipsare och avlönade informatörer har nämnt olika namn. Vissa förekommer oftare än andra. En del av dessa har kopplingar till det albanska nätverket, precis som polisen trott från början. Andra tillhör familjer med rötter i Kurdistan. I brist på bättre börjar polisen internt att använda begreppet "Gårdstensalliansen".

– Bilden som växer fram är att två olika kretsar har ställt sig rygg mot rygg och tillsammans bestämt sig för att stoppa X-team, säger en källa inom polisens underrättelseavdelning.

– Vi ser också en tydlig koppling till Angereds tigrar, som i flera år varit albanernas fotsoldater. Känslan vi får är att man har samlat ihop de starkaste krafterna för att stämma i bäcken mot Bandidos och X-team.

Polisen är övertygad om att bilbomben är en upptrappning av konflikten. Utmaningen blir att ta reda på vem som anlitat de bosniska bombmännen – och vem som utfört det riskabla uppdraget att placera ut bomben. Än en gång ska DNA-registret hos Statens kriminaltekniska laboratorium visa sig ovärderligt. På kanten till ett kretskort inuti bomben hittas spår från en tjugofyraårig man som är folkbokförd alldeles i närheten av Bergavägen. Han heter Milad och har nyligen frigivits från ett långt straff för människorov. För Göteborgspolisen är han känd som medlem i Angereds tigrar. Därigenom har han en nära relation till tjugosjuåringen i Gårdsten som utmanat Riadh Bouhlal och Bandidos. När Milad lämnade fängelset bad han dessutom att få tjugosjuåringens bror som övervakare, något som Frivården uppseendeväckande nog accepterade.

I häktet lämnar Milad en förklaring till DNA-spåren. Den har inget med Bandidos eller X-team att göra. Istället säger sig Milad frukta

330 Polismyndigheten Västra Götaland. Diarienr: 1400-K74295-08. Förundersökningsprotokoll, s 310. Förhör.

personer som kastat kokande matolja över honom i fängelset. Tillbaka i frihet ska Milad ha kontaktat en vapenhandlare i Göteborgs undre värld för att skydda sig mot nya attacker. En träff ska ha ordnats i en lägenhet i Gamlestan. Förutom automatkarbiner ska vapenhandlaren ha haft med sig en bomb. Milad säger att han tog bomben i sina händer och fingrade på den. Till sist ska han ändå ha lagt ner den igen, sagt nej tack och lämnat lägenheten tomhänt.

Förnedrande fred

Det är efter det misslyckade bombattentatet på Bergavägen som de första tecknen kommer. X-team är på väg att vackla. Allt färre medlemmar syns ute på Göteborgs gator. Inga nya motattacker sker. I foajén till Göteborgs tingsrätt stöter Bengt-Olof Berggren på en gängmedlem som berättar vad som hänt.

– Flera av hans kompisar vågade helt enkelt inte gå ut. En kille skulle ha legat och tryckt i sin lägenhet i tre veckor i sträck, andra hade fått utegångsförbud av sina föräldrar, minns åklagaren.

Rädslan hos X-teammedlemmarna är naturlig. Att bli skjuten i benen är en sak – att riskera att sprängas i bitar en helt annan. Och när inte moderorganisationen Bandidos verkar vara beredd att ge stöttning, trots att dess ledare personligen utmanade grupperingen i Gårdsten, vem vill då riskera livet för de gul-röda färgerna?

Tjugoårige Andreas, som vi berättat om tidigare, tillhör dem som fortsätter att röra sig ute. Men han är försiktig. Andreas bor egentligen hos sin mamma i Lövgärdet. Men sedan konflikten startade har han ofta sovit hos andra i gänget. Bland annat i en lägenhet i Västra Frölunda[331], en stadsdel där X-teammedlemmar går säkrare än i de nordöstra förorterna. De gånger som Andreas och hans vänner tar sig ut på stan har de ofta skottsäkra västar.

Tisdagskvällen den 9 september 2008 åker Andreas till Länsmansgården i det nordvästra hörnet av Göteborg.[332] Där bor Jamshid, en annan tjugoårig medlem i X-team. Lite senare under kvällen dyker

---

331 Polismyndigheten i Västra Götaland. Diarienr: 1400-K153153-08. Förundersökningsprotokoll.
332 Ibid, s 131. Förhör.

Andreas barndomsvän Edis upp i lägenheten. Edis är tjugofyra år gammal och storebror till Elvis, X-teammedlemmen som blev skjuten i sin bostad i juli. Edis ingår däremot själv inte i gänget.

Strax efter midnatt går Andreas, Edis och Jamshid ut för att prata med några andra killar som agerat provocerande. Vad som händer därefter har vi redan berättat: Andreas skjuts med fyra skott i nacken av en grupp kriminella med koppling till Red and White Crew.

Trots att mordet inte verkar ha med den tidigare konflikten att göra får det ännu fler att lämna X-teams Göteborgsavdelning. I början av hösten 2008 återstår bara en spillra av den tidigare så starka grupperingen. Kanske är det därför som X-teammedlemmar från andra delar av landet börjar synas i Göteborg. En av dem är tjugonioårige Dany Moussa från Södertälje.

Dany Moussa har en hög ställning inom X-team och är personlig vän till flera Bandidos-ledare, däribland Riadh Bouhlal. Moussa har kommit till Göteborg i sällskap av Ozan, en tjugoettårig skådespelare som bland annat medverkat i SVT:s "Skärgårdsdoktorn". Men sedan en tid spelar Ozan en ny roll: han är Dany Moussas livvakt.

När Dany Moussa, Ozan och andra besöker den plats där Andreas mördats hamnar de i ett bakhåll. Flera skott brinner av och Ozan träffas i ena lårbenet. X-teammedlemmarna lyckas hjälpa Ozan in i en bil, men innan de hinner sätta sig i säkerhet får en av gärningsmännen in en träff i bilens sida. De flyr för sina liv, raka vägen till Sahlgrenska sjukhuset. Vid akutintaget tar sig Ozan ut ur bilen och linkar in på sjukhuset, där han sövs ner och opereras.

Efter detta ger X-team upp. De inser att fienden är överlägsen.

– Det är tydligt att X-team inte behärskade den här sortens gerillakrigföring. Visst hade de god tillgång på vapen, men det spelade ingen roll så länge de unga medlemmarna saknade förmåga att leta upp fienderna och sikta rätt. På den andra sidan fanns äldre personer av en helt annan kaliber. Vissa hade till och med krigsträning från sina hemländer, säger Bengt-Olof Berggren.

Under förnedrande former måste en hög Bandidosledare åka till Gårdsten och förhandla med företrädare för övermakten. Obekräftade uppgifter säger att detta var den dåvarande Sverigechefen Jan "Clark"

Tjugoårige X-teammedlemmen Andreas sköts till döds intill en panncentral i Biskopsgården i september 2008. Mordet betraktades som en isolerad händelse, utan samband med de många tidigare skottlossningarna detta år.

Jensen i Helsingborg. Den lokale ledaren Riadh Bouhlals handslag ansågs uppenbarligen inte lika mycket värt.

Freden markerade ett trendbrott. Sedan 1990-talets blodiga konflikt mellan Hells Angels och Bandidos hade de amerikanska enprocentsorganisationerna och deras supportergrupper framstått som tuffast inom den undre världen. Nu hade de få soldater som var kvar i den gul-röda sfären i Göteborg kapitulerat och erkänt sig besegrade av ett nätverk med knappt synliga konturer. Moderorganisationen Bandidos, som faktiskt hade bidragit till att starta bråket, hade inte varit intresserad av att ställa upp för underhuggarna.

Sven Alhbin, operativ chef inom länskriminalen i Västra Götaland, sammanfattade situationen så här när vi pratade med honom hösten 2008:

– Tecken tyder på att mc-gängens makt börjar luckras upp. I många bostadsområden finns starka strukturer som inte viker ned sig.

Chefen för Rikskriminalens underrättelsetjänst, Thord Modin, drog i sin tur paralleller till utvecklingen i Danmark, där Hells Angels utmanats av invandrardominerade nätverk.

– Etniska grupper har visat att de inte kliver åt sidan för mc-gängen.

Vår bedömning är att det sker här också, med den skillnaden att det rör Bandidos. Supportrar inom X-team har ramlat in i områden där det finns våldspotenta personer som inte går åt sidan. Stolthet och heder är nyckelord.

"Ett samhälle i samhället"

Andra skulle gå ännu längre i sin analys av de maktstrukturer som kunde skönjas i Gårdsten. Bertil Claesson, närpolischef i centrala Göteborg, använder ordet "klansamhälle" när vi pratar med honom våren 2010.

– Det är ett faktum att det finns ett antal starka familjer som anser sig ha rätt att styra över andra och göra upp enligt egna regler. Det yttrar sig inte enbart i uppgörelser med andra grupper utan kan också få allvarliga följder när det gäller invånarnas benägenhet att vända sig till polisen. Vi vet att det finns människor som inte vågar berätta vad som hänt av rädsla för repressalier från de här familjerna.

Maria Wallin, analytiker vid länskriminalen i Västra Götaland, förstärker bilden. Hon säger att Gårdsten och andra bostadsområden har "tystnat". Med det menar hon att brott inte anmäls och att polisen, precis som i det inledande exemplet, inte får någon hjälp ens när grova brott har inträffat.

– Grundproblemet är att polisen under många år inte har varit närvarande i förorterna. Det har öppnat för ätter med egna rättssystem. Grunden i dessa system är våldet, både inom familjerna själva och mellan olika grupper, säger Maria Wallin.

Journalisten Peter Linné på Göteborgs-Posten har berört problematiken i flera artiklar. I mars 2009 publicerades en text med rubriken "Stora släkter styr över laglöst land". Här följer ett utdrag:

> Vilka är familjerna som härskar? De har olika bakgrund. Några härstammar från det forna Jugoslavien eller Turkiet, någon från Irak eller Kurdistan, någon från Libanon eller Syrien. Majoriteten kom förstås hit med höga ambitioner, men fick inga jobb och blockerades på arbetsmarknaden. De driftigaste startade eget, köpte en jourbutik, en import- eller grossistfirma, en

liten restaurang. Andra havererade i arbetslöshet, hemlängtan eller alienation. Deras barn tillhör den andra generationen eller möjligen den tredje. De känner sig ändå inte välkomna. Blodsbanden är starka, liksom den etniska sammanhållningen, och släkterna hjälps åt att lösa problem. Oavsett om man bor i Oslo, Köpenhamn, Hamburg, Berlin eller Göteborg. Förgreningarna löper över norra Europa. Därför har det på sina håll stiftats lagar vid sida om rådande lagar. Det har byggts alternativa samhällen utanför samhället.[333]

Händelseutvecklingen och utgången sommaren 2008 var logisk i Peter Linnés ögon.

– Kommer det en kriminell gruppering som X-team och säger att de ska ha pengar för beskydd eller något annat är det inte konstigt att det blir konflikt. Egentligen handlar det kanske bara om att människor försvarar sin egendom, säger han.

Från personer i Gårdsten som har inblick i den utpekade stridande grupperingen får vi inga bekräftelser. En man, som vi stämmer träff med på en pizzeria, fnyser åt det han kallar för "spökhistorier".

– Eftersom de här skottlossningarna inte är uppklarade är det ju ingen som vet riktigt vad som hände. Men det fanns i alla fall ingen Gårdstensallians som polisen sa. Och att kurder och albaner skulle ha gått ihop har jag aldrig hört talas om.

Några dominerade släkter tycker sig mannen, som har nära band till flera i den utpekade gruppen, inte se.

– Polisen och andra verkar tro att det sitter nån gubbe i turban och skägg och styr. Det är ju löjligt. Däremot är det sant att familjen är viktig för många i Gårdsten. Man ställer upp för varandra och det skapar trygghet. På så sätt kan klanmentalitet vara något bra, det blir en annan sammanhållning än bland svenskar.

Under arbetet med den här boken har vi även pratat med den kriminelle ledargestalten Naser Dzeljilji, som alltså själv bor i Gårdsten.

– Det är jättetråkigt det som händer. Men jag känner faktiskt inte till någonting om vad som ligger bakom, jag har varit utomlands hela

---

333 Göteeborgs-Posten 090310: Stora släkter styr över laglöst land. Av: P Linné.

sommaren, sa Dzeljilji då vi träffade honom hösten 2008 under en rättegång mot en av hans söner.

Mest relevant är kanske att ställa frågan till de politiker som valts av invånarna i Gårdsten och andra närliggande områden. Därför vände vi oss till ledamöterna i Gunnareds stadsdelsförvaltning. Hur ser de på polisens och Göteborgs-Postens beskrivning?

Moderaten János Kozma sa sig inte känna igen bilden.

– Jag sitter i sociala utskottet och inget av det du nämner har diskuterats där. Generellt tycker jag att Göteborgs-Posten och andra ofta förstorar de problem som finns i invandrartäta områden, svarade han när en av oss ringde upp honom på hans mobiltelefon i september 2010.

Hans partikamrat Rexhep Ademaj reagerade däremot på ett sätt som var svårtolkat:

– Jag kan inte prata om sådana saker på telefon. Jag vet inte vem du är.

Socialdemokraten Eshag Kia markerade att han var ointresserad av frågeställningen.

– Det du pratar om är polisens sak att hantera, jag kan inte hjälpa dig, svarade han.

Bara Yvonne Palm, vänsterpartist och ledamot i sociala utskottet, medgav att det fanns problem.

– Jag jobbar på en förskola i Gårdsten och i mina kontakter med föräldrar hör jag ganska ofta att det är på det viset. Jag upplever att det finns familjer som har en status som gör att de kan agera lite som de vill, utan att någon vågar säga ifrån. Det behöver inte handla om så avancerade saker, nyligen hörde jag till exempel om att någon av dessa hade kört bil rakt in i ett område där det är bilfritt.

Längre in i samtalet nämnde Yvonne Palm ett par exempel av annan karaktär.

– Under ganska lång tid hade vi problem med ett café som var en samlingsplats för kriminella. Problemet var att även unga gick dit eftersom det låg en skola alldeles i närheten. Alla insåg att verksamheten inte var bra. Men den privata fastighetsägaren, som är ett stort företag, sa rakt ut att de inte vågade besluta om vräkning eftersom de kände rädsla för den man som drev caféet, berättade hon.

– Och i Lövgärdet, dit jag nyligen flyttat, fick jag veta att det fanns en lägenhet dit unga kunde gå för att köpa sprit och öl. En kväll satt jag och räknade hur många kunder som gick in och ut – det var tjugotre stycken. Jag pratade med grannarna, men de sa att det var bäst att inte agera. Det slutade med att jag själv ringde polisen.

Det som hände då eller, rättare sagt, inte hände ger viss förståelse för hur misstroendet i området mot polisen hade uppstått.

– De kom aldrig. Jag ringde igen och igen, totalt fem gånger. Det var först när jag tog upp saken via våra kommunala kanaler som polisen såg sig tvingad att åka ut.

Yvonne Palm säger att hon vid olika tillfällen har försökt ta upp en diskussion i sociala utskottet kring vad hon ser som "en kultur där var och en håller sig för sig själv av rädsla för att råka illa ut".

– Tyvärr har jag hittills inte fått något gehör. Men jag tycker att vi politiker är alldeles för passiva i den här frågan. Vi borde säga att vi ska studera och kartlägga i vilken mån det finns ett problem och i så fall visa tydligt för alla aktörer att det inte är acceptabelt.

Yvonne Palms beskrivning ligger i linje med hur länskriminalens analytiker Maria Wallin ser på saken.

– De som har svårast att inse problemen verkar vara politiker och andra beslutsfattare. Personal inom socialförvaltningen, polisen och skolan känner däremot ofta igen problematiken, sa Wallin under vårt möte i polishuset sommaren 2010.

Alliansens vapengömma hittas

Trots en enorm utredningsinsats blev bara en enda person fälld för inblandning i den våldsamma konflikt som pågick mellan maj och september 2008 i Göteborg. Det var bosniern Zelimir, mellanhanden i fallet med bilbomben på Bergavägen. Han dömdes till fyra års fängelse och tio års utvisning för medhjälp till mordförsök.[334] Bombtillverkaren Branislav friades däremot efter påståenden om att han skulle ha fått kalla fötter och medvetet konstruerat bomben så att den inte skulle kunna detonera. Även Milad, med band till nätverket i Gårdsten, klarade sig undan; att hans DNA fanns på sprängladdningen var i hovrättens ögon inte bevis nog.

---

334 Hovrätten för västra Sverige, rotel 32. Diarienr: 4390-08. Dom.

Skottlossningen på Saffransgatan, som inlett hela konflikten, slutade också i ett tungt nederlag för polis och åklagare. De enda som kunde åtalas för mordförsök var de som befunnit sig på "X-teamsidan": Olof, Abdi och Admir. Vem eller vilka som suttit i Toyotan skulle aldrig redas ut.

Abdi medgav i rätten att han hade avlossat skott mot Toytan. Admirs DNA fanns på en kvarglömd pistol. Ändå friades de och Olof. Såväl tingsrätt som hovrätt ansåg att de hade haft rätt att skjuta för att försvara sig i det trängda läge som de uppenbarligen hade hamnat i. (Admir dömdes däremot för vapenbrott och Abdi för grovt vapenbrott och utpressning.)

Fallet med Elvis, som sköts i sin lägenhet, lades ner i brist på bevis. Detsamma gäller skottet mot nattklubben Respekt och de många andra brott som följde därefter.

Oavsett detta är de som vi har pratat med – både poliser och kriminella – övertygade om att händelseutvecklingen orsakades av att Bandidos-sfären hade för hög svansföring.

– Om de hade sålt narkotika på någon annans område eller pressat fel person på pengar, det vet vi inte säkert. Men på något sätt utmanade de i alla fall en gruppering som var överlägsen. Sedan dess har vi inte sett X-team eller Bandidos uppe i Gårdsten, säger en polis på länskriminalens kriminalunderrättelsetjänst.

– Vännerna, som jag kallar grabbarna i Gårdsten, är inga man fuckar med. Det visste många redan innan och nu vet Bandidos det också. De som är riktiga krigare behöver inte ha några namn eller tatueringar, säger en kriminell man i trettioårsåldern.

För Bengt-Olof Berggren ledde de misslyckade utredningarna till ett drastiskt beslut. Han bestämde sig för att lämna åklagarbanan för att istället blir chef för Göteborgs Stads nyinrättade kunskapscenter mot organiserad brottslighet.

– Jag insåg att samhället aldrig kan komma åt problemen med den grova brottsligheten enbart genom brottsutredande, säger Berggren, som idag jobbar med allt från att stödja avhoppade gängmedlemmar till att försöka hindra att kommunens bolag köper tjänster av företag med kriminella intressen.

Under senhösten 2008 nådde rättsväsendet dock en liten framgång. I en garderob i en lägenhet i Surte, ett par kilometer från Gårdsten, hittades vad som misstänktes vara Gårdstensalliansens vapengömma: tre kalasjnikov automatkarbiner, en kpist av märket Zastava, femton magasin och cirka 1 000 patroner.

Polisens officiella förklaring till att man hade letat just där var att det hade varit "spring" i lägenheten och att man misstänkte narkotikaförsäljning.[335] Detta lät dock en aning märkligt med tanke på att lägenhetsinnehavaren var en ostraffad man med anställning på försvarsindustriföretaget Saab Microwave Systems. Mannen sa sig länge vara helt ovetande till hur vapnen hamnat hemma hos honom. I hovrätten valde han dock att erkänna och berätta.

Den som hade bett honom förvara vapnen var en tungt kriminellt belastad tjugofemåring som han kände ytligt, sa mannen. Den sistnämnde var i sin tur nära vän med den tjugosjuårige ledargestalten i Gårdsten.

– I våra ögon var det ingen tvekan om att det här var Gårdstensgrupperingens arsenal. Att vi fick bort den var i alla fall en liten tröst, säger Bengt-Olof Berggren.

X-team fortsätter blöda

Det ligger nära till hands att tro att Bandidos-sfären skulle ha agerat försiktigare efter nederlaget i Göteborg. Så blev det inte. Året därpå skulle X-team ge sig in i en ny konflikt med tydliga likheter till det som hände i Göteborg. Den här gången var platsen Södertälje, där den tidigare nämnde Dany Moussa och hans livvakt Ozan år 2007 hade bildat en X-teamavdelning.

Fram till dess hade Södertäljes kriminella sfär dominerats av en stor grupp grovt kriminella som polisen kallade "Södertäljenätverket". Första gången nätverket lät höra tala om sig på allvar var under hösten 2005. I samband med ett bråk i stadsdelen Ronna besköts polishuset i Södertälje med automateld. Flera unga män med koppling till nätverket greps, men undgick åtal i brist på bevis.

Södertäljenätverkets kriminella verksamhet var bred. Allt som gav

---

335 Alingsås tingsrätt, rotel 1.2134-08. Dom.

pengar var intressant, sa Södertäljepolisens spaningschef Lennart Kant
i en intervju med tidningen Café 2006:

"Brottsligheten omfattar allt från att engagera ungdomar från exem-
pelvis Ronna att stjäla datorer från kommunen till illegal spelverksam-
het, övertagande av restauranger och värdetransportrån. Vi har funnit
att de flesta grova rån som utförs i Sverige planeras i Södertälje."

Men bilden var mer komplex än så. Nätverkets medlemmar drev
även butiker och andra lagliga verksamheter. De hade egna utlånings-
rörelser och minst ett eget växlingskontor. Kort sagt: en organism med
armar som sträckte sig in i olika delar av samhället.

"Södertälje börjar mer och mer likna Sicilien eller 1930-talets Chi-
cago. Kampen står mellan polisen och Södertäljenätverket /.../ Än så
länge vinner nätverket", sa spaningschefen Kant i samma artikel som
ovan.

Att Södertäljenätverket inte var intresserat av konkurrens säger sig
självt. Allra minst från en av sina egna.

– Det som gjorde situationen speciell var att den som tog X-team till
Södertälje själv hade ingått i nätverket. Så fort vi fick veta detta förstod
vi vart det skulle barka hän.

Det berättar kommissarie Fredrik Gårdare. Den han syftar på är
Dany Moussa, som i likhet med många inom nätverket har syrianska
rötter.

Under 2007 och 2008 var Fredrik Gårdare operativ koordinator för
en särskild polissatsning i Södertälje. Målet för denna var att få ett slut
på hot, trakasserier och våld mot polispersonal. I Ronna och andra bo-
stadsområden hade unga slagit sönder polisbilar och utsatt poliser för
äggkastning och paintballskott. I vissa fall hade poliser fått hotsamtal i
hemmet och däck på privata bilar hade skurits sönder.

– Mycket av detta fick vi stopp på ganska snabbt, tack vare att Stock-
holmspolisen bidrog med olika enheter. Successivt gick vi över till att
ägna oss mer och mer åt friktionen mellan X-team och Södertäljenät-
verket, fortsätter Fredrik Gårdare.

Under vintern 2007–2008 blev läget allt mer spänt. Personer inom
nätverket sågs bära tröjor med texten "Syrianska brödraskapet", vilket
polisen tolkade som en mobilisering. Den första sammandrabbningen

skedde utanför Pressbyrån i centrala Södertälje. En tjugoåttaårig medlem i X-team blev misshandlad och knivhuggen. Trots att överfallet filmades av en övervakningskamera gick det inte att klara upp. X-teammedlemmen vägrade samarbeta med polisen.

Kort därpå genomförde Bandidos-sfären en styrkedemonstration. Ett trettiotal medlemmar och supportrar från Stockholm, Västerås och andra städer kom till Södertälje och gick in på krogen Texas Longhorn i centrum.[336]

– De gjorde inte mycket mer än att de satt där inne och käkade. Men den andra sidan följde noggrant vad som skedde genom utsända spanare som löpande informerade ledargestalterna i Ronna, berättar Fredrik Gårdare.

Lite senare inträffade något intressant. Polisen kunde se hur de båda sidorna träffades på en McDonalds-restaurang. Vad som sades vet inte Fredrik Gårdare. Men efter mötet verkade spänningen lätta. När Gårdare i slutet av 2008 avslutade sitt uppdrag var bedömningen att konflikten hade lagt sig.

– Delvis hade det nog att göra med att vi satsade hårt på att vara synliga och punktmarkera många av gängens medlemmar, tror Gårdare.

Lugnet skulle bara bli tillfälligt. Vad den utlösande faktorn var är okänt. Men julen 2009 inträffade ett dåd som tog konflikten till en ny nivå.

Natten till den 23 december kom en man i rånarluva in på spelklubben Oasen i Ronna Centrum. Mannens mål var tjugofemårige Mohaned, även kallad "K-Sigge". Gärningsmannen sköt K-Sigge med tre skott och försvann samma väg som han kommit. K-Sigge skulle senare avlida på Karolinska sjukhuset.

K-Sigge kom från Gottsunda utanför Uppsala och hade gått med i X-team. Sedan en tid var han livvakt åt ledaren Dany Moussa. Att han befann sig på Oasen hade sin förklaring. Spelklubben drevs av två bröder till Moussa och var en vanlig mötesplats för X-teammedlemmarna.

Redan några dagar senare anhölls en artonårig man misstänkt för mord.[337] Trots sin ålder hade han förekommit i flera utredningar om grova brott, bland annat dråpförsök. Även en nittonårig man greps en

---

336 Expressen: Stort polispådrag när Bandidos intog restaurang. Av: A Norberg.
337 Södertälje tingsrätt. Diarienr: B2918-09.

Trettioettårige Dany Moussa utmanade Södertäljes kriminella nätverk när han 2007 tog X-team till staden. Julen 2009 mördades hans livvakt och sommaren 2010 hans bägge bröder.

tid senare. Men bevisen ansågs inte tillräckliga för häktning och bägge släpptes igen.

Efter mordet väntade många på att X-team skulle hämnas. På långfredagen i april 2010 skedde det. Två män som varit ute på en krog i centrala Södertälje hamnade i ett kulregn när de mötte en bil på vägen hem. En av männen var en tjugosexårig fotbollsspelare och den andre en trettiosjuårig tungt kriminell man. Den förstnämnde skadades svårt medan den andre, Metin, klarade sig med lindriga skador.

Enligt polisen var det ingen tvekan om att åtminstone Metin hade tydlig koppling till Södertäljenätverket. De kommande veckorna skulle flera unga män med knytning till X-team gripas för mordförsök. En av dem var Ozan, som själv hade skottskadats i Göteborg året innan.[338] I februari 2011 dömdes Ozan till fyra års fängelse för medhjälp till försök till mord.

Så långt följde konflikten gängkrigets förväntade logik. Den sida som hade förlorat en medlem försökte döda två av sina fiender. Det som skulle hända i juli 2010 var något helt annat. Än en gång var brottsplatsen spelklubben Oasen. Och än en gång blev utgången mord. Men

---

338 Södertälje tingsrätt. Diarienr: B820-10.

de båda män som miste sina liv stod, så vitt känt, utanför konflikten mellan X-team och Södertäljenätverket.

Mordoffren var Dany Moussas båda bröder, fyrtioårige Yacoub och tjugosexårige Eddie. De hade visserligen ett visst brottsligt förflutet. Men bägge saknade koppling till Bandidos och X-team. Istället framstod dubbelmordet som en grym hämnd mot X-teamledaren, som nu tvingades leva vidare utan två av sina närmast anhöriga.

Attentatet väckte starka känslor även utanför Moussas familj. Ett skäl var att Eddie Moussa var en framgångsrik fotbollsspelare i Södertäljes stolthet, Assyriska. När bröderna begravdes i Syrisk-ortodoxa kyrkan i Södertälje kom över 2 000 personer för att ta farväl. Cirka trettio av dem var medlemmar och andra anhängare till Bandidos.

Även denna gång befarades en hämndaktion från X-teams sida. Men månaderna gick och inget hände. Under vintern 2010/2011 ansåg sig polisen ha ringat in den krets som låg bakom dubbelmordet och ett tiotal unga män greps och häktades.[339] Samtliga tillhörde Södertäljenätverket.

---

339 Södertälje tingsrätt, mål B2781-10. Dagboksblad.

DENHOS PYRAMIDSPEL

Glasrutan i entrén till Fatburs Kvarngata 16 på Södermalm i Stockholm krossades vid tvåtiden på natten den 20 maj 2009. Ett vittne som satt i sitt arbetsrum i grannhuset såg genom fönstret en ung man i mörka kläder och luva springa från entrén och vika av ner i trapporna mot Södermalmsallén.[340] Vittnet tänkte inte mer på det inträffade utan fortsatte med sitt arbete.

Några timmar senare försvann en mörkklädd man in i samma trapphus. Med sig hade han en rejäl sprängladdning, förmodligen av dynamit. Däremot hade mannen haft svårt att få ihop tillräckligt mycket elkabel; kablaget bestod av skarvade trådar av det slag som finns i datorer och telefonsladdar. Bombmannen nystade upp den färggranna härvan och sträckte ut kabeln från lägenhetsdörren till trapphuset. I skydd av betongtrappan förde han sedan trådändarna till ett litet niovoltsbatteri. Explosionen hördes över stora delar av Södermalm.

Den kvinnliga TV4-journalisten vaknade till ett tjutande brandlarm i en lägenhet som var full av vit, tjock rök. Hennes första impuls var att ta sig ut och hon stapplade mot hallen. Lägenhetsdörren stod lite öppen, men hon kunde inte få upp den tillräckligt. Först då såg hon skadorna: i den tjocka säkerhetsdörren hade ett stort hål slitits upp. Från hålet vred uppsprängda metallflikar sig ut mot trapphuset. Tittögat och delar

---

340 Polismyndigheten i Stockholms län. Diarienummer 0201-K152147-09. Förhör.

av låset hade lossnat och kastats ut i trapphuset. Karmen hade släppt med följden att hela dörren bågnade utåt.

Kvinnan, som var i fyrtioårsåldern, bestämde sig för att ta sig ut fönstervägen. Hon bodde på första våningen, men det var för högt upp för att hoppa. Genom att gå längs med en fönsterkarm kunde hon istället klättra upp på ett intilliggande tak. Mobiltelefonen höll hon i ett hårt grepp och när hon var framme vid taket ringde hon SOS Alarm.

SOS: "Vad har inträffat?"

K: "Det brinner hemma i min lägenhet. Den är rökfylld och jag tog mig ut på en sekund!"

SOS: "Men, vad är det som har börjat brinna då?"

K: "Jag vet ingenting! Jag vet ingenting, det small! Det small!"

Larmoperatören lovar att skicka brandkåren. Men när de fortfarande efter flera minuter inte synts till ringer den chockade kvinnan igen.

K: "Jag sitter utanför, inte på balkongen, utan på ett tak! Och jag har inget vatten och jag känner nästan att jag svimmar!"

En granne som upptäckt kvinnan kastar ner en flaska vatten från sitt fönster. Lite senare ser kvinnan ficklampssken inne i den vita röken. Kort därpå är brandmännen ute hos henne. Hon sätts i säkerhet och förs i ambulans till Södersjukhuset.

Den tekniska utredningen ska visa att kvinnan lika gärna kunde ha fått livshotande skador. Splitter hade farit genom lägenhetens tunna väggar och slagit in i madrassen, där hon låg och sov. Attentatet rubriceras som mordförsök och allmänfarlig ödeläggelse.[341] Men den stora frågan är varför? TV4-journalisten hade inga kända fiender. De reportage hon hade gjort handlade oftast om "mjuka ämnen" och inte om kriminalitet, extremism eller något annat som skulle ha kunnat skapa en hotbild.

Dyslektisk terror

Olaglig indrivning tillhör de kriminella gängens kärnverksamhet. De flesta undviker dock att marknadsföra sina tjänster öppet. Därför väckte det stor massmedial uppmärksamhet när Original Gangsters i början av 2009 startade hemsidan Original Inkasso. Med devisen "Vi

---

341 Polismyndigheten i Stockholms län. Diarienr: 0201-K152147-09. Anmälan.

FOTO: UR POLISENS FÖRUNDERSÖKNING

Sprängladdningen fläkte upp den kvinnliga TV-journalistens lägenhetsdörr och skadade stora delar av trapphuset.

sätter fart på tröga betalare" och ett automatvapen i logotypen gick affärsidén inte att missförstå.

SVT:s Rapport var ett av de nyhetsprogram som berättade om det kriminella gängets nya verksamhet.[342] I Rapportinslaget skröt Original Gangsters ledare Denho Acar om hur framgångsrikt gänget var på att driva in obetalda skulder. En av alla dem som såg inslaget var en man i Sollentuna som hade drivit krog på Mallorca. I mitten av 1990-talet hade han arrenderat ut krogen till en person som vi kan kalla för Källgren. Männen hade blivit oense om det ekonomiska och i det rättsliga efterspelet hade tingsrätten slagit fast att Källgren var

---

342 SVT Rapport 090210: Allt vanligare med utpressning.

skyldig mannen runt en kvarts miljon kronor. Men några pengar hade aldrig kommit. När ex-krögaren nu fick höra om Original Gangsters indrivningsverksamhet satte han sig vid datorn, gick in på Original Inkassos sajt och skickade ett mejl till den intervjuade ledaren Denho Acar.

Det dröjde inte länge innan Källgren fick ett samtal från Denho Acar. Nu hade skulden plötsligt vuxit till 700 000 kronor, förklarade han. Källgren kände obehag och bytte, efter en rad påstötningar, telefonnummer.

Men Original Inkasso tänkte inte släppa Källgren så lätt. Exakt hur ordern gavs har hittills inte blivit klarlagt. Men allt talar för att någon inom organisationen bestämde att en bomb skulle placeras utanför den lägenhet där Källgren var folkbokförd, en lägenhet som tillhörde hans åttioåriga mamma.

Bombuppdraget gick till "Lille Di", en sextonårig irakisk pojke från Märsta norr om Stockholm. Några månader tidigare hade Lille Di:s familj börjat märka att allt inte stod rätt till med pojken. Han magrade och lärarna i skolan tyckte att han var "normlös" och aggressiv.[343] Efter ett tag slutade han att gå till skolan.

Lille Di vände på dygnet och ett kringflackande liv i Stockholms undre värld tog sin början. Han testade olika sorters narkotika – cannabis, kokain, ecstacy och spice. Ofta blev han kontrollerad och gripen av polisen. Snatteri av ett armband värt tio kronor kunde möjligen ses som en ungdomssynd. Men snart förekom han i utredningar om misshandel, brott mot knivlagen, olaga vapeninnehav och narkotikabrott.

Lille Di var inte på glid när han genom gemensamma vänner kom i kontakt med Original Gangsters – han var i ett fritt fall som varken familjen, skolan eller socialtjänsten kunde hejda. Men gänget tyckte att han hade potential. En lokal ledare i Stockholm lät Lille Di bo som inneboende hos sin flickvän. Lille Di knöts allt närmare Original Gangsters och började drömma om att en dag bli en fullvärdig medlem. I samtal med sin socialsekreterare sa han att "bröderna i

---

343 Sigtuna kommun. Yttrande enligt 11§ med särskilda bestämmelser om unga lagöverträdare.

Original Gangsters har ställt upp och visat mer lojalitet än han känner att hans fader har gjort".[344]

Våren 2009 skrev Lille Di på ett "avtal" om att han skulle betala en månadsavgift på tvåtusen kronor till Original Gangsters. Eftersom han inte hade några pengar var han snart skuldsatt. För att lösa skulderna skickades Lille Di ut på olika uppdrag, som de nästan tjugo år äldre ledarna inte själva ville befatta sig med. För socialsekreteraren berättade Lille Di att han kunde stänga av sina känslor och sitt samvete när han gjorde saker för Original Gangsters.[345]

– Han är ett tydligt exempel på var de hittar sina mest lojala medlemmar, säger chefsåklagare Tora Holst, som snart skulle få upp Lille Di på sin radar.

Var i orderkedjan det gick snett vet vi inte. Men när sprängladdningen exploderade på Södermalm natten till den 20 maj 2009 så var det i alla fall utanför helt fel dörr. Ingen ville TV4-journalisten något ont – hon hade bara oturen att ha ett efternamn som kunde förväxlas med Källgrens. Källgren själv låg tryggt och sov en våning ovanför, tills han vaknade av explosionen.

En tid efter attentatet fick Lille Di ett SMS från Jeremy Kaczynski, en av Original Gangsters ledare i Stockholm.

"Bror! Du var skyldig 7 300 plus medlemsavgift för denna månad. Men jag o Bror Jeff[346] tar bort din medlemsavgift den här månaden och tar bort 2 500 kr från din skuld, så du har 4 800 kvar att betala."[347]

Några minuter senare kom ett nytt SMS från samma avsändare.

"Bror! Du har varit mycket duktig och vi Storebröder är mycket stolta över dig."

Var det ersättningen för bombuppdraget? En klapp på axeln från ledarna och en minskad skuld på 2 500 kronor?

– Jag är absolut av uppfattningen att det fanns ett samband och att det kan gå till på det här sättet. Medlemmar blir skuldsatta och får sedan

344 Ibid.
345 Ibid.
346 "Bror Jeff"; smeknamn på Geofrey Kitutu, vid tidpunkten Original Gangsters
   Sverigeledare och Denho Acars närmaste man.
347 Polismyndigheten i Stockholms län. Diarienr: BG16765-5. Tömningsprotokoll.

utföra uppdrag för att amortera på skulden, säger chefsåklagare Tora Holst.

Efter en lång och komplicerad utredning skulle Holst komma att åtala Lille Di, Jeremy Kaczynski och två andra personer inom OG för inblandning i sprängdådet. Även den före detta krögaren åtalades för att ha lejt Original Gangsters.[348]

Alla Original Gangsters-medlemmarna nekade till brott. Ex-krögaren erkände däremot att han hade kontaktat ledaren Denho Acar och bett denne sätta press på Källgren. Att det skulle gå så här långt kunde han inte tro, försäkrade mannen.

Domstolarna skulle slå fast att sprängningen verkligen varit knuten till indrivningsuppdraget. Den före detta krögaren dömdes till fängelse i åtta månader för anstiftan av försök till olaga tvång. Att Lille Di varit en av sannolikt två bombmän var också ställt utom allt tvivel: hans DNA-spår fanns på bombresterna. Lille Di, som fyllde sjutton samma dag som bomben exploderade, dömdes till ett års sluten ungdomsvård.[349] Övriga åtalade friades.

Att nyrekryterade tonåringar används för att utföra smutsiga uppdrag ingår i Original Gangsters och Denho Acars strategi, enligt en av många avhoppare som vi har pratat med.

– OG kör en ful stil. De tar in unga killar som är lite svaga i psyket. Sedan får de ett uppdrag som att gå och spränga någon. Publiciteten gör att fler folk vill gå med i OG. Så fortsätter det att rulla på, säger tjugotreårige Fadi Bonde i Kristianstad som var med i Original Gangsters till och med 2009.

Onåbar för rättvisan

En som slapp åtal för sprängdådet på Södermalm var Original Gangsters ledare och grundare Denho Acar. Trots att Acar anses vara en av landets mest brottsaktiva gängmedlemmar är han nämligen onåbar för det svenska rättsväsendet.[350] Som vi berättade i vår första bok flydde Acar från Sverige till hemlandet Turkiet år 2007 i samband med att han

---

348 Åklagarmyndigheten, Internationella åklagarkammaren i Stockholm. Diarienr: AM-92220-09. Stämningsansökan.
349 Svea hovrätt. Diarienr: B 10253-09. Dom.
350 Som en av hundra personer fördes Denho Acar 2006 upp på Rikskriminalens så kallade Alcatraz-lista.

anhölls i sin utevaro för anstiftan till grov mordbrand på ett café i Göteborg. I Turkiet kunde han känna sig säker eftersom landet inte utlämnar egna medborgare, oavsett vilka brott dessa misstänks för.

Fortfarande i september 2010 vistades Denho Acar så vitt känt i Turkiet och turistorten Marmaris. Ett stenkast från stadens vackra strandpromenad hyr han ett hus av släktingar till en barndomsvän i Sverige. Med hjälp av mobiltelefoner och internet styr han sitt svenska gäng på distans. Ibland kommer OG-medlemmar ner för semester eller brottsplanering. Det händer också att andra gäster besöker Denho Acar: Expressen, SVT och TV4 har alla skickat journalister till Marmaris för att intervjua den efterlyste gängledaren.

Man kunde kanske ha trott att Original Gangsters skulle tappa fart när ledaren befann sig flera hundra mil bort. Det har blivit precis tvärtom. Rekryteringen har ökat, nya ledare har värvats och grova brott utförts. Och genom att vara tillgänglig på telefon har Denho Acar fått ovärderlig draghjälp av såväl etablerade medier som olika nyhetssajter på webben.

Till skillnad från de andra grupperingar som vi beskrivit i den här boken är Original Gangsters i allt väsentligt en persons verk. Denho Acar har skapat en pyramidal organisation som han kan använda för sina egna syften – och som han av allt att döma lever gott på i sin exil vid Medelhavet.

Basen i Denhos pyramid är medlemmar och provmedlemmar i Original Gangsters och supporterorganisationen 15-7. Som tidigare nämnts är många unga, de flesta kring tjugo år. Få är äldre än tjugofem.

Under de intervjuer som vi själva har gjort med Denho Acar mellan 2006 och 2009 har han öppet beskrivit betalningsströmmarna inom pyramiden. Enligt Denho Acars regler ska alla medlemmar betala en månadsavgift till Original Gangsters gemensamma kassa. Dessutom måste medlemmarna betala en andel av de intäkter som deras kriminella verksamhet genererar. De som inte följer reglerna kan bötfällas med höga belopp. En vanlig orsak är att medlemmarna tagit droger, något Acar säger sig förbjuda.

Allra mest pengar måste den betala som väljer att hoppa av, enligt ledaren.

– När du går med i OG så får du skriva på skriftligt kontrakt på en A4-sida. Då kan inte folk komma sedan och säga att de inte visste hur det funkade. Där framgår att man måste betala tvåhundratusen när man går ut. Om man inte betalar så blir det problem. Då blir det "bad standing", sa Denho Acar under en av våra intervjuer.

Att Denho Acar har skulder till Kronofogden är inget problem för honom. Pengarna hittar fram på vägar där myndigheterna inte kan nå dem. I en polisutredning 2008 mot andra personer framkom att närstående till Acar hade upplåtit konton och bankfack till Original Gangsters-ledaren.[351]

I utbyte mot månadsavgifter och vinstandelar lovar Acar ekonomiskt stöd till fängslade medlemmar och dessas familjer. Men flera avhoppare som vi pratat med hävdar att de aldrig sett några pengar.

– Jag fick i alla fall inget stöd från OG:s kassa när jag satt inne. Ingen skickade ens några brev. Vi gav mycket men fick lite tillbaka, säger tjugosjuårige Ernes Aligjikovic i Halmstad, som 2007 fälldes för att ha knivhuggit en medlem i den konkurrerande grupperingen X-team.

Ex-medlemmen Fadi Bonde i Kristianstad tvekar inte att slå fast att löftet om hjälp är en myt.

– Ingen får någonting. Pengarna går direkt ner i Denhos ficka, hävdar Fadi Bonde.

Samma sak säger fyrtioårige Wojtek Walczak. Under 2008 var han Denho Acars närmaste man och ledde grupperingen i Sverige.

– Pengarna gick inte till den gemensamma kassan, som Denho så gärna vill säga. Jag drev in pengarna, sedan skickade jag dem till honom, säger Walczak.

Bara en fängelsedömd säger sig ha fått pengar. Det är gängets kanske mest ökände medlem, seriemördaren Goran Kotaran som tagit livet av två svenskar och tre bosnier.

– De hjälper mig. Om jag behöver något så hörs vi så skickar de det till mig, berättade Kotaran när vi ringde upp honom i det fängelse i bosniska Foca, där han avtjänar ett tjugo år långt straff.

I takt med att insikten om de godtyckliga reglerna spridit sig har

---

351 Polismyndigheten i Stockholms län. Diarienr: 0201-K306092-08. FU-protokoll.

många medlemmar struntat i att betala månadsavgiften. De som har fortsatt är ofta de yngsta och mest nytillkomna.

– Utan dessa nya medlemmar finns inte OG, det är genom dem som pengarna kommer in, hävdar avhopparen Fadi Bonde.

Sedan hösten 2008 samlas Original Gangsters yngsta anhängare i supportergruppen 15-7. Siffrorna markerar bokstäverna O och G:s placering i alfabetet. Så här beskrev Denho Acar 15-7 när vi intervjuade honom i samband med bildandet:

– Det senaste året är det många som hört av sig, men de har inte klarat av att vara med i OG på grund av narkotikaförbudet. Så därför har vi gjort en öppning med 15-7 där det inte är så farligt om man använder narkotika någon gång då och då.

Acars jämnåriga medlemmar var inte särskilt imponerade av rekryterna.

– De hade tre-fyra kompisar, bodde i någon förort nånstans och ville gå med i OG för att få bära tröjor och vara häftiga. Det är tragiskt, men det kommer alltid att finnas sådana människor som vill in i gängen, säger Mikael Lindström, som vid tidpunkten ledde en Original Gangsters-avdelning i Norge.

Nätverkets dåvarande Stockholmsledare, trettiofyraårige Jonas Bergdahl, menar att många av de yngsta medlemmarna bara var barn.

– De var sexton-sjutton år och hade i många fall inte ens begått brott innan de gick med. Ändå låg ledningen på dem om att de måste dra in pengar till organisationen, säger Bergdahl.

Men 15-7 verkar inte ha gett de intäkter som Original Gangstersledaren förväntade sig. Får man tro våra källor gick Denho Acar successivt över till att "bötfälla" de egna medlemmarna. Avhopparen Jonas Bergdahl berättar hur ekonomiska bestraffningar sattes i system.

– Denho tyckte att vi skulle bötfälla medlemmarna för än det ena och än det andra. Vi i Stockholm tyckte att det tog för mycket tid och energi. Det var som om det handlade mer om att klå de egna medlemmarna än att dra in pengar på andra verksamheter.

Särskilt viktigt var det, enligt honom, att kräva in avhopparavgiften. För 15-7:s medlemmar bestämdes denna till 50 000 kronor. Denho Acar har i våra samtal medgett att avhoppen innebär ekonomiska fördelar. På frågan om han tjänar pengar på att sparka ut medlemmar så svarar han så här:

– Ja, om man tänker på det ekonomiskt så är det så.

Hur många som verkligen har betalat är dock oklart. Ett av få kända fall rör en fyrtiotvåårig företagare och familjehemsföreståndare i Gävletrakten som var lokal ledare för Original Gangsters i Gävle under några månader 2008. Efter att ha granskats av lokaltidningen bad mannen att få lämna grupperingen. I ett polisförhör berättade mannens hustru att hon hade använt delar av sitt föräldraarv för att maken skulle kunna köpa sig från gänget.[352]

Andra säger att de hoppade av utan att betala en krona.

– Jag kände att jag hade gjort alldeles för mycket för OG för att behöva betala 200 000 kronor för att få sluta. Jag hade huggit en människa som var nära att dö, och det var ju delvis för organisationen, säger Ernes Aligjikovic i Halmstad.[353]

Inte heller Fadi Bonde, Jonas Bergdahl eller Wojtek Walczak säger sig ha betalat något när de lämnade gänget.

– Det är något som Denho bara kan drömma om, säger Wojtek Walczak.

På besök i finrummet

Stureplan, sen eftermiddag den 20 maj 2008. Det är här vi träffar dalmasen och den före detta hockeyspelaren Jonas Bergdahl första gången. Tillsammans med en grupp unga killar står han och väntar utanför krogen Sturehof.

Killarna bär jackor eller tröjor som det står Original Gangsters på. Själv är Jonas Bergdahl klädd i kostym och vit skjorta. Ansiktet är solbränt, håret snaggat, skäggstubben ett par dagar gammal. Runt halsen har han en tung kedja i guld.

Men något stör bilden. Kostymen har en fläck.

– En fågel sket på den på vägen hit, förklarar han på brett dalmål. Men det gör inget, det ska tydligen betyda tur.

---

352 Polismyndigheten Gävleborg. Diarienr: 2102-K32227-08.
353 Halmstads tingsrätt. Diarienr: B 1997-07. Dom.

Jonas Bergdahl tar täten in på restaurangen. Han hälsar på serveringspersonalen med namn, skakar hand och säger några ord som visar att han är en frekvent gäst. Ett reserverat bord görs i ordning för oss. Killarna i jackor och tröjor finner sig till rätta vid ett annat bord i ett hörn av lokalen, där de beställer in läsk, öl och Jägermeister.

– För mig handlar Stureplan inte om att synas. Jag trivs med det här livet. Det är bra service. Lite dyrare än vanliga ställen, men man vet att man får vad man betalar för, säger Bergdahl, som i sitt tidigare liv varit grävmaskinist.

Original Gangsters har alltid haft svårt att etablera sig i Stockholm. I huvudstadens undre värld är det andra koder som gäller än i Bergsjön i Göteborg, där gänget startade i mitten av 1990-talet. Men nu ska det bli ändring. Det har Jonas Bergdahl bestämt.

– Vi har funnits ett tag här, men hittills inte gjort så mycket väsen av oss. Varför Stockholm? Här finns en stor marknad för oss, mycket folk och mycket pengar.

Han tystnar och tar en rejäl klunk ur ett ölglas som ställts fram på bordet. Vilka är de andra medlemmarna? undrar vi. Många gamla vänner, förklarar Jonas Bergdahl. Inte mindre än femton fullvärdiga medlemmar och ungefär lika många provmedlemmar.

Men visionerna är större än så.

– Om fem år har OG i Stockholm sextio fullvärdiga medlemmar och ett hundratal på prov, lovar han.

Att målet är att tjäna pengar är självklart. I den strävan är alla brott tillåtna, säger Jonas Bergdahl, så länge medlemmarna "levererar vad de ska till organisationen", det vill säga. Att räkna vinsterna är hans roll.

– Jag ser det som att jag är chef för ett företag. Vi tar betalt för våra tjänster precis som ett företag gör. Vi är rädda om vårt varumärke precis som ett företag är. Vi är seriösa med det vi bygger upp och vill ha ett rent varumärke.

Själv har Jonas Bergdahl hittills mest begått bedrägerier. Hans första resa in i fängelsevärlden började i en sportaffär i Karlskoga 1997, där han lurade till sig en hel golfutrustning. Några år senare checkade han in på hotell Gustaf Wasa i Borlänge, stannade i tre dygn och åt och drack gott. Därifrån till nästa hotell. En kompis skulle stå för notan, sa han. Men räkningarna förblev obetalda.[354]

Jonas Bergdahl kunde också vara våldsam. En dåvarande flickvän blev misshandlad och flickvännens pappa fick höra att Bergdahl skulle skära halsen av honom.[355] Trots ett nytt fängelsestraff skulle mönstret upprepa sig. En kvinna som Jonas Bergdahl flyttade ihop med blev slagen och skenavrättad med pistol. Svea hovrätt dömde år 2006 honom till två års fängelse för bland annat grov kvinnofridskränkning, grov misshandel och grovt olaga hot.[356]

– Det var under det straffet som jag kom i kontakt med OG, berättar Jonas Bergdahl.

Där andra såg en samling empatilösa våldsmän såg han affärsmöjligheter.

– OG har ett oerhört stort nätverk som finns överallt. Det finns inga gränser för hur långt OG kan gå, säger Jonas Bergdahl.

Sturehof börjar fyllas med folk. Det är en vacker vårkväll och många vill ta en drink efter jobbet. Trots Jonas Bergdahl uttalade mål att bli en framgångsrik kriminell gillar han att smälta in i mängden.

– Här är jag som en respekterad medborgare och inte som president i OG. Jag ser det här som ett jobb. När jag är klar för dagen så åker jag hem till min familj.

Jonas Bergdahls anonymitet blir inte långvarig. Ett par månader senare, i juli 2008, blir han omskriven i ett stort reportage i kvällstidningen Expressen, som varit i turkiska Marmaris och intervjuat OG-ledaren Denho Acar.

”Jag tycker om att det är en för alla, alla för en. Vi är bröder som finns till för varann”, säger Jonas Bergdahl när han står vid ledarens sida.[357]

Denho Acar passar på att utnyttja tillfället för att ge reklam åt Original Gangsters kriminella verksamhet.

”Vi gör allt som ger pengar. Det kan vara allt från misshandel till beställningsmord. En misshandel kan kosta 50 000. Ska vi skjuta nån i benet kostar det 200 000 kronor”, säger han till reportern David Baas.

---

354 Örebro tingsrätt. Diarienr: B 1154-00. Dom.
355 Ibid.
356 Svea hovrätt, avd 7. Diarienr: B9755-05. Dom.
357 Expressen 080708: ”Det måste svida för polisen att se mig här.” Av: D Baas.

Sen kommer gängvärldens kanske mest nötta klyscha: Original Gangsters ger sig inte på kvinnor och barn. Varför Denho Acar i själva verket står intill en notorisk kvinnomisshandlare slipper han svara på. Innan intervjun är slut får Acar också berätta att numera är det inte bara Sverige som gäller för Original Gangsters. Filialer ska öppnas i Holland, Tyskland och Norge.

Om avsikten med Jonas Bergdahls besök i Turkiet har varit att dra upp framtidsplaner så går dessa i stöpet. Bara några dagar efter att han kommit hem grips han av polis. Tillsammans med en sextonårig pojke har Bergdahl misshandlat två unga män på en bensinstation i Solna. Några ekonomiska motiv kan inte skönjas. Original Gangsters-ledaren har stört sig på något männen sagt och gått till angrepp med slag och sparkar, bland annat mot den ene mannens huvud.

Gripandet kommer lägligt för Ekobrottsmyndigheten. Där har man precis gjort klart en utredning om skattebrott och bokföringsbrott. I fokus står Jonas Bergdahls bolag Skandinaviska Bygg Mark Betong Ltd. De tre sista bokstäverna visar att bolaget är registrerat i Storbritannien – ett populärt upplägg för att undgå svenska myndigheters granskning.

Kanske skulle Ekobrottsmyndigheten aldrig ha nagelfarit Jonas Bergdahls bolag, om det inte varit för att han anlitat samma fakturabelåningsföretag som medlemmar i Red Devils MC i hans hemtrakter Falun. Som vi tidigare berättat var factoringbolagets ägare, den före detta nämndemannen Per-Olov Zethrin på Lidingö, specialiserad på att hjälpa skattebrottslingar att få ut kontanter och sedan sopa igen spåren.

Under den rättegång som hölls några veckor senare berättade Jonas Bergdahl att han hade haft sex anställda i sitt bolag.[358] Alla hade fått lön i handen utan några kvitton. Att betala skatt var, sa Bergdahl, inte precis "prio ett". Varken i Sverige eller i Storbritannien. Själv hade Jonas Bergdahl lyft tillräckligt mycket pengar för att leva gott och köpa flera nya bilar, bland annat en BMW. Men det faktum att tre miljoner kronor hade försvunnit utan bokföring i kombination med att Bergdahl var juridiskt ansvarig gick inte att komma undan. Den nyblivne Original Gangsters-ledaren dömdes i tingsrätten till fängelse

---

358 Solna tingsrätt, rotel 1:2. Diarienr: B5051-08. Dom

Original Gangsters-ledaren Denho Acar (till vänster) skålar med dåvarande "Stockholmschefen" Jonas Bergdahl, som har kommit på besök till Turkiet sommaren 2008. Några månader senare är männen bittra fiender.

i drygt ett år i kombination med näringsförbud. Däremot slapp han vara kvar i häkte.

Samma dag ringde Jonas Bergdahl till Dagens Nyheter, där en av oss jobbade vid tidpunkten. Var tidningen intresserad av att få en kommentar till domen? undrade gängledaren när han pratade med nyhetsdesken. Nyhetschefen ställde sig frågande. Så aktivt hade antagligen ingen annan företrädare för ett kriminellt gäng sökt publicitet. Efter en diskussion på redaktionen blev bedömningen att skattebrottet bara var ett i mängden och saknade allmänintresse. Jonas Bergdahl fick vända sig någon annanstans om han ville ge sin syn på saken.

Redan några månader senare var Jonas Bergdahl tillbaka i häkte. För tredje gången hade han misshandlat och hotat en kvinna. Åtalet om grov kvinnofridskränkning skulle komma att bakas samman med de ekonomiska brotten, vilket ledde till skärpt straff för Bergdahl.[359] Därmed var också Original Gangsters borta från Stockholm och Stureplan – åtminstone för ett tag.

– Det blev oroligt bland mina killar, berättar Jonas Bergdahl när vi senare intervjuar honom på Västerviksanstalten. Det var så mycket

---

359 Svea hovrätt, avd 8. Diarienr: B7313-08. Dom.

intriger och avundsjuka. Så jag och de tog ett beslut och lämnade OG i oktober 2008. Då fanns det nästan inga medlemmar kvar i organisationen, i alla fall inte utanför kåken.

Denho Acar skulle ge en annan beskrivning. Enligt honom var det domarna för kvinnomisshandel som gjorde att Jonas Bergdahl tvingades lämna gänget. På den OG-kontrollerade sajten kriminellt.com publicerades Bergdahls namn och bild med följande bildtext:

"Före detta OG-medlem, numera utesluten! Dömd för kvinnofridskränkning och är även i denna stund häktad för ytterligare en kvinnofridskränkning. Vi vill varna för att personen är mycket manipulativ och något av en mytoman."

Varför Original Gangsters överhuvudtaget hade värvat kvinnomisshandlaren kommenterades inte av Denho Acar.

Sönderfallet fortsätter

Denho Acars planer på ett internationellt brottssyndikat, som han redogjort för i Expressen, gick inget vidare. Men i Norge bildades i alla fall en liten cell. Ledare för denna blev den idag trettiofyraårige Mikael Lindström.

Lindström hade vuxit upp i ett kristet hem i Huskvarna. Efter att ha flyttat hemifrån hamnade han i Uppsala. Där greps han, tjugotvå år gammal, för ett brutalt knivmord på en ung man.[360] Utredningen visade att Mikael Lindström led av en allvarlig psykisk störning med vanföreställningar och storhetsvansinne. Straffet blev rättspsykiatrisk vård.[361]

Redan efter ett par år ansågs Mikael Lindström tillräckligt frisk för frigivning. Tillbaka i samhället konverterade han till islam, flyttade till Oslo och bildade familj. På fritiden tränade han kampsport och blev framgångsrik inom grenen Hapkido.

Några år senare var han tillbaka i Sverige och kriminella kretsar. 2006 dömdes han till fängelse för bland annat olaga frihetsberövande, utpressning och försök till utpressning.[362] Det var under avtjänandet

360 Svea hovrätt. Diarienr: B 853-98. Dom.
361 Ibid.
362 Hovrätten för Västra Sverige. Diarienr: B3567-06. Dom.

av detta straff som han kom i kontakt med Original Gangsters.

Myten säger att det kan ta flera månader och i vissa fall år innan en sökande accepteras som fullvärdig medlem i Original Gangsters. Att det ser annorlunda ut i praktiken kan Mikael Lindström vittna om. En vecka innan han frigavs skrev han ett brev till Denho Acar i Turkiet. Efter att ha släppts ut pratade han med Acar på telefon. Sen var de överens.

– Jag blev väldigt snabbt fullvärdig medlem. Förmodligen bidrog det att jag hade en egen grupp i Norge sedan tidigare, berättar Mikael Lindström för oss när vi något år senare tar kontat med honom.

Nästan med en gång kände den nye Original Gangsters-ledaren att han hamnade i kläm mellan Denho Acar och sitt eget kompisgäng i Oslo. Ett skäl var trosskillnader. Flera av de norska medlemmarna var muslimer, liksom konvertiten Lindström. De började irritera sig på Original Gangsters symbol, som bygger på den assyriska flaggan och har formgetts av den kristne Denho Acar.

En annan orsak var pengarna. I Sverige var varumärket Original Gangsters tillräckligt känt för att en del unga kriminella skulle vara beredda att betala en månadsavgift för att få använda det. I Norge var läget ett annat. Landet hade sina egna gäng och Original Gangsters namn skrämde få.

– Många i Norge tyckte inte att de skulle betala något till Denho Acar eftersom han inte hade något rykte i Norge. Jag hamnade mittemellan, säger Mikael Lindström.

Efter en tid upptäckte Mikael Lindström också att Original Gangsters inte var så stort och mäktigt som han först hade trott.

– Det var bara en handfull OG-medlemmar överhuvudtaget som var ute i frihet och de flesta av dem fanns faktiskt i Norge, säger han.

Till detta kom olika dispyter med andra inom gänget, framför allt medlemmar i Göteborg.

– Det var hela tiden skitsnack bakom ryggen på folk och en massa lögner. Det fanns medlemmar som gjorde vad som helst för att få behålla sin position, säger Mikael Lindström som fick nog och bestämde sig för att hoppa av.

Därmed var Original Gangsters korta internationella era också över.

Precis som i fallet Jonas Bergdahl ville ledaren Denho Acar få sista or-
det. I en intervju som publicerades på vår sajt svenskmaffia.se hävdade
Acar att Norgefalangen hade sparkats ut på grund av kopplingar till
fanatiska islamistiska grupperingar.

– Micke hade kopplingar till Muslimska Brödraskapet. Jag ville inte
ta risken att ha honom kvar. Vi är inga terrorister och vill inte bli ter-
roriststämplade, sa Denho Acar.

Inte nog med det. Ledaren anklagade också sin före detta hjälpreda
för att vara informatör åt rättsväsendet.

– Han får betalt och han tipsar. Folk har spanat på honom och det har
framkommit att han fikar med poliser.

Nystart

Det är en krispigt kall morgon den 24 februari 2009. En grå Volvo
står slarvigt parkerad framför de höga stålgrindarna vid huvudentrén
till Salbergaanstalten utanför Sala. Att det råder parkeringsförbud ver-
kar inte bekymra tjugofemårige Jeremy Kaczynski, ledare för Original
Gangsters supportskara 15-7.

Tillsammans med några andra gängmedlemmar står Jeremy Kaczyn-
ski och huttrar utanför fängelset. Rastlösa fötter stampar för att hålla
värmen, hårt packad snö knastrar under skorna. Jeremy Kaczynski
gäspar. Resan från Stockholm började tidigt. Kaczynski ville på inga
villkor komma för sent till anstalten, ett före detta mentalsjukhus som
hastigt byggts om till anstalt två år tidigare för att minska Kriminalvår-
dens galopperande platsbrist.

En kvinnlig kriminalvårdsanställd som går förbi påpekar att gängets
bil står i vägen för transporter till och från anstalten. Jeremy Kaczynski
tjafsar emot. Han är bekant med reglementet på Salberga – och struntar
i det. Det är bara några veckor sedan han själv muckade härifrån efter
ett flerårigt fängelsestraff för ett misslyckat rån mot en köttransport.
Kriminalvårdaren ger upp och försvinner in på anstalten. Plötsligt öpp-
nas en port en bit innanför grinden. En person kommer gående.

Efter exakt sex år, tre månader och 24 dagar i fängelse för grovt
knarkbrott har den trettiotreårige Original Gangsters-medlemmen
Geofrey Kitutu äntligen blivit villkorligt frigiven. Han har en röd huv-

tröja på sig och på fötterna skiner nya, vita Nike-skor. I famnen bär han en flyttkartong med det lilla han äger.

Geofrey Kitutu tar ett djupt andetag av den kalla, friska luften medan han väntar på att den sista grinden ska öppnas. Friheten är bara några meter bort.

– Brorsan! säger Jeremy Kaczynski och går emot Kitutu med öppna armar efter att stålgallret glidit åt sidan.

– Fan vad skönt att vara ute! svarar Geofrey Kitutu.

Efter välkomstkramarna går de genast över till praktiska saker. Kitutu får en helt ny mobiltelefon och ett kontantkortspaket. Han öppnar förpackningarna och får hjälp av Kaczynski att sätta kortet på plats i luren.

– Det är många som vill prata med dig. Storebror i Turkiet har ringt flera gånger, säger Kaczynski.

De går bort till Volvon och hoppar in i framsätena. De andra 15-7-medlemmarna sätter sig där bak. Bilen drar iväg i snömodden. Stockholm nästa. Geofrey Kitutu vänder sig inte om.

Denho Acar hade förberett sin omorganisation länge. Efter de misslyckade satsningarna på Jonas Bergdahl och Mikael Lindström skulle Original Gangsters styras upp och få en starkare ledning. "Sverigepresidenten" Wojtek Walczak i Halmstad skulle petas till förmån för Geofrey Kitutu, en lojal medlem som Acar värvat då han själv satt i fängelse. Jeremy Kaczynski skulle bli Kitutus högra hand.

Trettioåttaårige Wojtek Walczak hade anat att någonting var på gång. Sms:et från Denho Acar kom inte som någon överraskning. "Geofrey har fått din position. Är du fortfarande lojal? Ja eller nej?"

Det var ingen tvekan om att Wojtek Walczak kände sig kränkt av att bli ersatt. Den vältränade och nästan två meter långe polacken hade alltid varit trogen sin ledare och tatuerat in "OG 4-EVER" på halsen så att det syntes på långt håll. Men ännu mer förbannad var Walczak över det sätt på vilket petningen hade skett. Denho Acar hade inte ens ringt utan bara skickat ett sms.

Så vad skulle han svara Acar?

– Jag skrev "ok" och förklarade att jag var fortsatt lojal. Men jag tänkte att jag får väl se hur bra jag och Geofrey kommer överens, berättar

2009 övertar Geofrey Kitutu (till vänster) och Jeremy "Jay" Kaczynski ledarskapet för Original Gangsters respektive supporterorganisation 15-7 i Sverige. Det ska visa sig bli en kortvarig era.

Wojtek Walczak när vi pratar med honom en tid senare.

Det skulle snart visa sig att de inte alls kom överens. Redan några veckor efter Geofrey Kitutus frigivning var tiden som Original Gangsters-medlem över för Wojtek Walczak. Även nu var Denho Acar snabb att ge sin version i media.[363] Även Wojtek Walczak – som han tidigare hade kallat för sin "tvillingsjäl"[364] – var i själva verket en polisinformatör, hävdade Acar.

– Jag kommer aldrig att förlåta honom. Det fulaste man kan göra mot en kriminell är att gå ut och kalla honom för informatör och golbög, säger Wojtek Walczak under en av våra intervjuer.

Denho Acars agerande upprörde även andra.

– Alla blev besvikna när Denho hängde ut Wojtek. Det är fult att ödelägga någons namn på det sättet, säger den förre medlemmen Ernes Aligjikovic i Halmstad.

Geofrey Kitutu trivdes däremot i sin nya roll. Äntligen skulle Original Gangsters bli en kraft att räkna med i den undre världen, sa han när vi hade kontakt med honom kort efter frigivningen.

363 Nyheter24.se 090325. Denho Acar: "Vi buggade honom". Av: Okänd.
364 Göteborgs-Posten 071014. Brott är deras "jobb". Av: P Nygren.

– Du ska få se att det kommer att hända saker med OG. Det är flera medlemmar som muckar snart.

När gängledaren ungefär samtidigt kontaktade Försäkringskassan gav han en helt annan bild. Geofrey Kitutu förklarade att han var deprimerad och därför inte kunde jobba. Försäkringskassan godtog hans skäl och beviljade Original Gangsters "Sverigepresident" sjukersättning.[365]

Vilka mått och steg Geofrey Kitutu vidtog för att försöka bygga upp gänget igen vet vi inte. I mars 2009 meddelade han att ledaren i Turkiet var irriterad över hur vi hade skrivit om de senaste avhoppen på sajten svenskmaffia.se.

– Denho ville inte alls att jag skulle träffa er. Han är skitsur för den senaste tidens skriverier. Vi tar inte ens betalt för att ställa upp. Lite tacksamhet vore på sin plats, sa Geofrey Kitutu och bröt kontakten.

En tjock polisutredning skulle så småningom ändå ge en avslöjande inblick i gängets verksamhet. Efter misstankar om att Geofrey Kitutu hade gett sig in i nya narkotikabrott började länskriminalen i Stockholm spana på honom och de andra.

Advokat i samarbete med Original Gangsters

Morgonen den 3 juli 2009 befinner sig en av polisens narkotikaspanare på en parkeringsplats utanför Hotell Ibis i Akalla väster om Stockholm. Strax efter klockan nio ser spanaren en svart Mitsubishi Lancer rulla in och stanna en bit bort. I bilen sitter två män och en kvinna.

En halvtimme senare parkerar en svart Volvo 850 bredvid Mitsubishin. Bilarnas dörrar öppnas och förarna kliver ur. Genom linsen till en videokamera ser spanaren hur männen försvinner iväg uppför en trappa. Efter några minuter kommer männen tillbaka, sätter sig i bilarna och kör iväg.

Det tar inte lång tid för polishunden Ruff att sniffa sig fram till det skogsparti dit männen har gått. Vid en mossbevuxen stubbe stannar hunden och markerar. Gömt intill stubben ligger två paket, hårt inslagna i tejp. Innehåll: ett och ett halvt kilo amfetamin.

---

365 Solna tingsrätt, avd 3:1. Diarienr: B5489-09. Dom, s 110.

Mannen i den svarta Volvon var Jeremy Kaczynski, som själv bor i området. Den 10 juli 2009 häktas han, misstänkt för grovt narkotikabrott. Förhandlingen hålls i Solna tingsrätt bakom lyckta dörrar. Bland de besökare som ombes lämna lokalen efter att misstankarna lästs upp finns Geofrey Kitutu. Han har kommit för att stötta sin kamrat – men också för att försöka räkna ut hur mycket polisen vet.

Efter häktningsförhandlingen noterar åklagaren och ett par poliser hur Geofrey Kitutu går fram till Jeremy Kaczynskis advokat Uno Aronsson, presenterar sig och börjar prata. Samtalet pågår så länge att polismännen till slut går fram och ställer sig intill advokaten för att markera att de uppfattar situationen som olämplig.

Advokaten fattar uppenbarligen inte vinken om att han borde vara restriktiv i sina kontakter med Original Gangsters. Under de kommande veckorna håller han flitig kontakt med Geofrey Kitutu. Förutom diverse praktiska spörsmål som hantering av pengar, nycklar etcetera kan polis och åklagare konstatera att advokat Uno Aronsson röjer hemlig information ur utredningen.

– Eftersom vi hade telefonavlyssning mot Kitutu gick allt som advokaten sa in på band, berättar chefsåklagare Tora Holst i efterhand.

Den 19 augusti 2009 ringer Uno Aronsson upp Geofrey Kitutu och föreslår ett möte. Under samtalet avslöjar han att Jeremy Kaczynski nu också är misstänkt för delaktighet i bombdådet på Södermalm. Det är ingen tvekan om att informationen skyddas av förundersökningssekretess och inte får spridas vidare. Eftersom bombdådet misstänks ha utförts av Original Gangsters kan det inte uteslutas att ledaren Geofrey Kitutu kommer att försöka påverka vittnen och målsäganden inför en eventuell rättegång.

– Jag såg mycket allvarligt på advokatens agerande och krävde att både domstolen och Advokatsamfundet agerade, berättar Tora Holst.

Solna tingsrätt avgör saken direkt. Uno Aronsson kan inte vara kvar som offentlig försvarare för Jeremy Kaczynski.[366] Polis och åklagare bestämmer sig också för att ta det säkra före det osäkra och frihetsberöva Geofrey Kitutu. Även han är vid det här laget misstänkt för inblandning i såväl narkotikabrottet som sprängdådet. När Original

---

366 Högsta domstolen. Diarienr: Ö 4996-09. Beslut.

Gangsters-ledaren grips den 24 augusti 2009 har han lyckats hålla sig ute i precis sex månader. Det ska bli hans sista tid i frihet på mycket länge.

Som tidigare konstaterats anses bevisen mot Jeremy Kaczynski och Geofrey Kitutu för svaga för att de ska kunna dömas för inblandning i bombdådet på Södermalm. Båda ledarna fälls däremot för omfattande hantering av amfetamin, anstiftan till vapenbrott, rån och försök till utpressning.[367] Offret i det sistnämnda fallet är en man i Strömstad som beställt dopingpreparat av Denho Acar utan att betala. För att få honom att betala har OG-ledarna åkt hem till honom och hotat hans familj.

Kaczynski döms till fängelse i fem och ett halvt år och Kitutu till fängelse i nio år. I båda fallen återkallas dessutom Kriminalvårdens beslut om villkorlig frigivning i tidigare fall. Sammantaget innebär detta att den duo som Denho Acar hade trott så mycket på nu är bortplockad från den kriminella spelplanen för lång tid framöver.

För försvararen Uno Aronsson slutade fallet med att Advokatsamfundet ansåg att han "allvarligt åsidosatt sina plikter som advokat". Påföljden blev en varning och straffavgift om 25 000 kronor.[368]

Media viktigt för varumärket och rekryteringen

Som vi redan berört har Original Gangsters grundare och ledare Denho Acar lärt sig att utnyttja massmedias genomslag. Medan andra kriminella ledargestalter sällan eller aldrig framträder ger han gärna tidningar, teve och nyhetssajter intervjuer. De ex-medlemmar som vi har pratat med menar att syftet är uppenbart: att få varumärket Original Gangsters att framstå som mäktigt och farligt.

– I desperation över att OG håller på att gå åt helvete så har han blivit väldigt upptagen med att försöka få rubriker för att visa att OG fortfarande finns, säger Mikael Lindström.

– Hade OG varit stort hade de inte varit med i media så mycket, menar Fadi Bonde.

Men om Original Gangsters i verkligheten är en liten aktör inom

---

367 Svea hovrätt, avd 8. Diarienr: B10253-09. Dom.
368 Justitiekanslern. Diarienr: 3866-10-7. Protokoll fört vid sammanträde med Sveriges advokatsamfunds disciplinnämnd.

den organiserade brottsligheten, hur kommer det sig då att journalister gång på gång ger en annan bild? Förklaringen är sannolikt Denho Acars tillgänglighet. Trots att han befinner sig i Turkiet är han lätt att nå – på gängets sajt finns han personliga mejladress.

Att det bara är Denho Acar som får ha kontakt med massmedia framgår av de regler som nya medlemmar måste godkänna. "Endast ledningen kan uttala sig i media, dock kan vissa undantag göras med Europa-Presidentens godkännande."

I sammanhanget vill vi framhålla att även vi kan sägas ha utnyttjats av Original Gangsters och Denho Acar. Under arbetet med vår förra bok blev vi inbjudna att närvara när Denho Acar firade sin frigivning efter ett långt fängelsestraff för grova rån. I göteborgsförorten Kortedala samlade Acar gängmedlemmar, släktingar och vänner för ett påkostat kalas. Fotografier från festen och olika intervjuer publicerades i vår bok. Efter detta förstod vi successivt att den bild som Denho Acar ville ge av sitt gäng stämde illa med verkligheten. Den obegränsade lojalitet medlemmarna emellan som påstods utgöra fundamentet för grupperingen fanns inte.

Att massmedias bevakning har stor betydelse för gängens förmåga att värva nya medlemmar bekräftas av många som vi pratat med.

– Jag hade läst mycket om OG i media och tyckte att de verkade bra, så jag tog kontakt med dem. Men ganska snart förstod jag hur det låg till. Det fanns ju nästan inga medlemmar, säger en ung man som tillhörde Original Gangsters under en tid.

Bland poliser och åklagare märks frustration över det utrymme som Original Gangsters ledare fått i massmedia. Så här säger chefsåklagare Tora Holst, som ledde utredningen av bombdådet på Södermalm 2009.

– Personligen tycker jag att Denho Acar ofta skönmålas. Han får gå och visa upp sig och visa sina muskler. Inom rättsväsendet ser vi hur unga människor tycker att det där livet verkar intressant.

Denho Acar tar som väntat lätt på kritik av det slaget.

– Det stör polisen och politikerna att jag framträder i media. Men varför är det bara de som ska uttala sig och inte jag? Alla säger att man ska kunna yttra sig fritt i Sverige, men det verkar inte vara så, sa han då vi pratade med honom 2009.

Kontakten mellan Original Gangsters och massmedia går emellertid inte bara i ena riktningen. Det händer även att gänget själv tar kontakt med reportrar och utgivare. En av dem som blivit uppringda är Christer Sandberg, utgivare för tidningen Folkbladet i Norrköping. Bakgrunden var en artikel om att Original Gangsters-anhängare hade gripits för vapenbrott och hot. I artikel citerades en polisman som menade att gänget var splittrat.

– En man som presenterade sig som OG:s vice president ringde och krävde en rättelse. Vi fick inte skriva att de gripna hade kopplingar till OG för "de var bara springpojkar". Vi fick inte heller skriva att OG var splittrade eftersom han menade att detta förstörde för OG. Jag fick till och med en deadline då han krävde att rättelsen skulle vara införd, berättar Christer Sandberg.

"Vice presidenten" – Wojtek Walczak – sa vidare att Denho Acar var "jävligt förbannad". Om Christer Sandberg inte gjorde som Original Gangsters ville skulle han "få ta konsekvenserna".

– Det var ett obehagligt samtal. Men det är inte de kriminella som ska bestämma vad som står i Folkbladet, och det gjorde jag klart, berättar chefredaktören.

Då fick han ett samtal från Denho Acar själv.

– Han sade att det här var ett mycket allvarligt övertramp av Folkbladet och krävde en rättelse. Sedan ringde "vice presidenten" en gång till. Hade jag dragit in polisen i detta så var jag riktigt illa ute, sa han.

Christer Sandberg vek sig inte. Det blev ingen rättelse. Istället rapporterade Folkbladet om hoten i tidningen. Sandberg kontaktade också Norrköpingspolisen och diskuterade huruvida han borde vara rädd eller inte. Polisen upprättade en anmälan om olaga hot.

Efter det blev det tyst från gänget. För Christer Sandberg var detta en bekräftelse på att han hade agerat rätt. Samtalet gav honom också nya insikter i hur kriminella grupperingar resonerar.

– Det var bisarra samtal. De var helt klart ute efter att vårda sitt varumärke, även om de inte använde den termen. Det liknade andra helt vanliga samtal som jag kan få som utgivare från missnöjda företagare som vi skrivit kritiskt om och som är rädda att läsarna ska få "fel" bild.

Efter händelsen har Christer Sandberg blivit mer medveten om hur andra redaktioner rapporterar om gängen.

– Vissa tv-dokumentärer och bilder i kvällstidningarna där de får stå och spänna sig och visa sina muskler och tatueringar tycker jag är vidriga. Det är precis så de själva vill synas när de bygger sitt varumärke. Som journalist måste man tänka sig för när man skriver om kriminella.

Att detta inte är självklart finns det flera exempel på. Ett ska vi berätta om här.

Maffia 2.0

Utbildningsradion är ett fristående public servicebolag som sänder i SVT:s kanaler. Folkbildning är ett av kanalens honnörsord. Onsdagen den 4 augusti 2010 går startskottet för Utbildningsradions satsning "Kära medborgare" – en programserie där tittarna utlovas möten med obekväma aktivister. Programmets målsättning är att "lyfta fram de frispråkiga eldsjälarna som vill förändra Sverige".[369]

Först ut att porträtteras av Kära medborgare är fyrtiotvååring Lars Bergqvist i Fagersta. Den inledande bilden visar Bergqvist när han står och röker utomhus. Trots att det är molnigt bär han mörka solglasögon. En tjock guldlänk dinglar runt armleden.

Anledningen till att SVT uppmärksammar Lars Bergqvist är att han i januari 2009 tog över sajten kriminellt.com tillsammans med Denho Acar. På sajten har sexualförbrytare hängts ut med namn, adress och i vissa fall foto.

Till UR:s reporter säger Lars Bergqvist att han tycker "att det är skrämmande att samhället inte tar sitt ansvar".[370] Sexbrottslingar går fria och massmedia skyddar dem genom att inte publicera deras namn. Istället lägger polisen alla resurser på att jaga kriminella som egentligen inte utgör något större problem, menar Lars Bergqvist.

"Att lägga alltså hundratusentals kronor på att trakassera tre-fyra grupper i samhället som de anser är ett stort, stort hot. Så låter de flera, flera hundra våldtäktsmän, pedofiler, kvinnomisshandlare, olika sexbrottslingar ... de låter vi vara, de bryr vi oss inte om. Det tycker

---

369 Sveriges Utbildningsradio AB. Kära medborgare – en serie om de obekväma aktivisterna. Pressmeddelande 2010-06-30.
370 http://www.ur.se/play/158791

jag är väldigt märkligt, va."

Vem är då Lars Bergqvist? UR berättar att han "driver en indriv-ningsverksamhet tillsammans med Denho Acar i Original Gangsters". Själv får Bergqvist säga att han inte tillhör något gäng och att det är länge sedan han blev dömd för brott.

Antingen gör UR ingen ytterligare research – eller så låter redak-tionen avsiktligt Lars Bergqvists beskrivning stå oemotsagd. Men det räcker med att klicka sig in på Original Gangsters hemsida för att se att Lars Bergqvist har tagit över rollen "Sverigepresident" efter Geofrey Kitutu.

På OG-sajten finns flera foton av Lars Bergqvist, som ofta kallas "Läder-Lasse". På ett av dessa poserar han med Original Gangsters-tröja och ett automatvapen. Ett annat visar honom tillsammans med två asiatiska kvinnor, den ena naken och den andra endast klädd i tro-sor. Bergqvists hand vilar på den nakna kvinnans lår. Det faktum att de tre står på en scen antyder att kvinnorna är strippor.

Lars Bergqvist har själv ett förflutet i sexbranschen. Bland annat har han drivit den pornografiska sajten synd.nu med underavdelningar som "fulla och utnyttjade tjejer" och "Fjortisar – young teens". 2004 registrerade Bergqvist domännamnen "melodifestivalen.net" och "bo-libompa.tv". På melodifestivalen.net möttes besökarna av grov porno-grafi och barn som letade efter Bolibompa och istället hamnade på Ber-qvists sajt möttes av budskapet "Nu ska Björnjäveln få. Björnes bögeri öppnar snart". I en intervju med Expressen förklarade Lars Bergqvist att syftet var att dra trafik till sina porrsajter.[371]

2003 ägnade "Uppdrag granskning" i SVT uppmärksamhet åt Lars Bergqvist. Anledning var att Bergqvist stod bakom näthandeln Na-turens droger. Naturens droger sålde preparat med narkotisk verkan som lagstiftarna ännu inte hunnit förbjuda: "magic herbs", "brain-food", "ethno seeds", "cannabis stuff" och mycket annat. Verksam-heten omsatte enorma summor. Enligt en revision som Skatteverket gjorde hade sju miljoner kronor flutit in under en sexmånadspe-riod. Lars Bergqvist hade däremot inte redovisat några intäkter, vil-ket ledde till att han upptaxerades och blev krävd på mångmiljonbe-

---

371 Expressen 040426: Porrterror mot barnens favoritbjörn. Av: L Modin.

Från pornograf till gängledare. Fyrtiotvåårige Lars "Läder-Lasse" Bergqvist från Fagersta leder sedan 2010 den kriminella grupperingen Original Gangsters i Sverige.

lopp.[372]

Ingenting av detta får UR:s tittare veta. Inte heller att Lars Bergqvist förekommer under elva avsnitt i belastningsregistret och är dömd för bland annat brott mot djurskyddslagen, förberedelse till narkotikabrott, vapenbrott och dopningsbrott. Den färskaste domen är från den 30 april 2010 och rör smuggling från Kina av 80 tunnor efedra, ett ämne som förädlat till efedrin kan användas för att tillverka narkotika.[373]

UR:s ansvarige utgivare, Cecilia Bäcklander, menar ändå att programmet gett en rättvisande bild av Lars Bergqvist.

– Jag tycker att vi har gjort relevanta journalistiska överväganden. Det framgår tydligt i programmet att han är en riktig skummis. Vi kan inte bara ha helgon med i våra program, säger hon när vi ringer upp henne.

Att Lars Bergqvist och Denho Acar var nöjda med reportaget råder det ingen tvekan om. På en annan av sina gemensamma sajter, rapport24.info, skrev de så här efteråt:

"Det känns jätteskoj att SVT uppmärksammar vårt arrangemang med att göra Sverige till en tryggare plats."[374]

I våra tidigare samtal med Denho Acar har Original Gangsters-

372 Skatteverket. Diarienr: 440 488351-09/5472 och 440 488359-09/5472. Omprövningsbeslut.
373 Hovrätten för Västra Sverige. B 2538-09. Dom.
374 www.rapport24.info.

ledaren öppet berättat att syftet med kriminellt.com just är att förbättra allmänhetens uppfattning om gänget.

– Med sajten får man fram en sannare bild av OG. Vi är kriminella men vi har moral, sa Denho Acar på telefon 2009.

Kriminellt.com polisanmäldes i ett tidigt skede av Datainspektionen.[375] Myndigheten hade uppmärksammat sajten sedan en man i Göteborg pekats ut som våldtäktsman på kriminellt.com – trots att han inte var dömd. Cirka 600 personer hann ta del av mannens namn, adress och personuppgifter innan Denho Acar och Lars Bergqvist raderade uppgifterna.

"Att fela är mänskligt", sa Denho Acar till tidningen Metro.[376]

En polisutredning om brott mot personuppgiftslagen inleddes. Denna har hittills inte lett till någon åtgärd.

Original Gangsters har även i andra sammanhang försökt vinna folkligt stöd genom att ta ställning mot sexualbrott och våld mot kvinnor. När artonåriga Nancy Tavsan mördades i Hjällbo natten till nyårsafton 2010 berättade Denho Acar för sajten crimenews.se att Original Gangsters lovade att betala 50 000 kronor till den som skulle kunna bidra till mordgåtans lösning.[377]

Flera polisutredningar visar dock att Original Gangsters-medlemmarnas förhållande till kvinnor knappast är så ridderligt som ledaren vill ge sken av. Denho Acar är själv dömd för ett postrån där en kassörska skadades och hotades till livet.[378] Vid det tidigare nämnda utpressningsförsöket i Strömstad ska offrets sambo ha hotats med gruppvåldtäkt.[379] Och när Lille Di apterade bomben i bostadsfastigheten på Södermalm var målet en man som bodde hemma hos sin åttioåriga mamma.

Brott och internet förenas

Sommaren 2010 är det alltså Denho Acar och Lars Bergqvist som styr det som är kvar av Original Gangsters. Två män med olika bakgrund,

---

375 Datainspektionen. Diarienummer 376-2009. Polisanmälan.
376 Metro 090116: Blev felaktigt uthängd som barnvåldtäktsman. Av: D Olsson.
377 www.crimenews.se: OG utfäster belöning för att hitta Nancys mördare. Av: S Kordon.
378 Göteborgs tingsrätt. B 12832-96. Dom.
379 Solna tingsrätt. B 5489-09. Dom.

men med ett gemensamt mål – att tjäna pengar.

Hur de fick kontakt vet vi inte. Men under 2008 besökte Lars Bergqvist Denho Acar i Turkiet första gången. Bergqvist kunde internet och så kallade naturdroger. Acar hade ett inarbetat varumärke. Deras första gemensamma projekt döpte de till Original Pharma.

Från en plattform på nätet sålde de ett brokigt utbud av tillåtna och otillåtna preparat: potenspiller, bantningsmedel, graviditetstest och dopingmedel. Produkterna skickades direkt hem till kunderna efter förskottsbetalning. Original Pharma lanserades med en hotfull hälsning till konkurrenterna:

"Vi vill passa på att be alla andra online-apotek att stänga ner sin verksamhet omgående."[380]

På samma sajt gick det även att köpa kepsar, mössor och olika plagg märkta med Original Gangsters emblem. Denho Acar, som själv agerade fotomodell för kollektionen, sa så här när vi pratade med honom:

– Vi säljer inte supportkläderna för att tjäna pengar. Vi är som ett företag, emellanåt måste man göra lite reklam.

Efter att en kvällstidning berättat om sajten tog försäljningen fart.[381] Men nästan direkt drabbades Original Pharma av motgång. En datahackare lyckades ta sig in i Original Pharmas mejlkonto. Efter intrånget lade de okända hackarna ut korrespondensen mellan nätapoteket och dess kunder på internet. Därmed kunde vem som helst se vem som handlat bantningspiller, dopningspreparat eller viagra på sajten.

De hackade mejlen visade att det var Denho Acar själv som hade paketerat graviditetstester, anabola steroider och annat och postat dessa till Sverige. Rollen som näthandlare ledde till sarkastiska kommentarer från andra inom gängvärlden.

– Denho skämmer ut sig själv. Tänk dig, en kille som vill vara en fruktad gangster sitter och säljer viagra på internet. Och vilka jävla priser han tar på sin stereoidsida. Det kostar dubbelt så mycket som jag betalar för mina saker, sa ex-medlemmen Fadi Bonde när vi pratade med honom.

---

380 www.originalpharma.com.
381 Göteborgs-Tidningen 081225: Han säljer förbjudna substanser på nätet – och hotar sina konkurrenter. Av: N Wadström.

Original Pharma skulle inte bli särskilt långvarigt. Men äventyren gav männen bakom sajten en värdefull insikt: Människor gillar inte att bli uthängda som kunder till tvivelaktiga näthandlare. Det skulle leda dem till näthandeln Smartbar, som säljer lagliga droger på internet för tiotals miljoner kronor årligen.

På kvällen den 11 maj 2010 tog sig en hackare in i Smartbars administrationsverktyg och kopierade hela kundregistret. Kort därpå kontaktades företaget på okänt sätt av någon som sa sig företräda "Familjen Bergqvist". Personen lovade ett skydd mot liknande attacker för en månatlig avgift om 10 000 kronor. Allt enligt information på Smartbars egen sajt.[382]

När Smartbar sa nej vände "Familjen Bergqvist" sig direkt till kunderna. Dessa fick ett ultimatum: betala 500 kronor eller bli uthängd som missbrukare och kund hos Smartbar. Pengarna skulle skickas i ett rekommenderat brev till Denho Acar i Turkiet. Det hotfulla budskapet var undertecknat av Original Gangsters och framfördes på webbsajten rapport24.info, en annan sajt som styrs av Denho Acar och Lars Bergqvist.

Med tanke på att Smartbars register, enligt våra källor, innehöll över 2 000 kunduppgifter skulle utpressningsförsöket ha kunnat generera stora belopp. Hur många som verkligen skickade pengar till gängledaren är dock okänt.

Även därefter har Original Gangsters-ledarna fortsatt att göra affärer på nätet. På sajten rapport24.info säljs till exempel "europeiska körkort" för 10 000 kronor. Besökarna erbjuds också pengar i utbyte mot information om företagsledare, politiker, kändisar och myndighetspersoner. Vad Acar och Bergqvist ska använda uppgifterna till sägs inte.

Efter valet 2010 inledde Denho Acar och Lars Bergqvist en uthängningskampanj mot sverigedemokrater. Hemadresser, telefonnummer, namn på anhöriga etcetera publicerades med följd att minst en av partiets kommunpolitiker lämnade sina politiska uppdrag.

Rapport24.info har även en annan funktion för gänget, nämligen att ge uppmärksamhet åt den egna brottsligheten. När två skånska medlemmar häktades för utpressning i augusti 2010 var Denho Acar och

---

382 http://www.smartbar.se/nyheter/meddelande-till-kunder

Lars Bergqvist snabba att rapportera om detta genom en nyhetstext och en bild på de misstänkta.[383] Original Gangsters har med andra ord blivit sin egen nyhetsbyrå.

Hydran med åtta huvuden

Slutsatsen av vår granskning är att Original Gangsters står och faller med ledaren Denho Acar. Det är han som enväldigt bestämmer vem som ska få använda OG:s kriminella varumärke och det är på hans order som brott sker. Nya medlemmar och "mellanchefer" kommer och går. Vilka de är spelar ingen större roll, så länge de är beredda att försörja Acar i hans turkiska exil.

Sedan hösten 2009 försöker svenska myndigheter få Denho Acar gripen och åtalad. Hittills har detta inte lyckats.

– Han är internationellt efterlyst och häktad i sin frånvaro. Det pågår ett arbete för att få honom lagförd, mer än så vill jag inte säga, svarar åklagare Tora Holst när vi i augusti 2010 tar upp frågan.

Ett är säkert: Så länge Acar håller sig innanför hemlandet Turkiets gränser kan den internationella efterlysningen inte verkställas. Turkiet lämnar, som tidigare konstaterats, inte ut egna medborgare till andra länder. Den möjlighet som återstår är att det turkiska rättsväsendet övertar utredningsmaterial från Sverige och åtalar honom med stöd av turkisk lag. Våra källor säger att sådana diskussioner förs. Men hur utsikterna för att detta ska bli verklighet ser ut vill chefsåklagare Tora Holst inte kommentera.

– Det är extremt känsligt eftersom det finns internationella dimensioner i ärendet, säger hon.

Listan över brottsmisstankar mot Denho Acar är lång. Tre av dessa har vi redan berört: anstiftan till mordbrand på ett café i Göteborg 2006, utpressningsförsök mot en av Original Pharmas kunder i Strömstad 2009 och det missriktade sprängdådet på Södermalm samma år. Utöver detta misstänks Original Gangsters-ledaren även ligga bakom ett utpressningsförsök i Åtvidaberg 2009 och ett sprängdåd i Stavsnäs i Stockholms skärgård.

Men frågan är om Original Gangsters verkligen försvinner ifall

383 http://rapport24.info/?p=1240#more-1240

grundaren och ledaren Denho Acar åter hamnar i fängelse? Det är långt ifrån säkert. Original Gangsters är ett av Sveriges äldsta kriminella gäng och har funnits i snart tjugo år. Trots att Denho Acar under en stor del av tiden har avtjänat straff har gänget fortsatt att existera, attrahera nya medlemmar och begå brott. Faktum är att det var när Denho Acar i början av 2000-talet satt på Hall- och Kumlaanstalternas säkerhetsavdelningar som Original Gangsters upplevde sin storhetstid ifråga om medlemsantal.

Trots de många avhoppen och trots att polisen framgångsrikt skurit av flera av Original Gangsters nya utlöpare fortsätter gänget också att begå nya brott. Det visar ett talande exempel från sommaren 2010.

Det hela började med att tjugofemårige Original Gangsters-medlemmen Sirwan från södra Stockholm i juni 2010 försökte komma in på restaurangbåten Freja i Nynäshamn. Det var skolavslutningsfest och krögaren ville inte ha honom där. Men Sirwan protesterade och vakterna tvingades ingripa.

Under det tumult som uppstod gick Sirwans skjorta och jacka sönder. Sirwan blev rasande och skrek att han skulle ha 200 000 kronor i skadestånd för kränkt heder. Han upplyste också krögaren om att han minsann kände "vice presidenten" i Original Gangsters.[384] Efter viss diskussion lyckades krögaren kyla ner situationen och Sirwan nöjde sig till slut med 2 000 kronor som kompensation för de trasiga kläderna.

Krögaren hade nästan glömt bråket när Sirwan drygt en månad senare kom tillbaka. Med sig hade han en person i OG-tröja och tjugotvåårige Majid från Sundsvall. Majid förklarade för krögaren att det var han som var "chefen" och att de båda skulle ha ett samtal.

I restaurangens personalrum fick krögaren höra att det fortfarande var 200 000 kronor i "böter" som gällde. Tänkte han inte betala skulle det hända otrevligheter, som exempelvis att han förlorade ett finger, ett ben eller kanske könsorganet. Majid berättade också att han visste var krögaren och dennes båda döttrar bodde.

Mitt under samtalet öppnades dörren och krögarens sambo kom in. Vad sjutton handlade det här om? undrade hon och sa åt Majid att gå ut. Majid tog då upp en pistol ur byxlinningen, grep tag i kvinnans hår och

---

384 Stockholms tingsrätt, enhet 21. Diarienr: B11497-10. Dom.

tryckte vapnets pipa mot hennes tinning. Ta ut kvinnan härifrån! skrek han till krögaren. Krögaren blev så skärrad att han lovade att betala. Tusen euro var vad han hade på sig och de gav han till Majid. Resten skulle komma senare.

När han samlat sig insåg krögaren att han måste gå till polisen. Sirwan, Majid och mannen i OG-tröjan greps och åtalades. Den 31 augusti 2010 dömdes de av Stockholms tingsrätt mot sitt nekande till fängelse för utpressning och försök till utpressning.[385] Straffet för Majid blev fängelse i två år och tre månader och för medgärningsmännen fängelse i två år.

En natt tio dagar senare gick brandlarmet på restaurangbåten Freja. Någon hade kastat in en brandbomb genom ett av dess fönster.[386] Tack vare att väktare snabbt var på plats kunde elden släckas och träbåten räddas. När Aftonbladet ringde upp Denho Acar i Turkiet antydde han att Frejas krögare hade "straffats" av Original Gangsters för att denne hade gått till polisen.

"Det är väl uppenbart att det har fått konsekvenser och att det kommer att få fler konsekvenser", sa Acar till tidningen.[387]

Den hotade krögaren sa i samma artikel att han funderade på om det var värt att driva Freja vidare, en krog som han ägt i mer än tjugo år.

"Vi hoppades att de skulle ge sig efter rättegången, men det här är riktigt obehagligt."

Än en gång förknippades Original Gangsters med hänsynslöshet och terror mot enskilda. Och än en gång framstod gängets ledare som onåbar för svensk polis.

385 Ibid.
386 Aftonbladet 100911. Krögare hotas av maffian. Av: K Edblom; E Wiman.
387 Aftonbladet 100913: OG tar på sig brandbomb. Av: M Ekelund.

PLANTSKOLAN

Flera hundra kriminella har genom åren passerat Denho Acars omskrivna gäng och därigenom fått inblick i hur man skapar ett kriminellt varumärke. Efter att ha brutit med Original Gangsters har en del av dessa använt sina erfarenheter för att bilda egna nätverk.

Asir var det första sidoskott som sköt ut från OG. Grundarna var två avhoppade medlemmar som avtjänade fängelsestraff i början av 2000-talet. Asir har sedan dess fortsatt att värva medlemmar både på och utanför anstalterna och anses idag vara en relativt starkt sammanhållen, platt brottsorganisation med sin främsta bas i Göteborgsområdet.

OG-avhoppare skulle, som tidigare nämnts, dyka upp även i La Familia, X-team och Loyalty BFL. Även inom nystartade Black Cobra återfinns före detta Original Gangsters-medlemmar.

I det här kapitlet ska vi koncentrera oss på fyra andra grupper: Syndicate Legion, 187 Crime Syndicate International, Crime Inc och Libertad Crew. Samtliga har startats av före detta Original Gangsters-ledare som inte kommit överens med Denho Acar i Turkiet.

Man kunde kanske tro att de som anklagats för att vara polisinformatörer eller hängts ut som kvinnomisshandlare hädanefter skulle undvika den kriminella världen. Så är alltså inte fallet här. De före detta OG-ledarna Mikael Lindström, Jonas Bergdahl och andra strävar alla efter revansch och vill tillbaka in i gängmiljön. Att målet är pengar och medlet brott rådet det ingen tvekan om; få andra gäng signalerar så tydligt detta genom sina namn.

Liksom Original Gangsters har flera av de nya gängen marknadsfört sig genom egna internetsajter. Alla utom ett har blivit omskrivna i kvällstidningarna och fått chans att beskriva sig som stora, mäktiga brottsnätverk. I detta sammanhang har de också framfört kritik mot det som de anser är trakasserier och svek från samhällets sida.[388] Budskapet är att det är i den egna gruppen som det sanna brödraskapet finns, att det är här som människor verkligen gör allt för varandra.

Den enbente gangstern

Rättegången har med kort varsel flyttats från Svea hovrätts lokaler på Riddarholmen till säkerhetssalen i Stockholms tingsrätt. Skälet redovisas inte. Men förmodligen har domstolen fått information om att en av de åtalade har koppling till ett kriminellt gäng.

Åhörarna – en tjej och några killar – visiteras och undersöks med metalldetektor. En i taget tar de sedan plats i den bunkerliknande rättssalen, där pansarglas skiljer rättens parter från dem som vill se och lyssna. Den som åhörarna har kommit hit för att ge sitt stöd är en vältränad, tatuerad man med kort hår och skäggstubb. Tatueringarna sitter inte bara på armarna – på halsen har den åtalade två tecken: "$" och "L".

Det mest uppseendeväckande med mannen är ändå att han saknar ett ben. 2007 blev han skjuten i en uppgörelse i hemstaden Kristianstad och skadades så illa att läkarna blev tvungna att göra en amputation.[389] Men mannen, som heter Fadi Bonde och är tjugotre år gammal, har lärt sig att ta sig fram smidigt på sina kryckor och har inga problem att hoppa från dörren i salens ena sida till sin plats framför rättens ledamöter.

På en film som snart ska visas får rätten ännu ett prov på Fadi Bondes rörlighet. Filmen är inspelad av en övervakningskamera på Salbergaanstalten utanför Sala i augusti 2009. När åklagaren startar filmen syns Fadi Bonde sittande i en soffgrupp. I en korridor en bit bort från soffan

---

388 Aftonbladet 100627: De styr från fängelset. Av: K Danielsson; C Petersson.
389 Kristianstads tingsrätt. Diarienr: B2311-07. Stämningsansökan.

FOTO: OKÄND

Syndicate Legions ledare, Johan Sjöstrand och Fadi Bonde, dömdes i början av 2010 för försök till utpressning.

kommer två andra män gående och försvinner in i en cell. Strax därpå reser Bonde sig ur soffan och hoppar, utan kryckor, bort till samma cell som de båda andra.

Det går några minuter utan att något händer. Sen kommer Fadi Bonde och de båda andra ut igen. De har blod på sina kläder. En stund senare vacklar en fjärde man ut från cellen. Han ser sig om i korridoren, sedan hasar han sig iväg mot köksavdelningen. Där lyckas han påkalla personalens uppmärksamhet.

Senare ska det visa sig att den fjärde mannen – en heroinhandlare från Malmö – har blivit överfallen inne i sin cell när han låg i sängen. En av angriparna var beväpnad med ett stolsben. Skadorna i bland annat huvudet fick sys ihop med många stygn.

Fadi Bonde skakar på huvudet när åklagaren påstår att han var en av gärningsmännen. Lite senare vänder han sig om mot stödtruppen på åhörarbänken och himlar med ögonen. Antagligen känner han på sig att han inte har någon anledning att vara orolig. Tingsrätten har tidigare friat honom och de båda andra därför att det inte gått att utreda vem som gjort vad. Heroinhandlaren har tagit tillbaka sina ursprungliga uppgifter och vill inte längre medverka i utredningen.

Även i hovrätten ska Fadi Bonde och de andra gå fria.[390] Domen blir ännu en bekräftelse på att svenska fängelser är en bra plats om man vill attackera någon utan att åka fast.

"Viktigt att kunna passa tider"

Fadi Bonde började sin bana inom gängvärlden som inofficiell ledare för Original Gangsters i nordöstra Skåne. I början tyckte han att det mesta verkade vara bra. Men snart uppstod det en fnurra på tråden mellan honom och Denho Acar. Orsaken var, enligt Fadi Bonde, att Original Gangsters-ledaren försökte "runda" honom och betraktade Bondes gamla vänner som sina "drängar".

– Det var det som gjorde att vi bestämde oss för att öppna eget, berättar Fadi Bonde när vi intervjuar honom på telefon.

På Salbergaanstalten, där Fadi Bonde avtjänade straff för bland annat olaga vapeninnehav, hade han mycket tid till att dra upp riktlinjerna för det nya gänget. Våren 2009 började Fadi Bonde rekrytera medlemmar till Syndicate Legion, som gänget fick heta. Stommen blev de gamla kompisarna från Kristianstad och Hässleholm. Också Wojtek Walczak från Halmstad, som nyligen lämnat Original Gangsters, valde att gå med.

Den storväxte Walczak passade bra in i den profil som Fadi Bonde och hans vänner sökte. Gängledaren skämtar om att killar som väger under 80 kilo inte är välkomna. Antingen åker de till gymmet och pumpar upp sig eller också får de söka sig till ett annat gäng, säger han.

– Att många av oss är vältränade visar att vi har den disciplin som krävs. Det är viktigt att kunna passa tider, att vara på rätt plats och så vidare, säger "vice presidenten" Johan Sjöstrand, en fyrtioåring med rakad hjässa och gängnamnet intatuerat över hela högra sidan av halsen.

Bonde och Sjöstrand tryckte upp jackor och västar med Syndicate Legions märke för att visa att det fanns ett nytt gäng att räkna med i Kristianstad med omnejd.

– Det är klart att det är negativt att ha polisen efter sig, men det som är positivt är att man har sin organisation, man har sina tröjor, man

---

390 Svea hovrätt, rotel 0714. Diarienr: B8257-09. Dom.

har sin hemsida och man har sina bröder som håller ihop som en kedja, säger Fadi Bonde.

Uppmärksamheten ledde till att Kristianstadspolisen försökte hitta sätt att komma åt Syndicate Legion.

"Det råder absolut nolltolerans mot de som konstaterats ingå i gäng-miljön vilket i praktiken innebär att det mest banala brott ska komma att beivras", skrev polismästare Jarl Holmström i Kristianstadsbladet på julafton 2009.[391]

Redan några veckor senare greps Fadi Bonde, "vice presidenten" Johan Sjöstrand och ytterligare en gängmedlem för utpressningsförsök. I sina Syndicate Legion-jackor hade de åkt hem till en pappa i Osby norr om Kristianstad och krävt honom på 10 000 kronor. Bakgrunden var banal, gänget hade varit och festat i det lilla samhället och kommit i bråk med mannen. Det räckte för att de skulle "bötfälla" honom i gängets namn.

Efter en tid i häkte dömdes Fadi Bonde till fem månaders fängelse för försök till utpressning, dopningsbrott och vapenbrott.[392] Wojtek Walczak hade några månader tidigare valt att själv lämna Syndicate Legion. Walczaks efterträdare, en fyrtiotvåårig Malmöbo som tidigare varit livvakt åt HA-ledaren Thomas Möller, sparkades ut efter bara några veckor sedan det uppdagats att han tidigare dömts för sexualbrott.[393]

I skrivande stund är Fadi Bonde tillbaka i frihet. Den 25 augusti 2010 frigavs han från en ny vistelse på Salbergaanstalten. Överst på hans agenda stod att markera mot Original Gangsters. Anledningen var att han fått veta att två OG-medlemmar hade häktats i Ystad misstänkta för frihetsberövande, utpressning och övergrepp i rättssak.[394] Ett helt oacceptabelt intrång i länet, menade Bonde.

"Vi kommer aldrig att låta någon i Skåne ha kopplingar till OG-råttorna och deras Kalle Anka-gäng. Vi kommer att övervaka rätte-gången. De är inte välkomna i vårt område och får inte ens finnas i Skåne", skrev Fadi Bonde i ett mejl till oss.

---

391 Kristianstadsbladet 091224: Bekämpa den organiserade brottsligheten. Av: J Holmström.

392 Hovrätten över Skåne och Bleking. Diarienr: B 567-10. Dom.

393 42-åringen förnekar i samtal med författarna att han någonsin tillhört Syndicate Legion.

394 Ystads tingsrätt. Diarienr: B 2330-10. FU-protokoll.

Vad Wojtek Walczak beträffar greps han i mitten av september 2010, misstänkt för bland annat utpressning.[395] Den som hade polisanmält honom var en kvinna på Östermalm i Stockholm, som hade fått besök av honom efter att hon inte velat betala för en dåligt utförd bostadsrenovering. När vi lade sista handen vid denna bok satt Walczak häktad i avvaktan på rättegång.

En revanschlysten mördare

Kanske var Fadi Bonde inspirerad av Original Gangsters avhoppade Norge-ledare, Mikael Lindström. Ett halvår tidigare hade trettiofyraårige Lindström nämligen också blivit sin egen. Hans vision var ett stort internationellt nätverk av grovt kriminella som han döpte till 187 – Crime Syndicate International. Siffran 187 hämtades ur den amerikanska polisens kodlista över brottsrubriceringar.

– 187 står för mord, berättar Mikael Lindström, som själv har vårdats på rättspsykiatrisk avdelning för just detta brott.

Det är en fredagskväll i september 2008. På restaurang Café Boheme i Västra Frölunda träffar vi honom och tre andra som ska ingå i den nya grupperingen. Lindström äter pasta och dricker öl. De andra dricker bara öl.

Vi sätter oss ner intill "Skalman". Han tillhörde Original Gangsters i sju år, är dömd för ett flertal grova brott och kallar sig själv torped. Vid bordet sitter även Christian. Christian kan dock inte vara med så länge. Efter ett kort tag ursäktar han sig och reser sig upp.

– Du vet, jag och tjejen hade bestämt oss för att ha en hemmakväll med vår dotter, säger han och tar i hand.

Den fjärde medlemmen är Putte. Han har sin dotter med sig. Hon sitter i hans knä och leker med en mobiltelefon. Putte är irriterad. Bartendern har ifrågasatt om han verkligen ska dricka mer alkohol i sällskap av sitt barn, något som Putte tycker är hans ensak. Putte är dömd för bland annat grovt narkotikabrott och människorov.

Vad är målet med deras nya gäng? undrar vi. Mikael Lindström och de andra tvekar inte. Det handlar om att återskapa det "brödraskap" som en gång fanns inom Original Gangsters.

---

395 Stockholms tingsrätt, avd 4. Diarienr: B13807-10. Häktningsframställan.

– Vi följde det sjunkande skeppet in i det sista, nu finns det inget kvar, säger Skalman.

I ett sant brödraskap behövs heller inga skriftliga regler som inom Original Gangsters, förklarar Mikael Lindström.

– Vår enda regel är hederlig tjyvheder. Alla i 187 har samma värderingar. De behöver inte skrivas ner, säger han.

Att förbjuda droger är till exempel onödigt, enligt Lindström.

– Om någon medlem gjort något som inte gillas så säger vi helt enkelt till vederbörande.

I flera månader är det tyst om Mikael Lindströms nya gäng. Men i början av 2009 får 187 massmedialt genomslag. Expressens reporter David Baas har haft kontakt med gänget under en tid och skildrar på ett nyhetsuppslag olika möten med medlemmarna.[396] I en scen sitter gänget vid ett VIP-bord på en nattklubb i Oslo. I en annan visar de vapen i en svensk förort, okänt vilken.

Under rubriken "De rustar för strid" får en anonymiserad Mikael Lindström oemotsagd beskriva gängets styrka. De har redan fyrtio medlemmar i olika delar av landet och planerar att expandera ytterligare, hävdar han. Artikeln illustreras med ett fotografi på en maskerad man som pekar med ett handeldvapen mot läsaren. Några andra källor än gängmedlemmarna själva citeras inte.

187 drar aldrig ut i något krig. Ett par månader senare publicerar Expressen ändå en ny artikel under rubriken "Gängkriget trappas upp". I artikeln påstår tidningens anonyma källor att det är 187, uppbackade av Hells Angels, som ligger bakom en våldsupptrappning i Göteborg med syfte att utmana Bandidos.[397] Detta är, enligt våra källor, uppgifter som är helt främmande för polisen i Västra Götaland. Ungefär samtidigt uppmärksammas gänget av tevekanalen NRK i Norge. En talesman för polisen i Oslo säger att "187-gjengen skal ikke få operere ifred".

Mycket mer än så händer så vitt känt inte med 187 – Crime Syndicate International. Med undantag av ett åtal mot en man i Göteborg som gripits med dynamitstavar och en kortare tids häktning av Putte, som i

---

396 Expressen 090208: De rustar för strid. Av: D Baas.
397 GT-Expressen 090414: Gängkriget trappas upp. Av: M Hankins.

ett skede på nytt misstänktes för grovt narkotikabrott, behöver varken svensk eller norsk polis avsätta några resurser för att bekämpa gänget.[398] Enligt Mikael Lindström har medlemsantalet dock stigit stadigt och ligger nu på cirka hundra, då vi pratar med honom våren 2010. På gängets Facebook-sida syns emellertid bara sjutton "vänner", däribland flera unga kvinnor, en gymnasist i Göteborg och ett par män som uppger sig vara medlemmar i Bandidos MC.

Mikael Lindström hade gärna sett att uppmärksamheten kring 187 hade varit större.

– Har ni också en känsla av att polisen och myndigheterna försöker att tysta ner allting om oss? Det verkar som om det finns en strategi att aldrig prata om 187, säger han.

"Tänk stort – vinn stort"

Även Crime Inc hade till en början svårt att få den uppmärksamhet som gänget önskade. Sannolikt berodde detta på att grundaren och ledaren Jonas Bergdahl, som dessförinnan hade lett Original Gangsters i Stockholm, nästan direkt greps för att ha slagit och hotat sin dåvarande sambo. Våren 2009 dömdes han, som tidigare nämnts, för grov kvinnofridskränkning, misshandel, grovt skattebrott och grovt bokföringsbrott och tvingades sitta i fängelse i ett och ett halvt år.[399]

Men Jonas Bergdahl gav inte upp sina gängledardrömmar. På gängets hemsida kunde intresserade så småningom ta del av hans planer. Alla samhällsklasser var till att börja med välkomna i gänget, meddelade Bergdahl. Syftet med verksamheten var – namnet till trots – inte att begå brott utan att "ta hand om våra Bröder när samhället stöter ut dem". Bergdahl slog fast att det var "höga ambitioner" som gällde, vilket manifesterades genom en slogan: "Tänk stort, vinn stort".[400]

Inför att Jonas Bergdahl skulle friges våren 2010 tog han kontakt med oss och bjöd in till "muckfest". Lokalen han hade bokat gick inte av för hackor: trendiga krogen Josefinas, alldeles intill Nordiska

---

398 Uddevalla tingsrätt. B2709-10. Häktningsprotokoll.
399 Svea hovrätt, avd 8. Diarienr: B7313-08. Dom.
400 www.crimeincsweden.com

museet på Djurgården i Stockholm. En populär träffpunkt för unga Östermalmsbor som vill ta en drink och njuta av utsikten över huvudstadens förnämaste delar.

Söndagen den 2 maj 2010 står en välklädd Jonas Bergdahl och tar emot sina gäster i entrén till Josefinas. Famnen är full av blombuketter som han fått dagen till ära. Att Bergdahl tolv timmar tidigare vaknade upp i en cell på Västerviksanstalten är lite svårt att föreställa sig.

Inne på Josefinas ligger snittarna uppradade på stora fat. Dryck får gästerna däremot köpa själva i baren. Vi beställer Coca-Cola. Medan bartendern går bort till kylen betraktar vi den märkliga scen som nu utspelas i den ljusa och luftiga lokalen.

I ett hörn står ett tiotal unga män i svarta lädervästar. En av dem har precis dundrat in framför krogen på en blänkande svart motorcykel. Västarna är fulla av påsydda ord och symboler. Överst på ryggarna står "Crime Inc" och nederst "Sweden". Orden, som alltså kan översättas med "Brottskorporationen, Sverige", är svängda på samma sätt som mc-gänget Hells Angels logotyp.

I en annan del av lokalen står Jonas Bergdahls föräldrar och andra familjemedlemmar. Även hans nya flickvän, som är gravid, finns här. Andra gäster är Bergdahls övervakare och en präst som Crime Inc-ledaren träffat i häktet. Bergdahl berättar i förbifarten att han hade hoppats att även Expressen skulle komma. Men trots en personlig inbjudan dök inget reporterteam upp.

När alla kommit kliver Jonas Bergdahl fram till baren med ett papper i handen. De inbjudna gästerna tystnar. Bergdahl tar upp pappret och inleder ett tal som han förberett noga. Det blir långt. Det är många personer som ska tackas för den hjälp han fått medan han suttit inne. I slutet av talet faller Jonas Bergdahl överraskande ner på knä. Han vänder sig till sin flickvän. Vill hon gifta sig med honom? När hon säger ja applåderar gästerna högljutt.

Tiden i fängelse var mörk, berättar Jonas Bergdahl när vi lite senare får en pratstund med honom. Men ännu jobbigare var det nästan att bli uthängd på internet som mytoman och kvinnomisshandlare av Original Gangsters ledare Denho Acar.

– Ingen kan förstå hur Denho kunde hugga mig så i ryggen efter allt

FOTO: NICLAS RYBERG

Jonas Bergdahl firar sin frigivning våren 2010 tillsammans med vännerna i nystartade Crime Inc. Några veckor senare har nästan alla medlemmar lämnat gänget.

som jag gjort för honom och så mycket pengar som jag dragit in, säger Jonas Bergdahl. Men jag ångrar inte att jag var med i OG. Jag tog lärdomarna med mig vidare.

I Crime Inc finns det inte plats för svek eller lögner, förklarar han. Det här ska bli ett gäng där medlemmarna står upp för varandra i vått och torrt.

En av de medlemmar som Jonas Bergdahl presenterar oss för är en man som vi kan kalla Mikael. Trots att han är "vice president" bär han inte väst som de andra gängmedlemmarna. Istället har han valt en ledig sommarklädsel. Det finns en anledning till Mikaels låga profil. Han lever dubbelliv, ska det visa sig.

Infiltratören inom Kriminalvården

Jonas Bergdahl värvade Mikael inne på fängelset. Men den blivande "vice presidenten" tillhörde inte de intagna. Han jobbade som vårdare.

Att Jonas Bergdahl och Mikael fick kontakt var i sig inget onaturligt. Kriminalvårdens personal uppmuntras att ha kontakter med fängelsedömda. Under ett av många samtal avslöjade Bergdahl sina planer på att bygga upp något eget efter Original Gangsters. Mikael lyssnade och blev nyfiken. Detta berättar Mikael, när vi en tid senare får chans att prata med honom mot löfte om att vi inte röjer hans identitet. Även Jonas Bergdahl och en tredje medlem sitter med vid mötet, som sker sommaren 2010 på en halvtom uteservering i Stockholm.

– Ingen av mina kolleger har någonsin märkt något. Det finns alltid sätt att göra saker på så att det inte ser konstigt ut, säger Mikael med låg röst medan vi väntar på dagens lunch.

Mikael beskriver sig själv som en person som jagar kickar och är beroende av äventyr. Tidigare i livet har han jobbat med lite av varje och "gjort affärer". I hans umgänge finns både de som försörjer sig på laglig väg och de som är kriminella. Mikael har aldrig gjort någon skillnad på folk och folk, säger han.

För några år sedan bestämde Mikael sig för att skaffa en fast inkomst. Det var då han fick veta att Kriminalvården behövde personal.

– För mig har rollen som vårdare aldrig varit något annat än ett jobb. Det är verkligen inget kall utan något som jag gör för att få mat på bordet. Jag halkade in på ett bananskal och kommer att halka ut på ett bananskal.

Mikael tycker att svensk kriminalvård har tydliga likheter med kommunism: vackra drömmar som visat sig omöjliga att förverkliga. På pappret säger sig Kriminalvården vilja rehabilitera och hjälpa människor till ett bättre liv. I verkligheten är det bara floskler, menar Mikael.

– Det är en uppfattning som nästan alla som jobbar där har.

I kontakterna med Jonas Bergdahl försköts Mikaels lojalitet successivt. Den charmige och vältalige Bergdahl gjorde stort intryck.

– Vi började prata om hur man skulle kunna bygga upp en organisation och vilken kultur den skulle ha. Jag kände hur vi kom allt närmare varandra och till slut var vi "brothers from another mother", säger Mikael när vi fått in vår mat.

Jonas Bergdahl förstod att Mikael hade en konstnärlig ådra. Kanske kunde Mikael skissa på en logotyp till hans organisation? Resultatet blev det blå emblem som nu sitter på ryggarna till Crime Incmedlemmarnas skinnvästar. Därefter har kriminalvårdaren, enligt egen uppgift, designat de så kallade supportkläder som säljs på Crime Inc:s hemsida.

– Men det jag framför allt kan bidra med är olika sorters information, säger Mikael.

Vad för slags information? undrar vi.

– Han berättar vad som händer innanför murarna, vem som sitter var och vem som gör affärer med vem, säger Jonas Bergdahl.

Mikael nickar.

– Och även om jag skulle sluta finns det andra som kan hjälpa oss med det.

För att kontrollera Mikaels osannolika berättelse har vi inför mötet bett honom ta med papper som styrker hans anställningsförhållande. Under intervjun visar han upp en lönespecifikation för den senaste må-naden och en kontrolluppgift för det senaste inkomståret. På bägge handlingarna står Kriminalvården som arbetsgivare och han själv som arbetstagare.

Med sig i en väska har Mikael dessutom en mörkblå tröja med Kriminalvårdens tryck.

– Det är den senaste. Innan hade vi andra färger på kläderna, säger han och håller upp tröjan.

Mikael hävdar att han aldrig gjorde något direkt otillåtet medan Jonas Bergdahl satt på anstalt.

– Jonas respekterade att det fanns vissa regler inom Kriminalvården som jag måste följa. Många regler går ju att runda, men inte alla och det respekteras av mina bröder.

Några pengar säger han sig heller aldrig ha blivit erbjuden.

– Tjänster gör man för att hjälpa, inte för att tjäna pengar. Jag vill inte tjäna pengar på mina vänner utan tillsammans med dem.

Någon brottsorganisation vill Mikael egentligen inte heller säga att Crime Inc är.

– Det är så mycket mer. I grund och botten har medlemmarna sam-ma intresse – att tjäna pengar. Jag har alltid varit intresserad av affärer och det är det jag vill fortsätta med, säger Mikael.

Hur länge han tänker fortsätta sitt dubbelliv vet han inte.

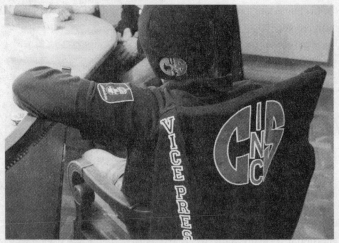

"Mikael" ser inga problem med att ingå i Crime Inc samtidigt som han får lön från staten.

– I framtiden planerar jag att säga upp mig och bara ägna mig åt organisationen. Men så länge jag kan bygga upp gänget tillsammans med Jonas och få betalt från Kriminalvården så är det ju bra.

För Jonas Bergdahl är värvningen av Mikael en fullträff. En insider inom rättsväsendet är alla yrkeskriminellas dröm. Detta är dock långt ifrån första gången som kriminalvårdare inlett samarbete med motsidan. Under 2000-talet har flera vårdare dömts för att ha smugglat in pengar, droger, telefoner, sprit och vapen till intagna.[401] Hur många fall som inte avslöjats vet förstås ingen.

Jonas Bergdahl hävdar att andra anställda inom Kriminalvården har tagit kontakt med honom sedan han frigivits. Även en av dessa ska nu vara på väg in i Crime Inc, påstår han.

– Visst måste det vara något i grunden fel med Kriminalvården när de som jobbar där hellre byter sida och går över till mig? Men det är

---

401 Tidningarnas Telegrambyrå 040923: Vårdare dömd för mobilsmuggling; Dagens Nyheter 040812: Vårdare anhölls för hjälp till Hallrymlingar. Av: C Kerpner; I Sokolow; Dagens Nyheter 030430: Vårdaren på Hall fick sju års fängelse. Av: L Wierup; Tidningarnas Telegrambyrå 030301: Vakt smugglade brev och pengar.

klart, hur skulle Kriminalvården någonsin kunna matcha det som vi kan erbjuda?

Som Jonas Bergdahls högra hand löper Mikael stor risk att gripas av polisen. Är han inte rädd för att själv bli inlåst en dag?

– Det är klart att jag tänkt tanken. Men det kommer inte att hända, svarar han.

Ensamt gängliv i Trosa

Enligt Crime Incs hemsida har gänget inte mindre än 200 medlemmar utspridda på många orter: från Trosa i Sörmland till Rhodos i Grekland, en turistort där Jonas Bergdahl en gång i tiden jobbade på restaurang. Även Stockholm, Västerås, Uppsala, Alingsås, Falun, Växjö, Örebro, Luleå, Sundsvall, Umeå och Oslo är påstådda prickar på gängets karta. Under sensommaren 2010 meddelar gänget via sin hemsida dessutom att man skaffat representanter i Rumänien, Holland och Danmark. Detta har gjort att namnet nu är ändrat till Crime Inc International.

Men ledaren Jonas Bergdahls grandiosa beskrivningar är en sak – vad som sker i verkligheten en helt annan. Det förstod vi när vi i början av 2010 träffade Mikaels föregångare på "vice president"-posten, tjugosexårige Christian "Kricke" Hämäläinen i just Trosa. Jonas Bergdahl hade introducerat honom som en lojal och driftig kille som visste hur Bergdahl ville ha "saker gjorda".

– Det här med att vara med i gäng har inte fallit mig i smaken tidigare. Visst har jag fått förfrågningar om att gå med i olika konstellationer … men allt det här skitgörat som man måste stå ut med, det var inget för mig. Hålla vakt och springa ärenden och sånt, säger Kricke när vi träffar honom på Nilssons bageri mitt i Trosa.

Av Jonas Bergdahl fick Kricke dock ett erbjudande som han inte kunde motstå. 2009 hade de träffats på Västerviksanstalten, där de båda avtjänade straff för bland annat grov kvinnofridskränkning.

– Jag slapp vara provmedlem. Jag fick bli fullvärdig direkt och vice president för Crime Inc Sweden. Först tänkte jag bara vara president i Trosa. Men vice president för "nationen" var bättre, säger Kricke och tar en klunk kaffe.

Den svarta skinnvästen med det stora Crime Inc-emblemet på ryggen står i bjärt kontrast till den hemtrevliga stämningen på det lilla bageriet, på en av Trosas pittoreska gator. Ett stenkast bort ligger polisstationen. Men Crime Inc-medlemmen säger att han inte är orolig för att någon därifrån ska komma förbi och snoka. Stationen har bara öppet på torsdagar och onsdagsförmiddagar.

– Det är lugnt och skönt här ute i Trosa. Det märks ganska fort om man har span på sig, säger Kricke.

Uppdraget som "vice president" har hittills inte krävt mer arbete än att Kricke kan fortsätta tillbringa sin mesta tid i det lilla samhället. Men sedan det börjat sprida sig att han tillhör ett kriminellt gäng har han känt sig påpassad.

– Jag försöker att hålla mig ganska lugn när jag är härute. Ändå är det som om jag får skulden för allt som sker. Snor någon en bil så misstänker de mig. Är någon hög så tror de att det är jag som har sålt droger. Det är det enda tråkiga med att vara med i ett gäng i en liten stad. I Stockholm har gängkillar inte sådana problem.

Någon rekrytering har Kricke hittills inte lyckats få igång på hemorten. Han är fortfarande gängets ende medlem i Trosa.

– Jag tror att kanske det här med gäng inte har nått ut här riktigt, säger han och fortsätter:

– Det var några yngre som var intresserade av att gå med, men de var alldeles för hetsiga. En var häktad ett tag för olaga vapeninnehav, men han slipper nog fängelse eftersom han har ADHD.

De stora pengar som Jonas Bergdahl lockat med verkar ännu inte ha trillat in. Kricke lever på socialbidrag och Kronofogden har nyligen gjort utmätningsförsök. Att ta ett arbete i avvaktan på att Crime Inc:s verksamhet ska lossna är dock inte aktuellt.

–Jag har dålig rygg och försöker få sjukpension. Och egentligen har jag aldrig gillat att arbeta… säger Kricke.

Kanske är det också det faktum att kraven är lite lägre i Crime Inc som tilltalar Kricke.

– Crime Inc passar verkligen alla. Speciellt dem som har familj. Om du är med i HA eller Bandidos kan de ringa till dig på din sons födelsedag och beordra dig att göra saker. Men i Crime Inc så kan jag säga att den och den dagen så kan jag inte. Det är inte lika strikt, säger han innan vi tackar för intervjun och lämnar Trosa.

Några månader senare grips Kricke. I hans lägenhet i Trosa har polisen hittat ett smörgåsbord av droger, bland annat amfetamin, mefedron och butylon.[402] Ett blodprov visar att han struntat i narkotikahandlarnas första regel om att inte tulla på de egna förråden. Totalt har han spår av åtta droger i kroppen: amfetamin, kokain, mefedron, butylon, hasch, nordazepam, oxazepam och temazepam. I juni 2010 döms Kricke till fängelse i två år och tre månader.[403]

Christian "Kricke" Hämäläinen hade stora planer för sig och gänget Crime Inc. De sprack när polisen avslöjade hans narkotikaförsäljning.

Ungefär samtidigt får vi veta att Crime Inc har tappat ett större delen av sina medlemmar. Orsaken är omtvistad. Jonas Bergdahl anklagar medlemmarna för att ha varit illojala. Avhopparna hävdar å sin sida att Bergdahl har festat upp deras medlemsavgifter.

– Han tog alla pengarna och roade sig själv. Han har inget omdöme alls, så vi valde att kliva av, säger en av dem.

Under våren och början av sommaren förde Crime Inc av allt att döma en tynande tillvaro. Men det skulle vända – tack vare Aftonbladet. I slutet av juni 2010 blev Jonas Bergdahl kontaktad av reportrarna Claes Petersson och Kerstin Danielson. De skulle skriva en artikel om fängelsegäng. Hade Jonas Bergdahl möjligtvis någonting att säga?

Intervjun kunde inte ha kommit lägligare för Jonas Bergdahl. För

---

402 Nyköpings tingsrätt, rotel 1. Diarienr: B972-10.
403 Nyköpings tingsrätt. B 972-10. Dom.

första gången gavs han möjlighet att marknadsföra sitt gäng i en rikstäckande tidning, till på köpet Sveriges största. Rubriken blev helt i hans smak: "De styr från fängelset". Och i texten påstod reportrarna, utan att ange någon källa, att Crime Inc hade "några av Sveriges mest kriminellt belastade personer i medlemsförteckningen".[404]

I en sidoartikel fick Bergdahl dessutom säga att allt var samhällets fel, som vänt honom och andra gängmedlemmar ryggen.

> Många kriminella är vana vid olika svek från samhället, föräldrar, flickvänner och tidigare vänner. När de sedan kommer till en anstalt så har de ofta ambitioner och vill plugga. Men då får de veta att det trots löften inte finns plats för studier. De blir svikna igen. Då är det inte konstigt att man kommer ut och begår brott igen eller går med i en organisation.

Kort efter publiceringen pratade vi med Jonas Bergdahl. Han var på strålande humör. Kräftgången var bruten.

– Efter artikeln i Aftonbladet blev det ordentligt tryck. Nu vet folk att vi existerar. En vanlig dag kan jag få upp emot tjugo mejl från folk som vill bli medlemmar eller som vill köpa supportkläder. En bra dialog med media är en förutsättning för att journalisterna inte bara ska skriva en massa skit, sa Crime Inc-ledaren, full av tillförsikt inför framtiden.

"Jag fick en sån hopplös känsla"

Det är inte bara äldre ledargestalter som har sökt en ny tillhörighet efter livet som Original Gangsters-medlemmar. Under arbetet med den här boken har vi även följt nittonårige Marcos. Han ingick i Original Gangsters Stockholmsavdelning mellan våren 2008 och sommaren 2009.

Efter avhoppet blev Marcos intervjuad av tidningen Metro. Han varnade andra killar från att söka sig till gängvärlden. "Jag vill att ung-

---

404 Aftonbladet 100627: De styr från fängelset. Av: K Danielson; C Petersson.

domar i riskzonen ska förstå hur meningslöst det här är", sa Marcos.[405]
Tre månader senare skulle han ändå själv starta ett nytt gäng.

– Denho Acar hade jag bara kontakt med någon gång. Jag fick ett
grattis-SMS när jag gick med, sen ringde han mig en gång när jag blev
utsläppt. Och när jag gick hoppade av fick jag besked om att jag skulle
betala 200 000 kronor.

Det berättar Marcos vid vårt första möte. Då, i november 2009, sit-
ter han på Kronobergshäktet. Några månader tidigare har han och en
vän i den kriminella världen misshandlat några killar på en tunnelba-
nestation. Marcos sa i polisförhören att han trodde att killarna var ut-
sända av Original Gangsters för att märka honom och att han agerade
i självförsvar.

– Sedan jag gick ur OG är det ganska uppenbart att jag har en hotbild
mot mig. Denho vill ju ha den här avgiften, men jag har svarat att i så fall
får han komma och hämta pengarna själv. Det var ju inte så populärt ...

Marcos lämnade Original Gangsters bara några veckor innan spräng-
dådet på Fatburs Kvarngata på Södermalm i Stockholm ägde rum. De
som åtalades för bomben var några av dem som Marcos hade umgåtts
med. Under vårt besök i häktet pågår rättegången i Stockholms tings-
rätts säkerhetssal, bara ett stenkast bort.

– Att lägga ut sprängladdningar är väl en sån sak som de flesta krimi-
nella kan göra eftersom man ser ju inte personen som blir skadad. Du
lämnar nånting och så går du därifrån. Resultatet kan du se nästa dag,
säger Marcos apropå bombåtalet.

Marcos avhopp från Original Gangsters skedde inte i protest mot
gängets kriminalitet. Däremot kände han efter ett tag att han inte vis-
ste vem han kunde lita på, trots att alla sa att de var bröder.

– Jag fick en sån hopplös känsla och mådde väldigt dåligt, psykiskt.
Det hade att göra med att det fanns killar i OG som jag inte alls hade
något förtroende för, men ändå var tvungen att visa respekt.

Det ledde i sin tur till att Marcos började omvärdera hela sin livs-
föring.

– Sen jag fyllde femton hade jag suttit inlåst på nästan alla de här jävla
ställena som finns. Det är ganska tröttsamt att ha tre månader ute åt

---

405 Metro 091022: Han hoppade av Original Gangsters. Av: C Frenker.

gången som rekord … det blir liksom en ond cirkel och jag såg inget slut. Sen började jag faktiskt också att värdera ett liv … i trygghet, säger Marcos, som ofta tar god på sig att välja sina ord.

Egentligen hade han en ganska bra bild av vad trygghet kunde vara. Som enda barnet, i en välbeställd familj i en villaförort i Stockholm, hade han fått mycket tid och omsorg från sina föräldrar. Runt familjen fanns ett stort socialt nät. Somrarna i Stockholms skärgård hade varit bekymmersfria och lyckliga.

Trots detta hade Marcos nästan alltid känt sig utanför. Delvis hade det att göra med att han var adopterad; när han bara var några veckor gammal hämtade föräldrarna honom på ett barnhem i Brasilien. På den ort i Småland där familjen bodde under Marcos första tio år fanns det knappt några andra barn från andra länder. Ändå var det inte Marcos hudfärg som skapade den största klyftan mellan honom och de andra i klassen.

– Jag kunde inte koncentrera mig, det gick bara inte. Så när de andra barnen lärde sig läsa gjorde inte jag det. Jag hade en kompis … vi brukade leka efter skolan. När vi skulle titta på teve och nånting var textat fick han läsa högt för mig, berättar Marcos.

När Marcos gick i mellanstadiet flyttade familjen till Stockholm. Föräldrarna hoppades att det skulle få saker och ting att falla på plats för sonen. I Stockholm fanns det fler barn med utländsk bakgrund och kanske också lärare som var bättre utbildade i att stimulera elever med koncentrationssvårigheter.

Istället blev det bara värre. Mycket värre.

– Jag skulle börja i fjärde klass, men det slutade med att jag hoppade av helt. Istället hittade jag kompisar som jag gled runt med. Vi gjorde bara idiotiska, farliga saker … som att springa i tunnelbanetunnlarna och stå mellan vagnarna och sånt, berättar Marcos.

Föräldrarna kämpade för att få Marcos tillbaka till skolan. Periodvis lyckades det. Men i hopp om att hitta en plats där sonen trivdes bättre valde de än en gång att flytta sonen till en annan skola. För att göra en lång historia kort: det ändrade ingenting.

– Jag hamnade i specialklass och hade särskilda lärare. Där kom de på att jag hade dyslexi och började jobba med det. Fast allt det där gjorde ju att jag kände mig ännu mer utanför, berättar Marcos och fortsätter:

– Till slut accepterade alla läget, mina föräldrar gjorde det och lärarna också. Ok, Marcos går inte till skolan idag. Så där var det för många av mina vänner också. Därför föll det sig naturligt att vi blev ett gäng, ett stort gäng ... säkert trettio pers som bara drog runt.

Resten av uppväxten blev en checklista av klassiska problem. Marcos drack alkohol, rökte hasch och åt tabletter, bland annat sömnmedlet Rohypnol. Han omhändertogs och fördes till Maria ungdoms drogklinik. Slogs och rånade andra tonåringar och greps av polisen. Allt medan föräldrarna försökte och försökte få honom att fatta han gjorde fel.

Nittonårige Marcos i Stockholm gick ut i massmedia och varnade andra från att gå med i Original Gangsters. Kort därpå startade han ett eget gäng.

– Alla sa ju till mig att jag borde skärpa mig. Och jag fattade väl nånstans att de hade rätt. Men det spelade ingen roll, jag kände ingen motivation att göra något annat.

När Marcos gick med i sitt första gäng var han sexton. Det hela var ganska oskyldigt. Bilder som Marcos senare ska visa oss föreställer glada killar i solbrillor och kepsar.

– Det var inte så allvarligt, vi gick ihop för att vi ville visa oss tuffa.

Blodigt allvar skulle det däremot bli ganska snart.

– Jag träffade en gammal kompis som sa att han blivit medlem i Original Gangsters. Först trodde jag inte honom, men sen presenterade han mig för olika personer. Det ledde till att jag själv blev godkänd. Det gick väl på en vecka ungefär. Då var jag sjutton, berättar Marcos.

Medlemmarna i Original Gangsters var de första som Marcos träffade som betraktade sig som yrkeskriminella. Men att de hade blivit det berodde inte på dem själva, fick Marcos höra.

FOTO: PRIVAT

– De sa att det var samhällets fel, polisens fel, kriminalvårdens fel. Alla myndigheters fel, berättar han. Jag tyckte att det lät rätt, och det tycker jag fortfarande. I alla fall när det gäller de yngsta. Äldre kriminella kan man ställa andra krav på, säger han.

Tillbaka till familjen

Några veckor efter vårt möte friges Marcos. Straffet för misshandeln i tunnelbanan har bestämts till fem månaders ungdomsvård, en tid som Marcos redan har suttit av i häktet. Vi är med när han hämtas av sina föräldrar utanför Kronobergshäktets grindar. Det är tidigt på morgonen och fortfarande mörkt ute. Föräldrarna har kommit hit i taxi.

– Är världen stor här ute? frågar Marcos mamma när hon och pappan kramat sonen en lång stund.

Marcos säger inget. Han bara ler och drar in långa andetag. Det syns att han njuter av att ha himlen ovanför sig och gott om luft runt omkring sig. Vi frågar vad han ska göra nu.

– Hem och äta så mycket jag vill... gå på toaletten när jag vill, duscha när jag vill. Det är ingen annan som bestämmer... Det blir skönt.

En vecka senare träffar vi Marcos hemma hos föräldrarna. Han har fått en egen liten avdelning i deras nya våning, med egen ingång och badrum. I sovrummet, vid sängens fotända, står en nyinköpt platt-teve och i ena hörnet en dator.

Marcos säger att han för första gången är motiverad att verkligen ta tag i sitt liv. Först ska han läsa in grundskolan, sen vill han skaffa ett jobb och kanske en egen bostad. Men hans kompisar verkar inte tro honom, när han berättar om sina planer.

– De flesta säger bara "sluta ljuga, du ska inte alls sluta" och så där. Men de får tro vad de vill, säger Marcos, när han satt sig på en stol framför datorn.

Vi ber Marcos visa några bilder från sitt tidigare liv. Han letar med musen och klickar sig fram till en mapp. Marcos och Jeremy Kaczynski, ledaren för Original Gangsters underavdelning 15-7, kommer upp på skärmen.

– Det var så här jag såg ut när jag var med.

Han och den andre ser inte särskilt glada ut, tycker vi.

– Så är det med alla kriminella. Man sitter inte och tar bilder där man ser ut som en bebis, man gör inte det. Jag vet inte vad det är för anledning, men det är så här man ska se ut, svarar Marcos.

Nästa bild föreställer honom och en annan avhoppad medlem. Mannen är minst ett huvud längre – och dubbelt så gammal.

– Honom har jag fortfarande bra kontakt med. Vi har kommit nära varandra, mycket nära. Sen jag kom ut har vi ringts vid nästan varje dag, berättar Marcos.

Efter en stund ropar Marcos mamma att det är mat. Hon har köpt färdiglagad pasta från en restaurang i närheten. Vid matbordet berättar hon för Marcos att hon har varit i kontakt med både Försäkringskassan och en psykolog. Efter många års kamp ser hon en möjlighet att äntligen pusha sonen i en riktning som förhoppningsvis kan leda till en annan och mer harmonisk tillvaro.

– Jag tänkte att du träffar psykologen mellan tio och tolv i morgon förmiddag, säger hon mellan tuggorna.

Marcos har inga invändningar. Men han verkar ändå upptagen av andra tankar. En stund senare förklarar han att han måste åka in till stan. Det är många kompisar som vill träffa honom nu när han äntligen är ute igen.

Det är tydligt att det inte är vad Marcos mamma och pappa vill höra. Efter att Marcos ställt undan tallriken och lämnat köket vänder sig mamman mot oss och suckar.

– När han kom hem behövde han först familjens omsorg och få äta god mat och fasa in sig och så. Men sen har han blivit mer och mer utåtriktad och ianspråktagen av kamraterna. Det är väl det som skapar en rädsla hos oss … för att det ska upprepa sig. Vi har ju varit med om många såna situationer förut.

En stund senare kommer Marcos tillbaka. På överkroppen har han en skottsäker väst.

– Sitter den bra på dig? frågar hans mamma och rättar till ett av västens resårband.

Efter avhoppet från Original Gangsters har västen blivit en självklarhet för Marcos och hans föräldrar. Marcos kränger på sig en dunjacka och säger hejdå. Sedan försvinner han iväg i mörkret, in mot stan.

Kvällen med kompisarna var lugn, Marcos kom tillbaka i tid och träffade psykologen som planerat dagen därpå. Det säger han när vi pratas vid på telefon någon dag senare. Marcos berättar att han håller på att packa. Tillsammans med föräldrarna och en annan familj ska han åka till Brasilien över nyårshelgen och tre veckor därefter. Föräldrarna är angelägna om att Marcos ska lära känna det land där han en gång föddes – plus att de gärna vill få honom att tänka på annat än de gamla kompisarna.

– Det ska bli skönt. Varmt och skönt. Fast lite pirrigt också. Jag gillar inte att flyga, säger Marcos innan vi lägger på.

Det är i Brasilien som Marcos drar upp planerna. Han tänker starta sitt eget gäng, tillsammans med en barndomsvän. De har redan bestämt ett namn: Libertad Crew. Logotypen är också klar. Den föreställer en jordglob med en taggtråd runt. När tankarna väl kommit igång är han för upptaget för att koncentrera sig på något annat. Dagarna i Brasilien slår han ihjäl i hotellets bar, där han dricker öl och mejlar tilltänkta gängmedlemmar i Sverige.

Det var mycket som var fel med Original Gangsters, det tycker Marcos fortfarande. Men ända sedan han frigavs har han saknat känslan av att ingå i en gemenskap som kan erbjuda trygghet och skydd.

– Det handlar inte om att begå brott. De som vill ska kunna plugga och jobba. Det viktiga är att vi tar hand om varandra så att ingen är ensam. Det här gänget kommer inte att vara som något annat. Vi kommer inte att konkurrera med andra, vi ska bara göra vår egen grej, säger Marcos över en fika, när han kommit tillbaka hem till Sverige igen.

"Ska jag gå runt och vara snäll mot alla, då dör jag snart"

Dörrarna på en Ford Escort av äldre modell slår igen. Föraren gasar på och bilen sladdar ut på Valhallavägen, den breda gata som leder från Östermalm till Norrtull i Stockholm. Vägbanan är moddig, men den unge föraren drar på som om det vore barmark. Färden går norrut, förbi universitetet och vidare.

I höjd med Danderyd saktar mannen bakom ratten plötsligt in och anpassar sig till trafikrytmen. En polisbil har kört upp i höger körfält bredvid Escorten. De unga killar som åker med i Escorten vänder sig och tittar. Nej, poliserna verkar inte vara ute efter dem.

En av killarna i bilen är Marcos. Han har han samlat ihop en liten grupp som ska bli kärnan i Libertad Crew. Den här dagen är speciell. Marcos, bilens förare och två andra ska hem till en tatuerare i en ort norr om Stockholm. Där ska de få Libertad Crews emblem ingraverat i skinnet.

I Norrtälje svänger föraren av från vägen och in till samhällets bussterminal. Det är här gänget ska hämta upp tatueraren, så fort han slutat skolan. Medan de väntar går Marcos och vännerna in i terminalen och sätter sig i kafeterian. En av vännerna frågar Marcos något om tatueringen. Marcos tar fram sin mobiltelefon, en helt ny Ericsson, och visar en bild.

Då kommer en man i femtioårsåldern fram till gänget. Han har suttit på en bänk i terminalen, till synes utan att ha något särskilt för sig. Eventuellt är han en aning berusad.

Vad snackar Marcos och de andra om? undrar mannen nyfiket. Marcos vänder blicken mot mannen. Han säger inget, men vi kan se att han blir ordentligt irriterad.

Mannen uppfattar inte de fientliga signalerna. Istället gör han ett nytt försök att få kontakt med killarna från Stockholm, som han aldrig sett här tidigare.

– Gå härifrån! säger Marcos.

En av vännerna upprepar vad han sagt.

– Okej, okej, säger mannen och håller upp händerna i höjd med huvudet.

När han backar ut mellan stolarna säger han "capice" – ett italienskt uttryck för "jag har förstått" som används flitigt i amerikanska maffiafamiljer. Marcos och de andra uppfattar inte anspelningen.

En stund senare står vi i snön utanför terminalen tillsammans med Marcos. Han säger att han inte kunde vara kvar där inne och har tagit upp en cigarett för att lugna sig.

– Adrenalinet bara pumpar i mig alltså. Att komma fram sådär ... han ska inte göra det. Jag tål inte när människor kommer fram och ska tjafsa, säger han och tar ett djupt bloss.

Men mannen ville ju inget illa, menar vi.

– Han sa ju "fuck you!" Han ska inte göra det.

Det blir tyst ett tag. Sen säger Marcos:

– Ska jag gå runt och vara snäll mot alla, då dör jag snart.

Gäng och skola

En halvtimme senare sitter vi hemma i tatuerarens lägenhet. Tatueraren har måttat upp kaffepulver i en melittabryggare. Medan apparaten puttrar hemtrevligt gör han snabbt om köket till sin arbetsplats. Färg, nålar och desinficeringsvätska kommer upp på bordet. Men innan han kan skrida till verket börjar Marcos och de andra än en gång diskutera hur tatueringen ska se ut.

Tatueraren tar med killarna till sin dator. Där klickar han upp en del olika typsnitt. Blir detta bra? undrar han och nickar mot skärmen, där bokstäver i spetsig, gotisk stil syns. Efter lång diskussion är Marcos och vännerna överens om att typsnittet är bra.

Medan den äldste i gruppen, den ende som är över tjugo, sätter sig till rätta i köket slår de andra sig ner i en soffgrupp och knäpper på teven. Vi börjar prata om hur de ser på gänget och varför de har gått med.

– För att känna trygghet. Man har bröder som står bakom en och inte golar … Det är väl det, att kunna känna sig trygg med grabbarna, säger en av dem.

Det visar sig att han bara är sexton år och går i gymnasiet. Marcos understryker lite senare att det verkligen är ett undantag att han har fått gå med, egentligen är det artonårsgräns som gäller.

Hur fungerar det att kombinera skola och gäng? undrar vi.

– Det går skitbra. Jag är tillgänglig dygnet runt. Det är inte så att jag är upptagen när jag sitter i skolan. Om det är något går jag bara ut från klassrummet, det stör ju ingen, svarar han.

Hur ser han på att begå brott? fortsätter vi.

– Inte som en dålig grej i all fall. Jag ser det som ett sätt att försörja sig … som en hobby.

Marcos griper in. Han tycker inte att det är rätt att säga att Libertad Crew ska syssla med brott.

– Kriminellt kan jag inte säga att det är. Vissa medlemmar kanske gör brott, andra inte. Det som är det viktigaste är att vi är ett brödraskap. Det är därför vi väljer att ha samma tatuering allihop. Vi blir starkare tillsammans och det är vårt sätt att visa lojalitet mot varandra, säger han.

Lite senare kommer diskussionen in på värnplikten. Finns det likheter mellan att ingå i ett gäng och att göra lumpen?

– Jag har inte mönstrat för att jag finns med i en massa register och såna saker. Och det vore kanske rätt dumt att ge mig en AK4:a och låta mig leka krig ute i skogen. Men innan tänkte jag rätt mycket på att jag ville göra lumpen. Det handlade inte om att jag vill göra något för mitt land, utan för att jag gillar själva disciplinen. Den disciplinen har vi i gänget också. Det är ganska strängt och vi utesluter alla som inte följer det vi säger, säger Marcos.

Han blir tyst ett tag.

– Ja, jag tror jag skulle vara helt annorlunda om jag hade fått göra lumpen, säger han sedan.

Under hela samtalet har ett svagt brummande hörts inifrån köket. Nu tystnar det. Den förste killen är klar och kommer ut och visar sin tatuering. De andra tre applåderar.

– Skitsnygg!

– Grymt, mannen!

Efter paus med pizza och läsk är det Marcos tur. Klockan börjar närma sig midnatt och alla är ganska sömniga. Men Marcos vill inte åka härifrån utan sin "gaddning". Han går in i köket, lägger upp högerarmen på bordet och sänker ner huvudet åt vänster. Efter att tatueraren ritat in motivet med bläck på Marcos biceps börjar brummandet igen.

Under tiden ber vi Marcos berätta om sina tankar kring det spanskengelska namnet Libertad Crew, som skulle kunna översättas med "frihetsgänget".

– Det är väl att jag känner mig fri nu. Jag kände mig inte fri som laglig. Taggtråden runt globen symboliserar att man kan sitta inne och ändå vara fri. Det viktiga är att man har gjort ett eget val före det brott som det är frågan om. Och då har man sin egen frihet att välja att avstå eller köra fullt ut. Det är väl det som det symboliserar...

Efter ett par timmar är tatueringen äntligen klar. Marcos, som nästan somnat under tiden, vinklar upp armen och sneglar mot emblemet som pryder hans överarm.

– Det känns skönt att det står där, säger han drar med vänsterhanden över tatueringen.

De andra kommer in i köket. Marcos blir omkramad. Nu finns Libertad Crew på riktigt.

Men klockan har blivit för mycket för att de andra två ska hinna få sina tatueringar. De får komma tillbaka någon annan gång. Efter att ha tackat tatueraren och tagit på sig kläderna går de ut till bilen igen. De har en lång resa framför sig i den kalla natten.

Vi behåller kontakten med Marcos under våren och en bit in på sommaren 2010. Under denna tid grips han vid flera tillfällen av polis. En gång har han dragit kniv mot vakter på en nattklubb i centrala Stockholm och hotat att döda dem. Samma kväll misstänks han ha rånat en person i city, något som Marcos själv nekar till. En annan gång har Marcos misshandlat en främmande man grovt efter att ha känt sig provocerad.

Några gånger sitter Marcos anhållen, men han slipper häktas. I november 2010 väntas rättegång för rån, olaga hot, hot mot tjänsteman och våldsamt motstånd.[406] Inget av brotten har, så vitt vi vet, med Libertad Crew att göra. Gänget finns dock kvar och har värvat nya medlemmar utanför Stockholm, säger Marcos i vårt sista samtal.

---

406 Stockholms tingsrätt, enhet 31. Diarienr: B4784-10.

DE SJUKA SOM BLEV FRISKA

Försäkringskassan. Sthlm C Nat. Kontrollenheten.

Felaktig utbetalning av sjukpenning och sjukersättning

Beslut

Försäkringskassan har beslutat att du ska betala tillbaka 925 515 kronor som du har fått felaktigt i sjukpenning och sjukersättning för tiden 4 oktober 2001 till 30 januari 2010.[407]

Så inleddes ett brev som damp ner hos Hells Angels-medlemmen Henrik i Stockholm i mars 2010. Uppmärksamma läsare minns kanske honom från tidigare kapitel. Sommaren 2009 greps Henrik för att ha burit in miljontals smuggelcigaretter i ett förråd i Solna. Sedan dess har han avtjänat ett två år långt fängelsestraff.

Övervakningsfilmen som fångade Henrik och hans kumpaner i förrådet visades inte bara för domstolen. Även Försäkringskassans nationella kontrollenhet tog del av de rörliga bilderna, som blev offentliga då åtal väcktes. Följden blev att Henriks akt togs upp ur arkivet och gicks igenom igen. Var han verkligen så sjuk att han inte kunde jobba?

407 Försäkringskassan. Sthlm C Nat. Kontrollenheten. Diarienr: 100106195379_2010-0008214006.

"Enligt den tillgängliga dokumentationen från polis-, tull- och domstolen kan det ses som helt tydligt att NN inte har en nedsättning av arbetsförmågan", skrev myndighetens försäkringsmedicinske rådgivare.

– Kan man använda kroppen på det här viset kan man ha ett vanligt jobb också. Så enkelt är det, säger försäkringsdirektör Svante Borg på Försäkringskassans huvudkontor.

Under granskningen hade även andra uppgifter framkommit, som Försäkringskassan tidigare inte känt till. Bland annat hade Henrik drivit ett familjehem för narkomaner och under en period jobbat på Posten. Det faktum att han hämtade och lämnade på dagis och regelbundet gick på Hells Angels-möten förstärkte bilden: Henrik var inte sjuk. Utbetalningen stoppades och Hells Angels-medlemmen krävdes på hela det belopp som han kvitterat ut under det senaste decenniet, alltså totalt nästan en miljon kronor.

Exemplet ger en talande bild av ett fenomen som vi gång på gång stött på under vår granskning av de kriminella gängen. Utöver olika former av grov brottslighet är bidragsfusk och missbruk av samhällets skyddsnät vanligt förekommande bland gängmedlemmar. Särskilt inom Hells Angels.

Våren 2006 uppmärksammades detta för första gången på allvar av myndigheterna. Försäkringskassan och Stockholmspolisens enhet mot mc-relaterad brottslighet SSI (sektionen för särskilda insatser) hade i en särskild granskning upptäckt att sju av tio Hells Angels-medlemmar i Stockholm var långtidssjukskrivna eller sjukpensionärer.[408] Samtidigt visste polisen att många av männen hade svarta inkomster.

Märkligt nog väntade Försäkringskassan i två år innan man agerade. Först sommaren 2008, då den tidigare nämnda nationella kontrollenheten bildats, började man granska de enskilda ärendena. Dessförinnan hade myndigheten närmast burit skygglappar och inte intresserat sig för ifall de som ansökte om ersättningar var knutna till kriminella gäng eller allmän brottslig verksamhet. Attitydförändringen kan ses som en konsekvens av att regeringen, genom justitieminister Beatrice Ask, i slutet av 2007 kallade samman Myndighetssverige till en bred mobilisering mot den organiserade brottsligheten.

---

408 Dagens Nyheter 060221: Deppighet bakom manfall i mc-gäng. Av: L Wierup.

Samverkan var ledordet. I det här fallet innebar det att sekretess-murarna revs så att information kunde flöda på ett nytt sätt. Någon lagändring krävdes inte; sekretesslagens generalklausul medger att "sekretessbelagd uppgift lämnas till en myndighet, om det är uppenbart att intresset av att uppgiften lämnas har företräde framför det intresse som sekretessen ska skydda".[409]

Genom de regionala underrättelsecentrum som skapades, först i storstäderna och därefter i de så kallade samverkansregionerna, fick Försäkringskassan för första gången information om de personer som betecknas som yrkeskriminella och/eller medlemmar i kriminella grupperingar. Mellan hundra och tvåhundra personer togs ut för särskild granskning.

Som ett första steg kontrollerades om personerna hade uppgett rätt sjukpenninggrundande inkomst, SGI, och arbetsgivare. Redan här fastnade många. De hade helt enkelt skickat in felaktiga uppgifter – och därmed lyckats lura Försäkringskassans handläggare.

Steg två för nationella kontrollenheten blev att söka uppgifter från andra håll. Domar, förundersökningar, spaningspromemorior, utdrag från Bolagsverket och tidningsartiklar – allt som gav en bild av inkomster och sysselsättning togs in. I många fall ledde detta till att tjänstemännen kunde konstatera att personer som sagt sig vara oförmögna att jobba klarade av att ägna sig åt brottslighet. Följden blev stoppade utbetalningar och krav på återbetalning. Hösten 2009 hade inte mindre än 96 personer krävts på 26,9 miljoner kronor.[410] Ur skattebetalarperspektiv ett lysande resultat, med tanke på att lönerna för kontrollenhetens personal uppgick till totalt tre-fyra miljoner kronor.

Cirka en fjärdedel av de 96 personerna var knutna till gäng. Övriga var kriminella i mer traditionell mening med rån, bedrägerier, skattebrott etcetera på sina samveten. Av gängmedlemmarna var Hells Angels och dess undergrupp Red and White Crew fullständigt dominerande. Tjugo personer i denna sfär krävdes på sammanlagt nästan sju miljoner kronor, enligt den sammanställning som vi har gjort utifrån

409 SFS 2009:400.
410 Dagens Nyheter 090904: Kriminellas bidragsfusk leder sällan till åtal. Av: L Wierup.

Försäkringskassans beslut. Detta är siffror som ingen annan gruppering kommer i närheten av. Medlemmar från X-team, Original Gangsters respektive Fucked for Life förekom i några enstaka ärenden. Men de totala återkraven stannade här på några hundratusen kronor.

Här följer vår sammanställning över medlemmar i Hells Angels och Red and White Crew som fått återkrav från Försäkringskassan:

Namn	Organisation och ort	Återkrav	Orsak
Adam	R&W Crew, Stockholm	91 952:-	Uppgett fel sjukpenning-grundande inkomst.
Conny	Hells Angels, Stockholm	119 991:-	Uppgett fel sjukpenning-grundande inkomst.
Dani	Hells Angels, Stockholm	110 240:-	Uppgett fel sjukpenning-grundande inkomst.
Henrik	Hells Angels, Stockholm	925 515:-	Arbetade trots påstådd arbetsoförmåga.
Joen	Hells Angels, Stockholm	40 633:-	Uppgett fel sjukpenning-grundande inkomst.
Johan	Hells Angels, Stockholm	936 469:-	Drev bolag trots påstådd arbetsoförmåga mm.
Jorma	Hells Angels, Stockholm	220 480:-	Drev bolag trots påstådd arbetsoförmåga.
Joseph	Hells Angels, Göteborg	383 708:-	Uppgett fel sjukpenning-grundande inkomst.
Kent	Hells Angels, Luleå	1 008 125:-	Jobbat och begått brott trots påstådd sjukdom.
Larry	Hells Angels, Stockholm	733 725:-	Uppgett felaktiga anställ-ningsförhållanden.
Lars	Hells Angels, Stockholm	162 380:-	Uppgett fel sjukpenning-grundande inkomst.
Michel	Hells Angels, Stockholm	365 680:-	Uppgett fel sjukpenning-grundande inkomst.
Mika	Hells Angels, Stockholm	222 027:-	Uppgett fel sjukpenning-grundande inkomst.

Patric	Hells Angels, Stockholm	55 694:-	Uppgett fel sjukpenning-grundande inkomst.
Per	Hells Angels, Stockholm	162 519:-	Uppgett fel sjukpenning-grundande inkomst.
Peter	R&W Crew, Stockholm	184 693:-	Uppgett fel sjukpenning-grundande inkomst.
Robin	R&W Crew, Stockholm	181 975:-	Uppgett fel sjukpenning-grundande inkomst.
Tero	Hells Angels, Stockholm	141 666:-	Befann sig utomlands under sjukskrivning.
Thomas	Hells Angels, Stockholm	753 520:-	Drev div bolag trots på-stådd arbetsoförmåga.
Thomas	R&W Crew, Stockholm	133 321:-	Uppgett fel sjukpenning-grundande inkomst.
Totalt:		6 934 313:-	

Grunden för HA-männens tidigare sjukskrivningar varierar. En del har hänvisat till påstådda fysiska skador, andra till psykiska problem. Oavsett vilket har det generellt varit förbluffande lätt för männen att få försörjning genom den statliga sjukförsäkringen.

Hells Angels-ledaren och lastbilschauffören Kent Nilsson i Luleå, som vi berättat om i tidigare kapitel, blev sjukskriven redan i början av 1998. Orsaken var "nack- och ryggbesvär".[411] På heder och samvete intygade Kent Nilsson att han inte kunde sitta i en bil några längre sträckor och att han därför inte heller kunde fortsätta jobba. Det räckte för att han skulle få sjukpenning och sjukpension i mer än tolv år.

Under hela denna period gjorde Försäkringskassan ytterst få uppföljningsåtgärder. Så vitt känt ställdes inga krav på omskolningsutbildning eller deltagande i rehabiliteringsprogram. 1999 skrev en handläggare, som hade pratat med Kent Nilsson i telefon, så här:

"Har i stort sett samma besvär som tidigare, nacken har varit sämre under hösten /.../ På frågan om vad han klarar av att göra säger han att

---

411 Försäkringskassan. Nat. Kontrollenheten. Beslut 2010-07-20.

det inte är så mycket. Klarar ej av att köra bil längre sträckor."[412]

Året därpå kallades Kent Nilsson till möte på Försäkringskassan i Luleå. Återigen godtogs hans ord utan ifrågasättande.

"Att återgå till tidigare yrke är helt otänkbart. Som hälsotillståndet är idag har han heller inte några funderingar om vad han eventuellt skulle kunna tänka sig i framtiden", sammanfattade en tjänsteman.

Ungefär samtidigt stoppades Kent Nilsson i en punkskattekontroll vid gränsen mellan Finland och Sverige. Han körde då en skåpbil med 800 liter diesel i en dold tank. Skatterevision och brottsutredning inleddes och Kent dömdes, som tidigare nämnts, för att ha smugglat in stora mängder lågskattad finsk diesel. Men dessa uppgifter nådde alltså inte Försäkringskassan.

Åren gick och Kent Nilsson dök åter upp på vägarna. 2006 kontrollerades han och en vän av Stockholmspolisen då de transporterade två lastpallar öl i en minibuss.[413] Ett år senare iakttogs den blivande Hells Angels-medlemmen i samband med att han kånkade ut en dator till en bil – en bil som han utan problem körde själv. Och 2008 greps Kent Nilsson och hans klubbkamrat Jörgen Eriksson, då de smugglade tusentals liter alkohol från Tyskland med bil.

Även dessa gånger var det vattentäta skott mellan myndigheterna. På Försäkringskassan trodde man fortfarande att Kent Nilsson satt hemma med ryggont. Inte förrän i mars 2010 stoppades Nilssons sjukpension. Fuskjägarna i nationella kontrollenheten hade då begärt in samtliga tillgängliga uppgifter hos polis och domstolar. Slutsatsen blev att Kent hade vilselett myndigheten.

"Av det som framkommer bedömer Försäkringskassan det utrett att du under tid för hel sjukpenning egentligen varit aktiv och att du lämnat oriktiga uppgifter om arbetsförmåga och hälsotillstånd", stod det i det beslut som skickades till Kent Nilsson.[414] Han fick chans att bemöta uppgifterna, men ingenting av det han anförde ändrade kontrollenhetens uppfattning. Den nu femtiosjuårige Nilsson krävdes på 1 008 125 kronor.

412 Ibid.
413 Ibid.
414 Ibid.

Lika tunt har underlaget visat sig vara i flera av de fall där Hells Angels-medlemmar långtidssjukskrivits efter påståenden om psykiska besvär. En trettiosjuårig medlem i Hells Angels Stockholmsavdelning, Johan Berg, uppgav exempelvis "orkar inte träffa människor och vistas i offentlig miljö", "svårt att klara vardagslivet" och "får hjälp med allt" som skäl till att han inte kunde jobba.[415] Senare skulle det visa sig att han drivit både familjehem och illegal indrivningsverksamhet. Nationella kontrollenheten krävde Johan på 936 469 kronor, vilket han skulle komma att överklaga. Domstolsförhandling väntas hösten 2010.

Ett liknande ärende gäller fyrtiosexårige medlemmen Thomas Dahlén, som under en period var ledare för Hells Angels MC Stockholm. Även Dahlén blev långtidssjukskriven efter att ha hänvisat till psykiska problem. Att han samtidigt, genom ett av sina byggbolag, deltog i byggandet av ett nytt polishus i Kista berättade han däremot inte för Försäkringskassan. Inte heller att han hade startat ett företag som skulle ge familjehemsvård åt missbrukare och skydd åt utsatta kvinnor. Mellan 2005 och 2008 hann Dahlén, som själv är dömd till fängelse för att ha misshandlat en före detta flickvän, få ut 753 520 kronor – pengar som krävdes tillbaka under 2009.[416]

Anmärkningsvärt i Thomas Dahléns fall är att den läkare som intygade arbetsoförmågan själv var samarbetspartner till Dahléns vårdhemsföretag.[417] Läkaren skulle med andra ord utföra uppdrag för en företagare som var alltför psykiskt skör för att arbeta, något som osökt leder över till frågan om läkarnas roll i sammanhanget.

Det är ett faktum att samma läkare återkommer i flera av de fall som lett till återkrävd ersättning. En av de flitigaste intygsutfärdarna genom åren har varit läkaren Roman Nowik i Älvsjö i södra Stockholm. Redan under samarbetet mellan Stockholmspolisen och Försäkringskassan 2006 upptäcktes att Nowik långtidssjukskrivit ett flertal Hells Angels-medlemmar i huvudstaden. I nästan samtliga fall angavs psykiska problem av olika art. Detta ledde till att Nowik hamnade på Rikskriminalens första Alcatraz-lista, vilket innebar att han var en av

---

415 Försäkringskassan. Sthlm C Nat. Kontrollenheten. Beslut 2009-07-02.
416 Solna tingsrätt, rotel 1. B23-06. Dom.
417 Försäkringskassan. LFC Stockholm City. Beslut 2009-03-31, s 2.

hundra personer i landet med koppling till den kriminella gängmiljön som skulle punktmarkeras särskilt.

Avsikten var att Stockholmspolisen skulle utreda om läkaren och Hells Angels-medlemmarna hade gjort sig skyldiga till något brottsligt. Länspolismästare Carin Götblad förklarade vid en presskonferens våren 2006 att det misstänkta fusket var något man såg allvarligt på. Men vid det laget hade Götblad redan fattat beslut om att lägga ned Sektionen för särskilda insatser, SSI – och ingen annan avdelning utsågs att leda arbetet. Först 2010 väcktes åtal mot ett par av de misstänkta bidragsfuskarna.

För Roman Nowiks del ledde uppmärksamheten ändå till ett visst bakslag. 2006 varnades han av Hälso- och sjukvårdens ansvarsnämnd efter att ha utfärdat ett tiotal sjukintyg på bristfälliga grunder.[418] Kammarrätten fastställde varningen med följande motivering:

> Avseende Roman Nowiks behandling av patienterna framgår av utredningen i målet att han brister i att undersöka orsaken till patienternas besvär, att han inte i tillräcklig utsträckning planerar för vilka åtgärder som bör vidtas samt att han inte heller ordinerar erforderlig behandling mot patienternas besvär.[419]

Rimmar illa med enprocentsidealet

Att en så stor andel av medlemmarna i Hells Angels – i synnerhet de i Stockholm – har blivit avslöjade för bidragsfusk är sannolikt ingen slump. Mycket talar för att männen har inspirerat och tipsat varandra, sedan de upptäckt luckorna i systemet. Det faktum att samma läkare har skrivit intyg åt flera medlemmar, och att diagnoserna är likartade, antyder att fusket har systematiska inslag. Även om det saknas konkreta bevis kan det heller inte uteslutas att männens gängtillhörighet haft betydelse då Försäkringskassan så lättvindigt sjukskrivit dem i första läget.

– Visst är det säkert så att en del medarbetare har känt ett visst obe-

---

418 Hälso- och sjukvårdens ansvarsnämnd. Diarienr: HSAN 3123/05:A5. Beslut 2006-03-22.

419 Kammarrätten i Stockholm. Diarienr: 7700-06. Dom.

Thomas Dahlén är en av flera Hells Angels-medlemmar i Stockholm som har tvingats betala tillbaka hundratusentals kronor till Försäkringskassan.

hag. I alla ärenden som rör personer med rykte om sig att vara våldsamma finns det en liten risk att handläggningen påverkas, det ska vi inte sticka under stol med. Därför har vi nu sett till att det inte är tjänstemän på samma ort som fattar beslut i de här ärendena, säger försäkringsdirektör Svante Borg.

Mot bakgrund av den Hells Angels-relaterade brottslighet som vi tidigare har redogjort för är bidragsfusket egentligen inte särskilt förvånande. Att lura staten – oavsett om det gäller undanhållen skatt eller mottagande av felaktiga bidrag – är inget brott, enligt Hells Angels gängse synsätt. Möjligen kan det tyckas förvånande att medlemmar i en organisation, som anser sig stå utanför samhället, ändå skor sig på de skattefinansierade trygghetssystemen.

Vad har då hänt med Hells Angels-männen, sedan bidrag stoppats och kravbrev skickats ut? De flesta har accepterat Försäkringskassans beslut och några har redan betalat tillbaka. Många försörjer också sig själva utan problem. Thomas Dahlén har till exempel gett sig in i skönhetsbranschen genom det helägda bolaget Saints and Sinners AB, som driver tre hår- och nagelsalonger i Stockholms innerstad. Hells Angels-medlemmen Lars i Stockholm har startat en bygg- och montagefirma och supportern Robin i Red and White Crew ett entreprenadaktiebolag, medan Hells Angels-medlemmen Per driver ett VVS-företag.

Talande är att Försäkringskassan, enligt våra förfrågningar, inte längre får in några ansökningar från personer inom Hells Angels-sfären.

– Antingen har hälsotillståndet i gruppen förbättrats drastiskt – eller så har de insett att det inte längre lönar sig att fuska, säger en av de tjänstemän som handlagt ärendena.

Samhället har dessutom skärpt synen på bidragsfusk genom att införa en ny rubricering i brottsbalken: bidragsbrott. Den som i en ansökan avsiktligen lämnar oriktiga eller ofullständiga uppgifter – eller låter bli att anmäla ändrade inkomst- eller anställningsförhållanden – kan dömas till fängelse i upp till två år. Om brottet rör "betydande belopp", "utövats systematiskt" eller varit av "särskild farlig art" är maxstraffet sex års fängelse.

Av allt att döma behöver Hells Angels-männen dock inte vara särskilt oroliga för rättsliga konsekvenser – trots att så gott som samtliga har blivit polisanmälda av Försäkringskassan. Stockholmspolisens bedrägerirotlar, som tagit emot majoriteten av anmälningarna, har i de flesta fall skrivit av misstankarna med hänvisning till bristande bevis. Detta är inget unikt – snarare regel. Åtminstone om man får tro en inspektionsrapport från Justitieombudsmannen. När JO våren 2009 gjorde en flygande inspektion på Stockholmspolisens underbemannade bedrägerirotlar framgick att bara 33 av 1168 ärenden hade handlagts i rätt tid. I ett par hundra fall hade tre år hunnit gå utan att någon utredning inletts.

Några av de ärenden som vi berättat om här har trots allt blivit utredda och redovisade till åklagare. Men inte heller då har utredningsmaterialet ansetts hålla för åtal. Exempelvis fick ovan nämnde Thomas Dahlén i januari 2010 ett brev från kammaråklagare Leif Appelgren som gjorde att han kunde andas ut. Förundersökningen mot den nyblivne frisersalongsägaren var nedlagd.[420]

– Det är bara ett av många beslut som förvånat oss. Det finns helt enkelt för många konkreta saker som talar för ett medvetet fusk. Men det viktiga ur vår synvinkel är ändå att utbetalningarna i alla fall är stoppade, kommenterar en av handläggarna på Nationella kontrollenheten.

---

420 Västerorts åklagarkammare i Stockholm. Diarienr: AM-43585-09.

Möller ger sig inte

Fyrtiosexårige Thomas Möller i Malmö fanns länge med på listan över Hells Angels-medlemmar som Försäkringskassan krävde på pengar. Men till skillnad från många andra vägrade Möller att acceptera myndighetens beslut, som innebar att han skulle tvingas betalat tillbaka drygt två miljoner kronor i sjukpenning och rehabiliteringsersättning mellan maj 1999 och februari 2009.

Till grund för den tio år långa sjukskrivningen låg läkarintyg om att Thomas Möller hade en ryggskada. Men när Nationella kontrollenheten fick uppgifter från Skatteverket om att Möller hade drivit företagsverksamhet i utlandet ifrågasattes hans sjukdom.

Skatteverket hade under flera år haft indikationer om att Thomas Möller, som tidvis bodde i Sydafrika, mottog stora belopp på sitt utlandskonto. Efter en begäran till Sydafrikanska myndigheter gick First National Bank i Sydafrika med på att bryta sekretessen och lämnade ut utdrag över Hells Angels-medlemmens kontotransaktioner. Här syntes insättningar på motsvarande 4,7 miljoner kronor mellan år 2000 och 2004.[421] När Möller öppnade kontot hade han presenterat sig som egenföretagare – "self employed entrepreneur". Och hans finansielle rådgivare hade intygat att Möller tjänade motsvarande 600 000 kronor per år på "internationell verksamhet".

Allt detta hade fått Skatteverket att upptaxera Möllers inkomst med 4,5 miljoner kronor mellan åren 2001 och 2006.Genom sitt ombud, advokat Sven-Eric Ohlsson i Malmö, hade Thomas Möller medgett att miljoninsättningarna stämde. Att tillgångarna inte redovisats till Skatteverket var beklagligt.

"Han har glömt, eller missat det. Men de pengarna vidgår han", sa Ohlsson i en intervju med Sydsvenskan.[422]

Däremot förnekade Möller att det skulle röra sig om inkomster från näringsverksamhet. Hans version var att han tidigare hade lånat ut pengar till olika personer – och att insättningarna var återbetalningar. Var pengarna kom ifrån ursprungligen? Spel, förklarade Möller. Nio år

---

421 Skatteverket. Diarienr: 112 752091-07/5472. Beslut 2007-12-13.
422 Sydsvenskan 080104: Thomas Möller pekas ut som skattebrottsling. Av:
    J Palmkvist.

tidigare hade Hells Angels-medlemmen mycket riktigt berättat i tidningen Kvällsposten att han och ett 20-tal andra personer vunnit 8,4 miljoner kronor på måltipset.[423] Polisen hade hela tiden varit skeptisk. Att tipsvinnare säljer sina kuponger till personer som vill tvätta pengar är ett känt fenomen.

Advokat Sven-Eric Ohlsson gick i god för att hans klient talade sanning.

"Det är bara att kolla bongarna. Är de inlämnade i rätt affär? Ja. Har de fallit ut? Ja. Är Thomas Möller delägare? Ja", sa Ohlsson i samma intervju som ovan.

Ingenting av detta fick Skatteverket att ändra sig. Thomas Möller ansågs medvetet ha undanhållit pengar och måste betala flera miljoner kronor i straffskatt. Tillsammans med Försäkringskassans krav, som kom kort därpå, var han nu skyldig staten sex miljoner kronor.

Thomas Möllers irritation var inte att ta miste på. Redan i Försäkringskassans beslut konstaterades att Hells Angels-medlemmen i ett telefonsamtal varit "upprörd över hur han blir behandlad av Försäkringskassan och Skatteverket". Någon månad senare gick Möller till öppet angrepp mot myndigheterna – men också mot massmedia, som hade berättat om turerna och miljonkraven. Detta skedde i form av ett brev, som publicerades på debattsajten Newsmill. Den som suttit vid tangentbordet var dock inte Möller, utan Frihetspartiets blivande ordförande Peter Schjerva. Texten löd så här:

> Gällande debatten i media om mitt sjukdomstillstånd samt min sjukskrivning de senaste tio åren vill jag anföra följande.
>
> Jag är väldigt tacksam och glad att ni tar er tid och bemödar er att skriva om mitt hälsotillstånd. Här kommer nu en förklaring en gång för alla om vad som är sant i hela den här historien.
>
> Jag har varit sjukskriven i ca 10 år för diverse åkommor. Nu har jag målats ut som en bidragsfuskare som inte varit berättigad till sjukpenning på grund av att mina skador skall vara påhittade. Det faktum att försäkringskassan tillfälligt dragit in mitt sjukbidrag grundar sig enbart på att skattemyndigheten tror och

---

423 Kvällsposten 001010: Malmöbor 8,4 miljoner rikare. Av: M Hult.

Hells Angels-medlemmen Thomas Möller kämpar för att få behålla sin sjukpeng. Ett avgörande väntas under 2011.

påstår att jag skulle ha bedrivit näringsverksamhet under min tid som sjukskriven och har ingenting med mina skador eller sjukdomar att göra. Det skall även påpekas att jag inte bedrivit någon som helst form av näringsverksamhet eller arbetat på annat sätt som skattemyndigheten tror.

/.../

Mina sjukjournaler omfattas av sekretess precis som alla andras, detta till trots har det påståtts att jag skulle vara sjukskriven för en ryggskada. Dock kan jag nämna att anledningen till min sjukskrivning omfattar betydligt mer än en ryggskada samt att jag är sjukskriven av en läkare på vårdcentralen samt av försäkringskassan förtroendeläkare. Härtill har jag genomgått en diagnostisk undersökning för försäkringskassans räkning under fyra veckor. Jag har även haft ett flertal möten med försäkringskassan och dess förtroendeläkare under dessa år gällande min arbetsförmåga där försäkringskassan konstaterat att jag skall vara sjukskriven på heltid. Mina skador är obestridliga, väldokumenterade i samtliga instanser och aldrig ifrågasatta.

Flertalet artiklar åsyftar att på falska grunder måla ut mig som en bidragsfuskare. Vissa så kallade journalister bedriver en systematisk och organiserad förföljelse av mig och kränker min person. Den här typen av så kallad journalistik är både demokratifientlig och systemhotande ur flera synvinklar.

/.../
Eftersom det inte finns några negativa saker att skriva om mig
diktar vissa i stället upp historier för att begå ett karaktärsmord
på mig.
/.../
Thomas Möller
Genom Peter Schjerva[424]

Krav på en ändring av Försäkringskassans tuffare linje skulle för övrigt
bli en av det Hells Angels-anknutna Frihetspartiets profilfrågor. I sitt
program inför riksdagsvalet 2010 krävde partiet att ingivna läkarintyg
ska gälla och att Försäkringskassans förtroendeläkare inte ska ha rätt
att göra någon ny granskning.[425]

Partiordföranden Schjerva var väl insatt i frågan. Han tillhör nämli-
gen själv dem som har blivit nekad ersättning från myndigheten. Un-
der 2006 och 2007 inkom Peter Schjerva, som tidigare hade bedrivit
tryckerirörelse, med läkarintyg som sa att han led av lungsjukdomen
KOL, trattbröst, grön starr och olika allergier.[426] Att försöka hitta ett
arbete som var anpassat till besvären var inte lönt, menade Schjerva
och begärde full sjukersättning på obestämd tid. Försäkringskassans
egen läkare ansåg emellertid att Peter Schjerva var tillräckligt frisk för
ett stillasittande arbete i hälsosam miljö. Schjerva överklagade till läns-
rätten, men även där fick han bakslag. Det faktum att Peter Schjerva
sedan dess har heltidsarbetat som skribent, lobbyist och partiord-
förande antyder att sjukdomsbilden sannolikt var överdriven.

Möller får rätt

Över ett år senare kom beskedet som antagligen fick Thomas Möller
och Peter Schjerva att jubla. Förvaltningsdomstolen i Malmöunder-
kände Försäkringskassans beslut.[427] Möller hade rätt till fortsatt er-

---

424 www.newsmill.com 090520. Öppet brev till media och allmänhet från Thomas
     Möller. Av: P Schjerva.
425 http://www.frihets-partiet.se/index.php/partiprogram/systemet-med-
     foersaekringskassans-foertroendelaekare/
426 Länsrätten i Skåne län, avd 3. Diarienr: 3864-07; 10404-07. Dom.
427 Förvaltningsrätten i Malmö, avd 3. Diarienr: 1478-10; 2575-10; 2576-10. Dom

sättning och behövde inte betala tillbaka en krona. Det som avgjorde saken var att Skatteverkets utredning ansågs bristfällig. Visst hade det flödat mycket pengar till Möllers sydafrikanska bankkonto under åren. Men kunde Skatteverket verkligen styrka att de kom från näringsverksamhet? Nej, ansågs domstolen. Att Hells Angels-medlemmen presenterat sig som egenföretagare och uppgivit en regelbunden årsinkomst i kontakterna med banken räckte inte som bevis.

När vi skriver detta har domen överklagats. En ny prövning väntas i Kammarrätten under 2011.

Vem eller vilka var det då som hade satt in så mycket pengar på Thomas Möllers utländska konto? En inbetalare hade faktiskt gett sig till känna. I samband med att Möller hösten 2009 överklagat Skatteverkets upptaxering till länsrätten hade han kallat mannen som vittne. Vittnet medgav att han hade betalat mellan fyra och sex miljoner kronor till sin vän i Hells Angels de senaste åren. Men pengarna var ändå inte Möllers, sa mannen. Möller hade bara lånat ut sitt konto och slussat pengarna vidare till andra. Detta eftersom mannen "hade svårt att öppna egna konton".[428] Förmedlingsuppdraget hade inte kostat någonting. Det hela var en väntjänst, försäkrade han.

Försöket gick inte hem. Så länge Thomas Möller inte med dokument kunde visa vart pengarna hade tagit vägen var vittnesmålet inte mycket värt, ansåg länsrätten. Möller har överklagat även denna dom och ett nytt avgörande väntas i högre instans.

Det är relevant att fråga vilken trovärdighet Möllers vittne hade. Sedan ett år tillbaka satt han häktad för grova bedrägerier och i tidningarna kallades han för "maffians bankir". I nästan två decennier hade han samarbetat med några av den undre världens mest omskrivna namn. I nästa kapitel ska vi berätta hans historia.

---

428 Länsrätten i Skåne län, avd 2. Diarienr: 9362-08; 9375-08; 9379-08.

MÖLLERS GULDKALV

I mitten av 1980-talet pekade alla kurvor uppåt för en ung man från Trelleborg i Skåne. Torgny Jönsson hette han och hade knappt hunnit gå ut gymnasiet innan han startade en nöjestidning, köpte dansrestauranger och öppnade lågprisskoaffärer. Några pengar med sig hemifrån hade Jönsson inte, däremot ett medfött affärssinne och en fantastisk övertalningsförmåga.

Många imponerades av den driftige entreprenören, som bara verkade se möjligheter. Var detta en ny Erik Penser? Rune Andersson? Percy Nilsson? Trelleborgs Allehanda och andra tidningar skrev hyllningsartiklar och moderaterna sög upp Jönsson för ett uppdrag i Trelleborgs fritidsnämnd.[429]

Det var när Torgny Jönsson 1987 klev in på Tomelilla Sparbank som de riktigt stora affärerna drog igång. Då var han tjugofyra år gammal. Vid ett möte med kreditchefen på den fristående lilla banken förklarade Jönsson att han hade ett vattentätt affärsupplägg: han skulle köpa upp skalbolag och samla vinsterna i det egna företaget BTJ Invest AB.

Banken, som halkat efter i det sena 80-talets utlåningsrace, bestämde sig för att satsa på Torgny Jönsson. Skalbolagsaffärer var på modet och betydligt större aktörer hade redan upptäckt att detta – under vissa villkor – var en väg till snabba pengar. 1988 blev Jönsson en av bank-

---

429 Trelleborgs Allehanda 091228: I bedragarens spår. Av K Törnmalm.

ens viktigaste kunder med en kredit på nästan 30 miljoner kronor. Pengarna använde Jönsson till att hålla liv i de cirka 100 skalbolag som han vid det laget hade köpt upp.

En av säljarna var Göran Adenskog, vd på den socialdemokratiska tidningen Arbetet i Malmö. Adenskog fick utstå kritik för att ha sålt tillgångarna till Jönsson och därmed sluppit den skatt som skulle ha betalats om pengarna tagits ut som lön.

"Adenskog tjänade några hundratusen, tror jag. Alla säljare gör det i ett syfte: att undvika skatt", sa Torgny Jönsson om saken när han som "finanshaj" intervjuades i Expressen.[430]

Torgny Jönssons plan var att skalbolagens skatteskulder skulle kvittas mot filmrättigheter, som han hade köpt upp. Men det accepterades inte av Skattemyndigheten. Allt slutade i en jättekrasch. Skalbolagen försattes i konkurs ett efter ett med enorma skulder och måste räddas av Sparbanken Sverige. Staten gick miste om tiotals miljoner i skatteintäkter. Och Torgny Jönsson dömdes till fängelse i tre och ett halvt år och fem års förbud mot att driva näringsverksamhet. Ungefär samtidigt försattes han i personlig konkurs.

Märkligt nog hade han inga kända tillgångar kvar, trots bollandet med fantasisummor. Bolagsmäklare, jurister och andra hade ätit upp den största delen av kakan, sa Jönsson.

Där skulle historien ha kunnat sluta. I själva verket var detta bara upptakten. Trots näringsförbudet och trots att Sverige i början av 1990-talet gått in i djup lågkonjunktur var Torgny Jönsson sugen på comeback. Nya och bättre affärer hägrade. Fängelsestraffet var heller inget hinder, skulle det visa sig. Åklagaren i målet, den nu pensionerade Gösta Ivarsson, hade låtit sig övertalas att skriva ett intyg som sa att Jönsson var studiemotiverad och begåvad och därför borde ges chans att påbörja den juridikutbildning som Jönsson hade blivit antagen till. Kriminalvården köpte det hela och Torgny Jönsson kunde skriva in sig som student på Lunds universitet.

De påstådda juristplanerna var bara en fint. Torgny Jönsson tog en tenta om fem poäng, sen var han tillbaka i gamla gängor. Bränd hos

---

430 Expressen 900808: Socialdemokratiska Arbetets egen VD tjänar pengar på skalbolagsaffärer. Av: P Kadhammar.

bankerna fick han söka sig till privata utlånare. Eller ockrare, för att tala klarspråk. Räntan var inte sällan tre procent – i veckan.

Vilken typ av affärer Jönsson sa sig ha i kikaren när han kvitterade ut pengarna är oklart. Bra gick de i alla fall inte. Snart knackade han på dörren till andra utlånare för att ha råd att betala de ursprungliga krediterna. Det dröjde inte länge innan Jönsson befann sig i en situation där han ständigt jagade nya lån för att ha råd att lösa de gamla.

Flera kreditgivare tröttnade på att Jönsson inte kunde betala i tid. För att sätta press hyrde några av dem in muskelmän. Jönsson blev misshandlad både en och två gånger, men gav ändå inte upp sin dröm. För att få arbetsro anlitade han beskyddare. In i bilden kom bland annat Thomas Möller, som vid det laget hade klivit upp som "president" inom Hells Angels i Malmö.

– Även Möller hade från början varit en av dem som låg i hasorna på Jönsson. Men Jönsson lyckades snacka in sig hos honom och få honom att byta sida. För Möllers del handlade det såklart om att han såg en chans att dra in pengar, säger en person som känner både Torgny Jönsson och Thomas Möller.

På papret var Jönsson och Möller minst sagt omaka. Jönsson: fostrad på elevrådssammanträden, bankkontor och juristfirmor. Alltid klädd i seglarkläder. Aldrig misstänkt för minsta våldsbrott. Möller: drop-out i skolan och därefter sjöman. Omskolad raggare med faiblesse för läder och guld. Dömd för misshandel. Ändå – en perfect match. På en bakgata i närheten av Jönssons våning i centrala Malmö blev vi en sen kväll på 1990-talet vittne till en talande scen: i en svart Mercedes SL 450 satt de båda männen och diggade hårdrock.

Uppbackad av den undre världens nya tungviktare blev Torgny Jönssons metoder allt fräckare. Han uppvaktade kapitalstarka småföretagare runtom i landet och gav lockande erbjudanden om hög och snabb avkastning. "Affärsprojekten" handlade om allt från att sälja en tidigare okänd och mycket värdefull tavla till att stycka utländska företag och dela på vinsterna. I ett fall lämnade Jönsson säkerheter i form av statsobligationer från rekordrånet "Oxtorgskuppen" i Stockholm.[431]

---

431 Sydsvenska Dagbladet 960519: Här tvättades stulna statspapper. Av: A Lindner; L Wierup.

Gemensamt i de flesta fall var att Torgny Jönsson sa sig behöva medel för att täcka investeringskostnader innan affärerna kunde gå i lås.

En av många som trodde på Torgny Jönsson var Gunnar, en förmögen äldre man i Stockholm.[432] Han hade blivit introducerad för Jönsson genom en affärsbekant. Gunnar, som drev ett finansbolag, hade tidigare mest lånat ut pengar till personer som ville köpa bilar, båtar och andra kapitalvaror. Även Jönsson hamnade under 1990-talet på Gunnars kundlista.

Tre miljoner kronor fick Jönsson låna av Gunnars företag. Inte en enda betalade han tillbaka. Finansbolaget stod emellertid inte och föll med detta. Det obetalda lånet skrevs av som en kreditförlust och Gunnar gick vidare. I Jönssons värld var skulden bara en i mängden. En ny personlig konkurs skulle visa att tiotals miljoner kronor hade runnit genom hans händer bara på några år.

1996 uppmärksammades lånecirkusen av tidningen Sydsvenskan. En artikelserie i sju delar, som en av oss var medförfattare till, granskade Torgny Jönssons vandring från ekonomiskt underbarn till finansiellt svart hål. Vart hade alla pengar tagit vägen? Det var den stora frågan, som inte fick något svar.

Dåvarande chefredaktören Jan Wifstrand kallade Sydsvenskans granskning för ett "bidrag mot flatheten".[433] Han ansåg att myndigheterna hade brustit när det gällde att få stopp på Torgny Jönssons framfart. Publiceringen av Jönssons namn och bild motiverade Wifstrand med att människor hade rätt att veta vem de inte skulle göra affärer med. Även delar av Jönssons nätverk beskrevs ingående – inklusive Thomas Möller.

Torgny Jönsson själv ville inte låta sig intervjuas i tidningen. Däremot vände han sig till regeringen. Med hänvisning till psykiska problem – han hade "lidit oerhört" av Sydsvenskans artiklar – ansökte han om att benådas från det fängelsestraff som han ännu inte börjat avtjäna. Den som skrev nådeansökan var Sven-Eric Ohlsson, samma advokat som vid tidpunkten företrädde Thomas Möller och andra Hells Angels-medlemmar. Statsrådet Leif Pagrotsky (S) såg inga skäl

432 Gunnar är ett fingerat namn.
433 Sydsvenskan Dagbladet 960520: Vårt bidrag mot flatheten. Av: J Wifstrand.

för nåd.[434] Torgny Jönsson inställde sig på Bergaanstalten i Helsingborg den 29 november 1997 – tre år efter att fängelsedomen fallit.

Foto av nyfödde sonen gav friska pengar

Varken publiciteten eller fängelsevistelsen skulle få någon avskräckande effekt på Torgny Jönssons affärskontakter. Tvärtom. Straffet hade fått honom att inse hur viktigt det var att göra rätt för sig, påstod Jönsson och lyckades skapa nytt förtroende.

En av dem han knöt till sig var entreprenören och affärsmannen Lasse Göransson i Malmö, idag sextiotvå år gammal. Göransson hade byggt upp flera stora butikskedjor – bland annat Skopunkten och HK Factory – och sålt i rätt tid. På banken hade han stora tillgångar. Där gjorde de ingen nytta i hans ögon.

– En affärskollega rekommenderade mig att investera pengar i ett intressant utlandsprojekt och det visade sig att en kille som hette Torgny Jönsson stod bakom. Jag lånade ut 700 000 kronor och blev lovad tjugo procents ränta på en månad. Eftersom min vän gick in som garant för affären såg jag det som riskfritt. Det var så helvetet började, säger Göransson, när vi hösten 2009 hälsar på honom i den fina etagelägenhet i centrala Malmö som han fortfarande har kvar.

Vid ett möte berättade Torgny Jönsson om sin bakgrund. Göransson var först lite tveksam. Han hade aldrig tidigare gjort affärer med någon som suttit i fängelse. Men Jönsson lät övertygande och försäkrade att han lagt sitt gamla liv bakom sig.

Göransson minns särskilt en sak.

– Han visade en bild på sin nyfödde son och sa att han skulle bli en riktig människa så att hans son inte skulle behöva skämmas. Jag har tre barn själv och tror att jag är väldigt mycket pappa. Det han sa gick rätt in, säger Göransson.

Någon ränta på sina pengar fick Lasse Göransson aldrig. Men det gjorde inte så mycket – vännens garanti gällde ju. Däremot kom Jönsson efter en tid med ett nytt erbjudande. Om Göransson betalade lika mycket till skulle han få vara med i en spännande affär. Upplägget var komplicerat, men så mycket stod i alla fall klart som att

---

[434] Justitiedepartementet. Diarienr: JuN96/539.

det handlade om utländska kreditförsäkringar och hög avkastning.

– Jag lade ner ganska mycket tid på research. Det fanns utländska advokater, svenska advokater, revisorer, hemsidor och en massa andra referenser som jag kunde kolla upp. Min känsla var att det verkade bra, berättar Göransson.

Han nappade och förde över pengar från ett av sina bolag. En tid senare kom Jönsson tillbaka och förklarade att det behövdes ännu lite mer pengar. Ok, sa Göransson och höjde insatsen. Mönstret upprepades. Några hundratusen här, en miljon där. Uttrycket att "kasta bra pengar efter dåliga" har sällan varit så passande.

– Det är svårt att föreställa sig. Men har man väl börjat förlora fortsätter man lätt. Hoppet om att man en dag ska få tillbaka pengarna finns där hela tiden.

Torgny Jönssons förklaringar lät också vederhäftiga.

– Ofta handlade det om pengar till advokater, ekonomiska rådgivare och andra nyckelpersoner. För att allt skulle gå i lås måste de få betalt, förklarar Lasse Göransson.

Den hårt jobbande Torgny Jönsson verkade på flera fronter och nya personer sögs ständigt in i hans lånevirvel. På kort tid hade Jönsson lånat upp långt mer pengar än vad han en gång hade fått i kredit hos Tomelilla Sparbank. Inte sällan drog en långivare in flera egna affärsbekanta och pengaströmmarna började, om man ritade upp dem på ett papper, anta formen av en pyramid.

Två av många investerare längst ner var artisten och programledaren Lasse Kronér och före detta skidstjärnan Christer Majbäck, vars respektive bolag skickade in miljonbelopp i Jönssons snurrande karusell. Kronér hade, enligt egen uppgift, lånat ut 2,6 miljoner kronor mot löften om 100 000 kronors ränta på nio dagar.

Den som hade övertalat Lasse Kronér till detta var artistförmedlaren och konsertarrangören Magnus Eriksson i Göteborg. Några år tidigare hade samme Eriksson hamnat i blåsväder på grund av sin roll som promotor vid svenska regeringens fiaskoartade Sydafrikabesök. Nästan ingen publik kom till de konserter som Eriksson hade bokat, men han fick ändå 780 000 kronor av Utrikesdepartementet för sitt arbete.

En intressant omständighet är att Hells Angels-ledaren Thomas

Möller dök upp i Sydafrika under regeringsbesöket – på just det hotell där många UD-tjänstemän bodde. Rykten sa att Eriksson och Möller var vänner; Eriksson medgav också att han möjligen hade träffat Möller i Sydafrika vid något tidigare tillfälle. Enligt Göteborgs-Tidningen stod männen varandra närmare än så. Vid en konsert med gruppen Toto i Göteborg någon månad tidigare skulle Eriksson ha bjudit in Möller som VIP-gäst. Möllers besök på Scandinavium-arenan beskrevs så här:

"Dit kom han i en vit limousine tillsammans med två livvakter, släpptes in via artistentrén och möttes av arrangören Magnus Eriksson hjärtligt välkommen medan de kramade om varandra."[435]

Avancerad skatteplanering?

Hur kom det sig då att personer som hade kämpat för att bli rika så lättvindigt betalade ut enorma summor till den ökände Torgny Jönsson? Var det hela i själva verket ett trixigt skatteupplägg, där Jönsson lovade att betala tillbaka pengarna utom synhåll för Skatteverket? Det var frågor som poliser inom Finanspolisen och Ekobrottsmyndigheten ställde, när de i hemlighet började följa penningtransaktionerna till och från Torgny Jönsson.

Jönsson själv verkade knappast heller leva i överflöd: hyrbilar, hotellrum, resor och telefonräkningar var hans stora utgiftsposter vid sidan av en hyrd villa i Ystad. Istället tydde tecken på att pengarna, som i många fall tagits ut kontant, hade transporterats i väskor till Libanon och Schweiz. En annan märklig omständighet var att ingen av långivarna hade valt att polisanmäla Jönsson, trots att lånen för länge sedan förfallit till betalning.

Hösten 2002 slog Ekobrottsmyndigheten till mot Torgny Jönsson. Han greps och häktades, misstänkt för grova bedrägerier. Men inte heller i detta läge ville långivarna medverka i utredningen, trots att poliserna gjorde allt för att övertyga dem om att de blivit lurade. Istället krävde Lasse Göransson och andra att Jönsson skulle släppas ur häktet så att han kunde föra affärerna i hamn.

---

435 Göteborgs-Tidningen 991126: Eriksson ljuger om sin bindning till Hells Angels.
Av: I NIlsson; M Wångersjö.

FOTO: STIG-ÅKE JÖNSSON/SCANPIX

Torgny Jönsson (i munkjacka och glasögon) har under två decennier lurat svenska småföretagare på hundratals miljoner kronor. En del av pengarna har gått till Thomas Möller i Hells Angels. Här står Jönsson inför rätta i Malmö tingsrätt sommaren 2009.

Så småningom fick utredarna en förklaring.

– Det visade sig att Jönsson hade fått dem att skriva på ett tysthetsavtal. Berättade de om affärerna för någon utomstående skulle alla pengarna bränna inne, säger en av utredarna, som inte vill framträda med namn.

I samband med tillslaget gjorde Skatteverket revisioner i många av utlånarnas bolag. Inga bevis eller indicier hittades på att männen skulle ha fått tillbaka några summor av Jönsson.

– Min uppfattning är att personerna har blivit totalblåsta, och att ingen har fått tillbaka någonting. De har helt enkelt drivits av girighet – och fastnat för Jönssons enastående duperingsteknik, säger utredaren.

Men rättsväsendets primära mål var knappast att ge upprättelse åt Lasse Göransson, Lasse Kronér, Christer Majbäck och de andra. Snarare handlade det om att stoppa pengaflödet till Torgny Jönsson och hans bundsförvanter. EBM och Finanspolisen hade nyligen spårat transaktioner till ett bolag i Sydafrika: Amethyst Investments CC. Bakom detta stod Thomas Möller.

– Sydafrikansk polis gjorde en kontroll som visade att Möller var Amethysts ende ägare. Detta bekräftade vad vi misstänkt länge: Möller fick stora summor av Jönsson, säger utredaren och berättar att Jönsson tidigare setts lämna över kuvert till Hells Angels-ledare på platser i Malmö.

Utan målsägandenas medverkan blev det en tuff utmaning för åklagaren att styrka att Torgny Jönssons affärsupplägg varit bluff. Men det bidde i alla fall en tumme. I början av 2003 dömde Malmö tingsrätt Jönsson till 1,5 års fängelse för grovt bedrägeri och urkundsförfalskning.[436] Oavsett vad utlånarna sa stod det klart att Jönsson hade använt sig av falska dokument när han garanterat att återbetalning skulle ske. Ungefär samtidigt gick Torgny Jönsson på nytt i personlig konkurs, nu med 74 miljoner kronor i obetalda skulder.

En av dem som ångrar att han inte ställde upp för polis och åklagare var Lasse Göransson.

– Självklart, visst borde jag ha gjort det. Men Torgny hade hotat mig så många gånger med att "går du till polisen, ja då kan du glömma dina pengar", säger Lasse Göransson.

Senare har den före detta skohandlaren gjort vad han kunnat för att hindra att andra drabbas på samma sätt som han själv.

– Efter domen fick jag betydligt mer information om hur det här var upplagt, jag fattade att det var bluff. Dessutom insåg jag för första gången att våra pengar hade gått till Hells Angels och till olika maffiagrupper i Sverige. Jag blev ju helt förskräckt, för jag trodde att det här var en helt normal affärsgrej vi höll på med. En av de grejer jag gjorde var att ringa runt till så många jag kunde och säga "hoppa av, ni kommer aldrig att få några pengar".

När Lasse Göransson berättar hur mycket pengar hans bolag har förlorat i turerna är det svårt att tro honom.

– Nånstans mellan tio och tolv miljoner. Den sista miljonen betalade jag ut efter att min fru hade sagt att hon lämnade mig ifall jag gav Torgny

---

436 Malmö tingsrätt, avd 3 rotel 6. Diarienr: B7454-02.

en enda krona till. Det säger en del om hans övertalningsförmåga.

Förlusterna följdes av spritproblem, sömnsvårigheter och självmords-tankar. Under den värsta perioden lades Lasse Göransson in på sjuk-hus för diabetes. Vändpunkten kom först när flera av hans bolag hade försatts i konkurs. Lasse Göransson bestämde sig för att komma till-baka till ett värdigt liv.

– Pengar är trots allt pengar, det finns viktigare saker och det går att leva enkelt. Jag har fortfarande kvar min fantastiska hustru och det är det viktigaste. Men det som lever kvar är skammen av att ha varit så dum. Och den värsta känslan är den att jag inte har kunnat göra rätt för mig mot andra när mina företag kraschat på grund av det här, av-slutar Lasse Göransson, som trots allt har planer på att bygga upp en ny butiksrörelse i liten skala.

Jönsson tar hjälp av brittisk bedragare

Även efter domen 2003 lyckades Torgny Jönsson skjuta upp sitt straff genom olika vädjande till Kriminalvården. Respiten använde han till att gå från trav till galopp i sin jakt på pengar. Han ringde runt till både nya och gamla kontakter.

Däribland Gunnar, den tidigare nämnde utlånaren i Stockholm.

– Det är förstås inte särskilt lustigt för mig att framstå som en prakt-torsk.

Så säger Gunnar när vi träffar honom i Stockholms tingsrätt våren 2009. Han har precis suttit i ett så kallat edgångssammanträde i sal 30. Inför domstolen har den välklädde och portföljförsedde sjuttiofem-åringen försäkrat att han inte har några undangömda tillgångar som skulle kunna användas för att betala av hans skuld till staten på nästan 16 miljoner kronor.

Att prata om sina kontakter med Torgny Jönsson ligger av förstå-eliga skäl inte i Gunnars intresse. I större delen av sitt liv har Gunnar varit en rik man som levt gott på Östermalm i Stockholm. Nu är han luspank och försatt i personlig konkurs, med all den bitterhet och skam som det innebär.

Efter att vi satt oss ner i tingsrättens kafeteria drar Gunnar ändå en snabbversion. Det som hände var att han under 2004 fick ett nytt

En av Storbritanniens mest ökända bedragare, James "Lord Fraud" McGeough, hade en nyckelroll i Torgny Jönssons svindel.

telefonsamtal från Torgny Jönsson, som han då inte hade hört av på över tio år.

– Jönsson höll ett vackert föredrag om hur han hade mognat och ville bli en seriös affärsman. Och så pratade han med stor ömhet om de barn han hade fått. På något sätt ville jag tro honom, berättar Gunnar.

Torgny Jönsson svor på att betala tillbaka mycket mer än de tre miljoner kronor som Gunnar tidigare hade förlorat – bara han fick ett sista lån. Den här gången skulle han investera i säkra obligationsaffärer i utlandet, lovade Jönsson. Pengarna kom och Jönsson försvann.

Men så en dag i början av 2008 hörde skåningen av sig igen. Obligationsaffärerna var äntligen på väg att gå i lås, förklarade han. Men först ville Torgny Jönsson att Gunnar skulle åka och träffa hans brittiske kompanjon.

– Jag blev förstås glad över att det hände något, säger Gunnar, som åkte ut till Arlanda och satte sig på ett plan till Zürich i Schweiz.

Där blev han presenterad för "Lord Rodley", en sympatisk och världsvan man i hans egen ålder. På ett fint hotell inleddes intensiva affärssamtal med lorden och andra män, som senare dök upp. Gunnar fick se mängder av handlingar, som intygade att Jönssons affärer var riktiga. Gunnars kunskaper i det engelska språket var inte de bästa. Men hela inramningen kände så solid att Gunnar sa ja när herrarna undrade om han ville var med och göra nya investeringar.

Det fanns ett par bolag, förklarade Rodley och de andra, som hade miljardtillgångar låsta. Genom olika processer var pengarna på väg att tillfalla dem. Det behövde dock göras en del åtgärder som var förknippade med i sammanhanget blyga kostnader. Lät det möjligen intressant att hjälpa till och på så sätt få del av vinsten? Sure, sa Gunnar.

Efter besöket i Zürich fick Gunnar nya direktiv. Nu skulle han istället åka till London. Där väntade återigen Lord Rodley, som förklarade att det behövdes nya insättningar för att de planerade affärerna skulle gå igenom. Gunnar betalade över fem miljoner kronor på ett bräde – men inga pengar kom.

Vad Gunnar inte visste var att Lord Rodley i själva verket hette James McGeough och var en av Storbritanniens mest ökända bedragare. Vid tidpunkten utreddes McGeough – som gick under öknamnet "Lord Fraud" – för en misslyckad miljardkupp mot den japanska banken Sumitomo Matsui i London.

Detta kände man till på Ekobrottsmyndigheten.

– Vi förstod att Jönsson hade tagit hjälp av ett slags internationellt teatersällskap som åkte runt och drack te, ordnade flotta bjudningar och spelade olika roller. Vad investerarna inte insåg var att det var deras pengar som bekostade alla flygresor, middagar och övernattningar på lyxhotell, säger vår källa på EBM.

Vid det laget hade Torgny Jönsson, liksom Thomas Möller, förts upp på Rikskriminalens Alcatraz-lista. Därmed var han ett prioriterat mål för hela rättsväsendet och det var inga problem att få fram spaningsresurser. Våren 2008 inleddes avlyssning mot Jönssons många mobiltelefoner. Av samtalen framgick att Jönsson än en gång fått rika företagare att stoppa in jättebelopp i hans utlovade affärsprojekt. Och fortfarande stod Jönsson i tät kontakt med Thomas Möller.

Även andra personer inom den undre världen hördes nu prata med

Den före detta polismannen Ljubomir Pilipovic bytte sida och inledde samarbete med grovt kriminella. 2008 agerade han livvakt åt stor-bedragaren Torgny Jönsson.

Jönsson. Här fanns narkotikahandlare, rånare och medlemmar i kriminella gäng som det nybildade Black Cobra.

– Inom olika brottsnätverk hade det spridit sig att Torgny Jönsson var en mjölkkossa som man kunde tjäna pengar på. Jönsson själv verkade trivas i rollen som den smarte killen som alltid kunde få fram pengar, menar EBM-utredaren.

Alla relationer var emellertid inte lika vänskapliga som den mellan Torgny Jönsson och Thomas Möller. Utredningen skulle senare visa att Jönsson betalat 90 000 kronor i veckan för att skyddas av en grupp jugoslaver. Som en parentes kan nämnas att en av dem som höll vakt utanför Torgny Jönssons villa i Ystad hette Ljubomir Pilipovic och var före detta polis.

2006 hade Pilipovic lämnat ett spännande jobb som informatörshanterare och så kallad uc-agent vid länskriminalen i Stockholm.[437] Moroten hade varit ett välbetalt jobb som säkerhetsansvarig för strip-klubbarna Club Privé och Club Lady i centrala Stockholm, ägda genom bulvaner av den ökände Mille Markovic. Men Skatteverket hade redan verksamheten under lupp och efter bara något år greps Pilipovic

---

437 UC = under cover.

för grova skattebrott. I avvaktan på att han skulle avtjäna ett flerårigt fängelsestraff tog ex-polisen nu alltså påhugg som Jönssons livvakt.

Utredningen mot Torgny Jönsson pågick under hela sommaren och en bit in på hösten 2008. Tusentals samtal, SMS och mejl bekräftade misstankarna: Något riktigt stort var på gång. Jönsson hördes prata om företag i Schweiz och olika finansiella "produkter". Här följer en utskrift av ett avlyssnat samtal som ger inblick i Jönssons övertalningsmetoder. Den han pratar med heter Lars-Göran och är småföretagare.

> T: Hej, jag heter Torgny.
>
> L-G: Hej.
>
> T: Jag fick ditt nummer av NN. Jag jobbar åt ett schweiziskt bolag som heter NAS.
>
> L-G: Ja.
>
> T: Och vi jobbar med olika typer av försäkringsinstrument och kreditgarantier /.../ Där finns det ganska stora pengar att tjäna. /.../
>
> L-G: Vad är det för nåt instrument?
>
> T: Vi har en produkt som heter Financial Indemnity Bond som fungerar precis som en kreditgaranti eller en kreditförsäkring. /.../
>
> L-G: Ska man satsa pengar, eller?
>
> T: Ja
>
> L-G: Men hur mycket är det? Och så får man då en garanti att ...?
>
> T: Du får en garanti, allt från hundratusen euro och uppåt. /.../
>
> L-G: Så sätter man en miljon i svenska pengar till exempel /.../ Vad skulle det kunna ge tillbaka då?
>
> T: Jag kan berätta att Skåneschakt i Malmö ... gjorde vi en lösning åt för tre månader sen.
>
> L-G: Ja.
>
> T: Då gick dom in med sju miljoner kronor. /.../ Dom gjorde en vinst på 4,8 miljoner.
>
> L-G: Ja.

T: På två månader.

L-G: Ja, det är ju bra.

T: Ja, och den vinsten, den fick de välja att antingen hämta hem i Sverige eller hämta det i Schweiz.

/.../

L-G: Men vänta, vänta ... Vad placerar de i då, så att det blir såna djävulska vinster?

T: Ja, alltså ... om du går in och tittar på var vi har kontor nånstans så har vi bland annat ett kontor i Belgrad ... där vi har finansierat ett antal rikligt stora fastighetsköp och privatiseringsaffärer.

L-G: Ja.

T: ... och där NAS har tjänat oerhörda pengar.

/.../

L-G: Vi får ju träffas nån dag och så får vi se, va. /.../ Du kan väl slå mig en signal i nästa vecka?

T: Ja, men det gör jag.[438]

NAS – North American Securities – var visserligen ett existerade bolag. Men något Belgradkontor fanns inte. I den serbiska huvudstaden bodde däremot en annan av Torgny Jönssons beskyddare: Milan Sevo, utvandrad ligaledare från Stockholm. Genom avlyssningen förstod Ekobrottsmyndigheten att Sevo var väl införstådd i Jönssons arbetsmetoder. Och liksom Thomas Möller fick Sevo regelbundet pengar av Jönsson.

Jönsson berättade för Sevo hur nöjd han var över att Gunnar i Stockholm hela tiden gav honom och "Lord Rodley" nya pengar. Han behövde bara ringa, så pytsade Gunnar in flera hundratusen nya kronor.

"Det är en fullständigt ljuvlig person att ha att göra med", sa Jönsson i ett av många avlyssnade telefonsamtal.

"Det är guld värt", skrattade Sevo och sa att det viktiga var att Gunnar "ställer upp och är med på allt".

Det var också vad Gunnar gjorde, för att göra en lång historia kort. Bland det sista som hände var att han pansatte sitt sommar-

---

438 FU-protokoll, s 347-350.

hus i Båstad för Jönssons räkning. Därefter var den personliga konkursen ett faktum. Ekobrottsmyndighetens utredare skulle komma fram till att Gunnar och hans bolag hade blivit av med tjugofem miljoner kronor.

– När jag räknar ihop allt är det nog egentligen lite mer. Fast vad spelar det för roll nu? Jag kommer ju ändå inte att få tillbaka nånting, säger Gunnar under vårt möte i tingsrättens kafeteria.

– Jag hade rätt avancerade planer på hur jag skulle göra något gott för mina pengar. Men det blev ju pladask med allting, fortsätter han och berättar att han tidigare funderat på att ge ett rejält bidrag till diabetesforskningen.

Kanske hade Gunnar haft lättare att smälta det hela ifall Torgny Jönsson själv hade levt gott på hans pengar. Att miljonerna istället tros ha runnit iväg till andra är för honom obegripligt.

– Vad är vitsen med att lura folk och få sitta i fängelse, om man ändå inte får behålla pengarna? Jag förstår det inte, säger Gunnar med en suck innan vi skiljs åt.

Torgny Jönssons mäktige vän

Genom telefonavlyssningen hörde utredarna på Ekobrottsmyndigheten också hur Torgny Jönsson ringde Thomas Möller. Syftet var bland annat att få hjälp med besvärliga personer.

"Jag har nån som rubbar mina cirklar lite just nu, som jag gärna skulle vilja fick saker och ting förklarat för sig", sa Jönsson och förklarade att det rörde sig om en person i London.[439]

"Ja, men det bara tar dom från klubben, där är hur många som helst", svarade Möller och antydde att hans "bröder" i England kunde göra jobbet.

Ovetande om att vartenda ord noterades ringde Torgny Jönsson i september 2008 till Thomas Möller och annonserade att en stor utbetalning var på gång. Tonen var kärvänlig.

"Du, älskling, jag ska berätta för dig vad som kommer att hända nu. /.../ Lyssna nu: du får 528 000 plus 75 000 spänn. /.../ Det innebär

---

439 Ekobrottsmyndigheten. Diarienr: EB3368-08. FU-protokoll 7-8, s 345. Telefonavlyssning.

att jag tillsammans kommer att få över en bit över sexhundra till dig", sa Jönsson.[440]

Pengarna skulle föras över till "gulingahuset" och plockas ut av hans många bulvaner, förklarade Jönsson. På Ekobrottsmyndigheten visste man vilket ställe Jönsson menade: bank- och växlingskontoret Forex, med dess gula butiksskylt, inne i Malmös centralstation. Jönsson hade i åratal använt just Forex för att omvandla bankinsättningar till kontanter.

"Ja, men du får ringa och förbereda han först, ju", hördes Thomas Möllers säga efter detta.

Vem var "han"? Vad var det för förberedelser som skulle göras? På Ekobrottsmyndigheten spetsade man öronen.

– Vi förstod att Jönsson hade en kontaktman någonstans som hjälpte till att transferera pengar, berättar EBM-utredaren.

Andra samtal gav nya pusselbitar. Så här sa Torgny Jönsson till Daniel, en av Milan Sevos vänner i Stockholm och liksom Jönsson straffad för grova bedrägerier:

"Jag känner honom personligen väldigt, väldigt, väldigt, väldigt väl. Om det någon gång i någonting med kontanthantering och sånt där så är det bara att knata upp på Kornhamns torg, på huvudkontoret. /.../ Fråga efter Rolf ... och hälsa från mig. /.../ Så får du all hjälp du behöver."

Rolf på huvudkontoret – EBM:s utredare började ana vem männen pratade om.

"Jag ska dra över hans privata mobilnummer till dig för det är ändå rätt bra att ha, alltså. /.../ Han är en oerhört nyttig person", fortsatte Jönsson och gav exempel på vad Rolf kunde göra.

"Det kan ju ibland vara svårt att peta in ... om man sitter med kontanter ... att få in det i systemet. /.../ Han är lösningen på det."[441]

Mannen med makten över kontanterna var ingen annan än Rolf Friberg – grundare, ensam ägare och styrelseordförande i bank- och växlingskoncernen Forex. Det förstod utredarna när Torgny Jönsson ringde upp Friberg själv på dennes mobiltelefon. Så här lät ett av samtalen:

---

440 Ibid, s 876. Telefonavlyssning.
441 FU-protokoll 7-8, s 832. Telefonavlyssning.

Rolf Friberg, grundare och ägare till Forex Bank, hjälpte personligen Torgny Jönsson att kringgå reglerna om penningtvätt.

R: Hej, Torgny.

T: O, store hövding.

R: Ja (skratt).

T: Är du upptagen Rolf?

R: Ja, lite grann, kom igen, dig har jag tid med.

T: Det är skitbussigt. Äh, det funkade klockrent som vanligt.

R: Vad bra, jag är ledsen för ...

T: Nej, nej, vad fan. Det är inget att snacka om. /.../ Du, jag har en kompis i Halmstad, han tycker det är lite halvjobbigt det här det här med ... liksom ... att gå in med kontanter och det paketet. Nu är det så att han ska sätta över hundra tjugo tusen till mig. Av dem har han femtio på sitt konto i Forex och resten har han i kontanter.

R: Det är bra.

T: Skulle du kunna tänka dig att valla upp det lite och ringa dit?

R: Vänta nu /.../ alltså överföringen från hans konto till ditt konto, det kan ju inte vara någon konst.[442]

Rolf Friberg ville veta vad "kompisen" hette. Torgny Jönsson gav honom namnet.

---

442 FU-protokoll 7-8, s 337-339. Telefonavlyssning.

Ge honom en kod, sa Forex ägare och läste upp åtta siffror.

Torgny Jönsson repeterade:

Ett, två, sex, noll, sju, noll, noll, ett

Ja, ge honom den koden, så hoppas jag ... jag ska inte lova för mycket ... jag hoppas att det är sesam öppna dig med den koden, sa Friberg.

Yes, jag ringer till honom nu och ger honom koden, sa Jönsson.

När kommer han, tror du? frågade Friberg.

Ja, jag tror att han är där om cirka tjugo minuter, en halvtimma, svarade Jönsson.

Oj då, då har jag bråttom, sa Friberg och så avslutades samtalet.

En stund senare kom Torgny Jönssons medhjälpare – en man som var dömd för bland annat grovt bedrägeri, narkotikabrott, vapenbrott och grov stöld – in på Forex kontor på Stortorget i Halmstad. Han gick fram till luckan och läste upp de åtta siffrorna. Personalen konstaterade att det stämde med den kod som deras högste chef nyss ringt och lämnat.

Lite senare ringde Torgny Jönsson upp Forex ägare och tackade honom för att det gått "väldigt smidigt och smärtfritt" – samtidigt som han undrade om Rolf Friberg kunde hjälpa honom i ett liknande ärende.[443] Friberg gav en ny sifferkod som en annan av Jönssons medhjälpare skulle uppge för Forex personal, denna gång på Davidhallsgatan i Malmö.

"... så kommer han att behandlas på det sättet jag tror du accepterar och gillar", sa Rolf Friberg och började skratta.

Även Jönsson skrattade.

"Superschysst!"

"Bra", sa Friberg.

"Önskar dig en trevlig helg", så Jönsson.

"Detsamma, detsamma, Torgny!"

Saken var klar. Tack vare Rolf Friberg och Forex Bank kunde Torgny Jönsson, som var försatt i personlig konkurs och persona non grata i samtliga stora banker, göra de transaktioner som var nödvändiga för hans affärer. Enligt penningtvättslagen får banker, växlingskontor och

---

443 FU-protokoll 7-8, s 360. Telefonavlyssning.g

andra finansiella institut inte sätta in eller lämna ut pengar ifall kunderna inte kan ange ett trovärdigt användningssätt. Har personalen anledning att misstänka brott ska de stoppa affären och göra en anmälan till Finanspolisen. Men med koden från Rolf Friberg slapp Torgny Jönsson och hans medhjälpare jobbiga frågor.

Hur Friberg såg på de regler som omgärdade hans bankverksamhet framgår också av samtalen. Så här sa Forex ägare till Jönsson den 5 september 2008:

> Vi är numera så pass skyldiga att till kreti och pleti ... vem det är ... att få en plausibel förklaring ... en trolig anledning till vad pengarna ska gå till. Och det är för jävligt att vi sätts i en sån situation, alltså vi banker, men vi är inte ensamma utan det är likadant över hela banksystemet och det beklagar jag. Jag har försökt få ordning på det hela ... jag hade alltså ett prat med både Finansinspektionen och Brottsförebyggande Rådet för ett tag sedan, där jag sa att ni måste ju begripa att våra små tuttor, som jag brukar säga ... det vill säga flickor i tjugofem-trettioårsåldern ... de kan ju inte sätta sig emot en kund. Det är ju för fan deras pengar.[444]

För att hjälpa Torgny Jönsson ytterligare betonade Friberg hur viktigt det var att dennes medhjälpare verkligen hade en förklaring, så att de kunde ta ut kontanter även om de inte hunnit få någon kod. Samtalet ägde rum efter att Charif i det kriminella nätverket Black Cobra hade nekats av Forex kontorspersonal i Malmö.

> "Torgny, sedan vi har lärt känna varandra ... jag vet inte hur du ser ut men jag vet hur du låter ... du måste på något vis få dem som hämtar ut pengarna för din räkning eller som du betalar ut till, de måste ha klart, de måste alltså ... inte svamla ... förlåt att jag säger det ... när de kommer till oss."

På Ekobrottsmyndigheten var man luttrad; Forex förekom i en stor del av alla utredningar om ekonomiska brott. Men det här överträffade allt.

---

444 FU-protokoll 7-8, s 592. Telefonavlyssning.

– Man måste verkligen fråga sig varför ägaren till en bank hjälper en dömd bedragare att få ut jättesummor i sedlar. Det är just på grund av detta som vi inte vet vart större delen av bedrägeripengarna har tagit vägen i det här fallet.

Det säger kammaråklagare Martin Bresman. Han var en av två åklagare som ledde förundersökningen mot Torgny Jönsson – och i största hemlighet förberedde ett gripande. I början av hösten 2008 var Bresmans bedömning att man ganska snart hade samlat in tillräckliga bevis. Men innan vi berättar vad som hände sedan måste vi uppehålla oss ytterligare en stund kring Forex och Rolf Friberg.

"För mig var han bara en trevlig kund"

Torgny Jönsson var som sagt långt ifrån den ende i den undre världen som hade hittat till Forex Bank och dess dotterbolag X-change. Som vi berättat i tidigare kapitel har personer inom såväl Bandidos- som Hells Angels-sfären använt något av Forex cirka åttio kontor i Sverige för sina kriminella affärer.

Redan innan de graverande samtalen mellan Torgny Jönsson och Rolf Friberg hade Finansinspektionen också inlett en omfattande granskning av Forex Bank. Detta skulle leda till att myndigheten kallade till presskonferens i Stockholm den 1 oktober 2008. Inför journalisterna förklarade Finansinspektionen att man fattat beslut om att tilldela Forex Bank AB en varning. Orsaken var strukturella brister i bolagets hantering av penningtvättsfrågor. I ett pressmeddelande skrev Finansinspektionen:

> Forex har återkommande brustit på alla centrala områden i sin hantering av åtgärder mot penningtvätt och finansiering av allvarlig brottslighet. Brister eller avsaknad av regler har funnits för identitetskontroll av kunder, granskning av transaktioner, regler för när en kund ska nekas en transaktion och i sin rapportering till Finanspolisen. Bristerna har funnits i varje del av transaktionskedjan och det finns därför en stor risk att Forex utnyttjas för penningtvätt. [445]

Bristerna ansågs så allvarliga att Forex Bank AB ålades att betala högsta möjliga straffavgift: 50 miljoner kronor.[446] Men då visste Finansinspektionen alltså ännu inte att bankens ägare och högste chef själv hade direktkontakter med grova brottslingar.

I juni 2009 blev de bandade samtalen mellan Rolf Friberg och Torgny Jönsson offentliga. I samband med detta ringde vi upp Friberg på samma mobilnummer som Jönsson använt. Friberg sa sig vara chockad. Att Torgny Jönsson var en av landets mest omskrivna bedragare – nej, det hade han inte kunnat ana.

– För mig var han en bara trevlig kund, jag visste inte att han var dömd. Det jag nu i efterhand fått veta om honom är ju fruktansvärt, inledde Friberg, som vid det här laget hade blivit informerad om utredningen.

En snabb sökning på Google hade räckt för att Rolf Friberg skulle få veta vem Torgny Jönsson var. Men Friberg säger sig inte ha sett några skäl att kolla upp vem det var han hjälpte så ofta.

– Sett så här i backspegeln borde jag förstås ha gjort det. Men som gammal säljare är jag van att hoppa in och hjälpa till. Jag är den sortens chef som jobbar nära verksamheten.

Inte heller hade Rolf Friberg haft anledning att fråga varför Jönsson behövde så mycket kontanter.

– Som jag minns det tänkte han etablera en solariekedja i Danmark och det var butiker som skulle öppnas. Men nej, inga larmklockor ringde, fortsätter han.

Nästa fråga ställer Friberg själv:

– Men vad gjorde Finanspolisen egentligen? Om de hörde alltihop, varför gick de inte in och stoppade det hela? Vi är ju faktiskt ingen polisiär myndighet.

Men faktum är att Forex Bank nyligen har anställt en polisman från Finanspolisen, berättar Rolf Friberg. Förhoppningen är att en del av polisens kunskaper därigenom ska gå över till banken. Samtalet avslutas med att Friberg betonar att hans bank nu kommer att göra allt för att leva upp till statens krav.

---

446 Straffavgiften överklagades till Kammarrätten i Stockholm, som fastställde Finansinspektionens beslut. Forex Bank har därefter drivit saken vidare till Regeringsrätten. I september 2010 var ärendet ännu inte avgjort.

Tio månader senare ska SVT:s Uppdrag Granskning sända ett reportage som visar att förbättringsarbetet går trögt. Reportern Ali Fegan lyckas utan problem göra transaktioner via Forex Bank om totalt 750 000 kronor. Han säger inte var pengarna kommer ifrån, eller hur de ska användas. Ändå omvandlar Forex personal kontanter till bankmedel och vice versa – utan att skicka någon anmälan till Finanspolisen.

Ett par månader senare avgår Rolf Friberg som styrelseordförande i Forex Bank AB. Han är dock kvar som majoritetsägare med sextio procent av aktierna. Resten delar hans bägge söner på. När vi ringer Friberg sommaren 2010 säger han att beslutet hade att göra med de krav som ställs på kundkontroll.

– Man styr inte själv, det är mer Finansinspektionen som styr. När jag insåg det bestämde jag att tacka för mig och lägga av. Jag kan valutaväxling, det har jag ägnat mig åt sedan 1960-talet. Men när det, genom bankverksamheten, kom in andra grenar ansåg jag att det var bättre att lämna över till andra.

När det gäller kontakterna med Torgny Jönsson ångrar Rolf Friberg egentligen ingenting.

– Jag har ju hört sägas att den här mannen kan sälja sand i Sahara, så jag ser det inte som särskilt konstigt att han lyckades lura mig. Och han var otroligt skicklig i sin framställning till mig, det måste jag säga.

– Det enda jag beklagar är att vi banker inte får föra en svartbok. Hade vi haft information om vem han var, ja då hade jag förstås dragit öronen åt mig.

Jönsson har en tjallare inom polisen

Utredningen mot Torgny Jönsson började alltså gå mot sitt slut. Åklagare Martin Bresman kände sig mer och mer säker på att telefonavlyssningen, tillsammans med andra bevis, skulle räcka för häktning. När han lyssnade på banden framgick det klart och tydligt att Jönsson själv såg sig som kriminell. I ett av samtalet kallade han sig själv för "skurk" och i ett annat sa han: "du ska få se på en riktig skicklig bedragare". För Milan Sevos vän Daniel i Stockholm förklarade Jönsson dessutom hur dumt det var att begå rån jämfört med att göra som han själv: "Man ska inte ha en rånarluva, man ska ha en lånarluva. /.../ Det är kortare straff och mycket enklare pengar."[447]

Det var också för Daniel som Torgny Jönsson berättade hur han såg på sin verksamhet:

"Allvarligt talat, Daniel. Det är så här, jag vet om att mina affärer gräver hål i fickorna på kanske ett tiotal personer, men försörjer ett hundratal. /.../ Och det måste ju vara bättre att ett hundratal personer har det bra än att ett fåtal har det jävligt bra."[448]

Samtalet ägde rum den 15 september 2008. Några veckor senare skulle männens gemensamme vän, Milan Sevo, fylla fyrtio år. Bägge var bjudna till fest i Belgrad, som enligt alla rykten skulle bli något i hästväg. Torgny Jönsson berättade för Daniel att han höll på att "surra ihop en riktigt bra födelsedagspresent" och att "polaren" – som han kallade Milan Sevo – skulle få ansvaret för en stor "säck" med pengar.

Men Torgny Jönsson skulle aldrig gå på festen. Den 12 oktober 2008 greps han i en bil på motorvägen söder om Malmö. Egentligen var tillslaget planerat att ske några dagar senare. Men genom telefonavlyssningen hade Martin Bresman och utredarna fått veta att Jönsson blivit varnad. En person hade ringt och sagt att Jönsson borde hålla sig undan eftersom polisen var efter honom.

Att Torgny Jönssons sambo firade sin trettiofemårsdag denna söndag hindrade honom inte. Han packade en väska, sa att han var tvungen utträtta några ärenden och lämnade familjen i Ystad.

– Vi befarade att han var på väg att fly landet via Öresundsbron. Men han kunde stoppas i sista stund tack vare att vi lyckades improvisera, berättar en av de utredare som vi har pratat med.

Trots detta kände han och de övriga som jobbade med fallet ett djupt obehag. Rösten som hade varnat Torgny Jönsson gick inte att ta miste på. Den tillhörde Ljubomir Pilipovic – den före detta polismannen i Stockholm. För mindre än två år sedan hade Pilipovic haft i uppdrag att kartlägga och infiltrera den organiserade brottsligheten. Nu jobbade han för den – mot sina gamla kolleger.

447 FU-protokoll 7-8, s 903. Telefonavlyssning.
448 FU-protokoll 7-8, s 825. Telefonavlyssning.

– Det kanske mest skrämmande var att han uppenbarligen fortfarande hade raka kanaler in i polisorganisationen, säger utredaren.

Han och kollegerna funderade över tänkbara läckor. Utredningen mot Torgny Jönsson hade hållits tajt. Ett begränsat antal personer i Malmö och Stockholm hade insyn i ärendet.

– Vår bestämda känsla var att informationen kom från Stockholm, vilket var naturligt med tanke på att det var där som Pilipovic hade jobbat, fortsätter utredaren.

I ett försök att spåra Pilipovics källa anmäldes fallet till Riksenheten för polismål. Fortfarande i augusti 2010 hade så vitt känt ingen person delgivits misstanke.

Efter gripandet tar polisen inga risker. Istället för att Torgny Jönsson placeras på häktet i Malmö transporteras han till Göteborg. Det har nämligen framkommit att Jönsson, under häktningsperioden 2003, lyckats ringa ut från Malmöhäktet och prata med sina fordringsägare.

Under de första förhören får Torgny Jönsson kommentera de bolag och personer som betalat ut pengar till honom. Jönsson hävdar att ingen har vilseletts och att alla kommer att få sina pengar den dagen affärerna går i lås. Däremot säger han att han "levt under en hotbild" som har gjort att en del av pengarna gått till kriminella.[449] Många av de namn som förhörsledaren kastar fram leder till långa redogörelser från Jönssons sida. Men när turen kommer till Thomas Möller säger Jönsson att han inte har några kommentarer.[450]

Lite senare byter Jönsson linje. Nu erkänner han grovt bedrägeri mot bland annat Gunnar. Samtidigt hävdar han att själv har blivit lurad av Lord Rodley alias James McGeough. Hur träffade Jönsson honom? undrar förhörsledaren. Det var genom några britter som Jönsson i sin tur hade lärt känna i samband med att han varit i Dubai och diskuterat en storaffär med den franska banken BNP Paribas, påstår Jönsson. Hans förhoppning var att den falske adelsmannen skulle hjälpa honom att tjäna så mycket att han kunde lösa alla sina skulder, vilka låg på ungefär hundra miljoner kronor. Men när han våren 2008 fick veta att James McGeough var dömd för flera bedrägerier och dessutom miss-

449 FU-protokoll 12, s 421. Förhör.
450 FU-protokoll 12, s 470. Förhör.

tänktes ha varit hjärnan bakom det fräcka kuppförsöket mot den japanska banken i London insåg han att han inte skulle få tillbaka några pengar.

Hur hade du tänkt att det hela skulle sluta? undrade förhörsledaren. Torgny Jönsson svarade att han inte såg något slut. Från mars 2008 fram till gripandet hade han varit "fullständigt i panik". Till alla som ringde och undrade hur det gick med affärerna sa han att allt gick bra och att ett avslut var nära. Men i själva verket hade han ingen plan.[451]

För att få förhörsledarna att förstå hur pressad hans situation har varit berättar Torgny Jönsson om två mord. Det första begicks på öppen gata i Malmö sommaren 2005. Offret, sextiotvåårige Petar "Pera" Grujic, satt och drack kaffe på Södergatan när en mördare klev fram ur vimlet och öppnade eld. I vår förra bok beskrevs Grujic som en nyckelperson inom den serbiska klan som under 1980- och 1990-talet haft en dominerande roll i den undre världen i både Stockholm och Malmö. Torgny Jönsson hävdar nu att Grujic inte bara var hans livvakt, utan också hans "absolut bästa vän". Eftersom Grujic skyddat honom från hotfulla långivare hade Jönsson befarat att han själv stod på dödslistan och flytt från Skåne till Zürich i Schweiz.

Det andra mordoffret hade också rötter i före detta Jugoslavien. Mannen, som kallades Jimmy och blev trettiotre år gammal, sköts ihjäl vid ett garage på Rosengård i Malmö den 10 december 2007. Trots att Jönsson satt inne vid tidpunkten påstår han att mordet sannolikt begicks på grund av honom. Jimmy skulle nämligen ha uppmanat landsmän att satsa pengar i Torgny Jönssons affärer. När de insåg att de gjort affärer med en bedragare hade de, enligt Jönsson, straffat Jimmy med döden.

Ingenting av det Torgny Jönsson säger ska få åklagare Martin Bresman att ändra uppfattning. I juni 2009 åtalas Jönsson för grovt bedrägeri mot Gunnar och elva andra personer. Totalt belopp: 116,7 miljoner kronor.

– Vi vet att Torgny Jönsson har fått mer pengar än så. Men för att göra det hela hanterbart har vi koncentrerat oss på dem som förlorat mest, berättar åklagaren när vi träffar honom i Malmö tingsrätt.

Trots att han har ägnat fallet Torgny Jönsson nästan ett helt år har åklagaren svårt att förstå hur svindeln har kunnat ske.

---

451 FU-protokoll 12, s 454. Förhör.

– Han har gång på gång lyckats med det som borde vara omöjligt. Jag kan inte säga annat än att hans förmåga är unik. Vissa av målsägandena beskriver det som att de blivit hypnotiserade.

Torgny Jönsson släntrar in i tingsrättens säkerhetssal med två häktesvakter bakom sig. Han är ledigt klädd i blå Armani-jeans och en grå munkjacka av märket "Sail Racing". När han passerar Gunnar, som följer honom med blicken, rör han inte en min.

Under de långa förhör som hålls ska Torgny Jönsson inte uttrycka någon ånger. Gång på gång återkommer han istället till den press som långivarna ska ha satt honom under. Han gjorde sitt bästa för att tillgodose deras giriga längtan efter skyhög avkastning, hävdar Jönsson. Att affärerna aldrig föll ut var inte hans fel. Den skriftliga garanti som sa att långivarna skulle få dela på 92,5 miljarder US-dollar var inte fejkad, som åklagaren påstår.

Malmö tingsrätt avfärdar allt som lögn. Den 17 juli 2009 döms Torgny Jönsson till sex års fängelse – maxstraffet för grovt bedrägeri. Men Martin Bresman är inte nöjd. Vid "flerfaldig brottslighet" ger lagen utrymme för ytterligare två år. Överklagandet går hem – trots påståenden från Jönssons sida om att utredningen inte har bedrivits på ett objektivt sätt. Hovrätten ger ett års påbackning och motiverar beslutet så här:

> En del av målsägandena har genom bedrägerierna blivit utblottade och har orsakats stort lidande. Torgny Jönsson har haft ett flertal medhjälpare, varav några varit internationella bedragare. Han har vidare använt sig av en mängd osanna eller falska handlingar. Gärningarna vittnar dessutom om en fullständig avsaknad av empati hos Torgny Jönsson. Med hänsyn till det anförda anser hovrätten att straffvärdet av den samlade brottsligheten är något högre än vad tingsrätten funnit. Hovrätten bestämmer straffvärdet till fängelse sju år.[452]

Torgny Jönsson ringer upp

Under arbetet med den här boken har vi varit i kontakt med Torgny Jönsson. I januari 2008, alltså bara månader innan telefonavlyssningen

---

452 Hovrätten över Skåne och Blekinge, avd 1. Diarienr: B1986-09.

mot honom startade, ringde han oväntat upp en av oss på jobbet. Anledningen var att han ville berätta att det var han som stod bakom en uppmärksammad anmälan till Justitieombudsmannen. Anmälan, som hade skickats in av en narkotikadömd intagen på Ystadsanstalten, riktade kritik mot Kriminalvården och blev uppmärksammad i massmedia.[453]

Mannen hade under hösten 2007 vägrats ha vår förra bok i sin cell. Anstalten hade motiverat sitt beslut med att boken innehöll "flertalet bilder med emblem och andra kännetecken" med koppling till kriminella gäng och att det inte kunde uteslutas att innehållet "kunde uppfattas som uppmaning till brottslig gärning".

– Eftersom det var jag som författade JO-anmälan som den här killen skickade in så tänkte jag att jag får ju ringa och plocka några pluspoäng hos dig, skojade Torgny Jönsson i luren.

Jönsson hade avtjänat de sista veckorna av det fängelsestraff som han dömts till 2003, när han hörde att personalen tagit boken ifrån narkotikabrottslingen. Det som hade stört honom var det han kallar "Kriminalvårdens egenmäktiga förhållande till lagen".

– Jag tycker inte alls att boken glorifierar den här världen på något sätt. Jag tycker att det är en realistisk och bra skildring av hur verkligen ser ut. Och jag har ju pratat med en del av de personer som förekommer stort i boken ... Den beskrivning som ges är i huvudsak riktig, sa Jönsson, som nu hade återfått friheten.

Kriminalvårdens högsta ledning hade vid det här laget gett anmälaren rätt – censur av samhällslitteratur på landets fängelser saknar stöd i lagen.

Samtalet gled så småningom över på Torgny Jönssons livssituation. Vad tänkte han göra nu, var han beredd att slå in på en annan väg?

– Byta livsstil... alltså, jag sviker ju inte mina gamla kompisar på nåt sätt, va. Men mina ambitioner är inte att fortsätta att leva på att lura folk, svarade Jönsson och medgav utan omsvep vad han genom åren så ihärdigt förnekat.

Samtidigt uttryckte Torgny Jönsson bitterhet över att han haft myndigheterna efter sig så länge.

---

453 Dagens Nyheter 080109: Intagen gör JO-anmälan – får inte läsa maffiabok. Av: A Hellberg.

– Jag måste ändå säga att det finns så mycket större spelare som man aldrig tittar på ... Ta Volvo – när de försöker och misslyckas med ett avdrag på två miljarder, så är det bara nånting som det ska göras ett skattetillägg på och sen betalar de det. Om du som enskild individ gör samma försök är du en skattebrottsling.

Även för oss påstod Torgny Jönsson att familjen var det som motiverade honom att hålla sig på rätt sida lagen.

– Min situation idag jämfört med tidigare skiljer sig väsentligt på en punkt och det är att jag har två små barn. Jag bestämde mig ... när jag blev efterlyst för två och ett halvt år sen ... för att ställa om allting, sa han mot slutet av samtalet.

Kanske trodde han på det själv. Men det skulle alltså bara dröja nio månader innan han på nytt var tillbaka inom Kriminalvården, sedan han häktats för 116-miljonerssvindeln. I december 2009, då målet är avslutat, söker vi Torgny Jönsson via hans advokat Jonas Carlsson. Jönsson hör aldrig av sig.

I början av 2010 transporteras Torgny Jönsson från häktet i Göteborg till Kumlaanstaltens riksmottagning. Där görs bedömningen att han ska placeras i avskildhet på en anstalt i den högsta säkerhetsklassen. Beslutet stöds på den paragraf i Kriminalvårdslagen som säger att en intagen får isoleras från andra "om det kan befaras att han planlägger rymning eller att annan planlägger fritagningsförsök" och att "det med hänsyn till den intagnes brottslighet eller annars kan befaras att han är särskilt benägen att fortsätta brottslighet av allvarlig karaktär".[454]

I underlaget till bedömningen sägs att Torgny Jönsson är en "huvudman för grov organiserad brottslighet". Denna beskrivning stämmer av allt att döma inte med Jönssons självbild. I april 2010 väcker han enskilt åtal mot Kriminalvårdens säkerhetschef Christer Isaksson och en annan tjänsteman och menar att de ska fällas för grovt förtal.[455] Såväl Norrköpings tingsrätt som Göta hovrätt ogillar åtalet.

Sommaren 2010 är Torgny Jönsson intagen på Hallanstaltens säkerhetsavdelning. Villkorlig frigivning väntas ske den 12 oktober 2013 – exakt fem år efter det att han greps på motorvägen.

---

454 Kriminalvården Kumla. Diarienr: 10/5062.
455 Norrköpings tingsrätt, enhet 2 rotel 5. B1038-10.

Möller slipper granskning

Inga undanstoppade tillgångar har hittats efter tillslaget mot Torgny Jönsson. Varken i Sverige eller utomlands. Så hur kan 116 miljoner kronor bara försvinna?

Som tidigare konstaterats är Forex en viktig del av förklaringen. Genom att göra det som andra banker inte var beredda att göra, och lämna ut tjocka sedelbuntar till Jönssons "gångare", har familjen Fribergs finanskoncern hjälpt till sopa igen spåren. Andra pengar har transfererats till konton i länder där svenska myndigheter inte kan se dem.

Men en del summor har bevisligen gått till andra kriminella. En av dessa är Hells Angels-medlemmen Thomas Möller. Borde då inte även Möller bli föremål för brottsutredning? Hälerilagen säger ju att det är olagligt att ta emot "otillbörlig vinning av annans brottsliga förvärv".

Utredare inom Ekobrottsmyndigheten som vi har pratat med svarar ja.

– Jönsson har inga lagliga inkomster, det vet Thomas Möller och andra. Den som ändå tar emot pengar från honom kan rimligen anses sko sig på hans bedrägerier, säger en kommissarie.

Kammaråklagare Martin Bresman ger dock klart besked. Varken Thomas Möller eller någon annan av dem som fått pengar av Jönsson kommer att delges brottsmisstanke.

– Min bedömning är att det är för svårt att bevisa den exakta härkomsten av de pengar som gått till den person som du nämner. Och kan man inte göra det kan man heller inte förvänta sig någon framgång i rätten, säger Martin Bresman när en av oss ringer honom sommaren 2010.

Som så många gånger förut kan Hells Angels portalfigur i Sverige därmed andas ut.

SLUTORD

Tillströmningen till den kriminella gängvärlden har ökat under den senaste treårsperioden. De rikstäckande kedjorna Hells Angels MC och Bandidos MC, som etablerades i början av 1990-talet, har fortsatt att växa. Samtidigt har en flora av nya grupperingar uppstått.

Vi ser olika förklaringar till gängens dragningskraft. Rädsla framstår som en av de främsta. I våra samtal med gängens medlemmar har vi gång på gång hört sägas att det ger trygghet att tillhöra en gemenskap, ett brödraskap.

Black Cobras danske talesman hävdar att nätverket startades av unga män som ville "stötta varandra". Dennis Petersen i Malmö, som gått in och ut ur olika gäng, hoppas få lugn och ro genom att hans nuvarande Outlaws MC växer sig starkt. Mängder av avhoppare från Original Gangsters har bildat nya grupper, där de hoppas att medlemmarna ska ta hand om varandra bättre.

Detta säger en del om klimatet i den kriminella världen. En ensam tjuv, rånare, narkotikahandlare eller bedragare ter sig mer ensam än tidigare. Yrkeskriminella som vi pratat med menar att det är tacksamt att ge sig på konkurrenter, eftersom dessa bara i undantagsfall går till polisen. Det ökade antalet utpressningsbrott riktas i många fall mot personer som själva lever på kriminalitet. För den undre världens brottsoffer kan gängmedlemskapet erbjuda en försäkring mot nya angrepp.

Men inte alla gängmedlemmar är brottslingar från början. Nätverket

Hog Riders MC bestod till stor del av medelålders motorcykel-entusiaster med laglig försörjning. Av rädsla för att ätas upp av Bandidos anslöt sig medlemmar på olika orter emellertid till Hells Angels-sfären. Därmed ingår de numera i en organisation som använder våld och hot som en väg till makt.

Just strävan efter makt är, enligt vår uppfattning, nästa förklaring till gängmedlemskapets lockelse. Att vara bärare av ett farligt rykte öppnar dörrar både i och utanför den kriminella världen. Hells Angels – den största och äldsta grupperingen – är det bästa exemplet. Avhopparen Michael Johannessen i Göteborg vittnar om hur organisationens namn skapar fruktan: "I vardagliga sammanhang så är folk rädda för en."

Att Hells Angels medlemmar förväntar sig att omgivningen ska gå att skrämma framgår av flera färska brottsutredningar. Ett illustrativt fall är den tidigare refererade domen mot Hells Angels-ledaren Olof Eriksson i Eskilstuna från 2010. En banal diskussion om en häst slutade i utpressningsförsök och övergrepp i rättssak mot en medelålders kvinna.

Det farliga ryktet – våldskapitalet – kan omsättas i pengar på många olika sätt. Hells Angels etablering skapade tidigt en marknad där medlemmarna kunde ta betalt för att utöva påtryckning på enskilda. Kunderna var ofta företagare som ansåg sig ha rätt i en ekonomisk tvist, men av olika skäl inte ville gå till domstol, kronofogde eller inkassoföretag. Under de senaste åren har nya medlemmar och supportrar dömts för utpressning och utpressningsförsök, vilket tyder på en fortsatt efterfrågan på dessa tjänster.

Hells Angels maktposition ger också medlemmarna möjlighet att sälja beskydd. Hells Angels-medlemmen Thomas Möllers relation till storbedragaren Torgny Jönsson visar hur detta kan fungera i praktiken.

Det kan heller inte uteslutas att det farliga ryktet skapar favörer i kontakterna med myndigheterna. Det stora antalet Hells Angels-medlemmar som fått sin försörjning tryggad genom sjukförsäkringen ter sig särskilt intressant. Får man tro chefen Svante Borg på Försäkrings-kassan kan tjänstemän ha beviljat utbetalningar på felaktiga grunder helt enkelt för att slippa obehagskänslor.

Ingen är tvungen att gå in i ett gäng

Identitetsjakt och längtan efter tillhörighet är andra faktorer som drar unga män till gängen. Att äntligen få en roll som omgivningen måste förhålla sig till kan ge en tillfredsställelse som inte ska underskattas. "De tycker att jag är farlig, alltså är jag någon", är en outtalad devis som många av dem som vi mött verkar ha gjort till sin. Beröm och uppskattning från äldre kriminella ger den bekräftelse som ofta saknats tidigare. Denho Acar i Original Gangsters är kanske den gängledare som på det skickligaste sättet har lärt sig utnyttja detta.

Professor Bo Rothstein vid Göteborgs universitet tycker sig se att strukturella samhällsförändringar skulle kunna bana väg för en fortsatt växande gängmiljö. Enligt Rothstein gynnar dagens utbildningssystem kvinnorna, som på sikt därmed i många fall kommer att "köra om" männen på den yrkessociala rangskalan. Eftersom män, enligt honom, generellt har sämre chans att attrahera kvinnor med högre lön och status kan detta väntas leda till ett ökat antal män i socialt utanförskap.

"De dubbelt ratade unga män som vi med denna utveckling kommer att få betydligt fler av kommer sannolikt också att utgöra en rekryteringsbas för allehanda politiska och religiösa extremistiska rörelser samt olika slags kriminella gäng", skrev Bo Rothstein i en debattartikel våren 2010.[456]

Vi avfärdar inte att detta är ett möjligt scenario. Det är också lätt att i enskilda fall se varför unga män, som lidit brist på uppskattning och inte känt sig behövda, får ökat självförtroende som gängmedlemmar. Samtidigt vill betona att det inte finns någon lagbundenhet i förhållandet mellan dåliga förutsättningar i livet och en kriminell karriär. Trots allt söker sig bara en liten del av alla arbetslösa unga män till kriminalitet och gängliv. Även om koncentrationsstörningar, dyslexi, ADHD-problematik och psykiska problem är kraftigt överrepresenterade inom fängelsepopulationen går det inte att slå fast något kausalt samband.[457] Inte heller en uppväxt i någon av Sveriges övergivna förorter kan per automatik sägas skapa brottskarriärer. Tvärtom strävar de allra flesta individer, där liksom i välmående villaområden, efter en stabil tillvaro

---

456 Expressen 100404: Nobbade män är en tickande bomb. Av: B Rothstein.
457 Tidningarnas telegrambyrå 080811: Unga brottslingar mår sämre. Av: Okänd.

där man är vän med sin omgivning, följer samhällets regler och får lön en gång i månaden.

Under vårt arbete har vi då och då – inte minst från gängmedlemmar själva – hört påståenden om att det är ett förändrat samhälle som har lett unga män in i gängen. Denho Acar i Original Gangsters sa i vår förra bok att samhället hade "stängt sina dörrar" och att han bara förbarmade sig om de utstötta.

Acars före detta kumpan Jonas Bergdahl uttrycker sig nu på ett liknande sätt, sedan han startat eget under namnet Crime Inc. Samhällets "svek" driver på tillväxten inom den kriminella gängvärlden, menar den före detta grävmaskinisten och byggföretagaren Bergdahl.

Vår uppfattning är att detta i allt väsentligt är en felaktig mytbildning. Ingen är tvungen att bli varken kriminell eller gängmedlem för att överleva i Sverige. Även om straffade personer är "stämplade" i mångas ögon är vår erfarenhet ändå att det inte på något sätt är kört för dessa att skaffa sig en laglig försörjning. De personutredningar som sker i samband med rättegång visar påfallande ofta att insatser faktiskt görs från samhällets sida. Utbildningsstöd, praktikplatser, samhällstjänst, bostadshjälp, skuldsanering, aggressionsträning, drogavvänjningsprogram, psykologhjälp är exempel från många av de fall vi granskat. Ibland får de avsedd effekt – betydligt oftare inte.

Detta kan förstås bero på att insatserna är dåligt planerade och genomförda. Individer kan också vara svåra att påverka på grund av negativt grupptryck, ett kaotiskt socialt liv, koncentrationssvårigheter, psykiska problem, missbruk etcetera. Men i de flesta fall vågar vi påstå att gängmedlemmarna aktivt har valt kriminalitet som en alternativ karriär – eller åtminstone som ett komplement.

Ett av många exempel är tjugotreårige Omed Parsa i Black Cobra. Han läste upp sina betyg, hade flera olika jobb och fick goda möjligheter att leva ett laglydigt liv – men tackade nej. Nu sitter han på Kumlaanstalten, dömd för rån. "Jag har alltid velat bli gangster, ända sedan jag var liten", lyder hans egen lakoniska analys.

Loyalty BFL-grundaren Dennis Petersen, Bandidos-ledarna Mehdi Seyyed och Eddy Paver, Hells Angels-medlemmarna Fredrik Åberg och Kent Nilsson, den före detta Red Devils-ledaren Fredrik Noreberg och många andra har på liknande sätt haft goda chanser till en laglig karriär. Även för dem blev den kriminella livsstilen i slutändan viktigare.

Letar man efter en förklarande vetenskaplig teori är det ingen idé att söka sig till sociologiska auktoriteter som Émile Durkheim[458] eller Robert Merton[459]. De menade att det bara var de individer som saknade förmåga att uppnå materialistiska mål på laglig väg som skulle bli kriminella, alltså de allra fattigaste och sämst lottade.

Durkheims och Mertons kollega Edwin Sutherland[460] lanserade däremot ett annat synsätt. Enligt honom var brottslighet ett inlärt beteende, oberoende av individers ekonomiska förutsättningar. Män och kvinnor inom alla samhällsklasser är benägna att begå brott om de upplever att fördelarna är större än nackdelarna. Inlärningen sker ofta i mindre, slutna grupper som bejakar och premierar handlingar vid sidan av lagen.

Sutherlands förklaringsmodell går att applicera på i stort sett alla de gäng och nätverk som vi har granskat. Medlemmarna har varierande klassbakgrund. Även om brott sällan beordras från gängets ledning är hela kulturen accepterande och tillåtande. Olika kriminella specialister – rånare, tjuvar, narkotikahandlare, bedragare, ekobrottslingar, indrivare etcetera – förs ihop genom gängen och utvecklar samarbeten. Det sammanhållande kittet är löftet om att aldrig prata med någon utomstående, allra minst polisen.

Medlemmarna i enprocentsorganisationen Outlaws MC framstår som det enda undantaget. Namnet till trots utgörs de i hög grad av ostraffade män med jobb och familj. Efter den expansion som Outlaws nu säger sig planera återstår dock att se hur sammansättningen förändras.

Gängmedlemskap har varit relativt riskfritt

Ökningen av kriminella gäng kan, enligt vår granskning, alltså inte enbart skyllas på negativa förändringar i det svenska samhället. Arbets-

---

458 Fransk sociolog som levde mellan 1858 och 1917.
459 Amerikansk sociolog som levde mellan 1910 och 2003.
460 Amerikansk sociolog och kriminolog som levde mellan 1883 och 1950.

löshet och segregation är visserligen två faktorer som får unga människor att tappa framtidstron. Misstroendet mot staten och polisen gror i utsatta förorter. En försämrad skola gör att fler elever hamnar utanför i undervisningen och söker sig till likasinnade. Men detta är större och mer djupgående problem som inte först och främst yttrar sig genom uppkomst av kriminella gäng.

Även om Black Cobra under en period såg ut att underblåsa kravallerna i Rosengård i Malmö lyckades gänget bara attrahera något tiotal av områdets långt mer än tusen tonårskillar och unga män. Den stora massan kämpade vidare för att hitta ett jobb, en partner och en dräglig tillvaro. Omvänt domineras de kriminella gängen i Sverige inte av personer som ratats av samhället; tvärtom framstår många som förhållandevis driftiga, resursstarka och socialt etablerade.

Vår slutsats är att dessa har sett en kriminell livsstil som ett rationellt val. De har blivit gängmedlemmar därför att det har varit relativt riskfritt. Som vi visade i *Svensk maffia – en kartläggning av de kriminella gängen* från 2007 underskattade rättsväsendet under många år konsekvenserna av en växande gängmiljö. Följderna skulle visa sig bli fatala.

Den organisation som har lett utvecklingen, Hells Angels, etablerades i Sverige 1993. Erfarenheter från andra länder sa att Hells Angels skulle komma att växa i snabb takt; ständig expansion är organisationens livselixir. Ändå dröjde det till slutet av 2007 innan regeringen på allvar engagerade sig i problemet och myndigheterna enades om en gemensam strategi mot denna och andra grupperingar. Vid det laget hade Hells Angels vuxit till tio avdelningar och blivit inspirationskälla för en lång rad andra gäng.

Efter 2007 har läget blivit ett annat. Polisen jobbar mer uthålligt och koordinerat. Andra myndigheter duckar inte längre utan letar nya angreppsvinklar. Tillbakakrävd sjukpeng och upptaxeringar anses vara nog så effektivt som några år i fängelse. Följaktligen har gängmedlemskapet kommit att kosta mer för många. Att Hells Angels och dess sympatisörer för första gången uttrycker sitt missnöje i organiserad form, genom bland annat Frihetspartiet, är en indikation på att trycket ökat.

Utifrån Edwin Sutherlands teori kan detta förväntas få fler och fler gängmedlemmar att revidera sin kalkyl. Balansen mellan nackdelar och fördelar borde förskjutas, så att laglig försörjning framstår som mer tilltalande än olaglig.

Men är det verkligen realistiskt att tro att man genom repressiva insatser ska kunna tvinga personer, som fastnat i en yrkeskriminell identitet, att inse Svenssons-livets fördelar? Ja, kanske i vissa fall. Men långt ifrån i alla. För att återknyta till Black Cobra-medlemmen Omed Parsa: ett långt straff på Kumlaanstalten kommer, enligt honom, inte att ändra någonting. Av de drygt 2 000 personer som vi har granskat är det också bara en liten andel som inte återfallit efter att ha dömts. Och det finns åtskilliga exempel på att det i själva verket är i fängelset som drömmarna om det "perfekta" gänget tar fart; Brödraskapet, Asir, Crime Inc, Topdogz är några.

Lika utopiskt är det att hävda att det bara är genom sänkt arbetslöshet, bättre integration av invandrare, ökad lärartäthet, förstärkta insatser mot läs- och skrivsvårigheter etcetera som gängproblematiken kan lösas. Allt detta är förstås prioriterade politiska mål, som rör svenskarnas grundläggande livsvillkor. Men att höja välfärdsnivån är, som alla vet, ingen "quick fix".

Vad som däremot är praktiskt möjligt här och nu är att splittra de kriminella gängen. De grupperingar som vi har beskrivit är inte gjorda av massivt stål; det finns sprickor att slå in kilar i. Genom begåvat analysarbete kan polisen ringa in de nyckelpersoner som håller samman grupperna. Bokomslagets baksida visar en sådan analysmodell, framtagen av Sektionen mot gängkriminalitet vid Södertörnspolisen i Stockholm. Polisens slutsats av den stjärnbildslika grafiken är att det inte är ledarna som i första hand ska slås ut, utan diplomaterna och förhandlarna.

Genom splittring av gängen rämnar också den omgivning som Sutherland beskriver som bejakande och rättfärdigande. Många individer kommer sannolikt att fortsätta att begå brott på egen hand, men utan gruppens påverkan kommer brottsligheten att se annorlunda ut. Den toppstyrda kriminalitet som vi beskrivit i flera fall kan väntas avta. Bombdåd utförda av tonåriga underhuggare, som kanske inte ens förstår varför deras ledare har skickat ut dem, är ett typexempel.

Utan gängets våldskapital försämras också individernas möjlighet att ägna sig åt utpressning och utöva påverkan på vittnen och målsäganden. Som vi har försökt visa i den här boken är det sällan enskilda personer som skapar fruktan, utan det som gängens varumärke och rykte står för.

Allmänhetens förhållande avgörande

Det är lätt att se att ett ökat fokus på gängbekämpning kommer att slå hårdast mot de sämst organiserade. Loyalty BFL, Topdogz och Crime Inc har alla beskrivits av massmedia som "mäktiga" organisationer, jämförbara med Hells Angels och Bandidos. Detta säger mer om journalistkåren än om gängen själva. Några välriktade nålstick från polisens sida räcker dock för att ballongerna ska spricka.

Även Black Cobra har mött klara motgångar sedan rättsväsendet uppmärksammade nätverket. Gäng som Asir, Brödraskapet Wolfpack och Werewolf Legion framstod för några år sedan också som starka, men har fallit tillbaka i betydelse sedan medlemmar hamnat i fängelse.

Original Gangsters är mer svårbedömt. Samtidigt som medlemmarnas brottslighet ter sig osofistikerad och i vissa fall direkt klantig lyckas ledaren Denho Acar upprätthålla ett tillräckligt farligt rykte för att fortsätta dra unga kriminella till sig. Så länge Acar är kvar i frihet kommer grupperingen sannolikt att fortsätta vara en våldsam och hänsynslös kraft.

Av de internationella enprocentsorganisationerna är Bandidos den som samhället hittills har haft lättast att komma åt. Medlemmar och supportrar framstår generellt som mindre planerade och mer risktagande än de inom konkurrerande Hells Angels.

Hells Angels står utan tvekan i en klass för sig, genom att medlemmarna lärt sig att utnyttja organisationens våldskapital i affärer med låg risk och hög vinst. Att medlemmar lyckas smuggla in containerlast efter containerlast med piratcigaretter innan tullen av en slump kommer verksamheten på spåren visar till exempel att myndigheternas radar kunde vara bättre.

Införandet av särskilda avtal för att skydda Hells Angels-medlemmarnas egendomar är innovativt och ställer nya krav på brottsbekämpningen. Lyckas advokaterna nu övertyga svenska domstolar om att Hells Angels Motorcycle Corporation äger allt som märkts med den varumärkesskyddade logotypen har organisationen hittat ett perfekt sätt att freda medlemmarnas brottsvinster.

Samtidigt har Hells Angels och dess stödtrupper inte övergett den råa våldsbrottsligheten. Tydliga tecken finns också på att medlemmarna på allvar har gett sig in i narkotikabranschen. Det visar att den vanliga polisen, som under de senaste åren i praktiken lämnat över Hells Angels till Ekobrottsmyndigheten och Skatteverket, faktiskt har ett viktigt jobb att göra. När det gäller våldsbrottslighet och utpressning är skydd av vittnen och målsäganden avgörande. Västra Götalandspolisens unika förmåga att vinna över utsparkade medlemmar visar också att det faktiskt finns vägar in i de innersta rummen.

Vid sidan av Hells Angels har även andra starka aktörer kunnat skönjas de senaste åren. De namnlösa fienderna till X-team i nordöstra Göteborg och det stora nätverket av kriminella i Södertälje är två exempel. Får man tro vissa bedömare har statens bristande närvaro i förortsområdena bäddat för maktstrukturer som själva vill styra och skipa rätt – och tjäna pengar på andras undfallenhet.

Ointresset bland de lokalpolitiker i Göteborg som vi har pratat med ter sig illavarslande i en tid där integrationsfrågor hamnat allt högre på dagordningen. Att invånarna i dessa områden inte vågar vittna och att unga säger sig vilja undvika att ”blanda sig” med polis och andra samhällsföreträdare är oroande ur ett demokratiskt perspektiv. För att styra utvecklingen i en annan riktning krävs öppen diskussion, inte tystnad.

Detta leder över till en större och mer övergripande fråga: hur förhåller sig befolkningen som helhet till den organiserade brottsligheten? Vår uppfattning är att svaret är avgörande för om gängens expansion ska fortsätta eller inte. Varken polisen eller andra yrkesgrupper kan ensamma göra jobbet. Så länge vanliga människor och etablerade företag köper varor och tjänster kommer de kriminella varumärkenas marknad att bestå. Så länge brottsoffer och vittnen viker undan kommer gängens självförtroende att växa.

Ett vardagligt ställningstagande hos de många, tydligt uppbackat av samhällets institutioner, framstår som det som gängen fruktar mest. Genom att definiera sig själva som den lilla procent som står utanför samhället har de själva angett det verkliga styrkeförhållandet.

REGISTER